INTRODUCTION TO
OLD NORSE

HLITHARENDI

The site of Gunnar's home (*see page 87*)

AN INTRODUCTION
TO
OLD NORSE

BY

E. V. GORDON

SECOND EDITION
REVISED BY

A. R. TAYLOR

OXFORD
AT THE CLARENDON PRESS

Oxford University Press, Ely House, London W.1

GLASGOW   NEW YORK   TORONTO   MELBOURNE   WELLINGTON
CAPE TOWN   SALISBURY   IBADAN   NAIROBI   LUSAKA   ADDIS ABABA
BOMBAY   CALCUTTA   MADRAS   KARACHI   LAHORE   DACCA
KUALA LUMPUR   HONG KONG   TOKYO

FIRST EDITION 1927
REPRINTED 1938, 1944, 1949, 1953
SECOND REVISED EDITION 1957

REPRINTED LITHOGRAPHICALLY IN GREAT BRITAIN
AT THE UNIVERSITY PRESS, OXFORD
BY VIVIAN RIDLER, PRINTER TO THE UNIVERSITY
FROM CORRECTED SHEETS OF THE SECOND EDITION
1962, 1966, 1968

PREFACE TO SECOND EDITION

THIS revision of the *Introduction to Old Norse* was undertaken in the belief that the book serves its purpose well and that it lays a good foundation for a linguistic knowledge and a literary appreciation of the monuments of medieval Scandinavia. The amount of revision was restricted by technical considerations, for the original intention was to revise on the plates. Eventually this plan proved impracticable, and when the decision to reset the book had been taken I felt that it would be an improvement if in addition to the various extracts one short saga could be included in its entirety. I have, therefore, removed Selection vi and substituted for it the whole of *Hrafnkels saga freysgoða*. The new text is based upon the edition of Professor Jón Jóhannesson in the *Íslenzk Fornrit* series, and it is my pleasant duty to acknowledge most gratefully his kind permission to use his text. I hasten to add that a few minor alterations have been made in the present version, for which I alone must be held responsible. It should be added that in contradistinction to the other texts in the volume the Icelandic conventions of punctuation, though not of paragraphing, have been retained in *Hrafnkels saga*. This has been done in order that students may be the less puzzled when they come to read other sagas in continental or Icelandic editions.

No attempt has been made, except in small details, to alter the already existing texts, but references have been given to more modern editions in the short introduction to each extract. I thought it better to make as little alteration as possible in the stimulating and classic introductory essay, except that the chapter on the sagas has been rewritten to bring it more into line with modern scholarly ideas on saga-writing. Slight alterations have also been made in the Grammar and the Notes partially revised. References to the names of Icelandic scholars are spelled as in modern Icelandic, but when a reference to any of their books is made the spelling of the name is as on the title-page.

Finally I have great pleasure in acknowledging my gratitude to those people who have so willingly given me their advice and help. I am particularly grateful to Mrs. I. L. Gordon of Manchester University, who gave very generously of her time in reading through the whole of the proof; her comments and suggestions have been most helpful. Secondly my thanks go to Professor Turville-Petre of Oxford, whom I had to bother on many occasions with various problems that arose. I am also indebted to my colleagues in the University of Leeds for their friendly encouragement, and particularly to Mr. W. A. G. Doyle-Davidson and Mr. R. L. Thomson, who both read part of the proofs. But my greatest debt is, of course, to E. V. Gordon himself, without whose inspiring teaching and friendship in years past this work would never have been undertaken, and I sincerely hope that this revision will go some way towards repaying that debt.

A. R. T.

Leeds, 1956

PREFACE TO FIRST EDITION

THIS book is an introduction to Old Norse studies for begin-
ners, but it is intended to be comprehensive and self-contained
as well as elementary. It aims at giving enough information
to enable the beginner to acquire, without having to refer to
any other book, a working knowledge of the Old Norse lan-
guage and an acquaintance with the more important aspects
of the literature. It is hoped, of course, that all who use it will
be led further afield in the study of Norse, but in the initial
stages the student will probably find it convenient to have the
elements of the subject in a compact form.

While the study of Old Norse literature has not been entirely
neglected in England, there are many reasons why it should be
better known and receive a more important place in our scheme
of education. In Old Norse literature the tastes and ideals of
the Germanic race found their most vital expression, and if we
would understand our own culture we ought to know this
literature; the tastes and ideals embodied in it are still part of
our racial heritage. We have still, fortunately, some part of the
cool rationalism and heroic obstinacy which the sagas prove to
be characteristic of our Germanic forefathers. Moreover, the
student who turns to Old Norse can be promised the best of
literary entertainment in return for a small expenditure of
study: in the prose at least he will find very little linguistic
difficulty. There is this additional interest for the English
student, too, that Old Norse stories have had an influence on a
long line of English writers, from Gray to William Morris, and
others still living.

The texts for reading are chosen primarily for their literary
merit, but also to gain variety of illustration. An attempt is
made to represent most of the important aspects of Old Norse
thought and literary art, and to illustrate characteristic Norse

activities: their heroic philosophy and courageous humour, their adventures in nearly all parts of the world then known, and their hardly less adventurous domestic life. Not only the Norse of Iceland is represented, but that of Norway, Denmark, and Sweden as well. Any selection of Old Norse texts chosen for intrinsic interest must be mainly Icelandic, but the other Norse records are important too. It is high time that English students realized that Norse speech and literature existed in other forms than Icelandic. There has too long been a notion current in England that 'Old Norse' is synonymous with 'Old Icelandic', and even our more scholarly books constantly quote distinctively Icelandic forms as 'Old Norse'. It is especially desirable that English students should have some knowledge of Old Norwegian and East Norse, as these forms of Norse speech, not Icelandic, were the source of the Scandinavian element in English. To those who have no such knowledge the conventional comparison of Old Icelandic with English forms, which has a certain philological convenience, must often be misleading or unintelligible.

The text of the reading selections has been adapted, with normalization of the spelling and the addition of punctuation, from the printed editions which represent the manuscripts most faithfully; a few selections have also been collated with facsimiles of the manuscripts. The accurate and strictly diplomatic editions of the Samfund til Udgivelse af gammel nordisk Litteratur made reference to the manuscripts of many of the texts unnecessary, and I am greatly indebted to this society for permission to make use of their editions. I am also obliged to the Verlag von Max Niemeyer for permission to adapt extracts from the editions of *Brennu-Njáls saga* and *Grettis saga* published by them, and to the editors, Professors Finnur Jónsson and R. C. Boer, who generously consented to my making use of their work on the texts of these sagas. The spelling of the Old Icelandic selections (nos. i–xvi) has been normalized on principles similar to those now generally followed in editions of normalized Icelandic texts. The Norwegian and East Norse selections (xvii–xxi) are only slightly normalized, in that *u* has been substituted for *w* when representing a vowel. Except for this change and a few emendations, the spelling of these selections is that of the manuscripts. In all the selections long-established and authoritative emendations are adopted without notice, but those which are new or of special interest are discussed in the notes.

Most of the runic inscriptions (pp. 184 f.) are adopted, with some alteration of detail, from the readings of Wimmer and Sophus Bugge, checked by comparison with facsimiles. Only in no. 12 (the Rök stone) has reason been found for differing extensively from Bugge's interpretation. For no. 2 (the Eggjum stone) I am indebted to the generosity of Professor Magnus Olsen, who has permitted me to reproduce his reading and interpretation. He wishes me to say, however, that his solutions of some of the problems of this difficult inscription are offered only tentatively; the difficulties are fully discussed in his article in *Norges Indskrifter med de ældre Runer*, vol. iii, pp. 77 f.

In referring to Norse names in the Introduction and Notes, I have usually dropped the *-r* of the nominative when it followed a consonant, but kept it if following a vowel. Thus Kœnugarðr is usually referred to as Kœnugarð, Þórr as Þór, but Grettir always as Grettir. Occasionally, when the original form of the name might not be clear if shortened in this way, the nominative *-r* is retained, especially when a name which does not occur in any of the selections is mentioned for the first time.

For help in preparing the apparatus of the book I am indebted especially to Professor J. R. R. Tolkien, who read the proofs of the Grammar and made valuable suggestions and corrections. I am obliged to my colleague, Mr. F. W. Baxter, for friendly criticism and advice concerning the form and presentation of the Introduction, and to Mr. David Abercrombie for his illuminating comments on the description of Old Norse sounds in the Grammar. I wish also to express my gratitude to Mr. K. Sisam for his constant interest in the book from its beginnings, and his many helpful suggestions concerning its plan and content. I take this opportunity, too, of acknowledging the general debt of an old pupil to Professor W. A. Craigie; his lectures and teaching have guided me to many of the views set forth in the following pages.

E. V. G.

Leeds, 1927

CONTENTS

Contents

LIST OF ILLUSTRATIONS
DIAGRAMS, AND MAPS

TABLE OF ABBREVIATIONS

Commonly used abbreviations of grammatical terms are not noticed. See further the introductory note to the glossary on p. 330. Note that in this book the term 'Norse' is synonymous with 'Scandinavian'.

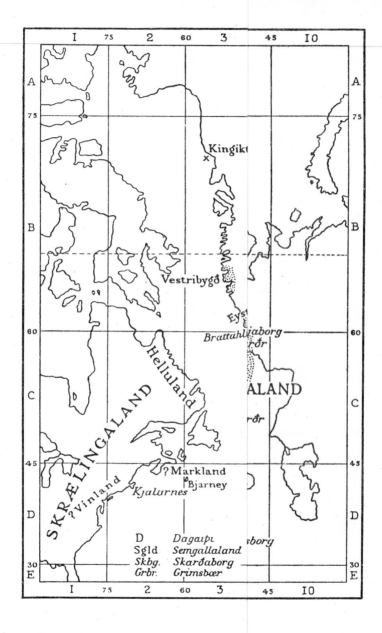

INTRODUCTION

I

THE EXPANSION

SWEDEN was the mother of the Scandinavian peoples: from Sweden came both the Danes and the Norwegians. In the early days of Scandinavian expansion Norway was called the *norðvegr*, just as in later viking times the Baltic lands were the *austrvegr*. The home of the oldest Norse culture and the oldest Norse traditions was Sweden, though these traditions had to be carried to distant Iceland before they were given an enduring form. Snorri made no mistake when he began his history of the northern nations, *Heimskringla*, with the legends of ancient Sweden.

And Sweden was mother of more than the Scandinavian peoples. From the beginning of history energetic warlike tribes issued from Sweden and passed to a career of conquest in the south; in the phrase of the Gothic historian Jordanes, Sweden was a 'factory of nations' (*officina gentium*). The migrations of the Burgundians, Goths, and Gepids (preceded perhaps by the Vandals) are the earliest that are known; archaeology dates the coming of the Burgundians to the south shore of the Baltic about 200 B.C.,[1] and the Goths may have begun their southward movement about the same time. Somewhat later was the migration of the Heruli, who were driven out by the southward advance of the Danes in Sweden. After centuries of wandering, the Heruli were overwhelmed by the Lombards, and the remnant of them returned to their old home in south Sweden, about A.D. 510.

The later expansion of the Scandinavian nations in the viking age may be regarded as the final wave of North Germanic

[1] See Knut Stjerna, *L'Origine Scandinave des Burgundes*, Cong. Arch. de France, 1906, pp. 281 f.

migration; but the process was probably not the same, and the results were essentially different. When the Goths and Burgundians migrated from Scandinavia, the North Germanic peoples spoke a language nearly identical with that of other Germanic nations. After their departure came a period of great linguistic change, when Germanic broke up into distinct groups of dialects; the language of the Goths then became rapidly differentiated from Norse, and their national traditions and culture also took divergent lines of development. The structure of Gothic, especially in the declension of nouns, reveals its affinity with Norse, but the differences between the oldest surviving Gothic (in manuscripts of the sixth century) and Norse of the same period are too great for Gothic to be included in the Norse group of tongues. Gothic and Burgundian are rightly classed as East Germanic languages.

The true Scandinavian expansion, when distinctively Norse traditions and speech were carried to other lands, belongs to the viking period, which may be roughly dated from 750 to 1050. During this period bands of Scandinavian adventurers, sometimes in forces large enough to be called armies, sailed overseas in search of plunder, or to win land for settlement; these piratical adventurers were called vikings. Such piracy had long been an honourable form of enterprise among the seafaring Germanic nations, and the name 'viking' is much older than the viking age.[1] There is evidence of early viking activity among the Scandinavian peoples, as among the other seafaring Germans: it is known from Frankish annals and the Anglo-Saxon poem *Beowulf*, for example, that between 512 and 520 Hugleik, King of the Gautar in the south of Sweden, made a raid on the Rhineland, where he took great booty, but was

---

[1] OE. *wicing* is found in texts that are earlier than the Norse viking raids, namely, in *uuicingsceada* 'pirate' in the eighth-century glosses, in *Widsiþ* (probably as the name of a tribe), and in *Exodus*. The word is found in OFris. as *witsing*, and in OHG. of the eighth century in the personal name *Wichinc*. For a full discussion of the etymology of the word see F. Askeberg, *Norden och Kontinenten i gammal Tid*, Uppsala, 1944.

defeated and killed before he could carry it off. And Norwegian vikings had made settlements in the Shetlands before 700.[1] Towards the end of the eighth century, however, there was a sudden increase in viking activity, and attacks were made on the shores of Ireland, England, Friesland, and France. From that time the trouble grew worse, for the Norsemen had found out that most of Christian Europe was an easy prey.

For this sudden increase of viking activity many causes have been pointed out. The destruction by Charlemagne of the naval power of the Frisians, once the rivals of the Norsemen on the sea, coincided with the rise of Scandinavian power, and probably played an important part in facilitating the Scandinavian advance. An immediate cause of many of the early raids was the fear and resentment roused in the Scandinavians by Charlemagne's military operations in the north of Germany, especially as he threatened to invade Denmark. And parts of Scandinavia must have been over-populated, to judge from the never-ending stream of men that came forth from those lands; in viking life mortality was high, but there was never any lack of men to replace those killed. The hypothesis of over-population is strengthened by such legends as that told in selection xxi, according to which the island of Gotland became crowded, and one man of every three was selected by lot and sent away from the island; and Saxo Grammaticus has a similar story of the origin of the Danish settlements on Baltic lands in the tenth century. Over-population, moreover, is the explanation of viking activity given by the early Norman historians, Dudo and William of Jumièges. Great political changes, too, in the ninth century drove many Norsemen into exile, who then took up a viking career. Harald Fairhair exiled many great fighting men in the process of consolidating the realm of Norway; and the struggles of rival princes for the

[1] See Jakobsen, *Shetlandsøernes Stednavne*, Aarbøger, 1901.

throne of Denmark drove bands of followers abroad, as one
or other of the claimants got the upper hand.

Two main courses for viking expeditions were recognized:
austrvíking lay eastward in the Baltic, *vestrvíking* westward to
the British Isles and the Frankish empire. Those who turned
to the east were mainly Swedish and Danish vikings; to the
west, the Norwegians found the route to Ireland around the
north of Scotland, while those who harried England and France
were mostly Danes; but individuals of all three nations tried
the various fields of plunder. Following these two courses the
raids of the vikings eventually encircled Europe: in the east
they made their way through Russia and their fleets sailed from
the Black Sea into the Mediterranean; the Swedes who carved
the runic inscription on the lion at Athens (see p. 193) came
by this route. Others in the west sailed through the straits of
Gibraltar and harried as far as Italy. *Ragnars saga Loðbrókar*
tells how Bjǫrn Járnsíða and Hástein in 859–62 made an
expedition to Italy with the ambitious intention of sacking
Rome. They captured Pisa and Luna and then returned home,
thinking their purpose accomplished; they had mistaken Luna
for Rome. Viking fleets operated even as far east as the Caspian
Sea; while in the west the Norsemen colonized Iceland,
and from there discovered and colonized Greenland. They
penetrated as far west as America and as far north as Spitz-
bergen.

The intensity of the viking onslaught is not less astounding
than the range of their raids and voyages. It is strange that
adventurers of the three northern nations should have been a
terror to the rest of Europe for more than two centuries, able
to take land and property from almost all they chose to attack.
In the west they settled the Orkneys, the Shetlands, and the
Hebrides. Then they overran Ireland and came near to con-
quering it permanently. This danger was continually present
until the final effort to effect a conquest was crushed at the

battle of Clontarf in 1014. But the Norsemen had established themselves firmly in bases on the coast; Dublin, Waterford, and Limerick first rose to importance from Scandinavian foundations. And the 'Ostmen' (ON. *Óstmenn*) still held Irish ports when the Anglo-Normans came to the conquest of Ireland in 1169. In England the vikings settled in even greater numbers, in the Danelaw and in Northumbria (the Norse kingdom of York). But for the able and heroic defence of Alfred they would have won the whole of England. Nowhere in Christendom did the fury of the viking attack fall more heavily than on England, and nowhere was fiercer resistance encountered than in the little kingdom of Wessex. The north and east of England fell into the hands of the invaders after a feeble resistance, and the success of the Norsemen there, though temporary, was important, for it gave them an opportunity to settle on the land. The settlers were made subject to the English king during the tenth century, but once they had made their submission they were allowed to remain undisturbed. The later invasion of the Danes, which set Knút on the throne of England in 1016 and appeared to have a more complete success, had less effect on the country than the partial conquest in Alfred's time, for very few further settlers came in. The Frankish empire was as grievously troubled as the British Isles. It suffered most during the period 850–65, when the vikings established numerous bases and wintered in the empire; in summer they harried the land and sacked even the largest cities. They gained such a hold on the northern coast of France that eventually (in 911) a grant of land was made to them, on condition that they should protect the coast against other marauders. Their leader, who is named Rollo by the Norman historians, became the first duke of Normandy. In Norse tradition he is known as Gǫngu-Hrólfr, son of Rǫgnvaldr, earl of Mœrr, one of the chiefs whom Harald Fairhair had exiled from Norway. Most of the men of his army who settled in Normandy were

Danes, but Dudo states that there were Norwegians and vikings from Ireland too. Rollo's province soon became the most vigorous of all the Danish colonies.

The exploits of the vikings in the east were as remarkable as in the west. About 865 a Swedish force under Hrœrekr (Ruric) was established in a kingdom of which the centre was Hólmgarðr (Novgorod). A few years later another viking force founded a kingdom at Kœnugarðr (Kiev), on the route to Constantinople, which the Swedes had long made use of—up the river Dyna by boat, then by land to the Dniepr, and so south past Kiev to the Black Sea. This kingdom was won by Hrœrek's successor Helgi (Oleg) in 882, and Kœnugarð then became the chief centre of Swedish dominion in Russia. Under Helgi's successor Yngvarr (Igor) it was a very powerful kingdom; its fleets plundered Byzantine territory and exacted a large ransom from Constantinople. From the Swedish founders of this kingdom, which was the beginning of Russia, Russia takes its name, for the Swedes were known in the east as Rus.[1] The population of the kingdom of the Rus was, of course, mainly Slavonic, and the Rus themselves gradually lost their Scandinavian traditions and language; they must have been almost completely merged in the Slavonic people by the beginning of the twelfth century.

Of the Swedish adventures in the east not much is told in the sagas. There is, however, an interesting story in *Flateyjarbók* (vol. ii, p. 70) which relates typical adventures of a Swedish chief, Eymund Hringsson, in Russia early in the eleventh century. *Yngvars saga Víðforla* tells of another Swedish chief of the same period who won lands in Russia and the hand of a Russian queen. Yngvar's existence was undoubtedly a matter of history, as he is named on a contemporary runic stone; but the saga has added many unhistorical episodes to the older tradition. The only other historical

[1] On the origin of this name see note to III/16, on p. 264.

account in Norse literature of adventures in the east is in *Haralds saga Harðráða* (in *Heimskringla*). Harald entered the service of the Greek emperor, and sailed from Constantinople on plundering expeditions to Sicily and Africa.

Danish viking activity on the eastward way was directed chiefly against the Wends, who inhabited what is now East Prussia. The most important of the Danish colonies in this region was the famous stronghold of Jómsborg, established about the middle of the tenth century on the island of Wollin at the mouth of the Oder. Jómsborg was held by a fellowship of vikings living under a strict military rule. Only men between the ages of eighteen and fifty were admitted; no women were allowed inside the fortress; all booty was divided according to rule, and none might remain in the fellowship who at any time showed fear. The Jómsvikings were noted fighting-men, and they played an important part in Danish politics until their stronghold was destroyed by King Magnús the Good of Norway in 1043.

In the eyes of the literary historian the most important of the Norse colonies is Iceland; for in Iceland was written the greater part of Old Norse literature that survives today, and almost all that is of merit. For the better understanding of Icelandic society and its literature it will be well to examine the events which led to the settlement, and see what manner of men they were who accomplished it.

The cause of the settlement of Iceland was the ambition of King Harald Fairhair, though Norway, not Iceland, was the nation he was intent on bringing into being. And Harald was more than an ambitious king: he represented the forces which were bringing heroic society to its end, and the colonization of Iceland was the last stand of the old order against these forces. Harald first welded the small kingdoms of the older Germanic society in Norway into one realm, a process which had been carried through centuries earlier in Denmark and Sweden; there the small king (*smákonungr*), ruler of the typical unit of the old heroic society, had become the vassal of the *þjóðkonungr*, the ruler of a whole nation. King Harald's paternal kingdom in the south-east of Norway was small, but he soon began to add to his lands. Snorri tells in *Heimskringla* how his aspiration to be king of all Norway took definite form. It happened that he sued for the hand of Gyða, daughter of another small king, and she answered that she could not waste her maidenhood on a king who had no more than a few counties to rule over: 'Marvellous it seems to me', she said, 'that there is no king who will make Norway his own and be sole ruler of it, as King Gorm is in Denmark or Eirík at Uppsala.' When this was reported to Harald he said that she answered well, and he made a vow that he would neither cut his hair nor comb it until he had won all Norway for his own. His golden hair grew to great length, and earned him the cognomen *inn Hárfagri*.

Harald made his vow and began his conquests in 864. He claimed all lands in Norway as his own, and made all land-holders pay tax. This tax on free men roused bitter resistance, but Harald slew or drove into exile all who would not submit. By his great naval victory at Hafrsfjǫrð in 872, over the kings of south-west Norway, he finally gained possession of the whole realm; and he completed his triumph by marrying Gyða.

During Harald's wars, Snorri says, there was 'much journeying to the Shetlands, and many great men of Norway fled as outlaws before King Harald, and took to viking life in the west; they spent the winters in the Orkneys or the Hebrides, but in summer they harried in Norway, and did great harm in the land'. So Harald took a fleet into the west and cleared the Scottish isles of his enemies.

It was about this time that the Scandinavians discovered Iceland. The first discoverer was Garðarr Svavarsson, a Swede living in Denmark, who came accidentally upon Iceland

about 860, when blown out of his course by a storm. The first
settler in Iceland was the Norwegian Ingólf, who came in 874.[1]
He was soon followed by many of the exiled chiefs whom
Harald had driven from Norway and the Scottish isles; they
were indeed the larger part of the settlement. They were men
who were determined to keep their old freedom at all costs, and
preferred to give up their possessions and live in a wild and
barren land rather than yield to the new monarchy. They came
to Iceland to save the old order of heroic society, and they pre-
served it there much as it had existed in early Germanic times
before the great kings made their power absolute by destroying
the free fellowship of the small lord and his men. The settlers
of Iceland were men of more than usual force of will and love
of liberty, the best of the Norwegian aristocracy. The propor-
tion of well-born men there was greater than in any other
Scandinavian land, and it was in the gentleman's household
that the literary arts were practised most. Half or more than
half of the literary power of Norway was thus concentrated in
Iceland, and it throve the more for its concentration.

Landnámabók gives the names and origin of about 400 of the
most important settlers in Iceland. About two-thirds of them
came direct from Norway, and about 115 were vikings from
the British Isles. There were a few Swedes and Danes, and
here and there an Englishman. Harald's victory at Hafrsfjǫrð
and his expedition to the west sent many of the western vikings
to Iceland; others were driven out by the Gaels—such as Auðr
in Djúpuðga, who came to Iceland about 892 with a great
following of Norse and Irish. The eagerness with which the
Norsemen turned to the somewhat forbidding island is sur-
prising; one would expect to hear oftener among the exiled
chiefs the sentiment of Hersir Ketil Flatnose: 'To that place
of fish shall I never come in my old age.' The settlement was
practically complete within the reign of King Harald. According

[1] But see note to selection iv, l. 15, p. 207.

to Ari (p. xlix) 'wise men have said that in sixty winters Iceland was all settled, and no settlement was made after that time'. The population of Iceland was then probably about 50,000 people, half as large as at the present day. It was a small population, but an important one: seldom in history has a heroic society had such readiness and power to give literary expression to its heroic life.

The final stage of Norse expansion in the west, the colonization of Greenland (which led to the discovery of America) was accomplished by notable feats of seamanship. These feats, moreover, afford striking illustration of the Norsemen's great contribution to navigation: they were the first people who ventured to sail out to open sea. Before viking seafarers appear in history, voyagers were careful to follow courses that were never far from land; but the Norsemen struck boldly across the North Sea to the Orkneys and Shetlands, and they voyaged regularly across the open Atlantic to Iceland. These voyages were made in open boats; some ships had a small cabin at either end, but many had no deck or shelter of any kind. The hardships of voyages across the open sea in such ships must have been intense, but the Norsemen endured them habitually.

None showed less fear of unknown seas than Eirík the Red, the discoverer of Greenland. Exiled from Iceland for manslaughter in 981, he sailed into the ice-strewn western sea to see if he could find certain rocky islets reported some seventy years before by an Icelander named Gunnbjǫrn. He did not find the Gunnbjarnarsker, but he found Greenland. Unable to land on the east coast, he sailed around the southern extremity to the firth-indented western side, and after three years of exploration he returned to Iceland, apparently without mishap. He must have managed his expedition with the greatest skill and foresight to have maintained it through the severe winters of these barren regions. In Iceland he gave an attractive account of the new land, and it is likely that he did find it attractive, in spite of the ironic name which he gave it.[1] The western firths of Greenland are very beautiful in summer, and in parts there is better pasture than in Iceland.

The spirit of adventure was strong in Iceland, and twenty-five ships sailed with Eirík for Greenland in 985; only fourteen of them arrived there. Still more settlers followed in the next few years. Two colonies were planted, both on the west coast, Eystribygð near the southern extremity, and Vestribygð farther north, in the neighbourhood of the present Godthaab. The ruins of most of the Norse homesteads have been found, and from them it has been estimated that at the time of greatest prosperity the Greenland colonies had a population of at least 5,000 people.

Small though the Greenland colonies were, they had their own literature. At least one of the Edda poems, *Atlamál*, was composed there. A Greenland poem *Norðrsetudrápa* (Norðr-seta being the northern hunting-ground used by the Greenlanders in summer), composed by a skald named Sveinn, is quoted by Snorri in his Edda. It tells of the fearful storms of the northern regions: 'Strong blasts from the white mountain walls wove the waters, and the daughters of Ægir (i.e. the waves), frost-nurtured, tore the fabric asunder, rejoicing in the storm.' So runs one fragment. Snorri also tells of a metre called *Grœnlenzki háttr*, 'the Greenland measure', showing that the Greenlanders had made independent developments in the art of poetry. Greenland had its sagas too; the version of *Grœnlendinga þáttr* incorporated in *Flateyjarbók* is believed to have originated from Greenland.

The Greenland settlers and their descendants were intrepid voyagers and explorers. Eirík's son Leif sailed across the Atlantic to Scotland on his way to Norway, making the first transoceanic voyage known in history. And the Greenlanders also reached America; no one who is acquainted with the historical value of Norse tradition can doubt it. It is uncertain whether

[1] See selection iv, line 42.

the discoverer was Bjarni Herjólfsson in 986 or Leif Eiríksson in 1000,[1] but Leif at any rate has the credit of being the first to land in America. After Leif's voyage many more were made to explore the new country. Owing to the hostility of the Indians no settlements were made, but it is likely that the Greenlanders frequently resorted to Markland (Newfoundland) for timber. The entry in the *Skálholt Annals* quoted on p. 40 shows that they still made voyages there in the fourteenth century. The Greenlanders also made explorations northwards. The most definite evidence of their northern progress is the runic stone of Kingiktorsoak (see p. 186). It is likely that they went still farther north, but how far is uncertain.[2]

The Greenland colonies appear to have flourished as long as communications with Norway and Iceland were maintained. The first of the disasters which led to the end came in the fourteenth century. The Hanseatic merchants gained control of Bergen, and they did not trouble to send the annual ship to Greenland. Then the Eskimos, who had left Greenland before the settlements were made, returned and attacked the colonies. They destroyed Vestribygð before 1370 and raided Eystribygð in 1379, killing eighteen of the inhabitants and carrying off two boys. Eystribygð still existed in the fifteenth century, but when John Davis reached Greenland in 1585 he found no white inhabitants; either they had all been killed, or else they had joined the Eskimos and intermarried with them. It may seem strange that such an unwarlike race as the Eskimos could destroy a Norse settlement; but investigations of Norse graves in Greenland have shown that in the later days of the colony the people had degenerated from the effects of climate and limited diet.[3] The lack of cereals in Greenland is especially fatal to a European race.

[1] See introductory note to selection v, p. 39.
[2] See note to III/8 on p. 260.
[3] Dr. Paul Nörlund, *The Buried Norsemen of Herjolfsnes*, Meddelelser om Grønland, Bind lxvii, Copenhagen, 1924.

The last northern discovery of the Norsemen was a land which they called Svalbarð, 'the cold edge'. It was first reached by Icelanders in 1194. Svalbarð is said to be four days' sail north of Langanes (the north-east point of Iceland), the same distance as from the west of Iceland to the southern point of Greenland. It seems likely that Svalbarð is Spitzbergen; the only other possibility is the island of Jan Meyen, and it is only half of the required distance from Iceland. If Spitzbergen was the land reached, the discovery was as great a feat as Eirík the Red's western voyage.

II

THE HEROIC LITERATURE OF THE NORTH

ALMOST all of the ancient Germanic literature has perished; the little that has survived comes mostly from a period when Christian and Romance influences were strong, and written compositions in the Germanic lands were based on foreign models or treated of borrowed subjects. In Anglo-Saxon poetry there are, besides *Beowulf*, only a few fragments of poems in the old tradition. The catalogues of heroes in *Widsiþ* give some notion of what has been lost in the other Germanic literatures; the richest of them appears to have been Gothic, of which nothing remains, for Wulfila's translation of the Bible is not Germanic literature. Only in Iceland were native traditions strong enough to survive foreign influence after the Church had introduced its learning and the art of writing, and only in Iceland is it possible to see what Germanic literary art developed into when left to itself. Doubtless even in Iceland the Church discouraged interest in the poetry of the heathen age; very little of it has survived, beyond one collection, the *Elder Edda*. But the Church did not discourage interest in the literature of the later heroic age, the 'saga-age' of Iceland, c. 900–1050. The organization of society and the temper of the people were then much the same as in the Germanic heroic age of the fourth to seventh centuries, and there is little difference in the spirit and the view of life shown in the literature of the two periods. We find, for example, the tragic situation of the Lombard story of Alboin and the Gepid king recurring independently in the Icelandic *Vatnsdœla saga*.[1] The sagas of this later age are indeed nearer to the Germanic heroic tradition than such a poem as *Beowulf*, composed centuries earlier. And by good fortune those who could write, the learned men of the church like Ari Þorgilsson and Odd the Monk, and educated gentlemen like Hauk Erlendsson, were interested in preserving native literature; and so one branch of the old tree was saved from destruction.

The Germanic literature which is so nobly represented in Icelandic was essentially heroic; that is its chief significance. The greatness of Icelandic literature lies primarily in its understanding of heroic character and the heroic view of life. This means much more than the representation of courage; the hero of this literature was not merely a courageous man, he was a man who understood the purpose of his courage. He had a very definite conception of the evil of life, and he had courage to face it and overcome it; he had a creed of no compromise with anything that gave him shame or made him a lesser man. The heroic problem of life lay primarily in the struggle for freedom of will, against the pains of the body, and the fear of death, against fate itself. The hero was in truth a champion of the free will of man against fate, which had power only over material things. He knew that he could not save his body from destruction, but he could preserve an undefeated spirit, if his will were strong enough. To yield would gain nothing, since 'old age gives no quarter, even if spears do',[2] and yielding made him a lesser man; so the hero resisted to the end, and won

---

[1] As is pointed out by Vigfusson and Powell in *Corpus Poeticum Boreale*, vol. i, p. lii, and vol. ii, p. 503.   [2] Selection xvi, ll. 80–81.

satisfaction from fate, in being master of his life while he had it. The courage of the hero rose higher, and his spiritual energy was more concentrated as the opposing forces were stronger. He might win the struggle, or he might know that it was hopeless; but it was better to die·resisting than to live basely. Such were almost the words of Njál, when he would not leave his burning house: 'Nay, I will not go out, for I am an old man, and I am little able to get vengeance for my sons, and I will not live with shame.' As it happens, however, the most definite statement in Germanic literature of heroic doctrine is not in Norse but in the Anglo-Saxon poem *The Battle of Maldon*. The old retainer Byrhtwold, making his last stand, exhorts the survivors who are with him: 'The mind must be the harder, the heart the keener, the spirit the greater, as our strength grows less.'

The chief evil in life which men had to face in those violent days was death by the sword. That is why Norse authors usually have feuds or battles as the setting of heroic story. Their motives in doing so are often misunderstood, for many critics have attributed to them a delight in battle and killing for its own sake; but, on the contrary, they saw in it the greatest evil, the one that required the most heroic power to turn into good. The authors' delight was only in the man who had this power.

Most of the sagas are tragedies, because a good death was the greatest triumph of heroic character, and only in defeat and death was all the hero's power of resistance called into play. Indeed, most heroic literature is tragic, and most true tragedies are heroic. It is the essence of tragedy that there should be a note of triumph in the catastrophe in that the hero's spirit remains unconquered; tragedy, too, is a version of the evil in life, and how it is overcome, though it appears to win. The only difference in principle between the tragedy of the sagas and the tragedy of Shakespeare is that Shakespeare usually

makes the disaster result from some flaw in the hero's character; while in the sagas the disaster is inevitable simply because
the hero is heroically uncompromising. Nothing could keep
Signý from exacting vengeance for her father and brothers; she
would go to any length, and the length she had to go to was her
death.

To show the utmost of the hero, a good resistance against
overpowering odds was made the characteristic situation of
heroic literature—the defence of a Gunnar, or the unflinching
death of a Njál. This situation had an important place even
in religious belief; the gods themselves knew that they would
in the end be overwhelmed by the evil powers, but they were
prepared to resist to the last. Every religious-minded man of
the heathen age believed that he existed for the sake of that
hopeless cause, for the gods took all heroes from earth to help
them in the last struggle.

Heroic character had its lighter side too, seen in the courageous humour of the saga heroes, as when Hjalti stood up
among the heathen and told them in verse, 'I do not wish to
blaspheme the gods, but I think Freyja is a bitch'.[1] The hero
was not made gloomy by facing the evil of life so sternly; he
had the cheerfulness of the man who feels that he is a master of
life. As the 'High One' was believed to have said: 'Every man
should be cheerful and glad, even till he suffers death.'[2]

Heroic literature depends for its effect on the drawing of
character; the hero must have sufficient personal force to make
his heroic conduct credible. The narrator must be able to
depict men of unusual will-power and passion, and to show
them using the whole of their instincts and powers, physical,
intellectual, and spiritual in attaining their objects. And characters of heroic largeness are not often found in literature. In
English the list is short: Beowulf has heroic proportions, and
so have Shakespeare's tragic heroes, and the Satan of *Paradise*

[1] Selection iv, l. 82.   [2] Selection xvi, ll. 76–77.

Lost. It is not easy to name any others in English who have spirits as great as Grettir or Gunnar or Njál. Icelandic saga-tellers had the power to depict such men because they knew them; they lived in a heroic society, and no doubt held the heroic view of life themselves.

The Icelandic authors of sagas usually conveyed understanding of character without the aid of the analyses of the hero's 'psychology' so frequent in modern novels. They showed character dramatically, by synthesis rather than analysis, by exhibiting conduct. Probably in no other literature is conduct so carefully examined and appraised; and the basis of the valuation is not moral, but aesthetic. In no other literature is there such a sense of the beauty of human conduct; indeed, the authors of Icelandic prose, with the exception of Snorri, do not seem to have cared for beauty in anything else than conduct and character. The heroes and heroines themselves had the aesthetic view of conduct; it was their chief guide, for they had a very undeveloped conception of morality, and none at all of sin. Signý refuses on purely aesthetic grounds to continue living, and she shows strong dramatic sense in her choice of death.[1] She and her conduct, of course, belong to fiction; but the historical Þormóð showed himself no less an artist in heroic conduct.[2] His behaviour was perfect, even in dying just before he finished his verse, to prove that his 'heart was the keener, as his strength grew less'. Skarpheðinn, too, was an artist of the same order, willing to be burned to death in order to humour his father and show him honour;[3] and Gunnar, who would not take from his wife the lock of hair which she refused to give him.[3] He lost his life for lack of it. This sense of the graceful in conduct is found in other than tragic stories, too, notably in the story of Auðun.[4]

The most frequent motive of heroic conduct was the desire

---

[1] Selection ii, ll. 123
[2] Selection xi.
[3] Selection vii.
[4] Selection xii.

for revenge. In Icelandic society revenge for manslaughter was a sacred duty as well as a private satisfaction, and occupied the place of punishment by the State in modern society. It was usually carried out in much the same spirit; most men in the sagas did not feel vengeful in their vengeance, but were merely dutiful. Flosi, the burner of Njál, admired and respected Njál and his sons, and took up the blood-feud against them with reluctance; yet once he had taken it up, no one could have been more ruthless. Similarly, Gizur felt no personal resentment against Gunnar; he also admired the man he thought he was doing justice on. As the duty of revenge supplied one of the strongest motives of that society, the heroic authors frequently used it as one choice of a tragic alternative, in which duty and honour are weighed against one of the more natural ties, such as kinship. The hero or heroine was ready to sacrifice even his kin, if necessary, for revenge. Thus Hervǫr in *The Waking of Angantýr* had to obtain the sword Tyrfing for her vengeance, and she faced ghostly terrors to get it, though she knew it would also destroy her own son; and Signý in *Vǫlsunga saga* sacrificed her children without compunction in the cause of vengeance. In the old poems especially it was a favourite device to increase tragedy by entangling the duties of revenge with those of kinship, producing the same tragic problem as in Shakespeare's *Hamlet*.

It is a great virtue of the heroic sagas that they are sober and matter-of-fact. Though the narrator is conscious of the greatness of the deeds he tells of, he never exaggerates heroism beyond the powers of men as he knows them; the heroic is therefore never in danger of degenerating into heroics. The texture of saga narrative is plain and restrained, at times perhaps too restrained, but even then the fault is a good fault. The personality of the narrator is kept out of sight, as though he were determined that the story should speak for itself, believing that no interpretation of his is necessary. He merely gives the relevant facts as definitely and clearly as possible. The facts may not all add dignity to the story, but they are given all the same. Thus in *Fóstbrœðra saga* it is told how Þormóð, in his visit of vengeance to Greenland, attacked a big man on a cliff by the sea, and in the struggle they fell over the edge. Þormóð, who was the better swimmer, undid the big man's belt, pulled his trousers around his feet, and drowned him. In an artificial heroic world, as among Arthurian knights, heroes would not have fought like this; but Þormóð was of the real world, where men fight with desperation and not always with dignity.

The heroic poems are much more highly wrought, and the best of them, *The Waking of Angantýr* or *Atlakviða* or *The Hell-ride of Brynhild*, have unequalled force and intensity. But the poets were so anxious to be intense, so impatient of statements that seemed tame, that they were constantly in danger of falling into exaggerations that were incredible or even absurd. The poem (lost except for stanzas quoted in the saga) on which the account of Brynhild and Sigurð's last conversation in *Vǫlsunga saga* is based, spoiled a supremely dramatic and moving scene by the exaggeration of its end: 'Out went Sigurð, true friend of kings, from the parley, and he had such sorrow (i.e. his breast so swelled with grief) that the steel rings of the hero's mail broke asunder on his sides.' There is even a little strain in the high pitch of *The Waking of Angantýr*, good though that poem is: the reader has to remember that the weirdness of the setting must have meant more to hearers of the poet's own day. Among the later heroic poems exaggeration is very noticeable; in poems like *Krákumál* the hero takes his greatest pleasure in battle. It is to be doubted if even a viking ever had pleasure in going into battle; certain it is that he seldom fought unless there was some hope of profit to be got from it. The exaggeration of this kind of poem was not due to the heat of composition, as in the Sigurð lay; it was deliberate and insincere. It is like the imitative heroism of romantic

English poems such as Gray's *Fatal Sisters* and Scott's *Harold the Dauntless*. *Krákumál* is superior to these only because the detailed workmanship is finer and stronger.

III

THE EARLIEST NORSE POETRY

T H E oldest Norse poetry preserved traditions which belonged not merely to the Norse peoples but to the Germanic race as a whole. Its heroes were the heroes of the southward advance of the Germanic nations on the Roman empire, the age which supplied most of the heroic themes of Germanic literature. These older poems tell of Angantýr and Þjóðrek, Gothic kings, or of Sigmund the Frank, Gunnar the Burgundian, Atli, king of the Huns and East Goths, not of Harald Fairhair or the heroes of the viking age; the only Norse heroes celebrated are of earlier times, Hrólf Kraki and Bjarki, contemporaries of the Gothic conquerors.

The older poems, moreover, perpetuate the traditional Germanic metres and alliterative technique. The verse called *fornyrðislag*[1] is nearly the same as the metre of *Beowulf*, and it is likely that *ljóðaháttr*[1] also was descended from common Germanic tradition. The distinctively poetic vocabulary of such poems as *The Waking of Angantýr*, *Þrymskviða*, and *Bjarkamál* agrees remarkably with Anglo-Saxon poetic tradition. Norse and Anglo-Saxon have nearly the same stock of poetic synonyms; for example, in Norse the poetic terms for 'man' are *gumi*, *halr* or *hǫlðr*, *jarl* (originally not 'earl' but 'free-born man', and so in 16/121), *rekkr*, *verr*, corresponding to Anglo-Saxon *guma*, *hæle* or *hæleð*, *eorl*, *rinc*, *wer*. And there are numerous other conventional details which have descended from common Germanic tradition to both Norse and Anglo-Saxon: the poetical use of *vinr* as 'ruler, leader', as in 14/13;

[1] See p. 316.

the phrase *kaldastr korna* applied to hail (16/130 and note); the use of an accented preposition following its noun at the end of a line, as *sólbjǫrgum í* (16/136; compare *Beowulf*, l. 19, *Scedelandum in*).

In general style the Old Norse poems are very different from the Anglo-Saxon. They are shorter, and set forth their matter with a lyrical conciseness and abrupt emphasis which is nearer to the medieval ballad than to the splendid epic fullness of *Beowulf*. The only Anglo-Saxon poem which has the brevity and intensity of the Norse style is the lay of Finnsburg sung by a minstrel at the Danish court (*Beowulf*, ll. 1063–1159). The Norse poems have not the epic dignity or the fine scenic effects of *Beowulf*, but such poems as *Þrymskviða* have a narrative strength that is unequalled in Anglo-Saxon and is not easily matched in any literature. The northern poems are vivid and dramatic, whether they recount adventure, as in *Þrymskviða*, or the fate of the universe, as in *Vǫluspá*, or the grief of Brynhild or Guðrun. No Anglo-Saxon poem approaches the dramatic pathos of the Brynhild group of poems, and none has the fierce power of *Atlakviða*. It is difficult to determine which style of poetry is nearer Germanic tradition; possibly both kinds are old, the episodic poetry of Norse and the epic poetry of the English school which tells longer stories.

The poems of the older Norse tradition had three matters— heroic legend, stories of the gods, and traditional wisdom. *The Waking of Angantýr* is a good example of the first, *Þrymskviða* of the second, *Hávamál* (of which there are eight stanzas in selection 16 H) of the third. Poems on all three matters were composed among all the Norse peoples; they were brought by settlers to the colonies of Iceland and Greenland, where the tradition was established afresh and new poems on the old subjects were made. The poems were transmitted from one nation to another, and from one generation to another, but as they were preserved almost entirely by oral tradition, knowledge of them gradually died away in Christian times. Nearly all of them that have survived are in a single collection, the *Elder Edda*.

This famous collection was made in Iceland towards the end of the twelfth century. The identity of the collector is unknown; indeed, little is known of the origin and date of composition of any of the poems in it. Some may be as old as the ninth century, some as late as the twelfth, but most of them seem to belong to the period 900–1050, and those that are frankly heathen are not likely to be much later than 1000, when all West Norse peoples had been Christianized. The place-names, fauna, and landscapes of the poems indicate as the place of their origin a mountainous wooded country such as Norway is; a large proportion of them probably are Norwegian, though some were doubtless composed in Iceland, at least one in Greenland, and others perhaps in the British Isles. None of the Edda poems appear to be East Norse.

Yet there can be no doubt that the Swedes and Danes had similar poems. The verse on the Rök stone (see p. 188) seems to be a quotation from a Swedish poem on Theodoric the Goth. In Denmark many heroic and mythological poems were known to Saxo Grammaticus at the beginning of the thirteenth century, and he has left translations of them in his *Gesta Danorum*. The most notable of them is *Bjarkamál*, which was known in Iceland too, but was almost certainly composed in Denmark. The existence of a translation by Saxo, however, does not always prove that a poem was Danish, as he made use of Icelandic sources. For example, he knew a longer form of the verses that passed between Njǫrð and Skaði (p. 8, below), and they were probably, composed in Iceland or Norway. Saxo assigns them to the early Danish king Hadding, who longs to return to sea-voyaging, and his queen Regnild, who has Skaði's sentiment for the sea.[1]

---

[1] *Saxo Grammaticus*, ed. Holder, p. 33, trans. Elton, p. 40.

The Edda poems are now prized far more highly than the verses of the skalds, which were composed during the same period but belong to a younger tradition. Popular taste possibly favoured the old style of poetry in the saga age too, but educated taste, which was widespread in Iceland, preferred the skaldic style. By the thirteenth century the poetry of the skalds had almost entirely superseded the older kind. In technique and melody of verse skaldic poetry was undoubtedly superior; but in humanity and dramatic power it cannot be compared with the poetry of the Edda.

IV

THE POETRY OF THE SKALDS

AMONG all the Germanic nations the art of poetry flourished in the halls of kings and great chiefs, and probably among them all the poetry of the courts differed from popular poetry in style and content; but nowhere was there a more distinctive court tradition of poetry than in Norway. In Norway the court poets created a new poetry, more melodious, more ornate, and more artificial than any other type that grew from Germanic tradition. The skalds,[1] as the court poets are called, were interested especially in the metrical technique of verse; they made the form of the old metres stricter, and they created several new forms. They aimed at rolling verse-forms of regular rhythm, strong resonance, and great volume of sound; in short, verse which would be impressive in recitation. This aim they achieved brilliantly in their favourite and characteristic metre *dróttkvætt*.[2] The *dróttkvætt* line adds a syllable of fixed form to the old

---

[1] *Skáld* in ON. had the general sense 'poet'; thus in *Vǫlsunga saga*, chapter 33, the author of a poem in the old style is called a *skáld*. But nearly all the poets mentioned in the sagas composed in the courtly tradition, and the term is now usually applied to such poets as distinct from those who composed in the older and popular manner. The etymological meaning of the word is uncertain. In the older poetry the vowel is usually short.

[2] For details of this metre see p. 317.

fornyrðislag line, giving regularity of rhythm, though allowing some variation in the first two feet; while the *hendingar* give emphasis and resonance. The *hendingar* are indeed more effective for the purpose of the skalds than end-rhyme (which was also used), because they do not necessitate any pause in the rhythm. The *dróttkvætt* stanza is a weighty but fluent and sonorous verse-form, excellently suited to the slow rhythm and the emphasis of Norse speech.

Skaldic poetry in form and use presents two main types: the longer poems, *drápur* and *flokkar*, recited ceremoniously to kings and chiefs; and single stanzas of comment, repartee, or epigram. The latter (called *lausavísur*) were often produced impromptu, as the verses of Þormóð in selection xi are represented to be. The longer type are represented in this book by Egil's *Hǫfuðlausn*, and by the *Eiríksmál* fragment. Neither of these is in *dróttkvætt*, as are the best of their kind. *Lausavísur* are well exemplified in the verses of Þórhall, Þormóð, and Rǫgnvald Kali, which demonstrate how effectively the skalds used their emphatic stanza for epigram.

The skalds developed the traditional technique of poetry in other ways too. They studied poetic figures carefully, and above all they elaborated the use of *kenningar*. The *kenning* is logically (though not always in artistic effect) a metaphor; the term is derived from a use of the verb *kenna*: *kenna e-t við* (or *eptir*) *e-t* means 'to express or describe one thing by means of another'. The skalds were extraordinarily lavish in their use of *kenningar*, outdoing the most ornate of the Anglo-Saxon poets. Modern taste is offended by their wholesale use of this figure, which is usually regarded as mere frippery obscuring the more essential meaning of the verse. Even the best English critic of Norse, W. P. Ker, passes judgement that 'In Iceland there was . . . a curiosity and search for new figures, that in the complexity and absurdity of its results is not approached by any school of "false wit" in the whole range of literature'. This view has probably resulted from misunderstanding of the values of Old Norse literary idiom. The modern reader of skaldic verse disapproves because he equates the *kenning* with the metaphor of his own literary tradition; in reality its value is very different. In English the metaphor pretends to represent an emotional or highly imaginative perception, and is very emphatic; if it is not all this, it is condemned as 'poetic diction'. In Norse the *kenning* was usually not emphatic, and if the reader dwells on it heavily he destroys the effect intended for it. The *kenning* was a device for introducing descriptive colour or for suggesting associations without distracting attention from the essential statement, as a subordinate clause would be likely to do. The *kenning* had the meaning of a subordinate clause in briefer space and with less emphasis. A phrase like *branda elgr* rendered literally is 'elk of beaks', but really means 'a ship, with its projecting beaks resembling an elk roaming the seas'; but such a long description would be diffuse and out of proportion in the sentence 'Let our *branda elgr* resound upon the billows as it fares to Bergen'. Either the lightness of touch or the full descriptiveness of the *kenning* is missed in any English translation. All poetry is untranslatable, but of all verse skaldic poetry is the most aloof from translation.

Another difficulty which skaldic poetry presents to the modern reader is in the complicated order of words. The skalds were accustomed to interweave strands of sentences, giving first a part of one, then a part of the other, then reverting to the first. There is usually a regularity in the alternation which gives the verse a rhythm of sense as well as of sound. Observe the symmetrical pattern of King Harald's verse[1] at Stamford Bridge:

Kriúpum vér firir vópna	1 ———————————	
(valtæigs) brǫkon æighi	2 —— 1————	
(svá bauð Hilldr) at hialdri	2 ——————— 1——	
(haldorð) í bugh skialdar;	2 ——— 1————	

[1] A literal translation is given in the note to selection xvii, l. 58, on p. 250.

hátt bað mec, þer's mœtozt,	3	———————— 4————————
mennskurð bera forðom,	3	—————————————————————
lackar ís oc hǫusar,	4	—————————————————————
hialmstal í gný malma.	3	—————————————————————

Þórhall's complaint of America's drought (p. 50) presents a different pattern, one that has a closer relation to the sense. The first foot of a *dróttkvætt* line is the most emphatic, which gives force to his *lasta* ('curse') in the fourth line, especially as it ends the parenthetic sentence. The stanza was usually divided into distinct quatrains, and the end of each was naturally an emphatic position; this again is skilfully utilized by Þórhall. Attention to word-order is of the greatest importance in interpreting skaldic verse, and the common practice of rearranging the words in prose order before attempting translation is to be deplored. The more complicated the logical order seems, the more definite usually is the rhythmic pattern, and the more pointed is its significance.

Skaldic verse with its elaborate structure and diction is thoroughly artificial; there is probably no poetry which differs more from natural prose usage. But the artifice is admirable of its kind; there is much fine workmanship in the verse of the skalds which is usually overlooked by English readers. And when the artifice was used by a master of skaldic technique it was no impediment, but an aid, to true poetry. In verses of poets like Kormák and Sighvat the many *kenningar* give an effect of richness and imaginative concentration. And none could say that the passionate verses of Kormák's love-poems were stiff, or that Sighvat's lament for Saint Óláf was insincere. There is both great poetry and insignificant poetry in the work of the skalds, as in most kinds of verse.

Skaldic poetry had a very old tradition in Norway. Icelandic historical lore tells of one skald, Úlfr inn Óargi, who seems to have lived in the eighth century; the skaldic style can hardly have been formed much earlier. The oldest skaldic verses now extant are by Bragi inn Gamli, a contemporary of Ragnar Loðbrók, about whom he composed a *drápa*; but it was in the reign of Harald Fairhair (860–933) that skaldic poetry first came into full bloom. The aristocratic emigrants from Norway to Iceland in his time were the men among whom it was most developed, and thus the skaldic tradition was firmly established in Iceland from the earliest times. It flourished there more luxuriantly than in Norway; by the eleventh century nearly every Icelander of good birth was a skald. In Norway, on the other hand, skaldic poetry declined in the tenth century; Eyvindr Finnsson (*c.* 920–90), nicknamed *Skaldaspillir* 'plagiarist', was the last great Norwegian skald. In the eleventh century most of the poets of the Norwegian court were Icelanders; Þormóð and Sighvat were only two of many who were retained by King Óláf the Saint. Icelandic gentlemen used their skaldic art as a means of introduction and advancement in the halls of kings and earls, and they carried their songs to all Scandinavian lands, and even to England, though the English kings probably did not understand a word of them. King Harold Godwinsson, indeed, admitted as much after hearing a poem recited by Sneglu-Halli, and declared that Halli should be rewarded in proportion to the intelligibility of his verses. There is reason to suspect, however, that Halli had recited nonsense verses; he had played that trick before.

In Denmark the skaldic verse of Norway and Iceland became to some extent naturalized, especially in aristocratic society, from the importation of West Norse models. Several *dróttkvætt* verses composed by Danes are preserved, including one by Vagn Ákason reproaching Jarl Sigvaldi for his flight at Hjǫrungavágr (related in selection x). The stanza on the Karlevi stone is probably another example; see p. 191. *Liðsmannaflokkr*, a poem composed by someone with the Danish army in England in 1016, was more probably by one of Knút's Icelandic skalds than by a Dane,[1] but the currency of such poems in the army indicates that the skaldic style was understood and appreciated by the Danes.

In Sweden also the skaldic style of composition seems to have been adopted, though there is only one small fragment of skaldic verse extant which can reasonably be assigned to Sweden, a couplet in *dróttkvætt* in a runic inscription on a copper box found at Sigtuna. The inscription, which belongs to the eleventh century, runs thus in normalized Old Swedish:

> *Diarfr fik af Sæmskum mǫnni skālaʀ þæss[aʀ] ī [? Sæmʒallal]ǫnde,*
> *æn Wærmundr fāþe runǫr þæssar.*
> *Fughl wælwa[2] slæit falwǫn;*
> *fǫnn gauk ā nǭss au[k]a.*

'Diarf took this box from a Samlandish man in Semgallaland (on the eastern side of East Prussia), but Wermund fashioned these runes.

The bird tore the robber, pale (in death); one saw the raven take his fill of the slain!'

V

THE SAGAS

ALTHOUGH the two types of verse described in the preceding chapters are both of great literary importance, the sagas, the

---

[1] *Knýtlinga saga* quotes two stanzas of this fine poem as *i flokki þeim er þá var ortr af liðsmǫnnum*. This probably does not mean that the poem was composed *by* the Liðsmen, as Collingwood states (*Scandinavian Britain*, p. 156); *af* here has the sense of 'of', 'about'—see Fritzner, s.v., sense 23. The poem was wrongly attributed to King Óláf the Saint in *Óláfs saga Helga*, and some love-verses of his were there inserted in the poem. There is a spirited paraphrase by Mr. Collingwood in his *Scandinavian Britain*, p. 157, but his notice is misleading. Owing to the interpolation the girl whom the Liðsman seems to have left behind him was not really his, but Saint Óláf's.

[2] *wælwe 'robber' does not occur anywhere else in Norse, but cf. Gothic *wilwa* in that sense. This interpretation (Von Friesen's) gives the best sense and metre, but it is also possible that *wal wā* is a parenthetical statement, 'one made a slaughter'.

most successful vernacular prose of the Middle Ages, are of greater interest for they will always remain one of Scandinavia's greatest contributions to world literature. Verse was the normal literary medium in all countries of Europe in early medieval times; the Edda poems can be paralleled by *Beowulf* in England, the *Chansons de Geste* in France, and the *Nibelungenlied* in Germany, and can bear comparison with them. Prose in the Germanic world developed early in England and Iceland, the two countries farthest away from continental Europe. In England its development was checked by historical accident, but in Iceland it achieved a height of excellence which can only be paralleled in modern times. It is this prose we mean when we talk of the sagas, a literary phenomenon so universally admired that the Scandinavian word for them has been borrowed by almost all the languages of Europe. Etymologically the word 'saga' means 'something said, an oral communication or report', but in late twelfth-century Iceland it came to have the connotation of 'a written story of certain length', and this meaning, which has predominated ever since, is the one with which the word has become current throughout the world. Lack of discrimination between this new meaning and the etymological meaning has led to confusion of thought in writings about the sagas; the oral story and the written saga have unfortunately too often been regarded as identical and their history integrated. The poems of the Edda and of the skalds might be said to have both an oral and a written textual history; many of them were composed and existed orally before they were written down. But no proof has yet been forthcoming that any of the surviving Icelandic sagas had an oral, pre-literary existence in anything like the form in which they have come down to us. Even the earliest written of the Sagas of the Icelanders, such as *Heiðarvíga saga* or *Fóstbrœðra saga*, show unmistakable signs of literary composition and authorship, although some undoubtedly made use of oral traditions as sources. These oral traditions were also known sometimes as 'sagas', and their existence and popularity in Iceland are well testified. *Sturlunga saga* (selection xvi) tells how the guests at a marriage at Reykjahólar in 1119 were entertained 'by dances, wrestling and the telling of stories' and makes clear that verses were an integral part of the stories just as in the written sagas. In *Morkinskinna* there is a short story about a young Icelander who visited the court of Harald, the Norwegian king who was killed at the battle at Stamford Bridge in 1066. He entertains the whole court with his story-telling, but just before the Yule feast he becomes very downcast. King Harald rightly guesses that his stock of stories is coming to an end; he has but one story left, the story of King Harald's adventures abroad. But the situation is saved by the king, who arranges for him to tell this one story in such a way that it lasts for the whole twelve evenings of the Yule festival. This mention is particularly interesting in that it gives some idea how long the oral story could be. *Fóstbrœðra saga* tells how Þormóð Kolbrúnarskáld, the hero of selection xi, killed Þorgrím, the slayer of his foster-brother Þorgeir, in Greenland just after Þorgrím had entertained the assembled company with an account of his own exploits. There is further evidence, too, which shows that the telling of stories at assemblies either for entertainment or for information was common practice. Even as late as 1263 the historian Sturla Þórðarson entertained King Magnús of Norway and his queen by telling the story of Huld the Witch 'much better than any of the listeners had ever heard it before', though this last evidence is of doubtful importance as we cannot be certain that Sturla did not read the story aloud. The telling of stories in prose for entertainment, as well as the declaiming of verses, must be assumed for many European countries in medieval times—there is evidence for it in Anglo-Saxon England—but it is obvious that it was cultivated in Iceland to an extent which perhaps could only be paralleled in

Ireland. Clearly then the importance of the oral story in the development of the Icelandic saga cannot be ignored, but it can be exaggerated. In comparing the two we may be tempted to equate the known with the unknown, so that it is undoubtedly safer, when discussing the sagas and their literary development, to avoid speculation on the oral story, to base conclusions only on the surviving evidence, the written sagas, and to be content with the probability that oral traditions were often an important source for them.

The history of the composition of the Icelandic sagas spreads over a period of about three centuries from *c.* 1120 to 1400, and during that time many different types of stories were written.[1] These different types of sagas have been classified in several ways, but perhaps the most convenient is by subject-matter. The first and among the earliest are those which deal with ecclesiastical and religious subjects such as lives of saints and homilies, some of which must originate from the first half of the twelfth century. But history is the favourite basic material. Lives of the Kings of Norway began to be written in this same century and reached their highest peak of perfection in Snorri Sturluson's *Heimskringla*, which was probably composed in the late twenties or the early thirties of the century following. The early history of Iceland is told in the *Íslendinga sǫgur*, the Sagas of the Icelanders, often referred to as the Family Sagas. In them legendary and folk-lore elements intrude on history, as can easily be seen from the extract given from *Grettis saga* in selection viii, and later these legendary or fictional elements predominate, as in the post-classical sagas such as *Víglundar saga*, a product of the fourteenth century. Another historical type which began to appear about the middle of the thirteenth century is represented here by selections ii (*Vǫlsunga saga*)

[1] It is impossible in the space available to do more than outline the development of saga-writing in Iceland. For a more complete account the reader is referred to Professor Turville-Petre's book, *Origins of Icelandic Literature*, and the other volumes listed in the bibliography, pp. lxxviii ff.

and iii (*Hrólfs saga kraka*); they were often based on older poems and their subject-matter is the semi-legendary history of the Germanic heroic age. A similar category is formed by those romantic sagas which were either translated or adapted from foreign originals: *Rómverja sǫgur*, *Breta sǫgur* (from Geoffrey of Monmouth's History), and *Alexanders saga*. All the above sagas tell stories from the past, but contemporary history was not neglected. Amongst the Kings' Lives was written *Sverris saga* for which King Sverrir himself was a principal source and amongst the most important of the historical writings on Iceland was the compilation known as *Sturlunga saga*, which gives an outline history of the period 1117 to 1263 and provides a background to the age of saga-writing. When finally history failed as a source of material for the saga-writers, the Icelandic authors allowed their imaginations to run wild and wrote stories of fantastic adventures in far-distant lands such as Greece, Italy, Syria, and India, in imitation of the stories translated from French romances. These are generally known as the *Riddara sǫgur* or Sagas of the Knights.

It will be clear from the above that vernacular writing in Iceland took a very different course from that in England, though its origin was exactly the same—the coming of Chris-tianity and the resultant use of the Latin alphabet and parch-ment. The runes, the only letters previously known to the Icelanders, had been in common use since early Germanic times for short inscriptions and magical purposes, but it seems unlikely that they were ever used in heathen times for literary purposes.[1] When, in the year 1000, Christianity was adopted at the Alþing as the religion for the whole of Iceland, foreign churchmen were brought in from Great Britain and the Con-tinent to hold services and provide the necessary instruction

---

[1] For the peculiarly Scandinavian developments of the Germanic runic alphabet see pp. 181 ff.

for Icelandic priests. Very little is known for certain about this early period in the intellectual history of Iceland, but schools run by Icelanders were established at the two bishoprics of Skálholt (by Bishop Ísleif Gizurarson, 1056–81) and Hólar (by Bishop Jón Ǫgmundsson, 1106–21). In these schools the teachers were both native and foreign.

The first work of scholarship said to have been composed by an Icelander was written by the priest Sæmund Sigfússon (1056–1133), who had studied in France. He is remembered as an historian interested in the lives of the Norwegian kings, and his work may well have been inspired by and modelled on the writings of the Frankish chroniclers. None of his books has survived but it is conjectured that they were written in Latin. His successor, Ari Þorgilsson (1068–1148), whose work in some ways resembles that of the Venerable Bede, chose to write in the vernacular. The first definite evidence of the use of the vernacular in writing comes from 1117, when parts of the laws were committed to writing at Breiðabólsstað in the north of Iceland, although there can be little doubt that it had been used before this, almost certainly for example in the codification of the Tithe Laws in 1096. Ari's works were of the greatest importance in the development of saga-writing, not only because of his rejection of Latin but also because of the example he set in method and subject-matter. His one surviving book, *Íslendingabók* (selection iv), combines the two main interests found in the vernacular writings of the twelfth century, the Icelander's interest in history and the interest of the Church in the spread of Christian doctrine. Written at the instigation of the Icelandic bishops, as the preface makes clear, the book chronicles the conversion of the island to Christianity, but its outline history also contains an account of the settlement and other events of historical importance. Since, however, all education in Iceland at this time was clerkly, it was the interest of the Church which predominated in the years following, though the interest in history was never lost.

In addition to the schools set up at the two bishoprics and possibly also at other centres such as Oddi and Haukadal, the twelfth century saw the establishment of the first effective monasteries in the island. The most influential of these was founded at Þingeyrar in the north in 1133, and later many sagas were written there. In such institutions Icelanders were brought into close contact with the Latin literature of medieval Europe, more particularly the lives of the saints and other patristic writings. Several of these were translated into the vernacular and no doubt provided the necessary practice in writing which later furthered original composition. The lives of the saints were particularly influential in that they led to a desire for a life of the patron saint of Scandinavia, St. Óláf, and the so-called 'First Saga of St. Óláf', probably the first 'saga' ever written, was almost certainly composed before 1180. It was not long before two monks of the Þingeyrar monastery started work on lives of that other Óláf who by introducing Christianity into the island may well have been regarded by them as the apostle of Iceland. Both these Þingeyrar sagas of Óláf Tryggvason were first written in Latin for foreign consumption, but they were soon translated into Icelandic. Although the forms of these three sagas were suggested by lives of foreign saints, both men had been kings of Norway and as a result clearly reflected the two interests, mentioned earlier, of the Church and of history. Hence these sagas were in the direct line of descent from the works of Sæmund and Ari. History, with material mainly from native sources but with many of the traditional miracles attributed to the saints added to it, was now serving the interests of the Church. To these sagas may be added, towards the end of the century, lives of the two saints of Iceland, St. Jón of Hólar and St. Þorlák of Skálholt. It was works such as these and lives of other kings of Norway which established the regular pattern of the Icelandic saga, a pattern of biography, the life-history of the story's hero.

This pattern is strongly emphasized in the next category of saga-writing, the Sagas of the Icelanders. These sagas, which are represented in this book by selections vi–ix, give the life-histories of famous Icelanders who lived in the century immediately following the colonization of the country, and are undoubtedly the best known of all the sagas. It is possible that the *þættir* or episodes to be found in the more compendious Lives of the Kings of Norway are the forerunners of the Sagas of the Icelanders, for these *þættir* are normally short stories about Icelanders who visited the court of the Norwegian kings.[1] But it is unwise to be dogmatic on this point as the dates of the composition of the *þættir* are awkward to fix. However, that there is a connexion between the Kings' Sagas and the Sagas of the Icelanders can be clearly demonstrated from the subject-matter in some of the earliest of the latter. Norway and the king's court is often the scene of events in both *Egils saga Skallagrímssonar* and *Fóstbrœðra saga*, in which Harald the Fair-haired and St. Óláf play important parts.

There is, however, in the Sagas of the Icelanders another historical basis different from that of the Kings' Sagas and one in which the ecclesiastical interest is slight. The author of the so-called First Grammatical Treatise, a twelfth-century work of which the exact dating is difficult, states that the vernacular writings of his time include genealogies (*áttvísi*) as well as 'laws, sacred translations and that historical lore which Ari Þorgilsson has recorded'. By these genealogies he must mean lists of the more important families and lists of the descent and descendants of the law-speakers and bishops such as are known to have existed from the use made of them in different sagas,

[1] An excellent example (from *Morkinskinna*) of a *þáttr* is to be found in selection xii.

particularly *Njáls saga*. These genealogical lists probably went back in time as far as the first colonization of the island and illustrate the traditional interest in genealogy and family history still in evidence amongst Icelanders of today. The greatest memorial of this interest is the *Landnámabók* or Book of Settlements which in its surviving recensions dates from the thirteenth century, though it has been suggested that it was composed in its early form by Ari Þorgilsson. If that is true, its first compilation must antedate 1148, but it is certain that other independent genealogical records also existed at the same time. *Landnámabók* lists the principal settlers of all four quarters of the island, and in addition it tells us where they settled, often the extent of their estates, whom they married, the names of their children and descendants to a varying number of generations and frequently, in concise form, the story of their feuds or any other incidents connected with the settlement. These last must be based on an oral tradition of the same sort as Ari Þorgilsson used in the compilation of *Íslendingabók*. Clearly such genealogical lists, either separately or after compilation in the encyclopaedic *Landnámabók*, would provide invaluable material for the author writing on the early history of any one family or district of Iceland. It was this material out of which some of the finest works of art in Icelandic prose were produced.

None of these sagas seems to have been written before 1200, and though a few were composed after 1300 the majority and the best are all products of the thirteenth century. Some of the earliest written—*Heiðarvíga saga*, *Egils saga Skallagrímssonar*, and *Fóstbrœðra saga*—have already been mentioned. There are in all about thirty of them and it will not be necessary to give a complete list here. They cover all four quarters of the island, though the west with *Laxdœla saga*, *Eyrbyggja saga*, *Gísla saga*, and *Grettis saga* is particularly rich. Northern representatives are *Vatnsdœla saga*, *Víga-Glúms saga*, and

Ljósvetninga saga. The eastern group are nearly all short sagas and their common characteristics suggest a school of writing different from that in the rest of the island; the best known of them are *Hrafnkels saga Freysgoða*, *Vápnfirðinga saga*, and *Droplaugarsona saga*. The southern quarter, although it seems to have produced fewer sagas, has the distinction of owning the greatest and best known of all, *Njáls saga*. There is one other group, which borders on the west, from the district of Borgarfjǫrð; its best-known representatives are *Egils saga* and *Gunnlaugs saga ormstungu*. It will be clear from the names given above that these sagas usually tell the story of an individual, a family, cr the men of a particular district.

Unlike the Lives of the Saints or the Histories of the Kings of Norway, the Sagas of the Icelanders or Family Sagas are without exception anonymous, though attempts have been made to identify their authors. One reason for their anonymity is that they were no doubt regarded in a different way from the earlier 'works of scholarship' and had a very different appeal. The interest behind them was still historical but the ecclesiastical purpose was no longer present. The interest was essentially that of the layman. They are aristocratic in tone and reflect the family pride and incipient national pride of the great chieftains of the Sturlung Period in the same way as the *þættir* introduced, often so arbitrarily, into the Lives of the Norwegian Kings. A favourite motif of the *þættir* is the outwitting by an Icelander of a Norwegian, quite often the king himself.[1] There is a non-Christian element in the Sagas of the Icelanders which reflects the Icelandic chieftain's independence of the medieval Church. They extol the virtues of a man of action rather than

---

[1] We might also compare the curious 'apology' at the end of the *Þórðarbók* recension of the Book of Settlements: 'Many people say that it is unnecessary to write about the settlement, but we feel better able to answer foreigners who abuse us as the descendants of slaves and rascals if we know our true extraction.'

of a Christian convert, and are written for an audience still moved by the pagan Germanic virtues.[1] Even after she has become a nun, Guðrún of *Laxdœla saga* still answers her son in the strains of a Brynhild or Signý. In the later sagas, such as *Njáls saga*, where the Christian element is stronger, the heroic virtues still survive and are even found fused with Christian virtues in Njál himself.[2]

It has been stated above that the Sagas of the Icelanders are anonymous, but their reflection of a lay culture need not mean that they were not written by priests; there is indeed evidence to suggest that some of the early ones, including *Heiðarvíga saga*, were composed in the monasteries. But there is also evidence of lay authorship; both Snorri Sturluson, who is credited with *Egils saga* as well as *Heimskringla*, and his nephew, Sturla Þórðarson, were laymen. The question of where a saga was composed is often difficult of resolution, though an indication is often given by an inquiry into the author's knowledge of the district about which he is writing, since the events chronicled in the saga are often restricted to a definite locality. It is only natural that the oral basis of the saga, if one existed, should be best maintained in the place of its origin, but the saga author may have come from elsewhere and betray his lack of knowledge of local conditions in his work. Finally, as we shall see when considering the historicity of the sagas, the Sagas of the Icelanders are not purely historical, because, in the two or three hundred years which intervene between their writing and the events they record, legend and folk-lore had added much to the exploits of their heroes, for the inclusion of which in the written saga there was excellent precedent in the miracles introduced into the Lives of the Saints.

[1] It is this element in the Sagas of the Icelanders which makes them seem so familiar to the student of Old English poetry and which equates them rather with the Old English than the contemporary Middle English period.
[2] See selection vii *b*.

The minor categories of sagas mentioned earlier arose either out of the same lay interest which motivated the Sagas of the Icelanders or from a new interest created by foreign models. The Icelanders' interest in the traditional past led, during the thirteenth century, to the writing of sagas based on the older heroic verse such as *Skjǫldunga saga*, which also had connexions with the Sagas of the Kings, and *Vǫlsunga saga*. Sagas of this type, normally called *Fornaldar sǫgur*, continued to be written in the fourteenth century, although by that time they had often degenerated into pure adventure stories and had been considerably influenced by the romantic tale. This influence was mainly due to translations of French romances and Breton lays made for the court of King Hákon of Norway. Amongst them may be mentioned *Ívens saga* and *Parcevals saga*, both based on works by Chrestien de Troyes, and also *Tristrams saga*, probably the earliest of them all, which was translated in 1226 by a certain Brother Robert, who from his name would appear to have been an Englishman. Norwegian translations of a different type are *Karlamagnús saga*, based on French Chansons de Geste about Charlemagne, and *Þiðriks saga*, the sources of which were probably Low German poems on Dietrich of Bern, originally the Ostrogoth Theodoric the Great. This last, which recalls the great figures of the Germanic heroic age, belongs to the same family as *Vǫlsunga saga*. All these translations were soon known and popular in Iceland, and the romances especially were to have an enormous influence on the native literature. At first the effect was a happy one, as the added 'colour and courtesy' of *Laxdœla saga* shows, and it remained fruitful as long as it was held in check by the discipline of Icelandic subject-matter. But, as mentioned above, the later combination of the *Fornaldar saga* and the romantic tale resulted for the most part in the turgid monotony of the fourteenth-century tales of kings, queens, and knights in fantastic adventure. When the restraining hand of history, which had given the sagas their birth, had once been lifted, degeneration was swift and the saga-writing which has made Iceland famous ceased to be. The older works continued to be copied, for we owe their preservation to manuscripts of later centuries, but new composition turned to new styles and was mainly concentrated in the metrical romance. Even the Sagas were turned into *rímur* and the wheel had come full circle; the old heroic poems which had been turned into prose were once more remoulded into a verse form.

It was formerly held that the source of the Icelandic sagas was oral tradition and that with the exception of some of the more obviously literary sagas such as *Egils saga*, *Laxdœla saga*, and *Njála* the sagas had already existed in oral form and were written down at the dictation of a saga-man. Although this view has now been abandoned, there is still wide agreement that the authors of the sagas made extensive use of oral traditions, if only for the basic material of the story. Ari Þorgilsson, in whom the feeling for historical truth was strong, illustrates the method, and no doubt his example was followed, although references to sources are less common in later works.[1] These oral traditions were preserved in both prose and verse, and Snorri Sturluson makes clear his faith in the latter in his preface to *Heimskringla*. Verse by its very nature—particularly the strict form of the skaldic poems—would be less prone to alteration by oral transmission than the looser prose, and the verses of the skalds were established sources for the Lives of the Kings. They often formed a basis, too, for the Sagas of the Icelanders, as for example in *Gísla saga* and *Gunnlaugs saga*. But written sources, when available, were not neglected.

[1] Cf. selection iv, where Ari says: 'I was told this by Þorkel Gellisson' and '. . . according to the account given to Þorkel Gellisson in Greenland by a man who accompanied Eirík thither.' It is interesting to see the same method in Bede's *Ecclesiastical History*, which Ari almost certainly knew.

The use of genealogical lists and *Landnámabók* has already been mentioned, and authors of the later sagas did not hesitate to borrow from the work of earlier colleagues. *Gunnlaugs saga* and *Hallfreðar saga* tell a similar story of a poet's disappointment in love, and verbal borrowings by *Gunnlaugs saga* from its earlier counterpart are easily demonstrable. The author of *Gunnlaugs saga*, in order to make his story the more interesting, even borrowed incidents from translated sagas.[1] The author of *Njáls saga* made extensive use of earlier stories, and the logical outcome of this type of borrowing is manifest in such encyclopaedic works as *Flateyjarbók*, where whole stories from different sources are incorporated into the main work. Close study of the individual sagas has shown that the authors were usually prepared to take their material from every source available to them.

The value of the sagas as source-books has long been a vexed question, and the attitude of modern historians has varied greatly, fluctuating between blind faith and complete distrust. The question is inextricably mixed with that of the sources and the use made of them by the various saga-writers. Even the Lives of the Kings are not solely works of scholarship, for the livelier versions in particular are imaginative works in which the aesthetic approach of the author is important as well as the historical fact. Obviously the dialogue, often so judiciously and effectively introduced into the narrative, cannot be strictly historical, but its inclusion need not detract from the historicity of the events. It is unlikely that Snorri ever attempted the deliberate perversion of history, though his imaginative reconstruction must owe a great deal to his literary ideals. In the earlier works, such as those of Ari where the literary purpose was less ambitious, historical facts, in so far as they were ascertainable by the author, will be more trustworthy. The

---

[1] For example *Trójumanna saga*, see S. Nordal in the Introduction to *Íslenzk Fornrit*, iii.

Lives of the Kings are primarily historical works, but a good axiom might be to accept only with caution anything which cannot be checked by reference to early skaldic verse. This, as we have seen, was the advice given by Snorri Sturluson, who was himself critical of his sources and often tried to rationalize an event which his predecessor saw as a miracle. The Sagas of the Icelanders, though again based for the most part on historical events, are less reliable as sources than the Sagas of the Kings. The temptation to make a good story out of the available material was probably stronger, and the falsification of history is not unexampled. *Hœnsna-Þóris saga* gives the reader an impression of truth to fact, but a comparison with Ari's account in *Íslendingabók* shows that the story is to a great extent fictional. Ari, who was writing about a century and a half earlier than the author of the saga, states that it was Þorkel and not his father Blund-Ketil who was burned in his house by his enemies, and we must assume that the facts were deliberately altered. The short *Hrafnkels saga* was for long considered a good example of the historical saga taken direct from oral tradition. It reads convincingly and, being amongst the shortest of all, might most easily be learned word for word and handed down intact. But more recently a careful comparison of the subject-matter with the corresponding portions of *Landnámabók* has shown that it can have little basis in history.[1] The relationship between the sagas and the Book of Settlements is important and must be determined before any decision can be reached on the historical value of the saga. If the accounts of the two sources differ, the version to be found in the Book of Settlements is normally to be preferred, as it often had written sources which were at least one hundred years older than the saga. The moral to be drawn is that every

[1] See S. Nordal, 'Hrafnkatla', *Studia Islandica*, 7, Reykjavík, 1940, and E. V. Gordon's essay 'On Hrafnkels saga' in *Medium Ævum*, viii, 1939, pp. 1–32.

one of the sagas must undergo separate examination with special reference to its sources before its reliability as history can be ascertained.

As literature the Icelandic sagas hold a unique position; their qualities are widely known and will be easily recognizable to the sympathetic reader. Their realism, one of the inherent difficulties in the problem of their historicity, is almost unparalleled in medieval times. The description of a scene, however fantastic in itself, is normally treated in so realistic a fashion or so rationalized by the addition of realistic detail that it carries immediate conviction. The legendary struggle between Grettir and Glám, so well known to the student of *Beowulf*, is convincingly portrayed in a manner reminiscent of the stark reality so effectively and dramatically used in the poem on *The Waking of Angantýr*. Indeed it might be argued that the success achieved by the saga-writers was due to the early development in them of the truly dramatic, as opposed to the melodramatic, sense. This might well account for the strangely effective use of dialogue to further the development of the action, a device well illustrated by the two extracts from *Njáls saga* (selection vii). Essentially dramatic, too, is the method, common to all the better sagas, of allowing the events to speak for themselves and rarely to permit the author to reveal his presence by comment upon the action. Although this exclusion of author's opinion may make difficult the portrayal of the inner man, the characters of the sagas are rarely types. Skarpheðinn and Hallgerð in *Njáls saga* are portrayed with uncanny skill and psychological insight, and few readers will fail to recognize the competence of the *Hrafnkels saga* author in this respect. Noteworthy also in the little cameo of Auðun and the Bear (selection xii) is the fine contrast between the characters of Harald and Svein, revealed by their varying reactions to events. Some of the sagas show great skill in the construction of a plot, though this is less easy to demonstrate from extracts. But it is worth while to mention the remarkably effective use made in *Grettis saga* of the extract given in selection viii. Grettir in his life performs so many remarkable deeds that he is in danger of becoming a superman rather than a hero, but by this single adventure with Glám the author gives to Grettir one very human weakness, fear of the dark, which not only makes him credible to the reader but effectively motivates the latter part of his tragic life. The positioning of this episode in the saga, moreover, is truly masterly. Not every saga of medieval Iceland reveals each one of these excellences, though they are basic to all; not all the sagas are great literature, any more than are all the plays of the Elizabethan era, the great dramatic age of this country, but amongst them are to be found prose works of the highest order.

Some of the vernacular prose works of Norway have already been mentioned in the discussion of the development of the Icelandic saga, but, in addition to the translations from the French, original compositions were also produced, though comparatively little has survived. The most interesting is the King's Mirror (*Konungs Skuggsjá* or *Speculum Regale*),[1] a didactic work written as a dialogue, in which a father gives advice and information to his son. It has been attributed to Archbishop Einar Gunnarsson and was written about 1260. The homilies in the *Gammel norsk homiliebog*[2] date from the twelfth century. Some of them are paralleled in an Icelandic collection, and it is difficult to assign them definitely to either country. There are also compilations of laws from both the twelfth and thirteenth centuries.

Laws also represent the earliest surviving prose in East Norse. They are capably expressed and suggest that a great deal more which has not survived must have been written in

---

[1] Ed. by F. Jónsson (Copenhagen, 1920) and L. Holm-Olsen (Oslo, 1945).
[2] Ed. by Unger (1864), G. T. Flom (Illinois Studies in Language and Literature, 1929), and Indrebø (1931).

the vernacular. Since, however, the East Norse area was in closer contact with the continent of Europe, it is likely that Latin was favoured for history at this time, as in that invaluable work, Saxo's *Gesta Danorum*.

VI

THE PRESERVATION OF TEXTS

FROM the foregoing chapters it will be clear that the Icelandic sagas, in their present form, can only have a written textual history, though the poetry must also have an oral one. The Icelandic scribes, like those of other countries, did not hesitate to edit their texts. Some they shortened and into others they interpolated new material. *Egils saga* (selection ix) is best preserved in the mid-fourteenth century *Mǫðruvallabók*, but the text in it is considerably shorter than that to be found in earlier fragments, and the same tendency is manifest in surviving versions of *Fóstbrœðra saga* (selection xi), in *Víga-Glúms saga* and in *Droplaugarsona saga*. The clearest examples of interpolation are perhaps to be found in the histories of the Norwegian kings. One of the fullest, *Flateyjarbók*, a magnificent codex from the end of the fourteenth century, which contains one of the versions of the discovery of America (selection v), has embedded in its text *þættir*, or short episodes about Icelanders who visited the kings' courts, and even whole sagas. In this instance, however, the interpolation of the text is fortunate. The sagas of the kings which are treated with so little respect exist in other texts, while much of the interpolated matter is not found elsewhere. *Flateyjarbók* is thus a great storehouse of valuable material that would have been lost but for its compilers' determination to set down all the history they could find.

Written records in Scandinavian lands begin with the coming

of ecclesiastical teachers. The first of the Scandinavian lands
in which Christianity got a firm footing was Norway, and the
earliest Christian teachers brought there (by Óláf Tryggvason
and Óláf the Saint) were English. Norwegian handwriting thus
was based on the Anglo-Saxon hand of the eleventh century.
At that period there were two styles of writing in England, one
descended from the 'pointed' Irish hand, used in writing the
vernacular, and the other a form of the Frankish minuscule,
used only for writing Latin. This double system was adopted
in Norway, but by the thirteenth century it had been simplified
into a more or less unified national hand. Letters of character-
istic Anglo-Saxon form still in use were *f, r, v* (like OE. *þ = w*)
þ, ð; the use of the accent to indicate length also came from
England. Iceland also adopted the Anglo-Saxon form of the
minuscule, but made little use of the English insular hand as
the vernacular was probably not used in Iceland at the time of
borrowing. In the earliest Icelandic manuscripts Latin *f, r,*
and *v* are usual, but the use of the minuscule *v* and the OE. *þ*
are decisive in showing the origin of the script;[1] *ð* was not intro-
duced until about 1225. In the thirteenth century Icelandic
writing was influenced by the later Norwegian hand, and in the
last half of the century became very similar. Codex Regius of
the Elder Edda is a fair specimen of this later Icelandic style;
see the facsimile opposite p. lxiv, and note the Anglo-Saxon *f*
and *þ*, and the use of *ð*. West Norse writing, compared with
the Anglo-Saxon hand from which it originated, is very angu-
lar; and owing to the scarcity of vellum in the north the writing
is crowded and contracted. Note the use of a capital letter to
indicate doubling, as *seN = senn*, an Icelandic development.
The other contractions used are of types common to the Latin
tradition of writing.

The national hands of Denmark and Sweden had a different
origin. In Denmark the earliest Christian missions, beginning

[1] See H. Spehr, *Der Ursprung der isländischen Schrift*, p. 47.

with Saint Ansgar's (in 826), came from Germany, and so Danish writing was founded on the Latin writing in German use. But there were a few English missions in Denmark too, and from their influence, combined with Norwegian example, þ was sometimes used; and the letter ø also seems to have come from England. In Anglo-Saxon it is found only in a few manuscripts of the eleventh century, but it was nevertheless adopted in Denmark and eventually came into general use there and in other Scandinavian lands. The old Swedish hand resembled Danish, but was more subject to Norwegian influence. Anglo-Saxon f and ð appear occasionally in Swedish manuscripts, and þ is not uncommon.

It is notable that the Danes and Swedes made an attempt to use the runic *fuþark* for writing on vellum. The laws of Skåne (in the Danish Codex Runicus, AM 28, octavo) are written in a runic hand of great promise. It is a pity that the East Norse nations did not persevere and develop a minuscule from their runes. In both East and West Norse manuscripts runes were often used as abbreviations; for example, the rune Ý was written instead of the word *maðr*.

So far as is known, writing of vernacular texts began in Iceland in the winter of 1117–18, when a legal code was compiled; and Ari published his *Íslendingabók* a few years later. From about 1150 a large number of sagas were written down. The spelling of extant twelfth-century texts differs considerably from that of the later manuscripts in which most of the sagas are preserved. Lines 77–87 of selection iv, for example, must have been spelled something like this:

En þeir fóro þegar inn til meginlanz, oc síþan til alþingis, oc góto at Hiallta at hann vas epter í Laugardale meþ xii. mann, af þuí at hann hafþe áþr secr orþet fiørbaugsmaþr et næsta sumar áþr á alþingi of goþgó; en þat vas til þess haft, at hann quaþ at løgberge quiþling þenna:

'Vilcat goþ gayia,   gray þycciomc Frayia'.

En þeir Gizorr fóro unz þeir quómo í staþ þann í hiá AOlfossvatne, es kallaþr es Vellankatla, oc gørþo orþ þaþan til þings at á mót þeim

scyllde coma aller fulltingsmenn þeira, af þuí at þeir hæofþo spurt at
andskotar þeira villde veria þeim víge þingvaollenn.

But there was probably some variation between *c* and *k*, and
length of vowels was only occasionally marked. Inconsistency
of spelling becomes more marked in later manuscripts; see the
facsimile of *Þrymskviða* opposite. Comparison with the text
printed on p. 138, ll. 51 f. will give some idea of editorial
normalizing of spelling and of the restorations adopted in
poetic texts. In the poetic texts in this book restorations are
attempted only when necessitated by the metre, and not always
then, if the details of the original form are uncertain. Normal
forms of the first half of the thirteenth century are retained as
far as possible. The transcription of the first twelve lines of the
facsimile is as follows:

Reið varð þa freyia *oc* fnasaði allr ása salr vndir bifðiz. sta⁄cc þat iþ
micla men brisinga. mic veiztv ver̜þa ver̜giarnasta ef ec ek meþ þer i
iotvn heima. SeN *voro* ę̨sir all*ir* aþingi *oc* asynior allar amali. *oc* vm
þat reþo rik*ir*.tifar hve þeir hloriþa hamar vm sętti. Þa qvaþ þat
heimdallr hvitastr ása visi h*ann* vel fr*a*m s*e*m van*ir* aþr*ir*. bindo ver
þor þa brvþar lini hafi h*ann* iþ micla m*e*n brisinga. Lato*m* vnd hano*m*
hrynia lvcla *oc* kven vaþ*ir* vm kne falla. *e*n abri*o*sti breiþa steina *oc*
hagliga vm ha⁄fuþ typpo*m*. Þa qvaþ þat þoR þrvðugr ás mic mvno
ę̨s*ir* argan kalla. ef ec bindaz lę̨t brvþar lini. Þa qvaþ þat lóci lá⁄f eyiar
son*r* þegi þv þoR þeira orþa. þegar mvno iotnar asgarð bva n*e*ma þv
þiN hamar þer vm heimtir. Bunðo þeir. þór. þ. brv. l. *oc* e. m. m*e*n. bri.
l. v. h. h. l. *oc* k. v. vm. kne f*a*lla. eN a. bri. b. s. *oc* h. v. h. t.

Note the use of *ę̨* = *æ*, *ꜹ* = *ǫ*, *io* = *jǫ*, the abbreviations of
line 12 (which repeats line 6), and the common use of *i* for
both *i* and *j*, *v* for *v* and *u*. These are common characteristics
of old West Norse manuscripts.

None of the oldest written texts of poems or sagas have sur-
vived in their original form. During the fifteenth and sixteenth
centuries interest in the writing of the older literature waned,
though a few modifications of earlier material, as in *Fljótsdæla
saga*, seem to have been attempted. The older manuscripts,
however, continued to be copied to replace existing ones which

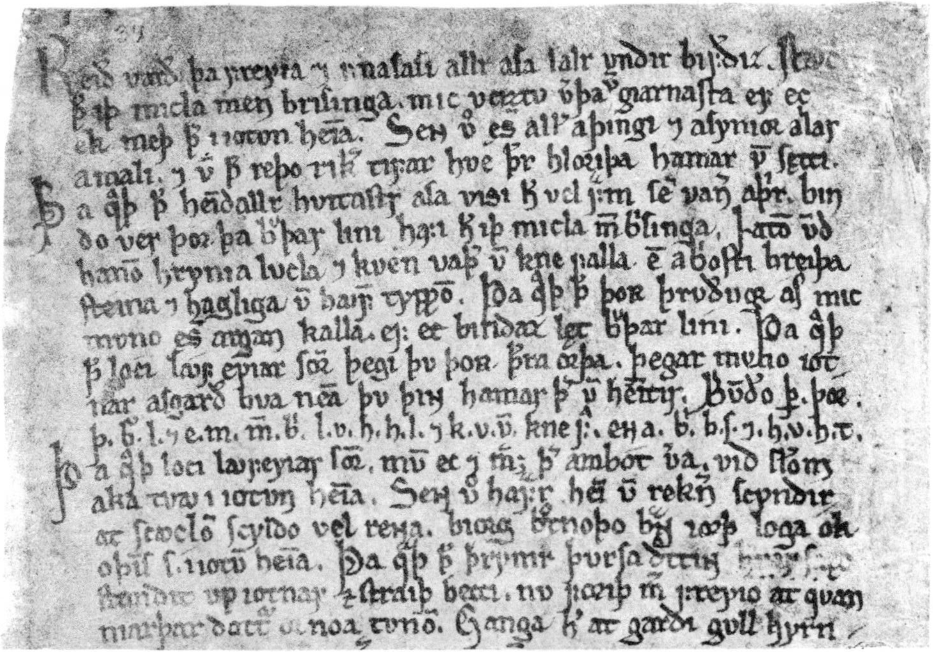

ÞRYMSKVIÐA (ll. 51–92)

Codex Regius of the Elder Edda, *page* 34

deteriorated or perished. Abroad a new interest was created at the end of the sixteenth century by the works of Arngrím Jónsson (1567–1648); his *Brevis Commentarius* (1593), a description of Iceland, was reprinted with an English translation in Hakluyt's *Voyages* (London, 1599). Arngrím and many other seventeenth-century scholars collected manuscripts. Probably the finest collection made in Iceland was that of Bishop Brynjólf of Skálholt (1639–75); he discovered and saved from destruction the precious Codex Regius of the Edda poems. In the seventeenth century many paper copies of the older vellum manuscripts were made; many texts were thus saved from destruction, but probably the existence of the new copies sometimes led to neglect or destruction of the older and less legible vellums.

In other Scandinavian countries besides Iceland there was a keen interest in Old Norse literature in the seventeenth century. In Denmark Ole Worm, Bishop Resenius, and Bartholin were the foremost scholars of Old Norse, and all three made collections of Icelandic manuscripts. Worm corresponded with Arngrím, who made him a present of the manuscript of Snorra Edda which is still known as *Codex Wormianus*. Árni Magnússon, who made the largest of the collections of Norse manuscripts, came to Copenhagen from Iceland in 1683, and was employed by Bartholin as a copyist. He obtained manuscripts in Denmark, Norway, and Iceland, including the entire collection of the learned Icelander Þormóður Torfason (better known as Torfaeus), when he died in 1719. Árni did more than any other man to save Old Norse literature from destruction; the collection which he left, now in the University Library at Copenhagen, contains more than half of the surviving manuscripts that are of textual value. Icelandic collectors, especially Bishop Brynjólf, gave many of their manuscripts to Danish scholars; and when the collectors died, their libraries were broken up, and the manuscripts found their way to Swedish and Danish collections. These are no longer in private hands. The chief collections now in existence are:

(1) The Royal Library at Copenhagen (*Codices Regii*). Here are some important manuscripts, including that of the Elder Edda, presented by Bishop Brynjólf.

(2) The University Library, Copenhagen (*Codices Academici*). This library was completely destroyed by fire in 1728, and many vellum manuscripts were burnt, most of which came from the library of Resenius. Most of them had been copied by Torfaeus. Árni Magnússon's great collection is now in this library.

(3) The University Library at Uppsala (*Codices Upsalienses*), containing the collection of the Swedish nobleman De la Gardie (died 1686).

(4) The Royal Library at Stockholm (*Codices Holmiani*). The next largest collection to Árni Magnússon's.

(5) Wolfenbüttel, Germany. Here is a vellum manuscript containing *Egils saga* and *Eyrbyggja saga*.

The number of the vellum manuscripts that have survived is not great, but most of the important sagas seem to have survived in good seventeenth-century copies, if not in early ones. If more than one collection of the older poetry was made, there is no evidence of it now. Among the missing sagas are: *Sigurðar saga Fáfnisbana* (mentioned in *Norna-Gests þáttr*), *Skjǫldunga saga*, *Gauks saga Trandilssonar* (mentioned in *Íslendinga drápa*; see note to iii/5, p. 260), and many others.

Notes on the Manuscripts containing the Selections of this Book

WEST NORSE

[In addition to the following list the student's attention is drawn to the magnificent facsimile reproductions of Icelandic Manuscripts in the series *Corpus Codicum Islandicorum Medii Ævi*, Copenhagen, 1930–, and *Manuscripta Islandica*, Copenhagen, 1954–.]

1. *Fagrskinna* (fragments). Norwegian State Archives, no. 51. Nor-

wegian hand, *c.* 1250. *Facsimile*: Palæografisk Atlas, nos. 23, 24. *Selection xvii.*

2. *Kringla* (fragment). Cod. Holm. Perg. 9 fol., *c.* 1260. Almost completely destroyed by the fire of 1728, but had been copied by Helgi Óláfsson and Jón Eggertsson, who finished the work in 1682. There is another copy by Ásgeir Jónsson, now AM 35, 36, 63. *Facsimiles*: Pal. Atlas, no. 17; F. Jónsson, *De bevarede brudstykker af Kringla og Jöfraskinna*, in *Samfund g. n. Lit.* 1895. *Selection x.*

3. *The Elder Edda*, Cod. Gl. kgl. sml. 2365, quarto. Second half of the 13th century. *Facsimile*: see pp. lxiv, lxxxii. *Selections xiii, xvi* H.

4. *Morkinskinna* 'Rottenskin', Cod. Gl. kgl. sml. 1009, quarto. Second half of the 13th century. *Facsimile*: Pal. Atlas, no. 28. Contains sagas of the kings of Norway. *Selection xii.* See also p. 117.

5. *Snorra Edda*, Cod. Regius (Gl. kgl. sml. 2367, quarto), *c.* 1300. *Facsimile*: Pal. Atlas, ny serie, no. 4. *Selection i.*

6. *Snorra Edda*, Cod. Upsaliensis D G 11, *c.* 1300. *Facsimile*: Pal. Atlas, ny serie, no. 5. *Selection i.*

7. *Brennu-Njáls saga*, Cod. AM 468, quarto, *c.* 1300. *Facsimile*: Pal. Atlas. no. 35. *Selection vii.*

8. *Hauksbók*, Cod. AM 371, 544, 675, quarto. Naméd after Hauk Erlendsson, by whom it was compiled. He was lawman from 1294, and died in 1334. There are six hands, the first that of Hauk himself, *c.* 1300. They range from *c.* 1300 to 1329, but the greater part of the manuscript dates from 1323 to 1329. It contains twenty-three articles, including *Landnámabók* (in Hauk's hand), *Hervarar saga*, *Fóstbrœðra saga*, *Þorfinns saga*, *Vǫluspá*, and various saga texts and works of medieval theology, science, and philosophy. *Hauksbók* is edited complete by E. and F. Jónsson, Copenhagen, 1892–6. For facsimiles see their edition; also Reeves, *The Finding of Wineland the Good* (*Þorfinns saga*), and Pal. Atlas, ny serie, no. 6. *Selections v* B, *xi, xiv.*

9. *Mǫðruvallabók*, Cod. AM 132, folio, *c.* 1350. A large manuscript of sagas probably from Eyjafjörður in the north of Iceland. *Selection ix.*

10. *Flateyjarbók*, Cod. Gl. kgl. sml. 1005, folio, dating from 1387 to 1394. Written on Flatey for Jón Hákonarson of Víðidalstunga in the north of Iceland, by the priests Jón Þórðarson (1387) and Magnús Þórhallsson (*c.* 1388–94). Magnús Þórhallsson illuminated the whole manuscript, a large and magnificent book. At the end are a few pages in a late 15th-century hand. *Facsimiles*: Reeves, *The Finding of Wineland the Good* (*Grœnlendinga þáttr*); Vigfusson's ed. of *Orkneyinga saga*, Rolls Series; Pal. Atlas, ny serie, no. 21. Edited complete by Vigfússon and Unger, Christiania, 1860. *Selections v* A, C, *xi, xii*; see also p. lxi.

11. *Vǫlsunga saga*, Cod. Ny kgl. sml. 1824 b, quarto, *c.* 1400. Contains also *Ragnars saga Loðbrókar* and *Krákumál*. *Facsimile*: Pal. Atlas ny serie, no. 24. *Selection ii.*

12. *Þorfinns saga Karlsefnis*, Cod. AM 557, quarto, 15th century.

Facsimile: Pal. Atlas, ny serie, no. 27; Reeves, *The Finding of Wineland the Good. Selection v* D, E.

13. *Grettis saga*, Cod. AM 551, quarto, second half of the 15th century. *Facsimile*: Pal. Atlas, ny serie, no. 31. *Selection viii.*

14. *Libellus Islandorum*, Cod. AM 113 a, folio, copied in 1651 by Jón Erlendsson from a 12th-century original for Bishop Brynjólfsson of Skálholt. Paper. *Facsimile*: Pal. Atlas, ny serie, no. 38. *Selection iv.*

East Norse

15. *Saxo Grammaticus*, Cod. Ny kgl. sml. 869 g, quarto, 13th century. *Facsimile*: Pal. Atlas, Dansk Afdeling, no. 6. See pp. lxxx and 165.

16. *The West-Gautish Laws*, Cod. Holm. B 59. The first hand is 1281–90, the rest *c.* 1300. *Facsimile*: Börtzell and Wiselgren, *Væstgøta Laghbok*, Stockholm, 1899. *Selection xix.*

17. *Codex Runicus*, AM 28, octavo, really two manuscripts bound together. The earlier one is from the end of the 13th century, the later one from the beginning of the 14th. Written in runes. It contains the Laws of Skåne in the 13th-century hand, and, in the later part, two lists of Danish kings, ending with Erik Erikssøn (died 1319), a description of the boundaries between Skåne and Sweden, and the oldest fragment of a Danish ballad:

> Drømde mik æn drøm i nat
> um silki ok ærlik pæl.

The melody is also given. *Facsimile*: Of the whole MS., *Codex Runicus*, published by the Komission for det Arnamagnæanske Legat, Copenhagen, 1877; see also Pal. Atlas, Dansk Afdeling, nos. 17–18. See pp. lxiii.

18. *Guta Lag oc Guta saga*, Cod. Holm. B 64, written *c.* 1350. The most important document of Old Gutnish. *Selection xxi.*

19. *Gesta Danorum*, Cod. Holm. B 77, first half of the 15th century. *Facsimile*: Pal. Atlas, Dansk Afdeling, no. 34. *Selection xviii.*

20. *Codex Bildstenianus*, in the library of Uppsala University. First half of the 15th century. A large collection of saints' legends, many (but not all) of which are edited by Stephens. *Selection xx.*

VII

NORSE STUDIES IN ENGLAND

THE growth of antiquarian interests in England in the seventeenth century turned the attention of the learned to Norse history and literature as a possible source of information about

England's past. The antiquaries of that time had already some notion of comparative method, and they hoped to fill gaps in their knowledge of Anglo-Saxon antiquities from Norse; they turned, naturally, to contemporary Scandinavian scholars for information. Sir Henry Spelman, author of the *Glossarium Archaiologicum* (1626), is the first whose inquiries are known. He was personally acquainted with Ole Worm, the Danish antiquary, and corresponded with him. Worm was the author of ᚱᚢᚾᛅᛦ *seu Danica Litteratura antiquissima, vulgo Gothica dicta* (Copenhagen, 1636), a book which for long was regarded as an authority on Norse antiquities. It contained a treatise on runes and an essay on 'runic' poetry, with texts, edited by Þorlákur Skúlason, of *Krákumál* (the death-song of Ragnar Loðbrók), Egil's *Hǫfuðlausn*, and other verses, to which was added a Latin translation by Magnús Ólafsson; the second edition in 1651 also contained a *Specimen Lexici Runici*, by Ólafsson and Worm. This book supplied a conception of the viking which appealed to romantic taste in England, an incredibly heroic viking, completely indifferent to death, eager to enter Valhalla and drink beer from the skulls of his enemies. This conception is derived from the exaggerated heroism of *Krákumál*, still further exaggerated by Worm and Ólafsson's erroneous interpretations and the romantic enthusiasm of English readers. The detail of drinking from skulls made an especial appeal, and for a long time few writers could mention a viking without telling the strange fashion of his drinking. It is in Sammes's *Antiquities of Britain* (1676), Horace Walpole and Southey prate of it, Percy has it in the *Dying Ode of Ragnar*, and Matthew Arnold in *Balder Dead*. The originator of the absurdity was Ólafsson (in Worm's book) who mistranslated the lines of *Krákumál*

> Drekkum bjór at bragði
> ór bjúgviðum hausa;
> sýtira drengr við dauða
> dýrs at Fjǫlnis húsum

as _Sperabant heroes se in aula Othini bibituros ex craniis eorum quos ceciderunt._ But _ór bjúgviðum hausa_ properly means 'from curved branches of skulls', a kenning for drinking-horns.

A book which strengthened the current conception of the death-disdaining viking was Bartholin's _Antiquitatum Danicarum de causis contemptae a Danis adhuc gentilibus mortis libri III_ (Hafniae, 1689). Bartholin in his attempt to account for the Norsemen's indifference to death quoted a number of passages from Norse literature which would confirm the notion which most of his readers had already conceived of the ferocity and extravagant heroism of the Norsemen. The influence of Bartholin as well as Worm is evident in Sir William Temple's remarks on northern life and literature in his essays _Of heroic virtue_ and _Of poetry_, and in the translations of Norse poems by Gray and his school. After Temple the ferocious death-scorning skull-draining viking becomes an affliction to the reader. He has a long history, but is probably seen in his most developed and intolerable form in Scott's romance _Harold the Dauntless_; though parts of his novel _The Pirate_ are nearly as bad.

Before Scott this tradition had been definitely fixed in English literature by Gray and Percy, who chose the fiercest and most bloodthirsty Norse poems for translations of what (following Worm) they called 'runick' poetry. Gray rendered _Darraðarljóð_ into English verse from the Latin translation in Torfaeus, and he paraphrased _Baldrs Draumar_ as _The Descent of Othin_. Gray had more skill in the technique of verse than most of the English versifiers who treated Norse subjects, and he had a terseness of phrasing that was akin to the style of his originals. But his imaginative grasp of the subjects was much weaker than that of the Norse poets: _The Descent of Othin_ has little of the grandeur of _Baldrs Draumar_, and _The Fatal Sisters_ is a mere travesty of _Darraðarljóð_. Percy in his _Five Pieces of Runic Poetry_ published prose translations of _The Waking of_

Angantýr, Krákumál, Hǫfuðlausn, Hákonarmál, verses by
Harald Harðráði, and Rǫgnvald Kali's *Tafl emk ǫrr at efla.*
His translations are unaffected, plain, and readable, which is
more than can be said for the verse translations of his time.
They are not original, however, as Percy knew very little Norse;
he translated the translations of Worm, Bartholin, and others,
reproducing their errors. For example, in *Krákumál,* Ragnar
says of the pleasure of a certain battle:

> Varat sem unga ekkju
> í ǫndvegi kyssa.

Percy renders this (following Worm—or rather, Óláfsson—
who did not know that *-at* was a negative): 'The pleasure of
that day was like kissing a young widow at the highest seat of
the table.' William Herbert, a later translator, commented on
this: 'What notion the learned translators entertained of kissing
young widows, I cannot pretend to say; but it is singular that
they should have imagined . . . it like breaking heads with a
broadsword.'

The poems which Percy translated into prose were soon
rendered into verse as 'odes in the manner of Mr. Gray'; verse
translations of one or more of them were published by W. B.
Stevens (1775), Rev. T. J. Mathias (1781), Hugh Downman
(1781), W. Williams (1790), Rev. Richard Polwhele (1792),
J. P. Andrews (1794), Anna Seward (1796), 'Monk' Lewis (in
Tales of Wonder, 1801). These odes are all more or less ludi-
crous, and the most ridiculous of them are those by 'Monk'
Lewis. In 1797 the first English translation of Edda poems was
published, twelve of them rendered into verse by A. S. Cottle.
His renderings were pronounced by reviewers to be elegant
but inaccurate; and even the 'elegant' details of classical diction
now seem merely incongruous. The first respectable verse
translations from Norse were by William Herbert (*Select Ice-
landic Poetry, translated from the originals,* 1804), who was also
the first of the verse translators to have first-hand knowledge

of Old Norse. He receives casual mention in Byron's *English Bards and Scotch Reviewers* (1809):

> Herbert shall wield Thor's hammer, and sometimes,
> In gratitude thou'lt praise his rugged rhymes.

Among those inspired by the Norse stories translated by Herbert and Mallet (see below, p. lxxv) was Walter Savage Landor. He writes thus to Southey in 1811: 'The Romans are the most anti-picturesque and anti-poetical people in the universe. No good poem ever was or ever will be written about them. The North opens the most stupendous region to genius. What a people were the Icelanders! what divine poets! Even in the clumsy version of William Herbert they strike my imagination and heart differently from others. Except Pindar's, no other odes are so high-toned. I have before me, only in the translation of Mallet's *Northern Antiquities*, the ode of Regnor Lodbrog, the corrections of which I remember. What a vile jargon is the French! "Nous nous sommes battu à coups d'epées"!! There is one passage I delight in. "Ah, if my sons knew the sufferings of their father . . ., for I gave a mother to my children from whom they inherit a valiant heart." Few poets could have expressed this natural and noble sentiment.' Landor composed poems on Norse subjects himself; only one of them survives, *Gunlaug and Helga* (the story of *Gunnlaugs saga ormstungu*), a rather flat and sentimental work. In spite of his natural sympathy with Norse stories, Landor knew too little about Norse life to retell them successfully with new detail.

None of the translators before Herbert could read Norse, or they might have corrected their extravagant notions of viking life. If they could have read the sagas they would have been astonished to find the bloodthirsty viking at home a respectable country gentleman with a taste for the study of law and history. Even those who knew the language had read little of the literature. The earliest scholar in England who had a working

knowledge of Norse was the Dutchman Franciscus Junius.
He had published a text of the *Rune Song* (which he got from
Worm's book; see below, p. 154 and note) in runes at the end
of his edition of the Anglo-Saxon and Gothic gospels (Dort,
1665); he brought his fount of runic type with him to England
and eventually presented it to the Oxford University Press,
who used it in printing the works of Hickes. Hickes was the
first English scholar to study Norse; he was primarily interested
in Anglo-Saxon, but was led thence by his interest in com-
parative study to other Germanic languages. He published
in 1689 his *Institutiones Grammaticae Anglo-Saxonicae et
Moeso-Gothicae*, and in the same volume appeared an edition
of the first Icelandic grammar, by Rúnólfur Jónsson; it had
been published in Copenhagen in 1651. Hickes expanded his
Anglo-Saxon and Gothic grammar and republished it, together
with Rúnólf's Icelandic grammar, in his larger *Linguarum
Veterum Septentrionalium Thesaurus ·grammatico-criticus et
archaeologicus*, three volumes, Oxford, 1703–5. The third
volume was Wanley's valuable catalogue of Anglo-Saxon
manuscripts, and it contained also Peringskjöld's notes on
Norse manuscripts at Stockholm. In the Anglo-Saxon gram-
mar Hickes frequently cites parallels from Norse literature; he
even quotes *The Waking of Angantýr* entire, together with a
translation into English, which was reprinted (arranged to
look like verse) in 1716 in one of the volumes added to Dry-
den's *Miscellany Poems* after his death. In a dissertation on
the utility of northern literature at the end of vol. ii, Hickes
reprinted facsimiles of fragments of a runic manuscript now
lost; it was apparently a continental copy on vellum of an
Icelandic saga about a King Hjalmarr, of whom nothing more
is known. Hickes's source was Peringskjöld's *Historia Hialmari
Regis Biarmlandiae atque Þulemarkiae* (Stockholm, 1700).

After Hickes no serious student of Norse appears for some
time. The first English editor of Norse texts was James

Johnstone, whose *Anecdotes of Olave the Black* appeared in 1780, consisting of excerpts from the saga of Hákon the Old (in *Flateyjarbók*) about Óláf, a Norse king of the Isle of Man. Two years later he edited more of *Hákonar saga* in *The Norwegian account of Haco's Expedition against Scotland*. In the same year, 1782, he published an edition of *Krákumál* under the title *Lodbrokar Quida*, and in 1786 *Antiquitates Celto-Scandicae*, consisting of extracts from sagas about the dealings of the Norsemen with the Celtic peoples. All three editions included translations. Johnstone's texts were derived from previous editions, and there are no indications in his work that he had a critical knowledge of Norse, though he was able to read it without difficulty.

Of Norse mythology little was known[1] in England before the publication of Mallet's books, the *Introduction à l'Histoire de Dannemarc* (Copenhagen, 1755), and *Monumens de la Mythologie et la Poésie des Celtes et particulièrement des anciens Scandinaves* (1758). The latter contained a translation of Snorri's Edda, based on the Latin translation of Resenius's edition. Percy published a translation of these books in 1770 under the title *Northern Antiquities: or a description of the Manners, Customs, Religion, and Laws of the ancient Danes and other Northern nations*. His translation of the Edda reproduced the numerous mistakes of Mallet, but it is otherwise attractive, and gives a better idea of the literary quality of Snorri's work than the more accurate and literal translations since published.

Mallet and Percy's work in making the Edda easily accessible soon bore fruit. Goldsmith in *Polite Learning in Europe* (1759) called attention to the Edda and the interest of northern mythology; Warton in his *History of English Poetry* (vol. i, 1774) gives a brief account of Norse mythology and literature; Landor

---

[1] Some seventeenth-century writers, as Sammes, Temple, and Sherringham, cite Snorri's Edda, but they were interested in its information about religion and antiquities rather than in the myths.

was inspired by the stories in Mallet; Sir Walter Scott's note-books show that he was interested in the Edda; and somewhat later Carlyle gives a famous analysis of northern mythology in Lecture I of the series *On Heroes, Hero-worship, and the Heroic in History* (1840). In this essay of Carlyle's there are many unjustifiable assumptions and some obtuseness; but besides the obtuseness are flashes of his customary poetic perception. He liked the Edda because he thought its conceptions large, rugged, and sincere; the grace of Snorri's telling he could not see. Such was the strength of the old prejudice about Germanic literature that even Carlyle, anxious to make the most of it, assumed that a Norseman of Snorri's time must write a rude and primitive style. Carlyle's other venture into the field of Norse, in his *Early Kings of Norway* (1875), was more successful, but he still sees only a 'rude nobleness' in Snorri's history.

Mallet's translation of the Edda produced further fruit in Matthew Arnold's poem *Balder Dead* (1855). This poem has been much admired, and has indeed some true poetry in it; but there are so many details which are false to the spirit of old Norse life and belief that the poem cannot be read with much pleasure by those who are familiar with the work of Snorri.

Norse literature furnished subjects for many writers of the nineteenth century. Longfellow in *The Tales of a Wayside Inn* (1863) retold (with much padding) some episodes from *Heimskringla*; Lowell told in verse the story of *The Voyage to Vinland*; Lord Lytton (son of the novelist) published in 1877 *The Death of Hacon*, a poem based on the account in *Heimskringla*. But it would be tedious to enumerate all the modern paraphrases of Norse stories. Among the latest Mr. Gordon Bottomley's play in verse, *The Ride to Lithend*, deserves mention. In this play there is true understanding of the saga characters, though the speeches ascribed to them are sometimes unnaturally complex and analytical.

The greatest literary interpreter of the north that has been in England was William Morris (1834–96). There was in him a happy combination of parts specially suited for the purpose. He had great sympathy with the old Norsemen's philosophy and way of life, and the stories of their words and deeds never failed to inspire him. Moreover, he had read more widely in Icelandic than any other English writer who essayed Norse subjects, and he had a more accurate understanding of what he read. He had assistance from Eiríkur Magnússon in many of his prose translations, but though Morris was not a fine or critical scholar he must have had a sound and extensive knowledge of Icelandic. He was better able than any other poet had been to apply poetic gifts to Norse subjects, and the result, when he did, was magnificent. His *Sigurd the Volsung* is incomparably the greatest poem—perhaps the only great poem—in English which has been inspired by Norse literature. The only poem which comes near to being a rival is Morris's own *Lovers of Gudrun* (the story of *Laxdœla saga*). Morris's prose translations are valuable too. They have character, and in economy and strength of phrasing are not far behind the originals. But his deliberate and frequent archaisms (often mere pseudo-archaisms) give an air of preciosity and affectation which is entirely out of harmony with the spirit of the sagas. It is hard to be patient with Morris's 'endlong' for 'along', 'ling-worm' or 'drake' for 'dragon', and the like.

The history of exact scholarship of Norse in England begins in the early nineteenth century. Richard Cleasby (1797–1847) was one of the pioneers; he collected materials for an Icelandic dictionary, which was eventually completed by Guðbrandur Vigfússon in 1874. Samuel Laing in 1844 published his translation of *Heimskringla*, a spirited piece of work, and, for its time, accurate. Sir George Dasent did much to interest English people in Icelandic literature by his translations of *The Younger Edda* (1842) and *The Story of Burnt Njál* (1861). The translation of *Njáls saga* is accurate and full of vitality, his best work; and it is accompanied by prolegomena on the history and institutions of Iceland which are still of value. Thorpe's edition of *The Elder Edda* (1866) deserves mention, too, as an able piece of work; it might have attracted more attention if it had not been overshadowed by Bugge's monumental edition, published in the following year.

The most imposing figures in the history of Norse scholarship in England are the Icelanders Eiríkur Magnússon and Guðbrandur Vigfússon; and with Vigfússon is associated York Powell. Magnússon was the better philologist, but he was less productive than Vigfússon and his collaborator, except indirectly; his influence on William Morris was of great importance. Vigfússon was a good historian, and he had a knowledge of Norse manuscripts almost unrivalled among his contemporaries. His dictionary—for most of the credit for the Cleasby-Vigfússon dictionary must be allowed to him—was a great achievement. It is not always sound, but there is ample compensation for mistakes in the many brilliant articles on difficult words; and in some respects it is still the best Icelandic dictionary. In textual work Vigfússon had able assistance from York Powell. It is difficult to distinguish the work of the two partners, but if the translations of the joint editions are mainly by Powell, his share is sometimes the most valuable part of the book, notably in *Corpus Poeticum Boreale*.

Since Vigfússon and Powell ended their labours Norse scholars in England have been less productive; but at least one important book has appeared, W. P. Ker's *Epic and Romance*. Ker was the finest English critic who has written of Norse literature, and all who read his book will regret that we have not had more from him on Norse subjects.

SELECT BIBLIOGRAPHY

Books marked with an asterisk are recommended primarily for
reference

MISCELLANEOUS

*Hoops, J. *Reallexikon der germanischen Altertumskunde*, 4 vols.,
Strasbourg, 1911–19. Includes articles on Norse antiquities of all
kinds.

*Hermannsson, H. *Islandica*, i–xxxi, Ithaca, N.Y., 1908–45. Con-
tains editions, bibliographical material, and essays of historical and
literary interest.

PERIODICALS

Arkiv for nordisk Filologi, Christiania, 1883–6, Lund, 1887–.
Aarbøger for nordisk Oldkyndighed og Historie, Copenhagen, 1866–.
Acta Philologica Scandinavica, Copenhagen, 1925–.
The Saga-book of the Viking Society for Northern Research, London,
1905–.

GRAMMARS

Noreen, A. *Altisländische und altnorwegische Grammatik*, 4th ed.,
Halle, 1923. The chief authority.
Altschwedische Grammatik, Halle, 1904.
Geschichte der nordischen Sprachen, 3rd ed., Strasbourg, 1913. From
Paul's *Grundriss der germanischen Philologie*.

Heusler, A. *Altisländisches Elementarbuch*, 4th ed., Heidelberg, 1950.
Concise; full syntax.

*Brøndum-Nielsen, J. *Gammeldansk Grammatik*, i–iii, Copenhagen,
1928–35.

METRE

Sievers, E. *Altnordische Metrik*, in Paul's *Grundriss*, second ed., 1905,
vol. ii, part 2. A good concise account.

Heusler, A. *Deutsche Versgeschichte*, vol. i, part 2; *Der altgermanische
Vers*, Berlin and Leipzig, 1925. From Paul's *Grundriss*, new series.

DICTIONARIES

*Cleasby and Vigfusson. *An Icelandic-English Dictionary*, Oxford,
1874.

*Fritzner, J. *Ordbog over det gamle norske Sprog*, 2nd ed., Christiania,
1886–96. 3 vols. Reprinted 1954; supplement promised. The
most complete record of the prose vocabulary.

Zoëga, G. *A Concise Dictionary of Old Icelandic*, Oxford, 1910. The
most convenient for the student.

JÓNSSON, F. *Lexicon Poeticum Antiquae Linguae Septentrionalis* (*Ordbog over det norsk-islandske Skjaldesprog*), 2nd ed., Copenhagen, 1931. Indispensable for poetry; significations in Danish.

*KALKAR, O. *Ordbog til det ældre danske Sprog* (1300–1700), 5 vols., Copenhagen, 1881–1918.

SCHLYTER, D. O. J. *Ordbok till Samlingen af Sveriges gamlar Lagar*, Lund, 1877.

*SÖDERWALL, K. F. *Ordbok öfver svenska medeltids-språket*, Lund, 1884 f. For words in the laws references are given to Schlyter.

For Etymology:

FALK and TORP. *Norwegisches-dänisches etymologisches Wörterbuch*, 2 vols., Heidelberg, 1910–11.

*TORP, A. *Nynorsk etymologisk Ordbok*, Christiania, 1915–19.

*HELLQUIST, E. *Svensk etymologisk Ordbok*, Lund, 1922.

TEXTS (SERIES AND COLLECTIONS)

For individual editions see the introductions to the reading selections; for the Elder Edda see no. xiii.

Íslenzk Fornrit, Reykjavík 1933–. Apparatus in Modern Icelandic.

Samfund til Udgivelse af gammel nordisk Litteratur, Copenhagen, 1880–. [Quoted as *Samfund g. n. Lit.*]

Íslendinga Sögur, ed. G. Jónsson, 12 vols. and Index, Reykjavík, 1946–9.

Altnordische sagabibliothek, Halle. Good normalized texts with notes. [Quoted as *An. Sb.*]

Fornaldar sögur Norðrlanda, i–iv, ed. G. Jónsson, Reykjavík, 1950.

Corpus Poeticum Boreale, ed. Vigfusson and Powell, 2 vols., Oxford, 1883. Texts antiquated, translations good.

Den norsk-islandske Skjaldedigtning, ed. F. Jónsson, 4 vols., Copenhagen, 1913–16. Complete collection of skaldic verse.

Den norsk-isländska Skaldediktningen, ed. E. A. Kock, 2 vols., Lund, 1946–9.

Origines Islandicae, ed. Vigfusson and Powell, 2 vols., Oxford, 1905. Sagas and other historical documents, with translations; texts not all complete. (References to *Landnámabók* are to this edition.)

Altschwedisches Lesebuch, ed. A. Noreen, 3rd ed., Stockholm, 1921.

Dansk Sproghistorisk Læsebog, ed. H. Bertelsen, Copenhagen, 1905.

LITERARY HISTORY AND CRITICISM

*JÓNSSON, F. *Den oldnorske og oldislandske Litteraturs Historie*, 2nd ed., 3 vols., Copenhagen, 1920–4. The chief authority.

DE VRIES, J. *Altnordische Literaturgeschichte*, 2 vols., in Paul's *Grundriss*, Berlin, 1941–2.

KER, W. P. *Epic and Romance*, London, 1908. The best general criticism.

VIGFUSSON, G. Prolegomena to his ed. of *Sturlunga saga*, Oxford, 1878.

PHILLPOTTS, B. *Edda and Saga*, London, 1931.

CRAIGIE, W. A. *The Icelandic Sagas*, Cambridge Manuals, 1913.

OLRIK, AXEL. *The Heroic Legends of Denmark*, trans. Hollander, New York, 1919.

TURVILLE-PETRE, G. *Origins of Icelandic Literature*, Oxford, 1953.

SCHÜCK, H. *Schwedisch-Dänische Literatur*, in Paul's *Grundriss*, 2nd ed., vol. ii, pp. 924 f.

RELIGION AND MYTHOLOGY

*GRIMM's *Teutonic Mythology*, trans. Stallybrass, 4 vols., London, 1882–8.

CRAIGIE, W. A. *The Religion of Ancient Scandinavia*, London, 1914. An excellent sketch.

Snorra Edda, ed. Jónsson, Reykjavík, 1907; trans. *The Prose Edda*, by A. G. Brodeur, New York, 1916.

HISTORY, POLITICAL AND GENERAL

SNORRI STURLUSON'S *Heimskringla*, ed. Jónsson, Copenhagen, 1911; trans. William Morris and E. Magnússon in *The Saga Library*, 4 vols., 1893–1905, and Monsen & Smith, Cambridge, 1932.

Saxonis Grammatici *Gesta Danorum*, ed. Holder, Strasbourg, 1886; the first nine books (of sixteen), trans. O. Elton, London, 1894.

TURVILLE-PETRE, G. *The Heroic Age of Scandinavia*, London, 1951.

SHETELIG, H. 'An Introduction to the Viking History of Western Europe', in *Viking Antiquities in Great Britain and Ireland*, I–VI, Oslo, 1940–54.

GJERSET, KNUT. *History of Iceland*, New York and London, 1924.

GJERSET, K. *History of the Norwegian People*, New York, 1915.

KENDRICK, T. *A History of the Vikings*, London, 1930.

BUGGE, A. *Vikingerne*, 2 vols., Christiania, 1904–6; German trans. of vol. i as *Die Wikinger*, Halle, 1906.

MAWER, A. *The Vikings*, Cambridge Manuals, 1913.

THOMSEN, V. *The Relations between Ancient Russia and Scandinavia*, Oxford, 1874.

*MAURER, K. *Die Entstehung des isländischen Staates*, München, 1852.

GREGERSEN, AA. *L'Islande: son statut à travers les âges*, Paris, 1937.

BRUUN, DANIEL. *The Icelandic Colonisation of Greenland*, Meddelelser om Grønland, vol. lvii, Copenhagen, 1918.

THE SCANDINAVIANS IN THE BRITISH ISLES

COLLINGWOOD, W. G. *Scandinavian Britain*, London, 1908.

BJÖRKMAN, E. *Scandinavian Loanwords in Middle English*, Halle, 1900–2.
Nordische Personennamen in England, Halle, 1910.

LINDQVIST, H. *Middle English Place-Names of Scandinavian Origin*, part 1, Uppsala, 1912. General introduction useful.

MARSTRANDER, C. J. S. *Bidrag til det norske Sprogs Historie i Irland*, Christiania, 1915.

THE NORSE DISCOVERY OF AMERICA

REEVES, A. M. *The Finding of Wineland the Good*, London, 1895. Includes facsimiles of the manuscripts about the discovery.

GATHORNE-HARDY, G. M. *The Norse Discoverers of America*, Oxford, 1921.

HERMANNSSON, H. 'The Problem of Wineland', in *Islandica*, xxv, Ithaca, N.Y., 1936.

REMAN, E. *The Norse Discoveries and Explorations in America*, Los Angeles, 1949.

ARCHAEOLOGY

*MÜLLER, S. *Vor Oldtid*, Copenhagen, 1897; German trans. *Nordische Altertumskunde*, 2 vols., Strasbourg, 1897–8.

FALK, H. *Altnordische Waffenkunde*, Christiania, 1914; *Altwestnordische Kleiderkunde*, 1919.

SHETELIG and FALK. *Scandinavian Archaeology*, trans. by E. V. Gordon, Oxford, 1937.

RUNIC INSCRIPTIONS

See Introduction to Part III, p. 181.

WIMMER, L. F. A. *De danske Runemindesmærker*, 4 vols., Copenhagen, 1893–1908; handbook to this collection by Lis Jacobsen, 1914.

JACOBSEN and MOLTKE. *Danmarks Runeindskrifter*, 2 vols., Copenhagen, 1942.

*BUGGE, S. *Norges Indskrifter med de ældre Runer*, 4 vols., Christiania, 1891–1923.

OLSEN, M. *Norges Innskrifter med de yngre Runer*, 2 vols., Oslo, 1941–51.

*BRATE and SÖDERBERG. *Sveriges Runinskrifter*. I. *Ölands Runinskrifter*, Stockholm, 1900–6; II. *Östergötlands Runinskrifter*, 1911–18.

VON FRIESEN, O. *Upplands Runstenar*, Uppsala, 1907; popular survey (same title), 1913.

JÓHANNESSON, A. *Grammatik der urnordischen Runeninschriften*, Heidelberg, 1923.

STEPHENS, G. **The Old Northern Runic Monuments of Scandinavia and England*, 4 vols., Copenhagen and London, 1866–1901.
A Handbook of the Old Northern Monuments, 1884. Antiquated, but both editions contain material not published elsewhere.

PALAEOGRAPHY

**Palæografisk Atlas*. Dansk Afdeling, Copenhagen, 1903. Oldnorsk-islandsk Afdeling, 1905; ny serie 1907.

Codex Regius af den ældre Edda, in collotype facsimile, ed. Wimmer and Jónsson, Copenhagen, 1891.

SPEHR, H. *Der Ursprung der isländischen Schrift und ihre Weiterbildung bis zur Mitte des 13. Jahrhunderts*, Halle, 1929.

*BRØNDUM–NIELSEN, J. 'Palæografi', *Nordisk Kultur*, xxviii A & B, Stockholm, 1944–54.

LINDBLAD, G. *Det isländska Accenttecknet*, Lund, 1952.

GEOGRAPHICAL

*KÅLUND, K. *Bidrag til en historisk-topografisk Beskrivelse af Island*, 2 vols., Copenhagen, 1877–82.

THORODDSEN. Map of Iceland, 2 sheets, Copenhagen, 1900.

CRAIGIE, W. A. Map of *Scandinavia in the 13th century* in the Oxford *Historical Atlas of Europe*, ed. Poole.

ADDITIONAL

OLRIK, A. *Viking Civilization*, London, 1930.

DE VRIES, J. *Altgermanische Religionsgeschichte*, 2nd ed., 2 vols., in Paul's *Grundriss*, Berlin, 1956–7.

BRØNDSTED, J. *The Vikings*, London, 1960.

ARBMAN, H. *The Vikings*, London, 1961.

I. WEST NORSE

I

SELECTIONS FROM THE EDDA OF
SNORRI STURLUSON
(1178–1241)

DETAILS of Snorri's life are known from the history commonly called
Íslendinga saga, written by his nephew Sturla Þórðarson. It forms part
of the long *Sturlunga saga* which follows through many generations
the history of the great family to which Snorri belonged. Snorri's age
was a time of uncontrolled ambition and faction among Icelandic
chiefs; and Snorri was as ambitious and grasping as any of them.
Though less treacherous and violent than most, he was not a scrupu-
lous politician. He has even been called traitor, because he promised
the king of Norway to bring Iceland under his rule. But this was a
diplomatic promise which he did not try to fulfil; he gave it to save
Iceland from Norwegian invasion, and to gain Norwegian support for
himself in Iceland. Like several other chiefs of his time, he aimed at
making himself supreme in Iceland, and for some years (1224–33) he
was undoubtedly the most powerful man there. He was a great lawyer
(he was twice elected *lǫgsǫgumaðr*) and something of a diplomatist,
but an indifferent man of action; when his enemies resorted to arms,
he was worsted and driven abroad. He sought aid in Norway, but he
had lost the king's favour by his failure to bring Iceland under Nor-
wegian rule, and he left Norway in defiance of the king's command.
As he was on the point of sailing to Iceland, the royal letter forbidding
him to go was brought and shown to him. 'Út vil ek!' he replied
briefly, and away he sailed. But the king found new champions in
Snorri's enemies, who came unexpectedly to his house at Reykjaholt
and murdered him.

Snorri's genius was that of scholar and poet rather than politician;
he was the greatest man of letters that Iceland has produced. His
surviving works are:

1. The Edda, consisting of three distinct parts: (*a*) *Gylfaginning*,
a survey of Norse mythology; (*b*) *Skáldskaparmál*, a discussion of
skaldic diction and figures of speech; (*c*) *Háttatal*, examples by Snorri
himself of the skaldic metres, with a commentary. The whole book
was written as a compendium of the skaldic art. This educational
purpose, however, did not prevent the mythological portion (*Gylfaginn-
ing* and parts of *Skáldskaparmál*) from being an artistic masterpiece.
Into these stories of the gods he put the whole power of his imagination

and art. His prose, with all the economy and telling restraint of the best Icelandic sagas, has also much more delicacy and flexibility. He has more humour, more shades of irony, and a finer appreciation of sensuous beauty than any other Icelandic prose-writer. He had, it is true, excellent materials to work with in the old poems which were his sources for a large part of the Edda. He quotes copiously from *Vǫluspá*, *Grímnismál* and other poems of the older Edda, but many of his sources have been lost. His work was more than a paraphrase of these poems, however; comparison shows readily what creative art he put into the telling.

Gylfaginning (The Beguiling of Gylfi) is so named from the device which forms the framework of this part. Gylfi, a king in Sweden who dealt in magic, heard of the great cunning of the Æsir and set out to discover the secret of their power. He journeyed in disguise and gave his name as Gangleri (Wayworn). Coming to the hall of the Æsir he found in it three high-seats occupied by Hár (the High One), Jafnhár (the Equally High), and Þriði (the Third), that is, Óðin conceived as a trinity. Gangleri asked 'whether there were any wise men there within'. Hár said that 'he should not escape thence unless he were the wiser'. Gangleri then began his questioning, and the myths were explained to him, and when all was told to him, he 'heard great noises on every side, and then when he looked about him more, lo, he stood out of doors on a level plain, and saw no hall there and no castle'.

The Edda was finished in 1223. The meaning of the title 'Edda' is disputed but may be 'poetics', and the word would then be related to *óðr* 'poetry'.

2. *Heimskringla*, the great history of the Scandinavian nations, and especially of Norway (see introductions to selections x and xvii).

3. It has also been plausibly suggested that Snorri was the author of *Egils saga* (see no. ix), though the evidence is inconclusive. The poems which Sturla says he composed have perished, except for a few fragments.

Manuscripts of the Edda are numerous; the most important are: Codex Regius 2367 quarto (early fourteenth century), Codex Wormianus (*c.* 1330), the 'Upsala' Edda, Codex De la Gardie 11 (*c.* 1300), and AM 748, 11 4° (fragment, *c.* 1300). Of these Codex Regius gives the fullest and best text. The best editions are those of F. Jónsson, Copenhagen, 1925, and Reykjavík, 1907; Wilken's *Die prosaische Edda*, &c., Paderborn, 1912, contains only the mythological portions.

A. LOKI AND SVAÐILFARI

Þat var snimma í ǫndverða bygð goðanna, þá er goðin
hǫfðu sett Miðgarð ok gǫrt Valhǫll, þá kom þar smiðr
nǫkkurr ok bauð at gøra þeim borg á þrim misserum svá
góða at trú ok ørugg væri fyrir bergrisum ok hrímþursum,
þótt þeir kœmi inn um Miðgarð; en hann mælti sér þat til 5
kaups, at hann skyldi eignask Freyju, ok hafa vildi hann sól
ok mána. Þá gengu Æsirnir á tal ok réðu ráðum sínum, ok
var þat kaup gǫrt við smiðinn, at hann skyldi eignask þat er
hann mælti til, ef hann fengi gǫrt borgina á einum vetri; en
hinn fyrsta sumarsdag, ef nǫkkurr hlutr væri ógǫrr at 10
borginni, þá skyldi hann af kaupinu, ok skyldi hann af
engum manni lið þiggja til verksins. En er þeir sǫgðu
honum þessa kosti, þá beiddisk hann at þeir skyldu lofa at
hann hefði lið af hesti sínum, er Svaðilfari hét; en því réð
Loki, er þat var til lagt við hann.   15
    Hann tók til hinn fyrsta vetrardag at gøra borgina, en of
nætr dró hann til grjót á hestinum; en þat þótti Ásunum
mikit undr, hversu stór bjǫrg sá hestr dró, ok hálfu meira
þrekvirki gørði hestrinn en smiðrinn. En at kaupi þeira
váru sterk vitni ok mǫrg sœri, fyrir því at jǫtnum þótti ekki 20
tryggt at vera með Ásum griðalaust, ef Þórr kvæmi heim; en
þá var hann farinn í austrveg at berja trǫll. En er á leið
vetrinn, þá sóttisk mjǫk borgargørðin, ok var hon svá há ok
sterk at eigi mátti á þat leita. En þá er þrír dagar váru til
sumars, þá var komit mjǫk at borghliði. Þá settusk goðin á 25
dómstóla sína ok leituðu ráða ok spurði hverr annan hverr
því hefði ráðit, at gipta Freyju í Jǫtunheima eða spilla loptinu
ok himninum svá, at taka þaðan sól ok tungl ok gefa jǫtnum;
en þat kom ásamt með ǫllum, at þessu myndi ráðit hafa sá er
flestu illu ræðr, Loki Laufeyjarson, ok kváðu hann verðan 30
ills dauða, ef eigi hitti hann ráð til, at smiðrinn væri af

kaupinu, ok veittu Loka atgǫngu. En er hann varð hræddr,
þá svarði hann eiða at hann skyldi svá til haga at smiðrinn
væri af kaupinu, hvat sem hann kostaði til.

35 Ok hit sama kveld, er smiðrinn ók út eptir grjótinu með
hestinn Svaðilfara, þá hljóp ór skógi nǫkkurum merr ok at
hestinum ok hrein við. En er hestrinn kendi hvat hrossi
þetta var, þá œddisk hann ok sleit sundr reipin ok hljóp til
merarinnar, en hon undan til skógar ok smiðrinn eptir ok
40 vill taka hestinn, en þessi hross hlaupa alla nótt, ok dvelsk
smíðin þá nótt. Ok eptir um daginn varð ekki svá smíðat
sem fyrr hafði orðit. Ok þá er smiðrinn sér at eigi mun lokit
verða verkinu, þá fœrisk smiðrinn í jǫtunmóð. En er Æsirnir
sá þat til víss, at þar var bergrisi kominn, þá varð eigi þyrmt
45 eiðunum, ok kǫlluðu þeir á Þór, ok jafnskjótt kom hann, ok
því næst fór á lopt hamarrinn Mjǫllnir. Galt hann þá
smíðarkaupit, ok eigi sól eða tungl; heldr synjaði hann
honum at byggva í Jǫtunheimum ok laust þat it fyrsta hǫgg,
er haussinn brotnaði í smán mola, ok sendi hann niðr undir
50 Niflheim.

En Loki hafði þá ferð haft til Svaðilfara at nǫkkuru síðar
bar hann fyl. Þat var grátt ok hafði átta fœtr, ok er sá hestr
beztr með goðum ok mǫnnum.

B. FREY AND SKÍRNIR

Þat var einn dag at Freyr hafði gengit í Hliðskjálf ok sá
55 of heima alla; en er hann leit í norðrætt, þá sá hann á einum
bœ mikit hús ok fagrt, ok til þess húss gekk kona; ok er hon
tók upp hǫndunum ok lauk hurð fyrir sér, þá lýsti af hǫndum
hennar bæði í lopt ok á lǫg ok allir heimar birtusk af henni.
Ok svá hefndi honum þat mikillæti, er hann hafði sezk í þat it
60 helga sæti, at hann gekk í braut fullr af harmi. Ok er hann
kom heim, mælti hann ekki; ekki svaf hann, ekki drakk
hann; engi þorði at krefja hann málsins.

Þá lét Njǫrðr kalla til sín Skírni, skósvein Freys, ok bað
hann ganga til Freys ok beiða hann orða ok spyrja hverjum
hann væri svá reiðr at hann mælti ekki við menn. En 65
Skírnir lézk ganga mundu ok eigi fúss, ok kvað illra svara
vera ván af honum. En er hann kom til Freys, þá spurði
hann hví Freyr var svá hnipinn ok mælti ekki við menn. Þá
svarar Freyr ok sagði at hann hafði sét konu fagra, ok fyrir
hennar sakar var hann svá harmfullr at eigi myndi hann lengi 70
lifa, ef hann skyldi eigi ná henni—'ok nú skaltu fara ok biðja
hennar mér til handa ok hafa hana hingat, hvárt er faðir
hennar vill eða eigi; skal ek þat vel launa þér.' Þá svarar
Skírnir svá, at hann skal fara sendiferð, en Freyr skal fá
honum sverð sitt; þat var svá gott at sjálft vásk; en Freyr 75
lét eigi þat til skorta ok gaf honum sverðit.

Þá fór Skírnir ok bað honum konunnar ok fekk heit hennar,
ok níu nóttum síðar skyldi hon þar koma er Barrey heitir,
ok ganga þá at brullaupinu með Frey. En er Skírnir sagði
Frey sitt ørendi, þá kvað hann þetta: 80

'Lǫng es nótt,   lǫng es ǫnnur,
　　hvé mega ek þreyja þrjár?
Opt mér mánaðr   minni þótti
　　en sjá hálf hýnótt.'

Þessi sǫk var til, er Freyr var svá vápnlauss, er hann 85
barðisk við Belja, ok drap hann með hjartarhorni.

C. SKAÐI'S MARRIAGE

Skaði, dóttir Þjaza jǫtuns, tók hjálm ok brynju ok ǫll
hervápn ok ferr til Ásgarðs at hefna fǫður síns. En Æsir
buðu henni sætt ok yfirbœtr at hon skal kjósa sér mann af
Ásum ok kjósa at fótum ok sjá ekki fleira af. Þá sá hon 90
eins manns fœtr forkunnar fagra, ok mælti: 'Þenna kýs ek,
fátt mun ljótt á Baldri.' En þat var Njǫrðr ór Nóatúnum.

Skaði vildi hafa bústað þann er átt hafði faðir hennar, þat

er á fjǫllum nǫkkurum þar sem heitir Þrymheimr, en Njǫrðr
95 vill vera nær sæ. Þau sættusk á þat, at þau skyldu vera níu
nætr í Þrymheimi, en þá aðrar níu at Nóatúnum. En er
Njǫrðr kom aptr til Nóatúna af fjallinu, þá kvað hann þetta:

'Leið erumk fjǫll,   vaska lengi á,
    nætr einar níu;
100   ulfa þytr   þóttumk illr vesa
    hjá sǫngvi svana.'

Þá kvað Skaði þetta:

'Sofa né mákat   sævar beðjum á
    fugls jarmi fyrir;
105   sá mik vekr   es af víði kømr,
    morgin hverjan már.'

Þá fór Skaði upp á fjall ok bygði í Þrymheimi; ok ferr hon
mjǫk á skíðum ok með boga ok skýtr dýr. Hon heitir
ǫndurgoð eða ǫndurdís.

D. ÞÓR AND ÚTGARÐA-LOKI

110 Þat er upphaf þessa máls, at Ǫku-Þórr fór með hafra sína
ok reið, ok með honum sá Áss er Loki heitir. Koma þeir at
kveldi til eins bónda ok fá þar náttstað. En um kveldit tók
Þórr hafra sína ok skar báða; eptir þat váru þeir flegnir ok
bornir til ketils. En er soðit var, þá settisk Þórr til náttverðar
115 ok þeir lagsmenn. Þórr bauð til matar með sér bóndanum
ok konu hans ok bǫrnum þeira; sonr bónda hét Þjálfi, en
Rǫskva dóttir. Þá lagði Þórr hafrstǫkurnar útar frá eldinum,
ok mælti at bóndinn ok heimamenn hans skyldu kasta á
hafrstǫkurnar beinunum. Þjálfi, sonr bónda, helt á lærlegg
120 hafrsins ok spretti á knífi sínum ok braut til mergjar.
    Þórr dvalðisk þar of nóttina; en í óttu fyrir dag stóð hann
upp ok klæddi sik, tók hamarinn Mjǫllni ok brá upp ok vígði

hafrstǫkurnar. Stóðu þá upp hafrarnir, ok var þá annarr
haltr eptra fœti. Þat fann Þórr, ok taldi at bóndinn eða hans
hjón mundi eigi skynsamliga hafa farit með beinum hafrsins; 125
kennir hann at brotinn var lærleggrinn. Eigi þarf langt frá
því at segja: vita megu þat allir, hversu hræddr bóndinn
mundi vera, er hann sá at Þórr lét síga brýnnar ofan fyrir
augun; en þat er hann sá augnanna, þá hugðisk hann falla
mundu fyrir sjóninni einni samt. Hann herði hendrnar at 130
hamarskaptinu svá at hvítnuðu knúarnir. En bóndinn gørði
sem ván var ok ǫll hjónin, kǫlluðu ákafliga, báðu sér friðar,
buðu at fyrir kvæmi alt þat er þau áttu. En er hann sá hræzlu
þeira, þá gekk af honum móðrinn ok sefaðisk hann, ok tók
af þeim í sætt bǫrn þeira, Þjálfa ok Rǫsku, ok gørðusk þau 135
þá skyldir þjónustumenn hans, ok fylgja þau honum jafnan
síðan.

Lét hann þar eptir hafra, ok byrjaði ferðina austr í
Jǫtunheima ok alt til hafsins, ok þá fór hann út yfir hafit þat
it djúpa. En er hann kom til lands, þá gekk hann upp, ok 140
með honum Loki ok Þjálfi ok Rǫskva. Þá er þau hǫfðu
lítla hríð gengit, varð fyrir þeim mǫrk stór. Gengu þau þann
dag allan til myrkrs. Þjálfi var allra manna fóthvatastr; hann
bar kýl Þórs, en til vista var eigi gott. Þá er myrkt var orðit,
leituðu þeir sér til náttstaðar ok fundu fyrir sér skála nǫkkurn 145
mjǫk mikinn; váru dyrr á enda ok jafnbreiðar skálanum.
Þar leituðu þeir sér náttbóls. En of miðja nótt varð land-
skjálpti mikill, gekk jǫrðin undir þeim skykkjum, ok skalf
húsit. Þá stóð Þórr upp ok hét á lagsmenn sína; ok
leituðusk fyrir, ok fundu afhús til hœgri handar í miðjum 150
skálanum ok gengu þannig. Settisk Þórr í dyrnar, en ǫnnur
þau váru innar frá honum, ok váru þau hrædd, en Þórr helt
hamarskaptinu ok hugði at verja sik. Þá heyrðu þau ym
mikinn ok gný.

En er kom at dagan, þá gekk Þórr út ok sér hvar lá maðr 155
skamt frá honum í skóginum, ok var sá eigi lítill. Hann

svaf ok hraut sterkliga. Þá þóttisk Þórr skilja hvat látum
verit hafði of nóttina. Hann spennir sik megingjǫrðum ok
óx honum ásmegin; en í því bili vaknar sá maðr, stóð upp
160 skjótt. En þá er sagt at Þór varð bilt einu sinni at slá hann
með hamrinum, ok spurði hann at nafni; en sá nefndisk
Skrýmir, 'en eigi þarf ek', sagði hann, 'at spyrja þik
at nafni; kenni ek at þú ert Ása-Þórr. En hvárt hefir þú
dregit á braut hanzka minn?' Seildisk þá Skrýmir til, ok tók
165 upp hanzka sinn; sér Þórr þá at þat hafði hann haft fyrir
skála um nóttina, en afhúsit, þat var þumlungrinn hanzkans.
Skrýmir spurði ef Þórr vildi hafa fǫruneyti hans, en Þórr játti
því. Þá tók Skrýmir ok leysti nestbagga sinn ok bjósk til at
eta dagverð, en Þórr í ǫðrum stað ok hans félagar. Skrýmir
170 bauð þá at þeir legði mǫtuneyti sitt, en Þórr játti því. Þá
batt Skrýmir nest þeira alt í einn bagga ok lagði á bak sér;
hann gekk fyrir of daginn ok steig heldr stórum, en síðan at
kveldi leitaði Skrýmir þeim náttstaðar undir eik nǫkkurri
mikilli. Þá mælti Skrýmir til Þórs at hann vill leggjask niðr
175 at sofa, 'en þér takið nestbaggann ok búið til náttverðar yðr.'

Því næst sofnar Skrýmir ok hraut fast, en Þórr tók nest-
baggann ok skal leysa. En svá er at segja sem ótrúligt mun
þykkja, at engan knút fekk hann leyst, ok engan álarendann
hreyft svá at þá væri lausari en áðr. Ok er hann sér at þetta
180 verk má eigi nýtask, þá varð hann reiðr, greip þá hamarinn
Mjǫllni tveim hǫndum ok steig fram ǫðrum fœti at, þar er
Skrýmir lá, ok lýstr í hǫfuð honum; en Skrýmir vaknar ok
spyrr hvárt laufsblað nǫkkut felli í hǫfuð honum, eða hvárt
þeir hefði þá matazk ok sé búnir til rekkna. Þórr segir at
185 þeir munu þá sofa ganga. Ganga þau þá undir aðra eik.
Er þat þér satt at segja, at ekki var þá óttalaust at sofa. En
at miðri nótt, þá heyrir Þórr at Skrýmir hrýtr svá at dunar í
skóginum. Þá stendr hann upp ok gengr til hans, reiðir
hamarinn títt ok hart ok lýstr ofan í miðjan hvirfil honum;
190 hann kennir at hamarsmuðrinn søkkr djúpt í hǫfuðit. En í

því bili vaknar Skrýmir ok mælti: 'Hvat er nú? Fell akarn
nøkkut í hofuð mér? Eða hvat er títt um þik, Þórr?' En
Þórr gekk aptr skyndiliga ok svárar at hann var þá nývaknaðr,
sagði at þá var mið nótt ok enn væri mál at sofa.

Þá hugsaði Þórr þat, ef hann kvæmi svá í fœri at slá hann 195
it þriðja hogg, at aldri skyldi hann sjá sik síðan; liggr nú ok
gætir ef Skrýmir sofnaði fast. Ok litlu fyrir dagan þá heyrir
hann at Skrýmir mun sofnat hafa; stendr þá upp ok hleypr
at honum, reiðir þá hamarrinn af ollu afli ok lýstr á þunnvang-
ann þann er upp vissi; søkkr þá hamarrinn upp at skaptinu. 200
En Skrýmir settisk upp ok strauk of vangann ok mælti:
'Hvárt munu fuglar nøkkurir sitja í trénu yfir mér? Mik
grunaði, er ek vaknaða, at tros nøkkut af kvistunum felli
í hofuð mér. Hvárt vakir þú, Þórr? Mál mun vera upp at
standa ok klæðask. En ekki eigu þér nú langa leið fram til 205
borgarinnar er kolluð er Útgarðr. Heyrt hefi ek at þér hafið
kvísat í milli yðvar at ek væra ekki lítill maðr vexti, en sjá
skulu þér þar stœrri menn, er þér komið í Útgarð. Nú mun
ek ráða yðr heilræði: láti þér eigi storliga yfir yðr, ekki munu
hirðmenn Útgarða-Loka vel þola þvílíkum kogursveinum 210
kopuryrði. En at oðrum kosti hverfið aptr, ok þann ætla
ek yðr betra af at taka. En ef þér vilið fram fara, þá stefni
þér í austr. En ek á nú norðr leið til fjalla þessa er nú
munu þér sjá mega.

Tekr Skrýmir nestbaggann ok kastar á bak sér ok snýr 215
þvers á braut í skóginn frá þeim, ok er þess eigi getit, at
Æsirnir bæði þá heila hittask.

Þórr snýr fram á leið ok þeir félagar ok gengr framan til
miðs dags. Þá sá þeir borg standa á vollum nøkkurum ok
settu hnakkann á bak sér aptr áðr þeir fengu sét yfir upp; 220
ganga til borgarinnar, ok var grind fyrir borghliðinu ok lokin
aptr. Þórr gekk á grindina ok fekk eigi upp lokit, en er þeir
þreyttu at komask í borgina, þá smugu þeir milli spalanna
ok kómu svá inn. Sá þá holl mikla ok gengu þannig. Var

225 hurðin opin; þá gengu þeir inn ok sá þar marga menn
á tvá bekki ok flesta œrit stóra. Því næst koma þeir fyrir
konunginn Útgarða-Loka ok kvǫddu hann; en hann leit
seint til þeira ok glotti við tǫnn ok mælti: 'Seint er um
langan veg at spyrja tíðenda, eða er annan veg en ek hygg, at
230 þessi sveinstauli sé Ǫku-Þórr? En meiri muntu vera en mér
lízk þú. Eða hvat íþrótta er þat er þér félagar þykkizk vera
við búnir? Engi skal hér vera með oss, sá er eigi kunni
nǫkkurs konar list eða kunnandi um fram flesta menn.'

Þá segir sá er síðast gekk, er Loki heitir: 'Kann ek þá
235 íþrótt, er ek em albúinn at reyna, at engi er hér sá inni er
skjótara skal eta mat sinn en ek.'

Þá svarar Útgarða-Loki: 'Íþrótt er þat, ef þú efnir, ok
freista skal þá þessar íþróttar.' Kallaði útar á bekkinn at sá
er Logi heitir skal ganga á gólf fram ok freista sín í móti
240 Loka. Þá var tekit trog eitt ok borit inn á hallargólfit ok
fyllt af slátri. Settisk Loki at ǫðrum enda, en Logi at ǫðrum,
ok át hvárr tveggja sem tíðast ok mœttusk í miðju troginu.
Hafði þá Loki etit slátr alt af beinum, en Logi hafði ok etit
slátr alt ok beinin með ok svá trogit; ok sýndisk nú ǫllum
245 sem Loki hefði látit leikinn.

Þá spyrr Útgarða-Loki hvat sá inn ungi maðr kunni leika,
en Þjálfi segir at hann mun freista at renna skeið nǫkkur við
einnhvern þann er Útgarða-Loki fær til. Útgarða-Loki segir
at þetta er góð íþrótt ok kallar þess meiri ván, at hann sé vel
250 at sér búinn of skjótleikinn, ef hann skal þessa íþrótt inna;
en þó lætr hann skjótt þessa skulu freista. Stendr þá upp
Útgarða-Loki ok gengr út, ok var þar gott skeið at renna
eptir sléttum velli. Þá kallar Útgarða-Loki til sín sveinstaula
nǫkkurn, er nefndr er Hugi, ok bað hann renna í kǫpp við
255 Þjálfa. Þá taka þeir it fyrsta skeið, ok er Hugi því framar
at hann snýsk aptr í móti honum at skeiðs enda. Þá mælti
Útgarða-Loki: 'Þurfa muntu, Þjálfi, at leggja þik meir fram,
ef þú skalt vinna leikinn; en þó er þat satt, at ekki hafa hér

komit þeir menn er mér þykkja fóthvatari en svá.' Þá taka
þeir aptr annat skeið, ok þá er Hugi kømr til skeiðs enda ok 260
hann snýsk aptr, þá var langt kólfskot til Þjálfa. Þá mælti
Útgarða-Loki: 'Vel þykki mér Þjálfi renna, en eigi trúi ek
honum nú at hann vinni leikinn; en nú mun reyna, er þeir
renna it þriðja skeiðit.' Þá taka þeir enn skeið; rennr Hugi
til skeiðs enda ok snýsk aptr, ok er Þjálfi eigi þá kominn 265
á mitt skeið. Þá segja allir at reynt er um þenna leik.

Þá spyrr Útgarða-Loki Þór hvat þeira íþrótta mun vera er
hann muni vilja birta fyrir þeim, svá miklar sǫgur sem menn
hafa gǫrt um stórvirki hans. Þá mælti Þórr at helzt vill hann
þat taka til, at þreyta drykkju við einnhvern mann. Útgarða- 270
Loki segir at þat má vel vera, gengr inn í hǫllina ok kallar
skutilsvein sinn, biðr at hann taki vítishorn þat er hirðmenn
eru vanir at drekka af. Því næst kømr fram skutilsveinn með
horninu ok fær Þór í hǫnd. Þá mælti Útgarða-Loki: 'Af
horni þessu þykkir þá vel drukkit ef í einum drykk gengr af, 275
en sumir menn drekka af í tveim drykkjum, en engi er svá
lítill drykkjumaðr at eigi gangi af í þrimr.'

Þórr lítr á hornit, ok sýnisk ekki mikit, ok er þó heldr
langt, en hann er mjǫk þyrstr; tekr at drekka ok svelgr
allstórum ok hyggr at eigi skal þurfa at lúta optar at sinni 280
í hornit. En er hann þraut ørindit ok hann laut ór horninu
ok sér hvat leið drykkinum, ok lízk honum svá sem alllítill
munr mun vera at nú sé lægra í horninu en áðr. Þá mælti
Útgarða-Loki: 'Vel er drukkit, ok eigi til mikit. Eigi
myndak trúa, ef mér væri frá sagt, at Ása-Þórr myndi eigi 285
meira drykk drekka. En þó veit ek at þú munt vilja drekka
af í ǫðrum drykk.'

Þórr svarar engu, setr hornit á munn sér, ok hyggr nú at
hann skal drekka meira drykk, ok þreytir á drykkjuna, sem
honum vannsk til ørindi, ok sér enn at stikillinn hornsins vill 290
eigi upp svá mjǫk sem honum líkar. Ok er hann tók hornit
af munni sér ok sér í, lízk honum nú svá sem minna hafi

G

þorrit en í inu fyrra sinni; er nú gott beranda borð á horninu.
Þá mælti Útgarða-Loki: 'Hvat er nú, Þórr? Muntu nú eigi
295 sparask til eins drykkjar meira en þér mun hagr á vera?
Svá lízk mér, ef þú skalt nú drekka af horninu inn þriðja
drykkinn, sem þessi mun mestr ætlaðr. En ekki muntu
mega hér með oss heita svá mikill maðr sem Æsir kalla þik,
ef þú gørir eigi meira af þér um aðra leika en mér lízk sem
300 um þenna mun vera.'

Þá varð Þórr reiðr, setr hornit á munn sér ok drekkr sem
ákafligast má hann ok þreytir sem lengst á drykkinn. En er
hann sá í hornit, þá hafði nú helzt nǫkkut munr á fengizk, ok
þá býðr hann upp hornit ok vill eigi drekka meira. Þá mælti
305 Útgarða-Loki: 'Auðsét er nú at máttr þinn er ekki svá mikill
sem vér hugðum. En viltu freista um fleiri leika? Sjá má
nú at ekki nýtir þú hér af.'

Þórr svarar: 'Freista má ek enn ok nǫkkura leika, en
undarliga myndi mér þykkja, þá er ek var heima með Ásum,
310 ef þvílíkir drykkir væri svá lítlir kallaðir. En hvat leik vili
þér nú bjóða mér?'

Þá mælti Útgarða-Loki: 'Þat gøra hér ungir sveinar, er
lítit mark mun at þykkja, at hefja upp af jǫrðu kǫtt minn;
en eigi myndak kunna at mæla þvílíkt við Ása-Þór, ef ek
315 hefða eigi sét fyrr at þú ert miklu minni fyrir þér en ek
hugða.' Því næst hljóp fram kǫttr einn grár á hallargólfit,
ok heldr mikill. En Þórr gekk til, ok tók hendi sinni niðr
undir miðjan kviðinn ok lypti upp, en kǫttrinn beygði
kenginn svá sem Þórr rétti upp hǫndina. En er Þórr seildisk
320 svá langt upp sem hann mátti lengst, þá létti kǫttrinn einum
fœti, ok fekk Þórr eigi framit þenna leik meir. Þá mælti
Útgarða-Loki: 'Svá fór þessi leikr sem mik varði. Kǫttrinn
er heldr mikill, en Þórr er lágr ok lítill hjá stórmenni því sem
hér er með oss.'

325 Þá mælti Þórr: 'Svá lítinn sem þér kallið mik, þá gangi
nú til einnhverr ok fáisk við mik; nú em ek reiðr.'

Þá svarar Útgarða-Loki ok litask um á bekkina ok mælti:
'Eigi sé ek þann mann hér inni er eigi mun lítilræði í þykkja
at fásk við þik'; ok enn mælti hann, 'Sjám fyrst, kalli mér
hingat kerlinguna, fóstru mína Elli, ok fáisk Þórr við hana, ef 330
hann vill. Felt hefir hon þá menn er mér hafa litizk eigi
ósterkligri en Þórr er.' Því næst gekk í hǫllina kerling ein
gǫmul. Þá mælti Útgarða-Loki at hon skal taka fang við
Ása-Þór. Ekki er langt um at gøra: svá fór fang þat, at því
harðara er Þórr knúðisk at fanginu, því fastara stóð hon. Þá 335
tók kerling at leita til bragða, ok var Þórr þá lauss á fótum,
ok váru þær sviptingar allharðar; ok eigi lengi áðr en Þórr
fell á kné ǫðrum fœti. Þá gekk til Útgarða-Loki ok bað þau
hætta fanginu ok sagði svá, at Þórr mundi eigi þurfa at bjóða
fleirum mǫnnum fang í hans hirð. Var þá ok liðit á nótt; 340
vísaði Útgarða-Loki Þór ok þeim félǫgum til sætis, ok dveljask
þar náttlangt í góðum fagnaði.

En at morni þegar dagaði, stendr Þórr upp ok þeir félagar,
klæða sik, ok eru búnir braut at ganga. Þá kom þar Útgarða-
Loki ok lét setja þeim borð; skorti þá eigi góðan fagnað, 345
mat ok drykk. En er þeir hafa matazk, þá snúask þeir til
ferðar. Útgarða-Loki fylgir þeim út, gengr með þeim braut
ór borginni; en at skilnaði þá mælti Útgarða-Loki til Þórs
ok spyrr hvernig honum þykkir ferð sín orðin, eða hvárt
hann hefir hitt ríkara mann nǫkkurn en sik. Þórr segir at 350
eigi mun hann þat segja, at eigi hafi hann mikla ósœmd farit
í þeira viðskiptum, 'en þó veit ek at þér munuð kalla mik
lítinn mann fyrir mér, ok uni ek því illa'.

Þá mælti Útgarða-Loki: 'Nú skal segja þér it sanna, er
þú ert út kominn ór borginni—ok ef ek lifi ok megak ráða, 355
þá skaltu aldri optar í hana koma; ok þat veit trúa mín, at
aldri hefðir þú í hana komit, ef ek hefða vitat áðr at þú hefðir
svá mikinn krapt með þér, ok þú hefðir svá nær haft oss
mikilli ófœru. En sjónhverfingar hefi ek gǫrt þér, ok fyrsta
sinn á skóginum kom ek til fundar við yðr, ok þá er þú skyldir 360

leysa nestbaggann, þá hafðak bundit hann með gresjárni, en
þú fant eigi hvar upp skyldi lúka. En því næst laust þú mik
með hamrinum þrjú hǫgg, ok var it fyrsta minst, ok var þó
svá mikit at mér mundi endask til bana, ef á hefði komit. En
365 þar er þú sátt hjá hǫll minni setberg, ok þar sáttu ofan í þrjá
dali ferskeytta ok einn djúpastan, þat váru hamarspor þín;
setberginu brá ek fyrir hǫggin, en eigi sátt þú þat. Svá var
ok of leikana, er þér þreyttuð við hirðmenn mína. Þá var
þat it fyrsta er Loki gørði; hann var mjǫk soltinn ok át títt,
370 en sá er Logi heitir, þat var villieldr, ok brendi hann eigi
seinna trogit en slátrit. En er Þjálfi þreytti rásina við þann
er Hugi hét, þat var hugr minn, ok var Þjálfa eigi vænt at
þreyta skjótfœri við hann. En er þú drakkt af horninu ok
þótti þér seint líða — en þat veit trúa mín, at þá varð þat
375 undr, er ek mynda eigi trúa at vera mætti — annarr endir
hornsins var út í hafi, en þat sáttu eigi. En nú, er þú kømr
til sævarins, þá muntu sjá mega hvern þurð þú hefir drukkit
á sænum.' Þat eru nú fjǫrur kallaðar.

Ok enn mælti hann: 'Eigi þótti mér hitt minna vera vert,
380 er þú lyptir upp kettinum, ok þér satt at segja, þá hræddusk
allir þeir er sá, er þú lyptir af jǫrðu einum fœtinum. En sá
kǫttr var eigi sem þér sýndisk: þat var Miðgarðsormr, er
liggr um lǫnd ǫll, ok vannsk honum varliga lengðin til, at
jǫrðina tœki sporðr ok hǫfuð. Ok svá langt seildisk þú upp
385 at skamt var þá til himins. En hitt var ok mikit undr um
fangit, er þú stótt svá lengi við ok felt eigi meirr en á kné
ǫðrum fœti, er þú fekkzk við Elli, fyrir því at engi hefir sá
orðit, ok engi mun verða, ef svá gamall verðr at elli bíðr, at
eigi komi ellin ǫllum til falls. Ok er nú þat satt at segja, at
390 vér munum skiljask, ok mun þá betr hvárratveggju handar
at þér komið eigi optar mik at hitta. Ek mun enn annat
sinn verja borg mína með þvílíkum vélum eða ǫðrum, svá at
ekki vald munu þér á mér fá.'

En er Þórr heyrði þessa tǫlu, greip hann til hamarsins ok

bregðr á lopt, en er hann skal fram reiða, þá sér hann þar 395
hvergi Útgarða-Loka, ok þá snýsk hann aptr til borgarinnar,
ok ætlask þá fyrir at brjóta borgina. Þá sér hann þar vǫllu
víða ok fagra, en enga borg. Snýsk hann þá aptr ok ferr
leið sína, til þess er hann kom aptr í Þrúðvanga.

E. THE DOOM OF THE GODS

Þá mælti Gangleri, 'Hver tíðendi eru at segja frá um 400
ragnarøkr? Þess hefi ek eigi fyrr heyrt getit.'

Hárr segir: Mikil tíðendi eru þaðan at segja ok mǫrg:
þau in fyrstu, at vetr sá kømr, er kallaðr er fimbulvetr; þá
drífr snær ór ǫllum ættum, frost eru þá mikil ok vindar
hvassir; ekki nýtr sólar; þeir vetr fara þrír saman, ok ekki 405
sumar milli. En áðr ganga svá aðrir þrír vetr, at þá eru um
alla verǫld orrostur miklar; þá drepask brœðr fyrir ágirni
sakar, ok engi þyrmir fǫður eða syni í manndrápum eða
sifjasliti. Svá segir í Vǫluspá:

> Brœðr munu berjask   ok at bǫnum verðask,   410
> munu systrungar   sifjum spilla;
> hart's með hǫldum,   hórdómr mikill,
> skeggǫld, skálmǫld,   skildir klofnir;
> vindǫld, vargǫld,   áðr verǫld steypisk.

Þá verðr þat, er mikil tíðendi þykkja, at úlfrinn gleypir 415
sólna, ok þykkir mǫnnum þat mikit mein; þá tekr annarr
úlfrinn tunglit ok gørir sá ok mikit ógagn; stjǫrnurnar hverfa
af himninum. Þá er ok þat til tíðenda at svá skelfr jǫrð ǫll
ok bjǫrg at viðir losna ór jǫrðu upp, en bjǫrgin hrynja, en
fjǫtrar allir ok bǫnd brotna ok slitna. Þá verðr Fenrisúlfr 420
lauss; þá geysisk hafit á lǫndin, fyrir því at þá snýsk
Miðgarðsormr í jǫtunmóð ok sœkir upp á landit. Þá verðr
ok þat, at Naglfar losnar, skip þat er svá heitir; þat er gǫrt af
nǫglum dauðra manna, ok er þat fyrir því varnanar vert, ef
maðr deyr með óskornum nǫglum, at sá maðr eykr mikit 425

efni til skipsins Naglfars, er goðin ok menn vildi seint at gǫrt
yrði. En í þessum sævargang flýtr Naglfar; Hrymr heitir
jǫtunn er stýrir Naglfari. En Fenrisúlfr ferr með gapanda
munn, ok er inn neðri kjǫptr við jǫrðu, en inn efri við himin;
430 gapa mundi hann meira, ef rúm væri til; eldar brenna ór
augum hans ok nǫsum. Miðgarðsormr blæss svá eitrinu,
at hann dreifir lopt ǫll ok lǫg, ok er hann allógurligr, ok er
hann á aðra hlið úlfinum.

Í þessum gný klofnar himinninn ok ríða þaðan Múspells
435 synir; Surtr ríðr fyrst ok fyrir honum ok eptir bæði eldr brenn-
andi; sverð hans er gott mjǫk, af því skínn bjartara en af
sólu. En er þeir ríða Bifrǫst, þá brotnar hon. Múspells
megir sœkja fram á þann vǫll er Vígríðr heitir; þar kømr ok
þá Fenrisúlfr ok Miðgarðsormr; þar er ok þá Loki kominn
440 ok Hrymr ok með honum allir hrímþursar, en Loka fylgja
allir Heljar sinnar, en Múspells synir hafa einir sér fylking,
ok er sú bjǫrt mjǫk. Vǫllrinn Vígríðr er hundrað rasta víðr
á hvern veg.

En er þessi tíðendi verða, þá stendr upp Heimdallr ok
445 blæss ákafliga í Gjallarhorn ok vekr upp ǫll goðin, ok eiga
þau þing saman. Þá ríðr Óðinn til Mímisbrunns ok tekr
ráð af Mími fyrir sér ok sínu liði. Þá skelfr askr Yggdrasils,
ok engi hlutr er þá óttalauss á himni eða jǫrðu. Æsir
herklæða sik ok allir Einherjar ok sœkja fram á vǫlluna.
450 Ríðr fyrstr Óðinn með gullhjálminn ok fagra brynju ok geir
sinn, er Gungnir heitir. Stefnir hann móti Fenrisúlfi, en Þórr
fram á aðra hlið honum, ok má hann ekki duga honum, því
at hann hefir fult fang at berjask við Miðgarðsorm. Freyr
bersk móti Surti, ok verðr harðr samgangr, áðr Freyr fellr;
455 þat verðr hans bani, er hann missir þess ins góða sverðs, er
hann gaf Skírni.

Þá er ok lauss orðinn hundrinn Garmr, er bundinn er fyrir
Gnípahelli; hann er it mesta forað. Hann á víg móti Tý,
ok verðr hvárr ǫðrum at bana. Þórr berr banaorð af

Miðgarðsormi ok stígr þaðan braut níu fet; þá fellr hann 460
dauðr til jarðar fyrir eitri því er ormrinn blæss á hann.
Úlfrinn gleypir Óðin; verðr þat hans bani. En þegar eptir
snýsk fram Víðarr ok stígr ǫðrum fœti í neðra kjǫpt úlfsins;
á þeim fœti hefir hann þann skó er allan aldr hefir verit til
samnat; þat eru bjórar þeir er menn sníða ór skóm sínum 465
fyrir tám eða hæli; því skal þeim bjórum braut kasta sá maðr
er at því vill hyggja, at koma Ásunum at liði. Annarri
hendi tekr hann inn efra kjǫpt úlfsins ok rífr sundr gin hans,
ok verðr þat úlfsins bani. Loki á orrostu við Heimdall, ok
verðr hvárr annars bani. Því næst slyngr Surtr eldi yfir 470
jǫrðina ok brennir allan heim. Svá er sagt í Vǫluspá:

> Hátt blæss Heimdallr,   horn's á lopti,
> mælir Óðinn   við Míms hǫfuð;
> skelfr Yggdrasils   askr standandi,
> ymr it aldna tré,   en jǫtunn losnar.   475

> Hvat's með Ásum?   hvat's með álfum?
> Ymr allr Jǫtunheimr;   Æsir ru á þingi;
> stynja dvergar   fyr steindurum,
> veggbergs vísir.   Vitu þér enn eða hvat?

> Hrymr ekr austan,   hefsk lind fyrir,   480
> snýsk Jǫrmungandr   í jǫtunmóði;
> ormr knýr unnir,   ǫrn mun hlakka,
> slítr nái neffǫlr;   Naglfar losnar.

> Kjóll ferr austan,   koma munu Múspells
> of lǫg lýðir,   en Loki stýrir;   485
> fara fíflmegir   með freka allir;
> þeim es bróðir   Býleists í fǫr.

> Surtr ferr sunnan   með sviga lævi;
> skínn af sverði   sól valtíva;
> grjótbjǫrg gnata,   en gífr rata,   490
> troða halir helveg,   en himinn klofnar.

Þá kømr Hlínar   harmr annarr fram,
es Óðinn ferr   við ulf vega,
en bani Belja   bjartr at Surti;
495   þá mun Friggjar   falla angan.

Gengr Óðins sonr   við ulf vega,
Víðarr of veg   at valdýri;
lætr megi hveðrungs   mund of standa
hjǫr til hjarta;   þá es hefnt fǫður.

500   Gengr inn mæri   mǫgr Hlóðynjar
neppr af naðri   níðs ókvíðinn;
munu halir allir   heimstǫð ryðja,
es af móði drepr   Miðgarðs véurr.

Sól mun sortna,   søkkr fold í mar,
505   hverfa af himni   heiðar stjǫrnur;
geisar eimi   ok aldrnari,
leikr hár hiti   við himin sjálfan.

Hér segir enn svá:
Vígríðr heitir vǫllr   es finnask vígi at
510   Surtr ok in svásu goð;
hundrað rasta   hann's á hverjan veg;
sá's þeim vǫllr vitaðr.

II

VǪLSUNGA SAGA

In the thirteenth century an unknown author collected all the stories he could find about the Vǫlsungs, and arranged them so as to be continuous. He followed in part a prose saga about Sigurð the dragon-slayer, now lost, and then he followed a series of poems, most of which are found in the poetic Edda; one description of Sigurð he drew from *Þiðriks saga*. The compiler followed his originals closely, but his narrative is barer and less dramatic. Good as his work is, the world would have owed more to him if he had left an exact copy of his originals. The stories which he strung together are justly famous; the saga as a whole, however, has the weaknesses which are usually found in compilations of legendary cycles—lack of unity and proportion. Each of the poems that he used was a complete tragedy, and the result of joining them is accumulated horror. Yet the study of Signý in the following selection is by itself a great one; great stories also are the tale of the dragon-slaying, and the supremely dramatic account of the discovery by Brynhild of the deception practised upon her, and of her vengeance.

The only old manuscript of *Vǫlsunga saga* is in the Royal Library at Copenhagen, Cod. Reg. 1824 b, 4°. Wilken's *Die prosaische Edda nebst Vǫlsunga saga und Nornagests Þáttr*, Paderborn, 1912, is a convenient edition. B. M. Olsen's edition (Samfund til Udgivelse af gammel nordisk Litteratur, 1906–8), gives a diplomatic text.

THE VENGEANCE OF SIGMUND

Siggeirr konungr átti tvá sonu við konu sinni, ok er frá því sagt, þá er inn ellri sonr hans er tíu vetra, at Signý sendir hann til móts við Sigmund, at hann skyldi veita honum lið, ef hann vildi nǫkkut leita við at hefna feðr síns. Nú ferr sveinninn til skógarins ok kømr síð um aptaninn til jarðhúss Sigmundar, 5 ok tekr hann við honum vel at hófi ok mælti at hann skyldi gøra til brauð þeira—'en ek mun sœkja eldivið'; ok selr í hǫnd honum einn mjǫlbelg, en hann ferr sjálfr at sœkja viðinn.

Ok er hann kømr aptr, þá hefir sveinninn ekki at gǫrt um brauðgørðina. Nú spyrr Sigmundr hvárt búit sé brauðit. 10

Hann segir, 'Eigi þorða ek at taka mjǫlbelginn, fyrir því at
þar lá nǫkkut kykt í mjǫlinu.'

Nú þykkisk Sigmundr vita at þessi sveinn mun eigi svá vel
hugaðr at hann vili hann með sér hafa. Nú er þau systkin
15 finnask, segir Sigmundr at hann þótti ekki manni at nær, þótt
sveinninn væri hjá honum. Signý mælti, 'Tak þú hann þá
ok drep hann. Eigi þarf hann þá lengr at lifa!' Ok svá
gørði hann.

Nú líðr sjá vetr; ok einum vetri síðar, þá sendir Signý
20 inn yngra son sinn á fund Sigmundar. Ok þarf þar eigi
sǫgu um at lengja, ok fór sem samt sé, at hann drap þenna
svein at ráði Signýjar. . . .

Ok er fram liðu stundir, fœðir Signý sveinbarn; sjá sveinn
var Sinfjǫtli kallaðr. Ok er hann vex upp, er hann bæði
25 mikill ok sterkr ok vænn at áliti ok mjǫk í ætt Vǫlsunga, ok
er eigi allra tíu vetra, er hon sendir hann í jarðhúsit til
Sigmundar. Hon hafði þá raun gǫrt við ina fyrri sonu sína,
áðr hon sendi þá til Sigmundar, at hon saumaði at hǫndum
þeim með holdi ok skinni; þeir þoldu illa ok kriktu um. Ok
30 svá gørði hon Sinfjǫtla; hann brásk ekki við. Hon fló hann
þá af kyrtlinum, svá at skinnit fylgði ermunum; hon kvað
honum mundi sárt við verða. Hann segir, 'Lítit mundi slíkt
sárt þykkja Vǫlsungi.'

Ok nú kømr sveinninn til Sigmundar. Þá bað Sigmundr
35 hann knoða ór mjǫli þeira, en hann vill sœkja þeim eldivið;
fær í hǫnd honum einn belg. Síðan ferr hann at viðinum,
ok er hann kom aptr, þá hafði Sinfjǫtli lokit at baka. Þá
spurði Sigmundr ef hann hafi nǫkkut fundit í mjǫlinu.
'Eigi er mér grunlaust', sagði hann, 'at eigi hafi í verit
40 nǫkkut kykt í mjǫlinu fyrst er ek tók at knoða, ok hér hefi
ek með knoðat þat er í var.' Þá mælti Sigmundr ok hló
við: 'Eigi get ek þik hafa mat af þessu brauði í kveld, því at
þar hefir þú knoðat með inn mesta eitrorm.'

Sigmundr var svá mikill fyrir sér at hann mátti eta eitr, svá

at hann skaðaði ekki, en Sinfjǫtla hlýddi þat, at eitr kœmi 45
útan á hann, en eigi hlýddi honum at eta þat né drekka.

Þat er nú at segja, at Sigmundi þykkir Sinfjǫtli of ungr til
hefnda með sér, ok vill nú fyrst venja hann með nǫkkut
harðræði; fara nú um sumrum víða um skóga ok drepa
menn til fjár sér. Sigmundi þykkir hann mjǫk í ætt 50
Vǫlsunga ok þó hyggr hann at hann sé sonr Siggeirs
konungs; ok hyggr hann hafa illsku feðr síns, en kapp
Vǫlsunga, ok ætlar hann eigi mjǫk frændrœkinn mann, því
at hann minnir opt Sigmund á sína harma ok eggjar mjǫk at
drepa Siggeir konung. . . .   55

Ok er Sinfjǫtli er frumvaxti, þá þykkisk Sigmundr hafa
reynt hann mjǫk. Nú líðr eigi langt, áðr Sigmundr vill
leita til fǫðurhefnda, ef svá vildi takask. Ok nú fara þeir í
brott frá jarðhúsinu einhvern dag ok koma at bœ Siggeirs
konungs síð um aptan ok ganga inn í forstofuna, þá er var 60
fyrir hǫllinni; en þar váru inni ǫlker, ok leynask þar. Dróttn-
ingin veit nú hvar þeir eru, ok vill hitta þá; ok er þau
finnask, gøra þau þat ráð at þeir leitaði til fǫðurhefnda, er
náttaði.

Þau Signý ok konungr eigu tvau bǫrn ung at aldri; þau 65
leika sér á gólfinu at gulli ok renna því eptir gólfinu
hallarinnar ok hlaupa þar eptir, ok einn gullhringr hrýtr útar
í húsit, þar sem þeir Sigmundr eru, en sveinninn hleypr
eptir at leita hringsins. Nú sér hann, hvar sitja tveir menn
miklir ok grimmligir, ok hafa síða hjálma ok hvítar brynjur. 70
Nú hleypr hann í hǫllina innar fyrir feðr sinn ok segir
honum hvat hann hefir sét. Nú grunar konungr at vera
munu svik við hann. Signý heyrir nú hvat þeir segja. Hon
stendr upp, tekr bǫrnin bæði ok ferr útar í forstofuna til þeira
ok mælti, at þeir skyldu þat vita at þau hefði sagt til þeira, 75
'ok ræð ek ykkr at þit drepið þau.' Sigmundr segir, 'Eigi
vil ek drepa bǫrn þín, þótt þau hafi sagt til mín.' En
Sinfjǫtli lét sér ekki feilask ok bregðr sverði ok drepr

hvárttveggja barnit ok kastar þeim innar í hǫllina fyrir Siggeir
80 konung.

Konungr stendr nú upp ok heitr á menn at taka þá menn
er leynzk hǫfðu í forstofunni um kveldit. Nú hlaupa menn
útar þangat ok vilja hǫndla þá, en þeir verja sik vel ok
drengiliga, ok þykkisk þá sá verst hafa lengi, er næst er. Ok
85 um síðir verða þeir ofrliði bornir ok verða handteknir ok því
næst í bǫnd reknir ok í fjǫtra settir, ok sitja þeir þar þá nótt
alla.

Nú hyggr konungr at fyrir sér, hvern dauða hann skal fá
þeim, þann er kendi lengst. Ok er morginn kom, þá lætr
90 konungr haug mikinn gøra af grjóti ok torfi, ok er þessi
haugr er gǫrr, þá lét hann setja hellu mikla í miðjan
hauginn, svá at annarr jaðarr hellunnar horfði upp, en annarr
niðr. Hon var svá mikil at hon tók tveggja vegna svá at eigi
mátti komask hjá henni. Nú lætr hann taka þá Sigmund ok
95 Sinfjǫtla ok setja í hauginn sínum megin hvárn þeira, fyrir því
at honum þótti þeim þat verra at vera eigi báðum saman, en þó
mátti heyra hvárr til annars. Ok er þeir váru at tyrfa hauginn,
þá kømr Signý þar at ok hefir hálm í fangi sér ok kastar
í hauginn til Sinfjǫtla ok biðr þrælana leyna konunginn þessu.
100 Þeir já því, ok er þá lokit aptr hauginum.

Ok er nátta tekr, þá mælti Sinfjǫtli til Sigmundar, 'Ekki
ætla ek okkr mat skorta um hríð; hér hefir dróttningin
kastat fleski inn í hauginn ok vafit um útan hálmi.' Ok enn
þreifar hann um fleskit, ok finnr at þar var stungit í sverði
105 Sigmundar, ok kendi at hjǫltunum, er myrkt var í hauginum,
ok segir Sigmundi; þeir fagna því báðir. Nú skýtr Sinfjǫtli
blóðreflinum fyrir ofan helluna ok dregr fast; sverðit bítr
helluna. Sigmundr tekr nú blóðrefilinn ok ristu nú í milli
sín helluna ok létta eigi fyrr en lokit er at rísta, sem
110 kveðit er:

> Ristu af magni   mikla hellu
> Sigmundr hjǫrvi   ok Sinfjǫtli.

Ok nú eru þeir lausir báðir saman í hauginum ok rísta
bæði grjót ok torf ok komask svá út ór hauginum. Þeir
ganga nú heim til hallarinnar; eru menn þá í svefni allir. 115
Þeir bera við at hǫllunni ok leggja eld í viðinn. En þeir
vakna við gufuna, er inni eru, ok þat, at hǫllin logar yfir
þeim. Konungr spyrr hverir eldana gørði. 'Hér eru vit
Sinfjǫtli, systurson minn', sagði Sigmundr, 'ok ætlum vit nú
at þat skylir þú vita, at eigi eru allir Vǫlsungar dauðir.' 120
Hann biðr systur sína út ganga ok þiggja af honum góð
metorð ok mikinn sóma, ok vill svá bœta henni sína harma.
Hon svarar, 'Nú skaltu vita, hvárt ek hefi munat Siggeiri
konungi dráp Vǫlsungs konungs. Ek lét drepa bǫrn okkur,
er mér þóttu of sein til fǫðurhefnda, ok ek fór í skóg til þín í 125
vǫlu líki, ok er Sinfjǫtli okkarr sonr. Hefir hann af því
mikit kapp, at hann er bæði sonarson ok dótturson Vǫlsungs
konungs. Hefi ek þar til unnit alla hluti, at Siggeirr konungr
skyldi bana fá; hefi ek ok svá mikit unnit at fram kœmisk
hefndin, at mér er með engum kosti líft. Skal ek nú deyja 130
með Siggeiri konungi lostig, er ek átta hann nauðig.'

Síðan kysti hon Sigmund bróður sinn ok Sinfjǫtla ok gekk
inn í eldinn ok bað þá vel fara; síðan fekk hon þar bana með
Siggeiri konung ok allri hirð sinni.

Þeir frændr fá sér lið ok skipa, ok heldr Sigmundr til 135
ættleifðar sinnar ok rekr ór landi þann konung er þar hafði í
sezk eptir Vǫlsung konung. Sigmundr gørisk nú ríkr
konungr ok ágætr, vitr ok stórráðr.

III

HRÓLFS SAGA KRAKA

THE Latin *Gesta Danorum*, written about the end of the twelfth century by Saxo Grammaticus, and *Hrólfs Saga Kraka* contain the principal Scandinavian survivals of the legend of the Skjǫldungs (the Scyldings of the Anglo-Saxon poem *Beowulf*). There was once an Icelandic *Skjǫldunga saga*, but it has perished, except for a Latin summary made by Arngrím Jónsson in 1594 (ed. Olrik, *Aarbøger for nordisk Oldkyndighed*, 1894). *Skjǫldunga saga* was used by Snorri Sturluson for two brief episodes in the Edda. Icelandic tradition is represented also by the fifteenth-century *Bjarkarímur*, founded mainly on the same lost saga. Danish tradition is represented in brief notices in chronicles (Latin and Danish; for the latter, see p. 165) as well as in Saxo's *Gesta*.

Hrólfs saga dates from the latter half of the fourteenth century. It has preserved the general outline of the legend fairly well, but some episodes are added, and here and there alterations have been made in the older material. It is popular in style, but not without art in its efforts to amuse. The following selection, compared with Saxo's version, shows skill and ready invention in supplying minute and realistic detail in the description of an unusual adventure. Bǫðvar comes riding through rain and mud on his way to Lejre to seek service with Hrólf Kraki, and he takes lodging with a poor peasant and his wife. They receive him well, and tell him of their son Hǫtt, who is kept by the king's men as a target for their bone-throwing; they beg Bǫðvar to throw only little bones at him, lest he kill the lad with his strength. It is partly to repay their hospitality that Bǫðvar protects Hǫtt. This little introduction seems to be entirely the invention of the saga-teller, as are many of the details of the scenes that follow.

The episode of Bǫðvar Bjarki at the Danish court is strikingly parallel with that of Beowulf's visit to Hroðgar's court. In each the hero comes from Gautland to the court of a Skjǫldung king, and frees the land from the depredations of a monster. It is probably the same story differentiated during centuries of independent transmission in different lands. In one tradition the deeds seem to have been transferred to a new hero, for it is difficult to identify Beowulf with Bǫðvar Bjarki. Attempts have been made to connect their names etymologically, but none of them are convincing (see Klaeber's edition of *Beowulf*, p. xxviii). Concerning Bǫðvar Bjarki's name, however, it is to be noticed that Bjarki is not really the cognomen, as it is taken to be in *Hrólfs saga*, but his original name; as he says in the *Bjarkamál* (in the Latin translation of Saxo): *belligeri* (= Bǫðvar) *accepi cognomen*. The name in Icelandic would properly be Bǫðvar-Bjarki 'battle-Bjarki'. *Hrólfs saga* is preserved only in the seventeenth-century paper copies, the best of which are AM 9, fol., AM 10, fol., AM 285, 4°, AM 922, 4°. It has been edited by F. Jónsson in Samfund til Udgivelse af gammel nordisk Litteratur, 1904.

BǪÐVAR BJARKI AT THE COURT OF
KING HRÓLF

Síðan fór Bǫðvarr leið sína til Hleiðargarðs. Hann kømr til konungs atsetu. Bǫðvarr leiðir síðan hest sinn á stall hjá konungs hestum hinum beztu ok spyrr engan at; gekk síðan inn í hǫllina, ok var þar fátt manna. Hann sezk útarliga, ok sem hann hefir verit þar lítla hríð, heyrir hann þrausk nǫkkut 5 útar í hornit í einhverjum stað. Bǫðvarr lítr þangat ok sér at mannshǫnd kømr upp ór mikilli beinahrúgu, er þar lá; hǫndin var svǫrt mjǫk. Bǫðvarr gengr þangat til ok spyrr hverr þar væri í beinahrúgunni. Þá var honum svarat ok heldr óframliga: 'Hǫttr heiti ek, bokki sæll.' 'Hví ertu 10 hér', segir Bǫðvarr, 'eða hvat gørir þú?' Hǫttr segir, 'Ek gøri mér skjaldborg, bokki sæll.' Bǫðvarr sagði, 'Vesall ertu þinnar skjaldborgar!' Bǫðvarr þrífr til hans ok hnykkir honum upp ór beinahrúgunni. Hǫttr kvað þá hátt við ok mælti, 'Nú viltu mér bana! Gør eigi þetta, svá sem ek hefi 15 nú vel um búizk áðr, en þú hefir nú rótat í sundr skjaldborg minni, ok hafða ek nú svá gǫrt hana háva útan at mér, at hon hefir hlíft mér við ǫllum hǫggum ykkar, svá at engi hǫgg hafa komit á mik lengi, en ekki var hon enn svá búin sem ek ætlaða hon skyldi verða.' Bǫðvarr mælti: 'Ekki muntu 20 fá skjaldborgina lengr.' Hǫttr mælti ok grét: 'Skaltu nú bana mér, bokki sæll?' Bǫðvarr bað hann ekki hafa hátt, tók hann upp síðan ok bar hann út ór hǫllinni ok til vatns

nǫkkurs sem þar var í nánd, ok gáfu fáir at þessu gaum, ok
25 þó hann upp allan.

Síðan gekk Bǫðvarr til þess rúms sem hann hafði áðr
tekit, ok leiddi eptir sér Hǫtt ok þar setr hann Hǫtt hjá sér.
En hann er svá hræddr at skelfr á honum leggr ok liðr, en

þó þykkisk hann skilja at þessi maðr vill hjálpa sér. Eptir
30 þat kveldar ok drífa menn í hǫllina ok sjá Hrólfs kappar at
Hǫttr er settr á bekk upp, ok þykkir þeim sá maðr hafa gǫrt
sik œrit djarfan, er þetta hefir til tekit. Ilt tillit hefir Hǫttr,
þá er hann sér kunningja sína, því at hann hefir ilt eitt af
þeim reynt; hann vill lifa gjarnan ok fara aptr í beinahrúgu
35 sína, en Bǫðvarr heldr honum, svá at hann náir ekki í brottu
at fara, því at hann þóttisk ekki jafnberr fyrir hǫggum þeira,
ef hann næði þangat at komask, sem hann er nú. Hirðmenn
hafa nú sama vanda, ok kasta fyrst beinum smám um þvert
gólfit til Bǫðvars ok Hattar. Bǫðvarr lætr sem hann sjái eigi
40 þetta. Hǫttr er svá hræddr at hann tekr eigi mat né drykk,

ok þykkir honum þá ok þá sem hann muni vera lostinn. Ok nú mælti Hǫttr til Bǫðvars: 'Bokki sæll, nú ferr aʇ þér stór knúta, ok mun þetta ætlat okkr til nauða.' Bǫðvarr bað hann þegja. Hann setr við holan lófann ok tekr svá við knútunni; þar fylgir leggrinn ıneð. Bǫðvarr sendi aptr 45 knútuna ok setr á þann sem kastaði, ok rétt framan í hann með svá harðri svipan at hann fekk bana. Sló þá miklum ótta yfir hirðmennina.

Kømr nú þessi fregn fyrir Hrólf konung ok kappa hans upp í kastalann, at maðr mikilúðligr sé kominn til hallarinnar ok 50 hafi drepit einn hirðmann hans, ok vildu þeir láta drepa manninn. Hrólfr konungr spurðisk eptir, hvárt hirðmaðrinn hefði verit saklauss drepinn. 'Því var næsta', sǫgðu þeir. Kómusk þá fyrir Hrólf konung ǫll sannindi hér um. Hrólfr konungr sagði þat skyldu fjarri, at drepa skyldi manninn—'hafi þit hér 55 illan vanda upp tekit, at berja saklausa menn beinum; er mér í því óvirðing, en yðr stór skǫmm, at gøra slíkt. Hefi ek jafnan rœtt um þetta áðr, ok hafi þit at þessu engan gaum gefit, ok hygg ek at þessi maðr muni ekki alllítill fyrir sér, er þér hafið nú á leitat; ok kallið hann til mín, svá at ek viti 60 hverr hann er.'

Bǫðvarr gengr fyrir konung ok kveðr hann kurteisliga. Konungr spyrr hann at nafni. 'Hattargriða kalla mik hirðmenn yðar, en Bǫðvarr heiti ek.' Konungr mælti, 'Hverjar bœtr viltu bjóða mér fyrir hirðmann minn?' Bǫðvarr segir, 65 'Til þess gørði hann, sem hann fekk.' Konungr mælti, 'Viltu vera minn maðr ok skipa rúm hans?' Bǫðvarr segir, 'Ekki neita ek at vera yðarr maðr, ok munu vit ekki skiljask svá búit, vit Hǫttr, ok dveljask nær þér báðir, heldr en þessi hefir setit; elligar vit fǫrum brott báðir.' Konungr mælti, 'Eigi 70 sé ek at honum sœmd, en ek spara ekki mat við hann.'

Bǫðvarr gengr nú til þess rúms sem honum líkaði, en ekki vill hann þat skipa sem hinn hafði áðr. Hann kippir upp í einhverjum stað þremr mǫnnum, ok síðan settusk þeir Hǫttr

H

75 þar niðr ok innar í hǫllinni en þeim var skipat. Heldr þótti
mǫnnum ódælt við Bǫðvar, ok er þeim hinn mesti íhugi at
honum.

Ok sem leið at jólum, gørðusk menn ókátir. Bǫðvarr
spyrr Hǫtt hverju þetta sæti; hann segir honum at dýr eitt
80 hafi þar komit tvá vetr í samt, mikit ok ógurligt—'ok hefir
vængi á bakinu ok flýgr þat jafnan. Tvau haust hefir þat nú
hingat vitjat ok gǫrt mikinn skaða. Á þat bíta ekki vápn, en
kappar konungs koma ekki heim, þeir sem at eru einna
mestir.' Bǫðvarr mælti, 'Ekki er hǫllin svá vel skipuð sem
85 ek ætlaða, ef eitt dýr skal hér eyða ríki ok fé konungsins.'
Hǫttr sagði, 'Þat er ekki dýr, heldr er þat hit mesta trǫll.'

Nú kømr jóla-aptann. Þá mælti konungr, 'Nú vil ek at
menn sé kyrrir ok hljóðir í nótt, ok banna ek ǫllum mínum
mǫnnum at ganga í nǫkkurn háska við dýrit, en fé ferr eptir
90 því sem auðnar; menn mína vil ek ekki missa.' Allir heita
hér góðu um, at gøra eptir því sem konungr bauð.

Bǫðvarr leyndisk í brott um nóttina; hann lætr Hǫtt fara
með sér, ok gørir hann þat nauðugr ok kallaði hann sér stýrt
til bana. Bǫðvarr segir at betr mundi til takask. Þeir ganga
95 í brott frá hǫllinni, ok verðr Bǫðvarr at bera hann, svá er
hann hræddr. Nú sjá þeir dýrit, ok því næst œpir Hǫttr
slíkt sem hann má ok kvað dýrit mundu gleypa hann.
Bǫðvarr bað bikkjuna hans þegja ok kastar honum niðr
í mosann, ok þar liggr hann ok eigi með ǫllu óhræddr.
100 Eigi þorir hann heim at fara heldr. Nú gengr Bǫðvarr móti
dýrinu; þat hœfir honum, at sverðit er fast í umgjǫrðinni, er
hann vildi bregða því. Bǫðvarr eggjar nú fast sverðit ok þá
bragðar í umgjǫrðinni, ok nú fær hann brugðit umgjǫrðinni
svá at sverðit gengr ór slíðrunum, ok leggr þegar undir bœgi
105 dýrsins ok svá fast at stóð í hjartanu, ok datt þá dýrit til
jarðar dautt niðr. Eptir þat ferr hann þangat sem Hǫttr
liggr. Bǫðvarr tekr hann upp ok berr þangat sem dýrit
liggr dautt. Hǫttr skelfr ákaft. Bǫðvarr mælti: 'Nú skaltu

drekka blóð dýrsins.' Hann er lengi tregr, en þó þorir hann
víst eigi annat. Bǫðvarr lætr hann drekka tvá sopa stóra; 110
hann lét hann ok eta nǫkkut af dýrshjartanu. Eptir þetta
tekr Bǫðvarr til hans ok áttusk þeir við lengi. Bǫðvarr
mælti: 'Helzt ertu nú sterkr orðinn, ok ekki vænti ek at þú
hræðisk nú hirðmenn Hrólfs konungs.' Hǫttr sagði, 'Eigi
mun ek þá hræðask ok eigi þik upp frá þessu.' 'Vel er þá 115
orðit, Hǫttr félagi. Fǫru vit nú til ok reisum upp dýrit ok
búum svá um at aðrir ætli at kvikt muni vera.' Þeir gøra nú
svá. Eptir þat fara þeir heim ok hafa kyrt um sik, ok veit
engi maðr hvat þeir hafa iðjat.

Konungr spyrr um morguninn hvat þeir viti til dýrsins, 120
hvárt þat hafi nǫkkut þangat vitjat um nóttina. Honum var
sagt at fé alt væri heilt í grindum ok ósakat. Konungr bað
menn forvitnask hvárt engi sæi líkindi til at þat hefði heim
komit. Varðmenn gørðu svá ok kómu skjótt aptr ok sǫgðu
konungi at dýrit fœri þar ok heldr geyst at borginni. 125
Konungr bað hirðmenn vera hrausta ok duga nú hvern eptir
því sem hann hefði hug til, ok ráða af óvætt þenna; ok svá
var gǫrt, sem konungr bað, at þeir bjoggu sik til þess.
Konungr horfði á dýrit ok mælti síðan, 'Enga sé ek fǫr
á dýrinu, en hverr vill nú taka kaup einn ok ganga í móti 130
því?' Bǫðvarr mælti, 'Þat væri næsta hrausts manns forvitn-
isbót. Hǫttr félagi, rektu nú af þér illmælit þat at menn
láta, sem engi krellr né dugr muni í þér vera. Far nú ok
drep þú dýrit. Máttu sjá at engi er allfúss til annarra.'
'Já', sagði Hǫttr, 'ek mun til þessa ráðask'. Konungr mælti, 135
'Ekki veit ek hvaðan þessi hreysti er at þér komin, Hǫttr, ok
mikit hefir um þik skipazk á skammri stundu'. Hǫttr mælti,
'Gef mér til sverðit Gullinhjalta, er þú heldr á, ok skal ek þá
fella dýrit eða fá bana.' Hrólfr konungr mælti, 'Þetta sverð
er ekki beranda nema þeim manni sem bæði er góðr drengr 140
ok hraustr.' Hǫttr sagði, 'Svá skaltu til ætla at mér sé svá
háttat'. Konungr mælti, 'Hvat má vita, nema fleira hafi

skipzk um hagi þína en sjá þykkir? En fæstir menn
þykkjask þik kenna, at þú sér inn sami maðr. Nú tak við
145 sverðinu ok njót manna bezt, ef þetta er til unnit.'

Síðan gengr Hǫttr at dýrinu alldjarfliga ok hǫggr til þess,
þá er hann kømr í hǫggfœri, ok dýrit fellr niðr dautt. Bǫðvarr
mælti, 'Sjáið nú, herra, hvat hann hefir til unnit.' Konungr
segir, 'Víst hefir hann mikit skipazk, en ekki hefir Hǫttr einn
150 dýrit drepit; heldr hefir þú þat gǫrt.' Bǫðvarr segir, 'Vera
má at svá sé.' Konungr segir, 'Vissa ek, þá er þú komt hér,
at fáir mundu þínir jafningjar vera, en þat þykki mér þó þitt
verk frægiligast, at þú hefir gǫrt hér annan kappa þar er
Hǫttr er, ok óvænligr þótti til mikillar giptu. Ok nú vil ek
155 at hann heiti eigi Hǫttr lengr ok skal hann heita Hjalti upp
frá þessu; skaltu heita eptir sverðinu Gullinhjalta.'

IV

ARI ÞORGILSSON (1067–1148)

ARI is rightly esteemed one of the fathers of Icelandic saga-literature. As far as can be judged from his surviving work, however, his talent lay in historical research rather than in literary art, though his prose is clear and adequate for his purpose. He was one of the fathers of saga-literature because he was the father of history in the vernacular, as Snorri testifies: 'He was the first man here in this land who wrote histories in Norse of times ancient and modern.' And there is no history more trustworthy than Ari's: in that age, when so many half-historical traditions were current, Ari accepted nothing without the best evidence, which he usually quotes. He was careful also to establish his chronology beyond all doubt, and on his dating rests a great part of the chronology of the sagas, as worked out by later historians. There is a short but informing review of Ari's life and work in Snorri Sturluson's preface to *Heimskringla*. From the statements of Snorri and Ari himself the following works may be ascribed with certainty to Ari:

1. *Íslendingabók* (lost). Ari says that it contained lives of kings and genealogies as well as the matter of the later *Libellus Islandorum*. These may well be the lives of kings referred to by Snorri, though it is possible also that the lives formed another of Ari's works, now lost. *Íslendingabók* was written probably about 1120.

2. *Libellus Islandorum*, also commonly called *Íslendingabók*. The *Libellus* was written between 1122 and 1133, though at what time during that period it is impossible to determine. It gives a short history of Iceland from the first settlement, *c*. 870, to 1120.

Hauk Erlendsson at the end of his copy of *Landnámabók* in his famous manuscript book (*Hauksbók*), speaks as though Ari had a share in compiling *Landnámabók*: 'Nú er yfir farit um landnám þau er verit hafa á Íslandi eptir því sem hafa skrifat fyrst Ari prestr hinn Fróði Þorgilsson, ok Kolskeggr hinn Vitri.' He may mean, however, that information in *Landnámabók* is based on Ari's *Íslendingabók*; the extent of Ari's share in the compilation of *Landnámabók* may never be known.

Many later writers as well as Snorri quote the authority of Ari, showing the lasting interest in history which his work aroused. Such quotations are found in *Landnámabók* (ii. 12. 6), *Laxdæla saga*, *Eyrbyggja saga*, *Sturlunga saga* (i. 204). Sometimes the information ascribed to Ari differs from the account in the *Libellus*, and it is probable then that the author is quoting the *Íslendingabók*. A good example is the passage in *Sturlunga saga*.

The text of the *Libellus* depends chiefly on two seventeenth-century copies (AM 113 b, the better copy, and AM 113 a) of a lost twelfth-century vellum manuscript. The copyist, Jón Erlendson, reproduces the spelling of the old manuscript, but in the following selections the spelling has been normalized on the same plan as the other Icelandic texts in this volume. The *Libellus Islandorum* has been edited by Golther, Altnordische Sagabibliothek no. 1, 2nd ed. 1924, and by H. Hermannsson, *Islandica*, xv, Ithaca, N.Y., 1930.

ARI'S LIBELLUS ISLANDORUM

Prologue

Íslendingabók gørða ek fyrst biskupum várum Þorláki ok Katli, ok sýnda ek bæði þeim ok Sæmundi presti. En með því at þeim líkaði svá at hafa eða þar viðr auka, þá skrifaða ek þessa of it sama far, fyr útan Ættar-tǫlu ok Konunga-ævi.
5 Ok jók ek því er mér varð síðan kunnara, ok nú er gørr sagt á þessi en á þeirri. En hvatki er missagt er í frœðum þessum, þá er skylt at hafa þat heldr er sannara reynisk.

Frá Íslands bygð. A.D. 870

Ísland bygðisk fyrst ór Norvegi á dǫgum Haralds ins Hárfagra, Hálfdanarsonar ins Svarta, í þann tíð—at ætlun ok
10 tǫlu þeira Teits fóstra míns, þess manns er ek kunna spakastan, sonar Ísleifs biskups; ok Þorkels fǫðurbróður míns, Gellissonar, er langt mundi fram; ok Þóríðar Snorradóttur Goða, er bæði var margspǫk ok óljúgfróð—er Ívarr, Ragnarsson Loðbrókar, lét drepa Eadmund inn Helga Englakonung.
15 En þat var dccclxx vetra eptir burð Krists, at því er ritit er í sǫgu hans.

Ingólfr hét maðr Norrœnn, er sannliga er sagt at fœri fyrst þaðan til Íslands, þá er Haraldr inn Hárfagri var xvj vetra gamall, en í annat sinn fám vetrum síðar. Hann bygði suðr
20 í Reykjarvík. Þar er Ingólfshǫfði kallaðr, fyr austan Minþakseyri, sem hann kom fyrst á land; en þar Ingólfsfell fyr

vestan Qlfossá, er hann lagði sína eigu á síðan. Í þann tíð var Ísland viði vaxit í miðli fjalls ok fjǫru.

Þá váru hér menn Kristnir þeir er Norðmenn kalla papa. En þeir fóru síðan á braut, af því at þeir vildu eigi vera hér 25 við heiðna menn, ok létu eptir bœkr Írskar ok bjǫllur ok bagla: af því mátti skilja at þeir váru menn Írskir.

En þá varð fǫr manna mikil mjǫk út hingat ór Norvegi, til þess unz konungrinn Haraldr bannaði, af því at honum þótti landauðn nema. Þá sættusk þeir á þat, at hverr maðr skyldi 30 gjalda konungi fimm aura, sá er eigi væri frá því skiliðr, ok þaðan fœri hingat. En svá er sagt at Haraldr væri lxx vetra konungr, ok yrði áttrœðr. Þau hafa upphǫf verit at gjaldi því er nú er kallat landaurar. En þar galzk stundum meira, en stundum minna, unz Óláfr inn Digri gørði skýrt at hverr 35 maðr skyldi gjalda konungi hálfa mǫrk, sá er fœri á miðli Norvegs ok Íslands, nema konur eða þeir menn er hann næmi frá. Svá sagði Þorkell oss Gellisson.

Frá Grœnlands bygð. A.D. 986

Land þat er kallat er Grœnland fannsk ok bygðisk af Íslandi. Eiríkr inn Rauði hét maðr Breiðfirzkr, er fór út 40 heðan þangat ok nam þar land er síðan er kallaðr Eiríksfjǫrðr. Hann gaf nafn landinu ok kallaði Grœnland, ok kvað menn þat myndu fýsa þangat farar, at landit ætti nafn gott.

Þeir fundu þar mannavistir bæði austr ok vestr á landi, ok keiplabrot ok steinsmíði þat, er af því má skilja at þar hafði 45 þess konar þjóð farit er Vínland hefir byggt, ok Grœn- lendingar kalla Skrælinga.

En þat var, er hann tók byggva landit, xiiij vetrum eða xv fyrr en Kristni kvæmi hér á Ísland, at því er sá taldi fyrir Þorkeli Gellissyni á Grœnlandi, er sjálfr fylgði Eiríki inum 50 Rauða út.

Frá því er Kristni kom á Ísland. A.D. 1000

Óláfr *rex* Tryggvason Óláfssonar, Haraldssonar ins

Hárfagra, kom Kristni í Norveg ok á Ísland. Hann sendi
hingat til lands prest þann er hét Þangbrandr, ok hér kendi
55 mǫnnum Kristni, ok skírði þá alla er við trú tóku. En
Hallr á Síðu Þorsteinsson lét skírask snimhendis, ok Hjalti
Skeggjason ór Þjórsárdali, ok Gizurr inn Hvíti Teitsson,
Ketilbjarnarsonar frá Mosfelli, ok margir hǫfðingjar aðrir.
En þeir váru þó fleiri er í gegn mæltu ok neittu. En þá er
60 hann hafði hér verit einn vetr eða tvá, þá fór hann á braut,
ok hafði vegit hér tvá menn eða þrjá, þá er hann hǫfðu nítt.
En hann sagði konunginum Óláfi, er hann kom austr, alt þat
er hér hafði yfir hann gengit, ok lét ørvænt at hér myndi
Kristni enn takask. En hann varð við þat reiðr mjǫk, ok
65 ætlaði at láta meiða eða drepa vára landa fyrir, þá er þar
váru austr. En þat sumar it sama kvámu útan heðan þeir
Gizurr ok Hjalti, ok þágu þá undan við konunginn, ok hétu
honum umsýslu sinni til á nýja leik, at hér yrði enn við
Kristninni tekit, ok létu sér eigi annars ván en þar myndi
70 hlýða. En it næsta sumar eptir fóru þeir austan, ok prestr
sá er Þormóðr hét, ok kvámu þá í Vestmannaeyjar, er x vikur
váru af sumri, ok hafði alt farizk vel at. Svá kvað Teitr
þann segja er sjálfr var þar.

Þá var þat mælt it næsta sumar áðr í lǫgum, at menn
75 skyldi svá koma til Alþingis, er tíu vikur væri af sumri, en
þangat til kvámu viku fyrr.

En þeir fóru þegar inn til meginlands, ok síðan til Alþingis;
ok gátu at Hjalta at hann var eptir í Laugardali með tólfta
mann, af því at hann hafði áðr sekr orðit fjǫrbaugsmaðr it
80 næsta sumar áðr á Alþingi of goðgá. En þat var til þess
haft, at hann kvað at Lǫgbergi kviðling þenna:

'Vilkat goð geyja: grey þykkjumk Freyja.'

En þeir Gizurr fóru unz þeir kvámu í stað þann í hjá
Ǫlfossvatni er kallaðr er Vellankatla, ok gørðu orð þaðan til
85 þings, at á móti þeim skyldi koma allir fulltingsmenn þeira,

af því at þeir hǫfðu spurt at andskotar þeira vildi verja þeim vígi þingvǫllinn. En fyrr en þeir fœri þaðan, þá kom þar ríðandi Hjalti, ok þeir er eptir váru með honum. En síðan riðu þeir á þingit, ok kvámu áðr á mót þeim frændr þeira ok vinir, sem þeir hǫfðu æst. En inir heiðnu menn hurfu saman 90 með alvæpni, ok hafði svá nær at þeir myndi berjask at eigi of sá á miðli.

En annan dag eptir gengu þeir Gizurr ok Hjalti til Lǫgbergs ok báru þar upp ørindi sín. En svá er sagt, at þat bæri frá, hvé vel þeir mæltu. En þat gørðisk af því, at þar 95 nefndi annarr maðr at ǫðrum vátta, ok sǫgðusk hvárir ór lǫgum við aðra, inir Kristnu menn ok inir heiðnu, ok gengu síðan frá Lǫgbergi.

Þá báðu inir Kristnu menn Hall á Síðu at hann skyldi lǫg þeira upp segja þau er Kristninni skyldi fylgja. En hann 100 leystisk því undan við þá, at hann keypti at Þorgeiri lǫgsǫgumanni at hann skyldi upp segja; en hann var enn þá heiðinn. En síðan er menn kvámu í búðir, þá lagðisk hann niðr Þorgeirr, ok breiddi feld sinn á sik, ok hvíldi þann dag allan, ok nóttina eptir, ok kvað ekki orð. En of morguninn 105 eptir settisk hann upp, ok gørði orð at menn skyldi til Lǫgbergis.

En þá hóf hann tǫlu sína upp, er menn kvámu þar, ok sagði at honum þótti þá komit hag manna í ónýtt efni, ef menn skyldi eigi hafa allir lǫg ein á landi hér; ok taldi fyrir 110 mǫnnum á marga vega at þat skyldi eigi láta verða, ok sagði at þat myndi at því ósætti verða, er vísa ván var at þær barsmíðir gørðisk á miðli manna er landit eyddisk af. Hann sagði frá því at konungar ór Norvegi ok ór Danmǫrku hǫfðu haft ófrið ok orrustur á miðli sín langa tíð til þess unz 115 landsmenn gørðu frið á miðli þeira, þótt þeir vildi eigi. En þat ráð gørðisk svá, at af stundu sendusk þeir gørsimar á miðli; enda helt friðr sá meðan þeir lifðu. 'En nú þykkir mér þat ráð', kvað hann, 'at vér látim ok eigi þá ráða er mest

120 vilja í gegn gangask; ok miðlum svá mál á miðli þeira, at
hvárirtveggju hafi nakkvat síns máls, ok hǫfum allir ein lǫg
ok einn sið. Þat mun verða satt, er vér slítum sundr lǫgin, at
vér munum slíta ok friðinn.' En hann lauk svá sínu máli,
at hvárirtveggju játtu því, at allir skyldi ein lǫg hafa, þau sem
125 hann réði upp at segja.

Þá var þat mælt í lǫgum, at allir menn skyldi Kristnir vera,
ok skírn taka, þeir er áðr váru óskírðir á landi hér. En of
barna útburð skyldu standa in fornu lǫg, ok of hrossakjǫts
át: skyldu menn blóta á laun ef vildu, en varða fjǫrbaugsgarðr
130 ef váttum of kvæmi við. En síðar fám vetrum var sú heiðni
af numin sem ǫnnur. Þenna atburð sagði Teitr oss at því er
Kristni kom á Ísland.

En Óláfr Tryggvason fell it sama sumar, at sǫgu Sæmundar
prests. Þá barðisk hann við Svein Haraldsson Danakonung,
135 ok Óláf inn Sœnska Eiríksson at Uppsǫlum Svíakonungs, ok
Eirík er síðan var jarl at Norvegi Hákonarson. Þat var cxxx
vetra eptir dráp Eadmundar, en M eptir burð Krists at alþýðu
tali.

V

THE NORSE DISCOVERY OF AMERICA

ALTHOUGH nothing definite has yet been found on the mainland of America to prove that it was visited by the Norsemen, there are few who would now deny that it was discovered by them some 500 years before Columbus.

The best evidence for the discovery consists of Scandinavian tradition recorded early and by trustworthy men. The earliest mention of Wineland is made by Adam of Bremen (*Descriptio Insularum Aquilonis*, chapter 38); he says he heard of Wineland from King Swen Estriðsson (died 1076): 'He told me of another island also, discovered by many in that ocean. It is called "Wineland" from the fact that vines grow there naturally, producing the best wine. Moreover, that corn abounds there without sowing we have ascertained, not from fabulous conjecture, but from the reliable report of the Danes.' Here are the details which are emphasized in the independent Icelandic accounts, the grapes (*vínber*) and the wild corn (*hveitiakrar sjálfsánir*). Next is the mention by Ari (*c.* 1125), who says he got his information from Þorkell Gellison, his uncle, who had it from 'one who himself accompanied Eirík the Red out' to Greenland. This statement of the truthful and critical Ari amounts almost to positive proof of the discovery.

Later accounts give details of the voyages of discovery, some of which are not genuine. They belong to two traditions, one recorded in *Hauksbók* (*c.* 1310), the other in *Flateyjarbók* (*c.* 1375). It would be strange, if, in the three centuries and more that passed since the voyages were made, fictitious details were not added to the accounts, which doubtless interested Icelandic audiences chiefly through the element of the strange and marvellous in them. Yet their account is still fairly dependable, and the genuineness of the voyages is further established by the accuracy of some of the details. The wild grapes and corn were noticed by later explorers, Jacques Cartier, Champlain, Charles Leigh, Hudson, and others. The wooded country, the natives whom they called Skrælings (see note to line 349), the food of the Skrælings later known as pemmican, are all in accordance with the facts.

The account of the voyages in *Hauksbók* and a late fifteenth-century manuscript, AM 557, 4° is known as *Eiríks saga Rauða* or *Þorfinns saga Karlsefnis*; the story as given in *Flateyjarbók* is generally called *Grœnlendinga Þáttr*. There are some important differences between the two accounts, namely:

1. In *Fl.* Bjarni Herjólfsson is credited with first sighting the new land; in *H.* it is Leif Eiríksson.

2. In *Fl.* Leif sets out to find the land which Bjarni has seen, but in *H.* Leif's discovery is accidental.

3. Þorvald Eiríksson, according to *Fl.*, made a voyage to Wineland and was killed there; *H.* does not distinguish his voyage from Karlsefni's, and he is killed when in the same ship with Karlsefni.

4. *H.* gives a fuller account of Karlsefni's voyage.

5. Eirík's daughter Freydís is said in *Fl.* to have made a voyage to Wineland on Karlsefni's return; in *H.* she goes with Karlsefni's expedition.

Many studies have been made and many books written about these two accounts, and no general agreement has been reached on which of the two is the more trustworthy. Modern scholarship on the whole favours the earlier *Hauksbók*.

The following, representing different points of view, can be recommended as an introduction to the problem: H. Hermannsson, 'The Problem of Wineland' (*Islandica*, xxv), Ithaca, N.Y., 1936 and G. M. Gathorne-Hardy, *The Norse Discoverers of America*, Oxford, 1921. Further studies can be found listed in these two books. An interesting attempt to locate Karlsefni's voyage in the Hudson Bay is made by E. Reman in *The Norse Discoveries and Explorations in America*, Los Angeles, 1949.

Further Wineland expeditions are known also. Eirík, bishop of Greenland, sailed for Wineland in 1121; the result of his voyage is not known. In 1347 Icelandic Annals record: 'þá kom skip af Grœnlandi þat er sótt hafði til Marklands, ok átjan menn á.' Another record of a Greenland expedition in the Arctic regions of North America is in the runic inscription, found on the island of Kingiktorsoak (see p. 186).

Both sagas are edited by H. Hermannsson in *Islandica*, xxx, Ithaca, N.Y., 1944, and by M. Þórðarson in *Íslenzk Fornrit*, iv, 1935.

Selection E of the following has no connexion with the discovery of America, but is included here because it also is from *Þorfinns saga Karlsefnis* and relates to the Greenland colony whence the discoverers set out. It is the most complete description extant of the *vǫlva* or sibyl of Scandinavian heathen times. The *vǫlur* are frequently mentioned in Norse literature, but occasions of prophecy are by no means as frequent. Another shorter description (with verses from the prophecy) is to be found in *Hrólfs saga Kraka*, ch. 3. It is known from Irish sources that when the Norwegian viking Þorgest had invaded Ireland, his wife Auð in 841 profaned the monastery of Clonmacnoise and gave audience, evidently as a *vǫlva*, upon the high altar. The inspiration of a *vǫlva*'s prophecy can be seen in the poem *Vǫluspá*, part of which is quoted in extract I (*F*). Óðin has called a *vǫlva* from the grave, and she prophesies the end of the world to the gods in the most wonderful of all mythological poems. But for the grandeur of Óðin's sibyl, the *vǫlva* might be regarded as a heathen equivalent of the modern 'spirit medium'. The ceremony, and even the theory, of prophecy, as described in *Þorfinns saga*, is remarkably similar to that of many modern *séances*.

A. THE DISCOVERY OF AMERICA BY BJARNI HERJÓLFSSON, A.D. 986

Herjólfr var Bárðarson Herjólfssonar; hann var frændi Ingólfs landnámamanns. Þeim Herjólfi gaf Ingólfr land á milli Vágs ok Reykjaness. Herjólfr bjó fyrst á Drepstokki. Þorgerðr hét kona hans, en Bjarni sonr þeira, ok var hinn efniligsti maðr. Hann fýstisk útan þegar á unga aldri; 5 varð honum gott bæði til fjár ok mannvirðingar, ok var sinn vetr hvárt útanlands eðr með feðr sínum. Brátt átti Bjarni skip í forum, ok hinn síðasta vetr er hann var í Nóregi, þá brá Herjólfr til Grœnlandsferðar með Eiríki ok brá búi sínu. Með Herjólfi var á skipi Suðreyskr maðr Kristinn, sá er orti 10 Hafgerðingadrápu. Þar er þetta stef í:

> Mínar biðk at munka reyni
> meinalausan farar beina;
> heiðis haldi hárar foldar
> hallar dróttinn of mér stalli.   15

Herjólfr bjó á Herjólfsnesi; hann var hinn gofgasti maðr. Eiríkr Rauði bjó í Brattahlíð; hann var þar með mestri virðingu ok lutu allir til hans. Þessi váru born Eiríks: Leifr, Þorvaldr ok Þorsteinn, en Freydís hét dóttir hans. Hon var gipt þeim manni er Þorvarðr hét, ok bjoggu þau í Gorðum, 20 þar sem nú er biskupsstóll. Hon var svarri mikill, en Þorvarðr var lítilmenni; var hon mjok gefin til fjár. Heiðit var fólk á Grœnlandi í þann tíma.

Þat sama sumar kom Bjarni skipi sínu á Eyrar er faðir hans hafði braut siglt um várit. Þau tíðindi þóttu Bjarna 25 mikil, ok vildi eigi bera af skipi sínu. Þá spurðu hásetar hans hvat er hann bærisk fyrir, en hann svarar at hann ætlaði at

halda siðvenju sinni ok þiggja at fǫður sínum vetrvist, 'ok vil
ek halda skipinu til Grœnlands, ef þér vilið mér fylgð veita.'
30 Allir kváðusk hans ráðum fylgja vilja. Þá mælti Bjarni, 'Óvitrlig
mun þykkja vár ferð, þar sem engi vár hefir komit í Grœnlands
haf'. En þó halda þeir nú í haf þegar þeir váru búnir, ok
sigldu þrjá daga þar til er landit var vatnat; en þá tók af byrina
ok lagði á norrœnur ok þokur, ok vissu þeir eigi hvert at
35 þeir fóru; ok skipti þat mǫrgum dœgrum. Eptir þat sá þeir
sól ok máttu þá deila ættir. Vinda nú segl ok sigla þetta
dœgr áðr þeir sá land ok rœddu um með sér hvat landi þetta
mun vera. En Bjarni kvezk hyggja at þat mundi eigi
Grœnland. Þeir spyrja hvárt hann vill sigla at þessu landi
40 eðr eigi. Hann svarar, 'Þat er mitt ráð, at sigla í nánd við
landit'. Ok svá gøra þeir, ok sá þat brátt at landit var
ófjǫllótt ok skógi vaxit, ok smár hæðir á landinu, ok létu
landit á bakborða ok létu skaut horfa á land. Síðan sigla
þeir tvau dœgr áðr þeir sá land annat. Þeir spyrja hvárt
45 Bjarni ætlaði þat enn Grœnland. Hann kvazk eigi heldr
ætla þetta Grœnland en hit fyrra, 'því at jǫklar eru mjǫk
miklir sagðir á Grœnlandi'. Þeir nálguðusk brátt þetta land
ok sá þat vera slétt land ok viði vaxit. Þá tók af byr fyrir
þeim; þá rœddu hásetar þat, at þeim þótti þat ráð, at taka
50 þat land, en Bjarni vill þat eigi. Þeir þóttusk bæði þurfa
við ok vatn. 'At engu eru þér því óbirgir', segir Bjarni, en
þó fekk hann af því nǫkkut ámæli af hásetum sínum. Hann
bað þá vinda segl, ok svá var gǫrt, ok settu framstafn frá
landi ok sigla í haf útsynnings byr þrjú dœgr ok sá þá land
55 it þriðja. En þat land var hátt ok fjǫllótt ok jǫkull á. Þeir
spyrja þá ef Bjarni vildi at landi láta þar, en hann kvazk eigi
þat vilja, 'því at mér lízk þetta land ógagnvænligt'. Nú lǫgðu
þeir eigi segl sitt, halda með landinu fram, ok sá at þat var
eyland. Settu enn stafn við því landi ok heldu í haf hinn
60 sama byr, en veðr óx í hǫnd ok bað Bjarni þá svipta ok eigi
sigla meira en bæði dygði vel skipi þeira ok reiða. Sigldu

nú fjogur dœgr; þá sá þeir land hit fjórða. Þá spurðu þeir
Bjarna hvárt hann ætlaði þetta vera Grœnland eðr eigi.
Bjarni svarar, 'Þetta er líkast því er mér er sagt frá Grœn-
landi, ok hér munu vér at landi halda'. Svá gøra þeir, ok 65
taka land undir einhverju nesi at kveldi dags, ok var þar bátr
á nesinu, en þar bjó Herjólfr faðir Bjarna á því nesi. Ok af
því hefir nesit nafn tekit ok er síðan kallat Herjólfsnes. Fór
Bjarni nú til fǫður síns, ok hættir nú siglingu ok er með
fǫður sínum meðan Herjólfr lifði, ok síðan bjó hann þar eptir 70
fǫður sinn.

B. LEIF EIRÍKSSON SIGHTS AMERICA
A.D. 1000

Eiríkr átti þá konu er Þjóðhildr hét ok við henni tvá sonu.
Hét annarr Þorsteinn, en annarr Leifr; þeir váru báðir
efniligir menn, ok var Þorsteinn heima með fǫður sínum, ok
var eigi sá maðr á Grœnlandi er jafnmannvænn þótti sem 75
hann. Leifr hafði siglt til Nóregs ok var með Óláfi konungi
Tryggvasyni.

Lagði konungr á hann góða virðing, ok þóttisk sjá at hann
mundi vera vel mentr maðr. Eitt sinn kom konungr at máli
við Leif ok segir, 'Ætlar þú út til Grœnlands í sumar?'   80
'Þat ætla ek', sagði Leifr, 'ef þat er yðvarr vili.'
Konungr svarar, 'Ek get at þat mun vel vera, ok skaltu
þangat fara með ørindum mínum, ok boða þar Kristni.' Leifr
kvað hann ráða skyldu, en kvazk hyggja at þat ørindi mundi
torflutt á Grœnlandi. Konungr kvezk eigi þann mann sjá er 85
betr væri til fallinn en hann, 'ok muntu giptu til bera'.
'Þat mun því at eins', segir Leifr, 'ef ek nýt yðvar við.'
Lætr Leifr í haf, ok er lengi úti ok hitti á lǫnd þau er hann
vissi áðr enga ván til. Váru þar hveitiakrar sjálfsánir ok vínviðr
vaxinn; þar váru þau tré er mǫsurr heita, ok hǫfðu þeir af 90
þessu ǫllu nǫkkur merki, sum tré svá mikil at í hús váru

lǫgð. Leifr fann menn á skipflaki ok flutti heim með sér.
Sýndi hann í því hina mesta stórmensku ok drengskap sem
mǫrgu ǫðru, er hann kom Kristni á landit, ok var jafnan
95 síðan kallaðr Leifr inn Heppni.

Leifr tók land í Eiríksfirði ok fór heim síðan í Brattahlíð,
ok tóku þar allir menn vel við honum. Hann boðaði brátt
Kristni um landit ok almenniliga trú, ok sýndi mǫnnum
orðsending Óláfs konungs Tryggvasonar, ok sagði hversu
100 mǫrg ágæti ok mikil dýrð fylgði þessum sið. Eiríkr tók því
máli seint at láta sið sinn, en Þjóðhildr gekk skjótt undir, ok
lét gøra kirkju eigi allnærri húsunum; þat hús var kallat
Þjóðhildarkirkja. Hafði hon þar fram bœnir sínar, ok þeir
menn sem við Kristni tóku. Þjóðhildr vildi ekki samræði við
105 Eirík síðan hon tók trú, en honum var þetta mjǫk móti
skapi.

C. LEIF'S VOYAGE ACCORDING TO
FLATEYJARBÓK

Þat er nú þessu næst at Bjarni Herjólfsson kom útan af
Grœnlandi á fund Eiríks jarls, ok tók jarl við honum vel.
Sagði Bjarni frá ferðum sínum, er hann hafði lǫnd sét, ok
110 þótti mǫnnum hann verit hafa óforvitinn, er hann hafði ekki
at segja af þeim lǫndum, ok fekk hann af því nǫkkut ámæli.
Bjarni gørðisk hirðmaðr jarls ok fór út til Grœnlands um
sumarit eptir.

Var nú mikil umrœða um landaleitan. Leifr sonr Eiríks
115 Rauða ór Brattahlíð fór á fund Bjarna Herjólfssonar ok
keypti skip at honum, ok réð til háseta svá at þeir váru hálfr
fjórði tøgr manna saman. Leifr bað fǫður sinn Eirík at hann
mundi enn fyrir vera fǫrinni. Eiríkr taldisk heldr undan,
kvezk þá vera hniginn í aldr ok kvezk minna mega við vási
120 ǫllu en var. Leifr kveðr hann enn mundu mestri heill stýra
af þeim frændum; ok þetta lét Eiríkr eptir Leifi, ok ríðr

heiman þá er þeir eru at því búnir. Ok var þá skamt at fara
til skipsins, drepr hestrinn fœti, sá er Eiríkr reið, ok fell hann
af baki ok lestisk fótr hans. Þá mælti Eiríkr: 'Ekki mun
mér ætlat at finna lǫnd fleiri en þetta er nú byggjum vér. 125
Munum vér nú ekki lengr fara allir samt.' Fór Eiríkr heim
í Brattahlíð, en Leifr rézk til skips ok félagar hans með
honum, hálfr fjórði tøgr manna. Þar var suðrmaðr einn í
ferð er Tyrkir hét.

Nú bjoggu þeir skip sitt ok sigldu í haf, þá er þeir váru 130
búnir, ok fundu þá þat land fyrst er þeir Bjarni fundu síðast.
Þar sigla þeir at landi ok kǫstuðu akkerum ok skutu báti ok
fóru á land, ok sá þar eigi gras. Jǫklar miklir váru alt hit
efra, en sem ein hella væri alt til jǫklanna frá sjónum, ok
sýndisk þeim þat land vera gœðalaust. Þá mælti Leifr: 135
'Eigi er oss nú þat orðit um þetta land sem Bjarna, at vér
hafim eigi komit á landit. Nú mun ek gefa nafn landinu ok
kalla Helluland.' Síðan fóru þeir til skips.

Eptir þetta sigla þeir í haf ok fundu land annat; sigla enn
at landi ok kasta akkerum, skjóta síðan báti ok ganga á 140
landit. Þat land var slétt ok skógi vaxit, ok sandar hvítir víða
þar sem þeir fóru, ok ósæbratt. Þá mælti Leifr: 'Af kostum
skal þessu landi nafn gefa ok kalla Markland.' Fóru síðan
ofan aptr til skips sem fljótast.

Nú sigla þeir þaðan í haf landnyrðings veðr ok váru úti 145
tvau dœgr áðr þeir sá land; ok sigldu at landi ok kómu at ey
einni er lá norðr af landinu, ok gengu þar upp ok sásk um í
góðu veðri ok fundu þat, at dǫgg var á grasinu, ok varð þeim
þat fyrir at þeir tóku hǫndum sínum í dǫggina ok brugðu í
munn sér ok þóttusk ekki jafnsœtt kent hafa sem þat var. 150
Síðan fóru þeir til skips síns ok sigldu í sund þat er lá milli
eyjarinnar ok ness þess er norðr gekk af landinu; stefndu í
vestrætt fyrir nesit. Þar var grunnsævi mikit at fjǫru sjávar
ok stóð þá uppi skip þeira, ok var þá langt til sjávar at sjá frá
skipinu. En þeim var svá mikil forvitni á at fara til landsins 155

at þeir nentu eigi þess at bíða at sjór felli undir skip þeira,
ok runnu til lands þar er á ein fell ór vatni einu. En þegar
sjór fell undir skip þeira, þá tóku þeir bátinn ok røru til
skipsins ok fluttu þat upp í ána, síðan í vatnit, ok kǫstuðu
160 þar akkerum ok báru af skipi húðfǫt sín ok gørðu þar búðir;
tóku þat ráð síðan, at búask þar um þann vetr, ok gørðu þar
hús mikil.

Hvárki skorti þar lax í ánni né í vatninu, ok stœrra lax en
þeir hefði fyrr sét. Þar var svá góðr landskostr at því er
165 þeim sýndisk at þar mundi engi fénaðr fóðr þurfa á vetrum.
Þar kvámu engi frost á vetrum ok lítt rénuðu þar grǫs.
Meira var þar jafndœgri en á Grœnlandi eðr Íslandi. Sól
hafði þar eyktarstað ok dagmálastað um skammdegi.

En er þeir hǫfðu lokit húsgørð sinni, þá mælti Leifr við
170 fǫruneyti sitt: 'Nú vil ek skipta láta liði váru í tvá staði, ok
vil ek kanna láta landit; ok skal helmingr liðs vera við skála
heima, en annarr helmingr skal kanna landit ok fara eigi
lengra en þeir komi heim at kveldi, ok skilisk eigi.' Nú gørðu
þeir svá um stund. Leifr gørði ýmist at hann fór með þeim eðr
175 var heima at skála. Leifr var mikill maðr ok sterkr, manna
skǫruligastr at sjá, vitr maðr ok góðr hófsmaðr um alla
hluti.

Á einhverju kveldi bar þat til tíðenda at manns var vant
af liði þeira, ok var þat Tyrkir suðrmaðr. Leifr kunni því
180 stórilla, því at Tyrkir hafði lengi verit með þeim feðgum ok
elskat mjǫk Leif í barnœsku. Taldi Leifr nú mjǫk á hendr
fǫrunautum sínum ok bjósk til ferðar at leita hans ok tólf
menn með honum. En er þeir váru skamt komnir frá skála,
þá gekk Tyrkir í mót þeim ok var honum vel fagnat. Leifr
185 fann þat brátt at fóstra hans var skapgott. Hann var
brattleitr ok lauseygr, smáskitligr í andliti, lítill vexti ok
vesalligr, en íþróttamaðr á alls konar hagleik.

Þá mælti Leifr til hans: 'Hví vartu svá seinn, fóstri minn,
ok fráskila fǫruneytinu?' Hann talaði þá fyrst lengi á Þýzku

ok skaut marga vega augunum ok gretti sik, en þeir skildu 190
eigi hvat er hann sagði. Hann mælti þá á Norrœnu, er stund
leið: 'Ek var genginn eigi miklu lengra, en þó kann ek
nǫkkur nýnæmi at segja: ek fann vínvið ok vínber.' 'Mun
þat satt, fóstri minn?' kvað Leifr. 'At vísu er þat satt',
kvað hann, 'því at ek var þar fœddr er hvárki skorti vínvið 195
né vínber.'

Nú sváfu þeir af þá nótt, en um morguninn mælti Leifr við
háseta sína: 'Nú skal hafa tvennar sýslur fram ok skal sinn
dag hvárt lesa vínber eðr hǫggva vínvið ok fella mǫrkina svá
at þat verði farmr til skips míns.' Ok þetta var ráðs tekit. 200
Svá er sagt at eptirbátr þeira var fyldr af vínberjum. Nú var
hǫgginn farmr á skipit, ok er várar, þá bjoggusk þeir ok
sigldu brott. Ok gaf Leifr nafn landinu eptir landkostum ok
kallaði Vínland. Sigla nú síðan í haf ok gaf þeim vel byri
þar til þeir sá Grœnland ok fjǫll undir jǫklum.   205

D. THE EXPEDITION OF ÞORFINN
KARLSEFNI (1007–11)

Á því léku miklar umrœður í Brattahlíð at menn skyldu
leita Vínlands ins góða, ok var sagt at þangat mundi vera at
vitja góðra landskosta. En því lauk svá at þeir Karlsefni ok
Snorri bjoggu skip sitt ok ætluðu at leita Vínlands um sumarit.
Til þeirar ferðar réðusk þeir Bjarni ok Þórhallr með skip sitt 210
ok þat fǫruneyti er þeim hafði fylgt. Maðr hét Þorvarðr;
hann var mágr Eiríks Rauða. Hann fór ok með þeim ok
Þorvaldr sonr Eiríks ok Þórhallr sem kallaðr var Veiðimaðr.
Hann hafði lengi verit í veiðifǫrum með Eiríki um sumrum,
ok hafði hann margar varðveizlur. Þórhallr var mikill vexti, 215
svartr ok þursligr; hann var heldr við aldr, ódæll í skapi,
hljóðlyndr, fámáligr hversdagliga, undirfǫrull ok þó atmæla-
samr, ok fýstisk jafnan hins verra. Hann hafði lítt við trú
blandazk síðan hon kom á Grœnland. Þórhallr var lítt
vinsældum horfinn, en þó hafði Eiríkr lengi tal af honum 220

haldit. Hann var á skipi með þeim Þorvaldi, því at honum
var víða kunnigt í óbygðum. Þeir hǫfðu þat skip er Þorbjǫrn
hafði út þangat ok réðusk til ferðar með þeim Karlsefni, ok
váru þar flestir Grœnlenzkir menn á. Á skipum þeira var
225 fjórir tigir manna annars hundraðs.

Sigldu þeir undan landi, síðan til Vestribygðar, ok til
Bjarneyja. Sigldu þeir þaðan undan Bjarneyjum norðanveðr.
Váru þeir úti tvau dœgr. Þá fundu þeir land ok rǫru fyrir
á bátum ok kǫnnuðu landit, ok fundu þar hellur margar ok svá
230 stórar at tveir menn máttu vel spyrnask í iljar. Melrakkar váru
þar margir. Þeir gáfu nafn landinu ok kǫlluðu Helluland. Þá
sigldu þeir norðanveðr tvau dœgr, ok var þá land fyrir þeim,
ok var á skógr mikill ok dýr mǫrg. Ey lá í landsuðr undan
landinu, ok fundu þeir þar bjarndýr ok kǫlluðu Bjarney, en
235 landit kǫlluðu þeir Markland þar er skógrinn var. Þá er
liðin váru tvau dœgr, sjá þeir land, ok þeir sigldu undir
landit. Þar var nes er þeir kómu at. Þeir beittu með landinu
ok létu landit á stjórnborða. Þar var œrœfi ok strandir langar
ok sandar. Fara þeir á bátum til lands ok fundu kjǫl af
240 skipi, ok kǫlluðu þar Kjalarnes. Þeir gáfu ok nafn strǫnd-
unum ok kǫlluðu Furðustrandir, því at langt var með at sigla.
Þá gørðisk vágskorit landit, ok heldu þeir skipunum at
vágunum.

Þat var þá er Leifr var með Óláfi konungi Tryggvasyni
245 ok hann bað hann boða Kristni á Grœnlandi, ok þá gaf
konungr honum tvá menn Skozka; hét karlmaðrinn Haki
en konan Hekja. Konungr bað Leif taka til þessara manna,
ef hann þyrfti skjótleiks við, því at þau váru dýrum skjótari.
Þessa menn fengu þeir Eiríkr ok Leifr til fylgðar við
250 Karlsefni. En er þeir hǫfðu siglt fyrir Furðustrandir, þá létu
þeir ina Skozku menn á land ok báðu þau hlaupa í suðrætt
ok leita landskosta ok koma aptr áðr þrjú dœgr væri liðin.
Þau váru svá búin at þau hǫfðu þat klæði er þau kǫlluðu
kjafal; þat var svá gǫrt at hǫttrinn var á upp, ok opit at

hliðum ok engar ermar á, ok knept á milli fóta. Helt þar 255
saman knappr ok nezla, en ber váru þau annars staðar.
Þeir kǫstuðu akkerum ok lágu þar þessa stund. Ok er þrír
dagar váru liðnir, hljópu þau af landi ofan ok hafði annat
þeira í hendi vínberja kǫngul, en annat hveitiax sjálfsáit.
Sǫgðu þau Karlsefni at þau þóttusk fundit hafa landskosti 260
góða. Tóku þeir þau á skip sitt ok fóru leiðar sinnar, þar
til er varð fjarðskorit. Þeir lǫgðu skipunum inn á fjǫrð einn.
Þar var ey ein út fyrir, ok váru þar straumar miklir um eyna;
þeir kǫlluðu hana Straumsey. Fugl var þar svá margr at
trautt mátti fœti koma milli eggjanna. Þeir heldu inn með 265
firðinum ok kǫlluðu hann Straumsfjǫrð, ok báru farminn af
skipunum ok bjoggusk þar um. Þeir hǫfðu með sér alls
konar fé ok leituðu sér þar landsnytja. Fjǫll váru þar, ok
fagrt var þar um at litask. Þeir gáðu engis nema at kanna
landit. Þar váru grǫs mikil. Þar váru þeir um vetrinn, ok 270
gørðisk vetr mikill, en ekki fyrir unnit, ok gørðisk ilt til
matarins ok tókusk af veiðarnar. Þá fóru þeir út í eyna ok
vættu at þar mundi gefa nǫkkut af veiðum eða rekum. Þar
var þó lítt til matfanga, en fé þeira varð þar vel. Síðan hétu
þeir á Guð at hann sendi þeim nǫkkut til matfanga, ok var 275
eigi svá brátt við látit sem þeim var annt til.

Þórhallr hvarf á brottu, ok gengu menn at leita hans; stóð
þat yfir þrjú dœgr í samt. Á hinu fjórða dœgri fundu þeir
Karlsefni ok Bjarni hann Þórhall á hamargnípu einni. Hann
horfði í lopt upp ok gapði hann bæði augum ok munni ok 280
nǫsum ok klóraði sér ok klýpði sik ok þuldi nǫkkut. Þeir
spurðu hví hann væri þar kominn. Hann kvað þá þat engu
skipta; bað hann þá ekki þat undrask, kvezk svá lengst lifat
hafa at þeir þurftu ekki ráð fyrir honum at gøra. Þeir báðu
hann fara heim með sér. Hann gørði svá. Lítlu síðar kom 285
þar hvalr, ok drifu menn til ok skáru hann, en þó kendu
menn eigi hvat hvala þat var. Karlsefni kunni mikla skyn
á hvǫlum ok kendi hann þó eigi. Þenna hval suðu matsveinar,

ok átu af, ok varð þó ǫllum ilt af. Þá gengr Þórhallr at ok
290 mælti: 'Var eigi svá, at hinn Rauðskeggjaði varð drjúgari
en Kristr yðvarr? Þetta hafða ek nú fyrir skáldskap minn,
er ek orta um Þór fulltrúann. Sjaldan hefir hann mér
brugðizk.' Ok er menn vissu þetta, vildu engir nýta ok
kǫstuðu fyrir bjǫrg ofan ok snøru sínu máli til Guðs misk-
295 unnar. Gaf þeim þá út at róa, ok skorti þá eigi birgðir
um várit. Fara þeir inn í Straumsfjǫrð ok hǫfðu fǫng af
hvárutveggja landinu, veiðar af meginlandinu, eggver ok
útróðra af sjónum.

Nú rœða þeir um ferð sína ok hafa tilskipan. Vill Þórhallr
300 Veiðimaðr fara norðr um Furðustrandir ok fyrir Kjalarnes ok
leita svá Vínlands, en Karlsefni vill fara suðr fyrir land ok
fyrir austan, ok þykkir land því betra sem suðr er meir,
ok þykkir honum þat ráðligra at kanna hvárttveggja. Nú
býsk Þórhallr út undir eyjum ok urðu eigi fleiri í ferð með
305 honum en níu menn, en með Karlsefni fór annat liðit þeira.
Ok einn dag er Þórhallr bar vatn á skip sitt, þá drakk hann
ok kvað vísu þessa:

Hafa kváðu mik meiðar
malmþings, es komk hingat,
310 (mér samir land fyr lýðum
lasta) drykk inn bazta:
Bílds hattar verðr byttu
beiði-Týr at stýra;
heldr's svát krýpk at keldu—
315 komat vín á grǫn mína.

Láta þeir út síðan, ok fylgir Karlsefni þeim undir eyna. Áðr
þeir drógu seglit upp kvað Þórhallr vísu:

Fǫrum aptr, þar es órir
eru, sandhimins, landar,
320 lǫtum kenni-Val kanna
knarrar skeið in breiðu,

meðan bilstyggvir byggva
bellendr ok hval vella
Laufa veðrs, þeir's leyfa
lǫnd, á Furðustrǫndum.   325

Síðan skildu þeir, ok sigldu norðr fyrir Furðustrandir ok
Kjalarnes ok vildu beita þar fyrir vestan. Kom þá veðr
á móti þeim ok rak þá upp við Írland, ok váru þar mjǫk
þjáðir ok barðir. Þá lét Þórhallr líf sitt.

Karlsefni fór suðr fyrir land ok Snorri ok Bjarni ok annat 330
lið þeira. Þeir fóru lengi ok til þess er þeir kómu at á þeirri
er fell af landi ofan ok í vatn ok svá til sjávar. Eyrar váru
þar miklar fyrir árósinum, ok mátti eigi komask inn í ána
nema at háflœðum. Sigldu þeir Karlsefni þá til áróssins ok
kǫlluðu í Hópi landit.   335

Þar fundu þeir sjálfsána hveitiakra, þar sem lægðir váru, en
vínviðr alt þar sem holta kendi. Hverr lœkr var þar fullr af
fiskum. Þeir gørðu þar grafir sem landit mœttisk ok flóðit
gekk efst, ok er út fell, váru helgir fiskar í grǫfunum. Þar
var mikill fjǫlði dýra á skógi með ǫllu móti. Þeir váru þar 340
hálfan mánað ok skemtu sér ok urðu við ekki varir. Fé sitt
hǫfðu þeir með sér.

Ok einn morgin snemma, er þeir lituðusk um, sá þeir níu
húðkeipa, ok var veift trjónum af skipunum, ok lét því líkast
í sem í hálmþústum, ok ferr sólarsinnis. Þá mælti Karlsefni: 345
'Hvat mun þetta tákna?' Snorri svarar honum: 'Vera kann
at þetta sé friðartákn, ok tǫkum skjǫld hvítan ok berum
í mót.' Ok svá gørðu þeir. Þá røru hinir í mót, ok
undruðusk þá, ok gengu þeir á land. Þeir váru smáir menn
ok illiligir ok ilt hǫfðu þeir hár á hǫfði; eygðir váru þeir 350
mjǫk ok breiðir í kinnunum. Ok dvǫlðusk þar um stund
ok undruðusk. Røru síðan í brott suðr fyrir nesit.

Þeir hǫfðu gǫrt bygðir sínar upp frá vatninu, ok váru sumir
skálarnir nær meginlandinu, en sumir nær vatninu. Nú váru

355 þeir þar þann vetr. Þar kom alls engi snjár, ok allr fénaðr
gekk þar úti sjálfala.

En er vára tók, geta þeir at líta einn morgin snemma at
fjǫlði húðkeipa røri sunnan fyrir nesit, svá margir sem kolum
væri sáit, ok var þá ok veift á hverju skipi trjónum. Þeir
360 brugðu þá skjǫldum upp ok tóku kaupstefnu sín á millum,
ok vildi þat fólk helzt kaupa rautt skrúð; þeir hǫfðu móti at
gefa skinnavǫru ok algrá skinn. Þeir vildu ok kaupa sverð
ok spjót, en þat bǫnnuðu þeir Karlsefni ok Snorri. Þeir
hǫfðu ófǫlvan belg fyrir skrúðit, ok tóku spannarlangt skrúð
365 fyrir belg, ok bundu um hǫfuð sér. Ok fór svá um stund.
En er minka tók skrúðit, þá skáru þeir í sundr, svá at eigi
var breiðara en þvers fingrar breitt. Gáfu þeir Skrælingar
jafnmikit fyrir eða meira.

Þat bar til at griðungr hljóp ór skógi, er þeir Karlsefni
370 áttu, ok gall hátt við. Þeir fælask við, Skrælingar, ok hlaupa
út á keipana ok røru suðr fyrir land. Varð þá ekki vart við
þá í þrjár vikur samt. En er sjá stund var liðin, sjá þeir
sunnan fara mikinn fjǫlða skipa Skrælinga svá sem straumr
stœði. Var þá veift trjónum ǫllum rangsœlis ok ýla allir
375 Skrælingar hátt upp. Þá tóku þeir rauða skjǫldu ok báru
í mót. Gengu þeir þá saman ok bǫrðusk. Varð þá skothríð
hǫrð. Þeir hǫfðu ok valslǫngur, Skrælingar. Þat sjá þeir
Karlsefni ok Snorri at þeir fœrðu upp á stǫngum, Skræling-
arnir, knǫtt stundar mikinn því nær til at jafna sem sauðar-
380 vǫmb ok blán at lit, ok fló upp á land yfir liðit ok lét
illiliga við, þar er niðr kom. Við þetta sló ótta miklum yfir
Karlsefni ok á lið hans, svá at þá fýsti engis annars en halda
undan ok upp með ánni, því at þeim þótti lið Skrælinga drífa
at sér ǫllum megin; ok létta eigi fyrr en þeir koma til hamra
385 nǫkkurra. Veittu þeir þar viðtǫku harða.

Freydís kom út ok sá er þeir heldu undan. Hon kallaði,
'Hví renni þér undan slíkum auvirðismǫnnum, svá gildir
menn, er mér þœtti líkligt at þér mættið drepa þá svá sem

búfé? Ok ef ek hefða vápn, þœtti mér sem ek munda betr
berjask en einnhverr yðvar.' Þeir gáfu engan gaum hvat 390
sem hon sagði. Freydís vildi fylgja þeim ok varð hon heldr
sein, því at hon var eigi heil; gekk hon þá eptir þeim í
skóginn, en Skrælingar sœkja at henni. Hon fann fyrir sér
mann dauðan, Þorbrand Snorrason, ok stóð hellusteinn í hǫfði
honum; sverðit lá hjá honum, ok hon tók þat upp ok býsk 395
at verja sik með. Þá koma Skrælingar at henni. Hon tekr
brjóstit upp ór serkinum ok slettir á sverðit. Þeir fælask við
ok hlaupa undan ok á skip sín ok heldu á brottu. Þeir
Karlsefni finna hana ok lofa kapp hennar. Tveir menn fellu
af Karlsefni ok fjórir af Skrælingum, en þó urðu þeir ofrliði 400
bornir. Fara þeir nú til búða sinna, ok íhuga hvat fjǫlmenni
þat var er at þeim sótti á landinu; sýnask þeim nú at þat
eina mun liðit hafa verit er á skipunum kom, en annat liðit
mun hafa verit sjónhverfingar. Þeir Skrælingar fundu ok
mann dauðan ok lá øx hjá honum. Einn þeira hjó í stein ok 405
brotnaði øxin. Þótti þeim þá engu nýtt, er eigi stóð við
grjótinu,·ok kǫstuðu niðr.

Þeir þóttusk nú sjá, þó at þar væri landskostir góðir, at
þar myndi jafnan ófriðr ok ótti á liggja, af þeim er fyrir
bjoggu. Bjoggusk þeir á brott ok ætluðu til síns lands. 410
Sigldu þeir norðr fyrir ok fundu fimm Skrælinga í skinnhjúpum
sofandi ok hǫfðu með sér skokka ok í dýramerg dreyra
blandinn. Virðu þeir svá at þeir mundu gǫrvir af landinu.
Þeir drápu þá. Síðan fundu þeir nes eitt ok fjǫlða dýra, ok
þann veg var nesit at sjá sem mykiskán væri, af því at dýrin 415
lágu þar um vetrna. Nú koma þeir í Straumsfjǫrð ok er þar
alls konar gnóttir.

Er þat sumra manna sǫgn at þau Bjarni ok Freydís hafi
þar eptir verit ok tíu tigir manna með þeim ok hafi eigi farit
lengra, en þeir Karlsefni ok Snorri hǫfðu suðr farit ok fjórir 420
tigir manna ok hafði eigi lengr verit í Hópi en vart tvá
mánaði, ok hafði it sama sumar aptr komit.

Karlsefni fór á einu skipi at leita Þórhalls, en liðit var
eptir, ok fóru þeir norðr fyrir Kjalarnes, ok berr þá fyrir
425 vestan fram ok var landit á bakborða þeim. Þar váru
eyðimerkr einar. Ok er þeir hǫfðu lengi farit, fellr á af landi
ofan ór austri ok í vestr. Þeir lǫgðu inn í árósinum ok lágu
við hinn syðra bakkann. Þat var einn morgin er þeir
Karlsefni sjá fyrir ofan rjóðrit flekk nǫkkurn svá sem glitaði
430 við þeim, ok œptu þeir á. Þat hrœrðisk, ok var þat
Einfœtingr, ok skýzk ofan þangat sem þeir lágu. Þorvaldr
sonr Eiríks hins Rauða sat við stýri ok skaut Einfœtingr ǫr
í smáþarma honum. Hann dró út ǫrina. Þá mælti Þorvaldr:
'Gott land hǫfum vér fengit, feitt er um ístruna.' Þá hleypr
435 Einfœtingrinn á brott ok norðr aptr. Þeir hljópu eptir
Einfœtingi ok sá hann stundum, ok þótti sem hann leitaði
undan. Hljóp hann út á vág einn. Þá hurfu þeir aptr. Þá
kvað einn maðr kviðling þenna:

Eltu seggir, allsatt var þat,
440 einn Einfœting ofan til strandar:
en kynligr maðr kostaði rásar
hart ofstopi. Heyrðu Karlsefni!

Þeir fóru þá í brott ok norðr aptr ok þóttusk sjá Einfœtinga-
land. Vildu þeir þá eigi lengr hætta liði sínu.
445 Þeir ætluðu ǫll ein fjǫll þau er í Hópi váru ok þessi er nú
fundu þeir, ok þat stœðisk mjǫk svá á ok væri jafnlangt ór
Straumsfirði beggja vegna. Fóru þeir aptr ok váru í Straums-
firði hinn þriðja vetr.
Gengu menn þá mjǫk sleitum. Sóttu þeir er kvánlausir
450 váru í hendr þeim er kvángaðir váru. Þar kom til hit fyrsta
haust Snorri sonr Karlsefnis, ok var hann þá þrévetr er þeir
fóru í brott.
Þá er þeir sigldu af Vínlandi hǫfðu þeir suðrœn veðr ok
hittu Markland ok fundu Skrælinga fimm, ok var einn
455 skeggjaðr, tvær konur, bǫrn tvau. Tóku þeir Karlsefni til

sín sveinana, en hinir kómusk undan ok sukku í jǫrð niðr.
En sveinana hǫfðu þeir með sér ok kendu þeim mál ok váru
skírðir. Þeir nefndu móður sína Vætilldi ok fǫður Úvægi.
Þeir sǫgðu at konungar stjórnuðu Skrælingalandi; hét annarr
Avalldamon, en annarr hét Valldidida. Þeir kváðu þar engi 460
hús, ok lágu menn í hellum eðr holum. Þeir sǫgðu land þar
ǫðrum megin gagnvart sínu landi ok gengu menn þar í hvítum
klæðum ok œptu hátt ok báru stangir ok fóru með flíkr. Þat
ætla menn Hvítramannaland.

Nú kómu þeir til Grœnlands ok eru með Eiríki Rauða um 465
vetrinn.

E. THE GREENLAND PROPHETESS

Í þenna tíma var hallæri mikit á Grœnlandi. Hǫfðu menn
fengit lítit fang, þeir er í veiðiferðir hǫfðu farit, en sumir ekki
aptr komnir. Sú kona var þar í bygð er Þorbjǫrg hét; hon
var spákona, ok var kǫlluð lítil vǫlva. Hon hafði átt sér níu 470
systr, ok váru allar spákonur, en hon ein var þá á lífi. Þat
var háttr Þorbjargar um vetrum at hon fór at veizlum, ok
buðu þeir menn henni mest heim er forvitni var á at vita
forlǫg sín eða árferð. Ok með því at Þorkell var þar mestr
bóndi, þá þótti til hans koma at vita nær létta mundi óárani 475
þessu sem yfir stóð. Býðr Þorkell spákonunni heim, ok er
henni þar vel fagnat, sem siðr var til, þá er við þess háttar
konum skyldi taka. Var henni búit hásæti, ok lagt undir
hana hœgindi; þar skyldi í vera hœnsna fiðri. En er hon
kom um kveldit, ok sá maðr er móti henni var sendr, þá var 480
hon svá búin at hon hafði yfir sér tuglamǫttul blán ok var
settr steinum alt í skaut ofan; hon hafði á hálsi sér glertǫlur,
ok lambskinnskofra svartan á hǫfði ok við innan kattskinn
hvítt, ok hon hafði staf í hendi ok var á knappr: hann var
búinn með mersingu ok settr steinum ofan um knappinn; 485
hon hafði um sik hnjóskulinda, ok var þar á skjóðupungr
mikill, ok varðveitti hon þar í taufr sín, þau er hon þurfti til

fróðleiks at hafa; hon hafði á fótum kálfskinnsskó loðna, ok
í þvengi langa, ok á tinknappar miklir á endunum; hon
490 hafði á hǫndum sér kattskinnsglófa, ok váru hvítir innan ok
loðnir.

En er hon kom inn, þótti ǫllum mǫnnum skylt at velja
henni sœmiligar kveðjur; hon tók því sem henni váru menn
geðjaðir til. Tók Þorkell bóndi í hǫnd henni ok leiddi hana
495 til þess sætis sem henni var búit. Þorkell bað hana þá at
renna þar augum yfir hjú ok hjǫrð ok svá hýbýli. Hon var
fámálug um alt. Borð kómu fram um kveldit, ok er frá því
at segja hvat spákonunni var matbúit. Henni var gǫrr grautr
á kiðjamjólk ok matbúin hjǫrtu ór ǫllum kykvendum þeim er
500 þar váru til. Hon hafði mersingarspón ok kníf tannskeptan,
tvíhólkaðan af eiri, ok var brotinn af oddrinn. En er borð
váru upp tekin, þá gengr Þorkell bóndi fyrir Þorbjǫrgu ok
spyrr hversu henni þykki þar um at litask, eða hversu skapfeld
henni eru þar hýbýli eða hættir manna, eða hversu fljótliga
505 hon mun vís verða þess er hann hefir spurt hana, ok mǫnnum
er mest forvitni at vita. Hon kallask ekki muni segja fyrr en
um morgininn eptir er hon hafði áðr sofit um nóttina.

En um morgininn at áliðnum degi var henni veittr sá
umbúningr sem hon þurfti at hafa til at fremja seiðinn. Hon
510 bað ok fá sér konur þær er kunnu frœði þat sem til seiðsins
þarf ok 'varðlokur' hétu, en þær konur fundusk eigi. Þá
var leitat at um bœinn ef nǫkkur kynni; þá segir Guðríðr,
'Hvárki em ek fjǫlkunnig né vísindakona, en þó kendi
Halldís, fóstra mín, mér á Íslandi þat kvæði er hon kallaði
515 varðlokur.' Þorbjǫrg segir, 'Þá ertu happfróð.' Hon segir,
'Þetta er þat eitt atferli er ek ætla í engum beina at vera, því
at ek em Kristin kona'. Þorbjǫrg segir, 'Svá mætti verða, at
þú yrðir mǫnnum at liði hér um, en þú værir þá kona ekki
verri en áðr; en við Þorkel mun ek meta at fá þá hluti til, er
520 hafa þarf.' Þorkell herðir nú á Guðríði, en hon kvezk gøra
mundu sem hann vildi.

Slógu þá konur hring um hjallinn, en Þorbjǫrg sat á uppi. Kvað Guðríðr þá kvæðit svá fagrt ok vel at engi þóttisk heyrt hafa með fegri rǫdd kvæði kveðit, sá er þar var hjá. Spákonan þakkar henni kvæðit, ok kvað margar þær náttúrur 525 nú til hafa sótt ok þykkja fagrt at heyra, er kvæðit var svá vel flutt, 'er áðr vildu við oss skiljask ok enga hlýðni oss veita; en mér eru nú margir þeir hlutir auðsýnir er áðr var ek dulin, ok margir aðrir. En ek kann þér þat at segja, Þorkell, at hallæri þetta mun ekki haldask lengr en í vetr, ok mun batna 530 árangr sem várar. Sóttarfar þat sem á hefir legit mun ok batna vánu bráðara. En þér, Guðríðr, skal ek launa í hǫnd liðsinni þat er oss hefir af þér staðit, því at þín forlǫg eru mér nú allglǫggsæ: þú munt gjaforð fá hér á Grœnlandi þat er sœmiligast er, þó at þér verði þat eigi til langæðar, því at vegar 535 þínir liggja út til Íslands, ok mun þar koma frá þér bæði mikil ætt ok góð, ok yfir þínum kynkvíslum skína bjartari geislar en ek hafa megin til at geta slíkt vandliga sét; enda far þú nú heil ok vel, dóttir.'

Síðan gengu menn at vísindakonunni ok frétti þá hverr þess 540 er mest forvitni var á at vita. Hon var ok góð af frásǫgnum; gekk þat ok lítt í tauma er hon sagði. Þessu næst var komit eptir henni af ǫðrum bœ; fór hon þá þangat. Þá var sent eptir Þorbirni, því at hann vildi eigi heima vera, meðan slík hindrvitni var framið.   545

HRAFNKELS SAGA FREYSGOÐA

THE saga of Hrafnkel, with its direct simplicity of style and dramatic, yet restrained, presentation, is typical of the best in Icelandic narrative art, and its neatness of construction and carefully balanced proportions make it an ideal introduction to saga literature. The clear-cut story, uncomplicated by side-issues, and the mere handful of persons who make up its *dramatis personæ* facilitate appreciation by the modern reader, who is often daunted by the great number of characters introduced into some of the longer sagas. All the reader needs for a full understanding is the following short account of the Icelandic constitution reprinted from the first edition of this reader.

'According to the constitution founded by Ulfljót in 930 and reformed in 964 by Þórð Gellir, a general assembly (*alþingi*) was held yearly beginning on the Thursday between 11 and 17 June. There laws were made in the open-air legislature (*lǫgrétta*), and suits were judged. For purposes of administering justice Iceland was divided into four quarters (see map at end), each of which set up a court at the *alþingi*. In each quarter were nine goðar, except that in the north quarter were twelve, who were accounted equal to nine of another quarter. The goði was priest and chief; he kept up and tended the local temple, and he sat in the *lǫgrétta*, which consisted of the thirty-nine goðar and the law-speaker (*lǫgsǫgumaðr*); and the goðar also nominated the judges who were to sit in the court of their own quarter. Other men put themselves under the protection of a goði, and in return supported him at the *þing*, and a man could only be sued in the court of the quarter in which his goði lived. A man who was not protected by a goði had scarcely any legal standing, and he might be imposed on by any one who was more powerful, and be unable to get justice. In the suit described in the following, Sám and Þorbjǫrn wish to prosecute their own goði Hrafnkel. They know that it is hopeless to attempt it without protection, and they have the right to transfer their allegiance to another goði, if they can find one who will take them under him. As they will bring Hrafnkel's enmity with them, it is not easy to find a new protector. The conduct of the suit illustrates the weakness of the Icelandic constitution. It provided no administrative power which could assure that the decisions of the court would be carried out; in particular, there was no police. When interests clashed, the only safeguard of law and order was a balance of power among the goðar concerned.'

Although the saga was probably written towards the end of the thirteenth century, the earliest complete versions are to be found in seventeenth-century paper manuscripts. The author assumes that the events took place in the first half of the tenth century. His matter of fact, sober narrative was long thought to be a truthful, historical account, but more recently the whole story has come to be regarded as fiction (see especially the studies mentioned below).

Editions: J. Jakobsen, *Austfirðinga sǫgur*, Samfund g.n. Lit., 1902–3; J. Jóhannesson, *Íslenzk Fornrit*, xi, Reykjavík, 1950; J. Helgason, Copenhagen, 1950.

Both these last editions contain useful maps.

Studies: E. V. Gordon in *Medium Ævum*, viii, Oxford, 1939; S. Nordal, 'Hrafnkatla' in *Studia Islandica*, 7 (with a summary in German), Reykjavík, 1940.

CHAPTER 1

Þat var á dǫgum Haralds konungs ins hárfagra, Hálfdanar sonar ins svarta, Guðrøðar sonar veiðikonungs, Hálfdanar sonar ins milda ok ins matarilla, Eysteins sonar freys, Óláfs sonar trételgju Svíakonungs, at sá maðr kom skipi sínu til Íslands í Breiðdal, er Hallfreðr hét. Þat er fyrir neðan 5 Fljótsdalsherað. Þar var á skipi kona hans ok sonr, er Hrafnkell hét. Hann var fimmtán vetra gamall, mannvænn ok gørviligr. Hallfreðr setti bú saman. Um vetrinn andaðisk útlend ambátt, er Arnþrúðr hét, ok því heitir þat síðan á Arnþrúðarstǫðum.

En um várit fœrði Hallfreðr bú sitt norðr yfir heiði ok gerði 10 bú þar, sem heitir í Geitdal. Ok eina nótt dreymði hann, at maðr kom at honum ok mælti: 'Þar liggr þú, Hallfreðr, ok heldr óvarliga. Fœr þú á brott bú þitt ok vestr yfir Lagarfljót. Þar er heill þín ǫll.' Eptir þat vaknar hann ok fœrir bú sitt út yfir Rangá í Tungu, þar sem síðan heitir á Hallfreðarstǫðum, 15 ok bjó þar til elli. En honum varð þar eptir geit ok hafr. Ok inn sama dag, sem Hallfreðr var í brott, hljóp skriða á húsin, ok týndusk þar þessir gripir, ok því heitir þat síðan í Geitdal.

CHAPTER 2

Hrafnkell lagði þat í vanða sinn at ríða yfir á heiðar á sumarit. Þá var Jǫkulsdalr albyggðr upp at brúm. Hrafnkell reið upp 20

eptir Fljótsdalsheiði ok sá, hvar eyðidalr gekk af Jǫkulsdal. Sá
dalr sýndisk Hrafnkatli byggiligri en aðrir dalir, þeir sem hann
hafði áðr sét. En er Hrafnkell kom heim, beiddi hann fǫður
sinn fjárskiptis, ok sagðisk hann bústað vilja reisa sér. Þetta
25 veitir faðir hans honum, ok hann gerir sér bœ í dal þeim ok
kallar á Aðalbóli. Hrafnkell fekk Oddbjargar Skjǫldólfsdóttur
ór Laxárdal. Þau áttu tvá sonu. Hét inn ellri Þórir, en inn
yngri Ásbjǫrn.

En þá er Hrafnkell hafði land numit á Aðalbóli, þá efldi hann
30 blót mikil. Hrafnkell lét gera hof mikit. Hrafnkell elskaði eigi
annat goð meir en Frey, ok honum gaf hann alla ina beztu gripi
sína hálfa við sik. Hrafnkell byggði allan dalinn ok gaf mǫnnum
land, en vildi þó vera yfirmaðr þeira ok tók goðorð yfir þeim.
Við þetta var lengt nafn hans ok kallaðr Freysgoði, ok var
35 ójafnaðarmaðr mikill, en menntr vel. Hann þrøngði undir sik
Jǫkulsdalsmǫnnum til þingmanna hans, var linr ok blíðr við
sína menn, en stríðr ok stirðlyndr við Jǫkulsdalsmenn, ok
fengu af honum engan jafnað. Hrafnkell stóð mjǫk í einvígjum
ok bœtti engan mann fé, því at engi fekk af honum neinar bœtr,
40 hvat sem hann gerði.

Fljótsdalsheiðr er yfirferðarill, grýtt mjǫk ok blaut, en þó
riðu þeir feðgar jafnan hvárir til annarra, því at gott var í
frændsemi þeira. Hallfreði þótti sú leið torsótt ok leitaði sér
leiðar fyrir ofan fell þau, er standa í Fljótsdalsheiði. Fekk hann
45 þar þurrari leið ok lengri, ok heitir þar Hallfreðargata. Þessa
leið fara þeir einir, er kunnugastir eru um Fljótsdalsheiði.

CHAPTER 3

Bjarni hét maðr, er bjó at þeim bœ, er at Laugarhúsum heitir.
Þat er í Hrafnkelsdal. Hann var kvángaðr ok átti tvá sonu við
konu sinni, ok hét annarr Sámr, en annarr Eyvindr, vænir menn
50 ok efniligir. Eyvindr var heima með feðr sínum, en Sámr var
kvángaðr ok bjó í norðanverðum dalnum á þeim bœ, er heitir
á Leikskálum, ok átti hann margt fé. Sámr var uppivǫzlumaðr

mikill ok lǫgkœnn, en Eyvindr gerðisk farmaðr ok fór útan til Nóregs ok var þar um vetrinn. Þaðan fór hann ok út í lǫnd ok nam staðar í Miklagarði ok fekk þar góðar virðingar af 55 Grikkjakonungi ok var þar um hríð.

Hrafnkell átti þann grip í eigu sinni, er honum þótti betri en annarr. Þat var hestr brúnmóálóttr at lit, er hann kallaði Freyfaxa sinn. Hann gaf Frey, vin sínum, þann hest hálfan. Á þessum hesti hafði hann svá mikla elsku, at hann strengði 60 þess heit, at hann skyldi þeim manni at bana verða, sem honum riði án hans vilja.

Þorbjǫrn hét maðr. Hann var bróðir Bjarna ok bjó á þeim bœ í Hrafnkelsdal, er á Hóli hét, gegnt Aðalbóli fyrir austan. Þorbjǫrn átti fé lítit, en ómegð mikla. Sonr hans hét Einarr, 65 inn elzti. Hann var mikill ok vel mannaðr. Þat var á einu vári, at Þorbjǫrn mælti til Einars, at hann mundi leita sér vistar nǫkkurar, — 'því at ek þarf eigi meira forvirki en þetta lið orkar, er hér er, en þér mun verða gott til vista, því at þú ert mannaðr vel. Eigi veldr ástleysi þessari brottkvaðning við 70 þik, því at þú ert mér þarfastr barna minna. Meira veldr því efnaleysi mitt ok fátœkð. En ǫnnur bǫrn mín gerask verkmenn. Mun þér þó verða betra til vista en þeim.'

Einarr svarar: 'Of síð hefir þú sagt mér til þessa, því at nú hafa allir ráðit sér vistir, þær er beztar eru, en mér þykkir þó 75 illt at hafa órval af.'

Einn dag tók Einarr hest sinn ok reið á Aðalból. Hrafnkell sat í stofu. Hann heilsar honum vel ok glaðliga. Einarr leitar til vistar við Hrafnkel.

Hann svaraði: 'Hví leitaðir þú þessa svá síð, því at ek 80 munda við þér fyrstum tekit hafa? En nú hefi ek ráðit ǫllum hjónum nema til þeirar einnar iðju, er þú munt ekki hafa vilja.'

Einarr spurði, hver sú væri.

Hrafnkell kvazk eigi mann hafa ráðit til smalaferðar, en 85 lézk mikils við þurfa.

Einarr kvazk eigi hirða, hvat hann ynni, hvárt sem þat væri
þetta eða annat, en lézk tveggja missera bjǫrg hafa vilja.
'Ek geri þér skjótan kost', sagði Hrafnkell. 'Þú skalt reka
90 heim fimm tigu ásauðar í seli ok viða heim ǫllum sumarviði.
Þetta skaltu vinna til tveggja missera vistar. En þó vil ek skilja
á við þik einn hlut sem aðra smalamenn mína. Freyfaxi gengr
í dalnum fram með liði sínu. Honum skaltu umsjá veita vetr
ok sumar. En varnað býð ek þér á einum hlut: Ek vil, at þú
95 komir aldri á bak honum, hversu mikil nauðsyn sem þér er á,
því ek hefi hér allmikit um mælt, at þeim manni skylda ek at
bana verða, sem honum riði. Honum fylgja tólf hross. Hvert,
sem þú vilt af þeim hafa á nótt eða degi, skulu þér til reiðu.
Ger nú sem ek mæli, því at þat er forn orðskviðr, at eigi veldr
100 sá, er varar annan. Nú veiztu, hvat ek hefi um mælt.'

Einarr kvað sér eigi mundu svá meingefit at ríða þeim hesti,
er honum var bannat, ef þó væri mǫrg ǫnnur til.

Einarr ferr nú heim eptir klæðum sínum ok flytr heim á
Aðalból. Síðan var fœrt í sel fram í Hrafnkelsdal, þar sem
105 heitir á Grjótteigsseli. Einari ferr allvel at um sumarit, svá
at aldri verðr sauðvant fram allt til miðsumars, en þá var vant
nær þremr tigum ásauðar eina nótt. Leitar Einarr um alla haga
ok finnr eigi. Honum var vant nær viku.

Þat var einn morgin, at Einarr gekk út snimma, ok er þá
110 létt af allri sunnanþokunni ok úrinu. Hann tekr staf í hǫnd
sér, beizl ok þófa. Gengr hann þá fram yfir ána Grjótteigsá.
Hon fell fyrir framan selit. En þar á eyrunum lá fé þat, er
heima hafði verit um kveldit. Hann støkkði því heim at selinu,
en ferr at leita hins, er vant var áðr. Hann sér nú stóðhrossin
115 fram á eyrunum ok hugsar at hǫndla sér hross nǫkkurt til
reiðar ok þóttisk vita, at hann mundi fljótara yfir bera, ef hann
riði heldr en gengi. Ok er hann kom til hrossanna, þá elti hann
þau, ok váru þau nú skjǫrr, er aldri váru vǫn at ganga undan
manni, nema Freyfaxi einn. Hann var svá kyrr sem hann væri
120 grafinn niðr.

Einarr veit, at líðr morgunninn, ok hyggr, at Hrafnkell mundi eigi vita, þótt hann riði hestinum. Nú tekr hann hestinn ok slær við beizli, lætr þófa á bak hestinum undir sik ok ríðr upp hjá Grjótárgili, svá upp til jǫkla ok vestr með jǫklunum, þar sem Jǫkulsá fellr undir þeim, svá ofan með ánni til Reykjasels. 125 Hann spurði alla sauðarmenn at seljum, ef nǫkkurr hefði sét þetta fé, ok kvazk engi sét hafa. Einarr reið Freyfaxa allt frá eldingu ok til miðs aptans. Hestrinn bar hann skjótt yfir ok víða, því at hestrinn var góðr af sér. Einari kom þat í hug, at honum mundi mál heim ok reka þat fyrst heim, sem heima var, 130 þótt hann fyndi hitt eigi. Reið hann þá austr yfir hálsa í Hrafnkelsdal. En er hann kemr ofan at Grjótteigi, heyrir hann sauðarjarm fram með gilinu, þangat sem hann hafði fram riðit áðr. Snýr hann þangat til ok sér renna í móti sér þrjá tigu ásauðar, þat sama sem hann vantat hafði áðr viku, ok støkkði 135 hann því heim með fénu.

Hestrinn var vátr allr af sveita, svá at draup ór hverju hári hans, var mjǫk leirstokkinn ok móðr mjǫk ákafliga. Hann veltisk nǫkkurum tólf sinnum, ok eptir þat setr hann upp hnegg mikit. Síðan tekr hann á mikilli rás ofan eptir gǫtunum. Einarr 140 snýr eptir honum ok vill komask fyrir hestinn ok vildi hǫndla hann ok fœra hann aptr til hrossa, en hann var svá styggr, at Einarr komsk hvergi í nándir honum. Hestrinn hleypr ofan eptir dalnum ok nemr eigi stað, fyrr en hann kemr á Aðalból. Þá sat Hrafnkell yfir borðum. Ok er hestrinn kemr fyrir dyrr, 145 hneggjaði hann þá hátt. Hrafnkell mælti við eina konu, þá sem þjónaði fyrir borðinu, at hon skyldi fara til duranna, því at hross hneggjaði, — 'ok þótti mér líkt vera gnegg Freyfaxa.' Hon gengr fram í dyrrnar ok sér Freyfaxa mjǫk ókræsiligan. Hon sagði Hrafnkeli, at Freyfaxi var fyrir durum úti, mjǫk 150 óþokkuligr.

'Hvat mun garprinn vilja, er hann er heim kominn?' segir Hrafnkell. 'Eigi mun þat góðu gegna.'

Síðan gekk hann út ok sér Freyfaxa ok mælti við hann: 'Illa

155 þykkir mér, at þú ert þann veg til gǫrr, fóstri minn, en heima
hafðir þú vit þitt, er þú sagðir mér til, ok skal þessa hefnt
verða. Far þú til liðs þíns.'
En hann gekk þegar upp eptir dalnum til stóðs síns.
Hrafnkell ferr í rekkju sína um kveldit ok svaf af um nóttina.
160 En um morguninn lét hann taka sér hest ok leggja á sǫðul ok
ríðr upp til sels. Hann ríðr í blám klæðum. Øxi hafði hann í
hendi, en ekki fleira vápna. Þá hafði Einarr nýrekit fé í kvíar.
Hann lá á kvíagarðinum ok talði fé, en konur váru at mjólka.
Þau heilsuðu honum.
165 Hann spurði, hversu þeim fœri at.
Einarr svarar: 'Illa hefir mér at farit, því at vant varð þriggja
tiga ásauðar nær viku, en nú er fundinn.'
Hann kvazk ekki at slíku telja. 'Eða hefir ekki verr at farit?
Hefir þat ok ekki svá opt til borit sem ván hefir at verit, at
170 fjárins hafi vant verit. En hefir þú ekki nǫkkut riðit Freyfaxa
mínum hinn fyrra dag?'
Hann kvezk eigi þræta þess mega.
Hrafnkell svarar: 'Fyrir hví reiztu þessu hrossi, er þér var
bannat, þar er hin váru nóg til, er þér var lofat? Þar munda ek
175 hafa gefit þér upp eina sǫk, ef ek hefða eigi svá mikit um mælt,
en þó hefir þú vel við gengit.'
En við þann átrúnað, at ekki verði at þeim mǫnnum, er
heitstrengingar fella á sik, þá hljóp hann af baki til hans ok
hjó hann banahǫgg.
180 Eptir þat ríðr hann heim við svá búit á Aðalból ok segir
þessi tíðendi. Síðan lét hann fara annan mann til smala í selit.
En hann lét fœra Einar vestr á hallinn frá selinu ok reisti
vǫrðu hjá dysinni. Þetta er kǫlluð Einarsvarða, ok er þaðan
haldinn miðr aptann frá selinu.
185 Þorbjǫrn spyrr yfir á Hól víg Einars, sonar síns. Hann kunni
illa tíðendum þessum. Nú tekr hann hest sinn ok ríðr yfir á
Aðalból ok beiðir Hrafnkel bóta fyrir víg sonar síns.
Hann kvazk fleiri menn hafa drepit en þenna einn. 'Er þér

þat eigi ókunnigt, at ek vil engan mann fé bœta, ok verða menn
þat þó svá gǫrt at hafa. En þó læt ek svá sem mér þykki þetta 190
verk mitt í verra lagi víga þeira, er ek hefi unnit. Hefir þú verit
nábúi minn langa stund, ok hefir mér líkat vel til þín ok hvárum
okkar til annars. Mundi okkr Einari ekki hafa annat smátt til
orðit, ef hann hefði eigi riðit hestinum. En vit munum opt
þess iðrask, er vit erum of málgir, ok sjaldnar mundum vit 195
þessa iðrask, þó at vit mæltim færa en fleira. Mun ek þat nú
sýna, at mér þykkir þetta verk mitt verra en ǫnnur þau, er ek
hefi unnit. Ek vil birgja bú þitt með málnytu í sumar, en
slátrum í haust. Svá vil ek gera við þik hvert misseri, meðan
þú vilt búa. Sonu þína ok dœtr skulum vit í brott leysa með 200
minni forsjá ok efla þau svá, at þau mætti fá góða kosti af því.
Ok allt, er þú veizt í mínum hirzlum vera ok þú þarft at hafa
heðan af, þá skaltu mér til segja ok eigi fyrir skart sitja heðan
af um þá hluti, sem·þú þarft at hafa. Skaltu búa, meðan þér
þykkir gaman at, en fara þá hingat, er þér leiðisk. Mun ek þá 205
annask þik til dauðadags. Skulum vit þá vera sáttir. Vil ek
þess vænta, at þat mæli fleiri, at sjá maðr sé vel dýrr.'
'Ek vil eigi þennan kost', segir Þorbjǫrn.
'Hvern viltu þá?' segir Hrafnkell.
Þá segir Þorbjǫrn: 'Ek vil, at vit takim menn til gørðar með 210
okkr.'
Hrafnkell svarar: 'Þá þykkisk þú jafnmenntr mér, ok munum
vit ekki at því sættask.'
Þá reið Þorbjǫrn í brott ok ofan eptir Hrafnkelsdal. Hann
kom til Laugarhúsa ok hittir Bjarna, bróður sinn, ok segir 215
honum þessi tíðendi, biðr, at hann muni nǫkkurn hlut í eiga
um þessi mál.
Bjarni kvað eigi sitt jafnmenni við at eiga, þar er Hrafnkell
er. 'En þó at vér stýrim penningum miklum, þá megum vér
ekki deila af kappi við Hrafnkel, ok er þat satt, at sá er svinnr, 220
er sik kann. Hefir hann þá marga málaferlum vafit, er meira
bein hafa í hendi haft en vér. Sýnisk mér þú vitlítill við hafa

orðit, er þú hefir svá góðum kostum neitat. Vil ek mér hér engu af skipta.'

225 Þorbjǫrn mælti þá mǫrg herfilig orð til bróður síns ok segir því síðr dáð í honum sem meira lægi við.

Hann ríðr nú í brott, ok skiljask þeir með lítilli blíðu.

Hann léttir eigi, fyrr en hann kemr ofan til Leikskála, drepr þar á dyrr. Var þar til dura gengit. Þorbjǫrn biðr Sám út 230 ganga. Sámr heilsaði vel frænda sínum ok bauð honum þar at vera. Þorbjǫrn tók því ǫllu seint. Sámr sér ógleði á Þorbirni ok spyrr tíðenda, en hann sagði víg Einars, sonar síns.

'Þat eru eigi mikil tíðendi', segir Sámr, 'þótt Hrafnkell drepi menn.'

235 Þorbjǫrn spyrr, ef Sámr vildi nǫkkura liðveizlu veita sér.

'Er þetta mál þann veg, þótt mér sé nánastr maðrinn, at þó er yðr eigi fjarri hǫggvit.'

'Hefir þú nǫkkut eptir sœmðum leitat við Hrafnkel?'

Þorbjǫrn sagði allt it sanna, hversu farit hafði með þeim 240 Hrafnkeli.

'Eigi hefi ek varr orðit fyrr', segir Sámr, 'at Hrafnkell hafi svá boðit nǫkkurum sem þér. Nú vil ek ríða með þér upp á Aðalból, ok fǫrum vit lítillátliga at við Hrafnkel, ok vita, ef hann vill halda in sǫmu boð. Mun honum nǫkkurn veg vel fara.'

245 'Þat er bæði', segir Þorbjǫrn, 'at Hrafnkell mun nú eigi vilja, enda er mér þat nú eigi heldr í hug en þá, er ek reið þaðan.'

Sámr segir: 'Þungt get ek at deila kappi við Hrafnkel um málaferli.'

250 Þorbjǫrn svarar: 'Því verðr engi uppreist yðar ungra manna, at yðr vex allt í augu. Hygg ek, at engi maðr muni eiga jafnmikil auvirði at frændum sem ek. Sýnisk mér slíkum mǫnnum illa farit sem þér, er þykkisk lǫgkœnn vera ok ert gjarn á smásakar, en vilt eigi taka við þessu máli, er svá er 255 brýnt. Mun þér verða ámælissamt, sem makligt er, fyrir því at þú ert hávaðamestr ór ætt várri. Sé ek nú, hvat sǫk horfir.'

Sámr svarar: 'Hverju góðu ertu þá nær en áðr, þótt ek taka
við þessu máli ok sém vit þá báðir hrakðir?'

Þorbjǫrn svarar: 'Þó er mér þat mikil hugarbót, at þú takir
við málinu. Verðr at því, sem má.'   260

Sámr svarar: 'Ófúss geng ek at þessu. Meir geri ek þat fyrir
frændsemi sakar við þik. En vita skaltu, at mér þykkir þar
heimskum manni at duga, sem þú ert.'

Þá rétti Sámr fram hǫndina ok tók við málinu af Þorbirni.
Sámr lætr taka sér hest ok ríðr upp eptir dal ok ríðr á bœ einn   265
ok lýsir víginu—fær sér menn—á hendr Hrafnkeli. Hrafnkell
spyrr þetta ok þótti hlœgiligt, er Sámr hefir tekit mál á hendr
honum.

Leið nú á vetrinn. En at vári, þá er komit var at stefnudǫgum,
ríðr Sámr heiman upp á Aðalból ok stefnir Hrafnkeli um víg   270
Einars. Eptir þat ríðr Sámr ofan eptir dalnum ok kvaddi búa
til þingreiðar, ok sitr hann um kyrrt, þar til er menn búask til
þingreiðar. Hrafnkell sendi þá menn ofan eptir dalnum ok kvaddi
upp menn. Hann fær ór þinghá sinni sjau tigu manna. Með
þenna flokk ríðr hann austr yfir Fljótsdalsheiði ok svá fyrir   275
vatnsbotninn ok um þveran háls til Skriðudals ok upp eptir
Skriðudal ok suðr á Øxarheiði til Berufjarðar ok rétta
þingmannaleið á Síðu. Suðr ór Fljótsdal eru sjautján dagleiðir
á Þingvǫll.

En eptir þat er hann var á brott riðinn ór heraði, þá safnar   280
Sámr at sér mǫnnum. Fær hann mest til reiðar með sér
einhleypinga ok þá, er hann hafði saman kvatt. Ferr Sámr ok
fær þessum mǫnnum vápn ok klæði ok vistir. Sámr snýr
aðra leið ór dalnum. Hann ferr norðr til brúa ok svá yfir brú
ok þaðan yfir Mǫðrudalsheiði, ok váru í Mǫðrudal um nótt.   285
Þaðan riðu þeir til Herðibreiðstungu ok svá fyrir ofan Bláfjǫll
ok þaðan í Króksdal ok svá suðr á Sand ok kómu ofan í Sandafell
ok þaðan á Þingvǫll, ok var þar Hrafnkell eigi kominn. Ok
fórsk honum því seinna, at hann átti lengri leið.

290   Sámr tjaldar búð yfir sínum mǫnnum hvergi nær því, sem
Austfirðingar eru vanir at tjalda, en nǫkkuru síðar kom
Hrafnkell á þing. Hann tjaldar búð sína, svá sem hann var
vanr, ok spurði, at Sámr var á þinginu. Honum þótti þat
hlœgiligt.

295   Þetta þing var harðla fjǫlmennt. Váru þar flestir hǫfðingjar,
þeir er váru á Íslandi. Sámr finnr alla hǫfðingja ok bað sér
trausts ok liðsinnis, en einn veg svǫruðu allir, at engi kvazk
eiga svá gott Sámi upp at gjalda, at ganga vildi í deild við
Hrafnkel goða ok hætta svá sinni virðingu, segja ok þat einn
300 veg flestum farit hafa, þeim er þingdeilur við Hrafnkel hafa
haft, at hann hafi alla menn hrakit af málaferlum þeim, er við
hann hafa haft.

   Sámr gengr heim til búðar sinnar, ok var þeim frændum
þungt í skapi ok uggðu, at þeira mál mundi svá niðr falla, at
305 þeir mundi ekki fyrir hafa nema skǫmm ok svívirðing. Ok svá
mikla áhyggju hafa þeir frændr, at þeir njóta hvárki svefns né
matar, því at allir hǫfðingjar skárusk undan liðsinni við þá
frændr, jafnvel þeir, sem þeir væntu, at þeim mundi lið veita.

CHAPTER 4

   Þat var einn morgin snimma, at Þorbjǫrn karl vaknar. Hann
310 vekr Sám ok bað hann upp standa. 'Má ek ekki sofa.'

   Sámr stendr upp ok ferr í klæði sín. Þeir ganga út ok ofan at
Øxará, fyrir neðan brúna. Þar þvá þeir sér.

   Þorbjǫrn mælti við Sám: 'Þat er ráð mitt, at þú látir reka
at hesta vára, ok búumsk heim. Er nú sét, at oss vill ekki annat
315 en svívirðing.'

   Sámr svarar: 'Þat er vel, af því at þú vildir ekki annat en
deila við Hrafnkel ok vildir eigi þá kosti þiggja, er margr mundi
gjarna þegit hafa, sá er eptir sinn náunga átti at sjá. Frýðir þú
oss mjǫk hugar ok ǫllum þeim, er í þetta mál vildu eigi ganga
320 með þér. Skal ek nú ok aldri fyrr af láta en mér þykkir fyrir
ván komit, at ek geta nǫkkut at gert.'

Þá fær Þorbirni svá mjǫk, at hann grætr.

Þá sjá þeir vestan at ánni, hóti neðar en þeir sátu, hvar fimm menn gengu saman frá einni búð. Sá var hár maðr ok ekki þrekligr, er fyrstr gekk, í laufgrœnum kyrtli ok hafði búit 325 sverð í hendi, réttleitr maðr ok rauðlitaðr ok vel í yfirbragði, ljósjarpr á hár ok mjǫk hærðr. Sjá maðr var auðkenniligr, því at hann hafði ljósan lepp í hári sínu inum vinstra megin.

Sámr mælti: 'Stǫndum upp ok gǫngum vestr yfir ána til móts við þessa menn.' 330

Þeir ganga nú ofan með ánni, ok sá maðr, sem fyrir gekk, heilsar þeim fyrri ok spyrr, hverir þeir væri.

Þeir sǫgðu til sín.

Sámr spurði þenna mann at nafni, en hann nefndisk Þorkell ok kvazk vera Þjóstarsson. 335

Sámr spurði, hvar hann væri ættaðr eða hvar hann ætti heima.

Hann kvazk vera vestfirzkr at kyni ok uppruna, en eiga heima í Þorskafirði.

Sámr mælti: 'Hvárt ertu goðorðsmaðr?' 340

Hann kvað þat fjarri fara.

'Ertu þá bóndi?' sagði Sámr.

Hann kvazk eigi þat vera.

Sámr mælti: 'Hvat manna ertu þá?'

Hann svarar: 'Ek em einn einhleypingr. Kom ek út í fyrra 345 vetr. Hefi ek verit útan sjau vetr ok farit út í Miklagarð, en em handgenginn Garðskonunginum. En nú em ek á vist með bróður mínum, þeim er Þorgeirr heitir.'

'Er hann goðorðsmaðr?' segir Sámr.

Þorkell svarar: 'Goðorðsmaðr er hann víst um Þorskafjǫrð 350 ok víðara um Vestfjǫrðu.'

'Er hann hér á þinginu?' segir Sámr.

'Hér er hann víst.'

'Hversu margmennr er hann?'

'Hann er við sjau tigu manna', segir Þorkell. 355

'Eru þér fleiri brœðrnir?' segir Sámr.

'Inn þriði', segir Þorkell.

Hverr er sá?' segir Sámr.

'Hann heitir Þormóðr', segir Þorkell, 'ok býr í Gǫrðum á
360 Álptanesi. Hann á Þórdísi, dóttur Þórólfs Skalla-Grímssonar
frá Borg.'

'Viltu nǫkkut liðsinni okkr veita?' segir Sámr.

'Hvers þurfu þit við?' segir Þorkell.

'Liðsinnis ok afla hǫfðingja', segir Sámr, 'því at vit eigum
365 málum at skipta við Hrafnkel goða um víg Einars Þorbjarnar-
sonar, en vit megum vel hlíta okkrum flutningi með þínu
fulltingi.'

Þorkell svarar: 'Svá er sem ek sagða, at ek em engi goðorðsmaðr.'

'Hví ertu svá afskipta gǫrr, þar sem þú ert hǫfðingjasonr
370 sem aðrir brœðr þínir?'

Þorkell sagði: 'Eigi sagða ek þér þat, at ek ætta þat eigi, en
ek selda þat í hendr Þorgeiri, bróður mínum, mannaforráð
mitt, áðr en ek fór útan. Síðan hefi ek eigi við tekit, fyrir því
at mér þykkir vel komit, meðan hann varðveitir. Gangi þit á
375 fund hans. Biðið hann ásjá. Hann er skǫrungr í skapi ok
drengr góðr ok í alla staði vel menntr, ungr maðr ok metnaðar-
gjarn. Eru slíkir menn vænstir til at veita ykkr liðsinni.'

Sámr segir: 'Af honum munum vit ekki fá, nema þú sér í
flutningi með okkr.'

380 Þorkell segir: 'Því mun ek heita at vera heldr með ykkr en
móti, með því at mér þykkir œrin nauðsyn til at mæla eptir
náskyldan mann. Fari þit nú fyrir til búðarinnar ok gangið inn
í búðina. Er mannfólk í svefni. Þit munuð sjá, hvar standa
innar um þvera búðina tvau húðfǫt, ok reis ek upp ór ǫðru,
385 en í ǫðru hvílir Þorgeirr, bróðir minn. Hann hefir haft kveisu
mikla í fœtinum, síðan hann kom á þingit, ok því hefir hann
lítit sofit um nœtr. En nú sprakk fótrinn í nótt, ok er ór
kveisunaglinn. En nú hefir hann sofnat síðan ok hefir réttan
fótinn út undan fǫtunum fram á fótafjǫlina sakar ofrhita, er á

er fœtinum. Gangi sá inn gamli maðr fyrir ok svá innar eptir 390 búðinni. Mér sýnisk hann mjǫk hrymðr bæði at sýn ok elli. Þá er þú, maðr', segir Þorkell, 'kemr at húðfatinu, skaltu rasa mjǫk ok fall á fótafjǫlina ok tak í tána þá, er um er bundit, ok hnykk at þér ok vit, hversu hann verðr við.'

Sámr mælti: 'Heilráðr muntu okkr vera, en eigi sýnisk mér 395 þetta ráðligt.'

Þorkell svarar: 'Annat hvárt verði þit at gera, at hafa þat, sem ek legg til, eða leita ekki ráða til mín.'

Sámr mælti ok segir: 'Svá skal gera sem hann gefr ráð til.'

Þorkell kvazk mundu ganga síðar,—'því at ek bíð manna 400 minna.'

Ok nú gengu þeir Sámr ok Þorbjǫrn ok koma í búðina. Sváfu þar menn allir. Þeir sjá brátt, hvar Þorgeirr lá. Þorbjǫrn karl gekk fyrir ok fór mjǫk rasandi. En er hann kom at húðfatinu, þá fell hann á fótafjǫlina ok þrífr í tána, þá er 405 vanmátta var, ok hnykkir at sér. En Þorgeirr vaknar við ok hljóp upp í húðfatinu ok spurði, hverr þar fœri svá hrapalliga, at hlypi á fœtr mǫnnum, er áðr váru vanmátta.

En þeim Sámi varð ekki at orði.

Þá snaraði Þorkell inn í búðina ok mælti til Þorgeirs, bróður 410 síns: 'Ver eigi svá bráðr né óðr, frændi, um þetta, því at þik mun ekki saka. En mǫrgum teksk verr en vill, ok verðr þat mǫrgum, at þá fá eigi alls gætt jafnvel, er honum er mikit í skapi. En þat er várkunn, frændi, at þér sé sárr fótr þinn, er mikit mein hefir í verit. Muntu þess mest á þér kenna. Nú má 415 ok þat vera, at gǫmlum manni sé eigi ósárari sonardauði sinn, en fá engar bœtr, ok skorti hvetvetna sjálfr. Mun hann þess gørst kenna á sér, ok er þat at vánum, at sá maðr gæti eigi alls vel, er mikit býr í skapi.'

Þorgeirr segir: 'Ekki hugða ek, at hann mætti mik þessa 420 kunna, því at eigi drap ek son hans, ok má hann af því eigi á mér þessu hefna.'

'Eigi vildi hann á þér þessu hefna', segir Þorkell, 'en fór

hann at þér harðara en hann vildi, ok galt hann óskygnleika
425 síns, en vænti sér af þér nǫkkurs trausts. Er þat nú drengskapr
at veita gǫmlum manni ok þurftigum. Er honum þetta
nauðsyn, en eigi seiling, þó at hann mæli eptir son sinn, en nú
ganga allir hǫfðingjar undan liðveizlu við þessa menn ok sýna
í því mikinn ódrengskap.'
430 Þorgeirr mælti: 'Við hvern eigu þessir menn at kæra?'
Þorkell svaraði: 'Hrafnkell goði hefir vegit son hans
Þorbjarnar saklausan. Vinnr hann hvert óverk at ǫðru, en vill
engum manni sóma vinna fyrir.'
Þorgeirr mælti: 'Svá mun mér fara sem ǫðrum, at ek veit
435 eigi mik þessum mǫnnum svá gott upp at inna, at ek vilja
ganga í deilur við Hrafnkel. Þykki mér hann einn veg fara
hvert sumar við þá menn, sem málum eigu at skipta við hann,
at flestir menn fá litla virðing eða enga, áðr lúki, ok sé ek þar
fara einn veg ǫllum. Get ek af því flesta menn ófúsa til, þá
440 sem engi nauðsyn dregr til.'
Þorkell segir: 'Þat má vera, at svá fœri mér at, ef ek væri
hǫfðingi, at mér þœtti illt at deila við Hrafnkel, en eigi sýnisk
mér svá, fyrir því at mér þœtti við þann bezt at eiga, er allir
hrekjask fyrir áðr. Ok þœtti mér mikit vaxa mín virðing eða
445 þess hǫfðingja, er á Hrafnkel gæti nǫkkura vík róit, en minnkask
ekki, þó at mér fœri sem ǫðrum, fyrir því at má mér þat, sem
yfir margan gengr. Hefir sá ok jafnan, er hættir.'
'Sé ek', segir Þorgeirr, 'hversu þér er gefit, at þú vilt veita
þessum mǫnnum. Nú mun ek selja þér í hendr goðorð mitt
450 ok mannaforráð, ok haf þú þat, sem ek hefi haft áðr, en þaðan
af hǫfum vit jǫfnuð af báðir, ok veittu þá þeim, er þú vilt.'
'Svá sýnisk mér', segir Þorkell, 'sem þá muni goðorð várt
bezt komit, er þú hafir sem lengst. Ann ek engum svá vel sem
þér at hafa, því at þú hefir marga hluti til menntar um fram
455 alla oss brœðr, en ek óráðinn, hvat er ek vil af mér gera at
bragði. En þú veizt, frændi, at ek hefi til fás hlutazk, síðan ek
kom til Íslands. Má ek nú sjá, hvat mín ráð eru. Nú hefi ek

flutt sem ek mun at sinni. Kann vera, at Þorkell leppr komi
þar, at hans orð verði meir metin.'

Þorgeirr segir: 'Sé ek nú, hversu horfir, frændi, at þér 460
mislíkar, en ek má þat eigi vita, ok munum vit fylgja þessum
mǫnnum, hversu sem ferr, ef þú vilt.'

Þorkell mælti: 'Þessa eins bið ek, at mér þykkir betr, at veitt
sé.'

'Til hvers þykkjask þessir menn fœrir', segir Þorgeirr, 'svá 465
at framkvæmð verði at þeira máli?'

'Svá er sem ek sagða í dag, at styrk þurfum vit af hǫfðingjum,
en málaflutning á ek undir mér.'

Þorgeirr kvað honum þá gott at duga,—'ok er nú þat til, at
búa mál til sem réttligast. En mér þykkir sem Þorkell vili, at 470
þit vitið hans, áðr dómar fara út. Munu þit þá hafa annat
hvárt fyrir ykkart þrá, nǫkkura huggan eða læging enn meir
en áðr ok hrelling ok skapraun. Gangið nú heim ok verið
kátir, af því at þess munu þit við þurfa, ef þit skuluð deila við
Hrafnkel, at þit berið ykkr vel upp um hríð, en segi þit engum 475
manni, at vit hǫfum liðveizlu heitit ykkr.'

Þá gengu þeir heim til búðar sinnar, váru þá ǫlteitir. Menn
undruðusk þetta allir, hví þeir hefði svá skjótt skapskipti tekit,
þar sem þeir váru óglaðir, er þeir fóru heiman.

Nú sitja þeir, þar til er dómar fara út. Þá kveðr Sámr upp 480
menn sína ok gengr til lǫgbergs. Var þar þá dómr settr. Sámr
gekk djarfliga at dóminum. Hann hefr þegar upp váttnefnu
ok sótti mál sitt at réttum landslǫgum á hendr Hrafnkeli goða,
miskviðalaust með skǫruligum flutningi. Þessu næst koma
þeir Þjóstarssynir með mikla sveit manna. Allir menn vestan 485
af landi veittu þeim lið, ok sýndisk þat, at Þjóstarssynir váru
menn vinsælir. Sámr sótti málit í dóm, þangat til er Hrafnkeli
var boðit til varnar, nema sá maðr væri þar við staddr, er
lǫgvǫrn vildi frammi hafa fyrir hann at réttu lǫgmáli. Rómr
varð mikill at máli Sáms. Kvazk engi vilja lǫgvǫrn fram bera 490
fyrir Hrafnkel.

Menn hlupu til búðar Hrafnkels ok sǫgðu honum, hvat um var at vera.

Hann veiksk við skjótt ok kvaddi upp menn sína ok gekk til 495 dóma, hugði, at þar myndi lítil vǫrn fyrir landi. Hafði hann þat í hug sér at leiða smámǫnnum at sœkja mál á hendr honum. Ætlaði hann at hleypa upp dóminum fyrir Sámi ok hrekja hann af málinu. En þess var nú eigi kostr. Þar var fyrir sá mannfjǫlði, at Hrafnkell komsk hvergi nær. Var honum þrøngt 500 frá í brottu með miklu ofríki, svá at hann náði eigi at heyra mál þeira, er hann sóttu. Var honum því óhægt at fœra lǫgvǫrn fram fyrir sik. En Sámr sótti málit til fullra laga, til þess er Hrafnkell var alsekr á þessu þingi.

Hrafnkell gengr þegar til búðar ok lætr taka hesta sína ok 505 ríðr á brott af þingi ok unði illa við sínar málalykðir, því at hann átti aldri fyrr slíkar. Ríðr hann þá austr Lyngdalsheiði ok svá austr á Síðu, ok eigi léttir hann fyrr en heima í Hrafnkelsdal ok sezk á Aðalból ok lét sem ekki hefði í orðit.

En Sámr var á þingi ok gekk mjǫk uppstertr.

510 Mǫrgum mǫnnum þykkir vel, þó at þann veg hafi at borizk, at Hrafnkell hafi hneykju farit, ok minnask nú, at hann hefir mǫrgum ójafnað sýnt.

Sámr bíðr til þess, at slitit er þinginu. Búask menn þá heim. Þakkar hann þeim brœðrum sína liðveizlu, en Þorgeirr spurði 515 Sám hlæjandi, hversu honum þœtti at fara. Hann lét vel yfir því.

Þorgeirr mælti: 'Þykkisk þú nú nǫkkuru nær en áðr?'

Sámr mælti: 'Beðit þykki mér Hrafnkell hafa sneypu, er lengi mun uppi vera, þessi hans sneypa, ok er þetta við mikla 520 fémuni.'

'Eigi er maðrinn alsekr, meðan eigi er háðr féránsdómr, ok hlýtr þat at hans heimili at gera. Þat skal vera fjórtán nóttum eptir vápnatak.'

En þat heitir vápnatak er alþýða ríðr af þingi.

525 'En ek get', segir Þorgeirr, 'at Hrafnkell mun heim kominn

ok ætli at sitja á Aðalbóli. Get ek, at hann mun halda manna-
forráð fyrir yðr. En þú munt ætla at ríða heim ok setjask í bú
þitt, ef þú náir, at bezta kosti. Get ek, at þú hafir þat svá þinna
mála, at þú kallar hann skógarmann. En slíkan œgishjálm,
get ek, at hann beri yfir flestum sem áðr, nema þú hljótir at 530
fara nǫkkuru lægra.'

'Aldri hirði ek þat', segir Sámr.

'Hraustr maðr ertu', segir Þorgeirr, 'ok þykki mér sem Þorkell
frændi vili eigi gera endamjótt við þik. Hann vill nú fylgja
þér, þar til er ór slítr með ykkr Hrafnkeli, ok megir þú þá sitja 535
um kyrrt. Mun yðr þykkja nú vit skyldastir at fylgja þer, er
vér hǫfum áðr mest í fengit. Skulum vit nú fylgja þér um
Austfjarða, at eigi sé almannavegr?'

Sámr svaraði: 'Fara mun ek ina sǫmu leið, sem ek fór
austan.'   540

Sámr varð þessu feginn.

CHAPTER 5

Þorgeirr valði lið sitt ok lét sér fylgja fjóra tigu manna.
Sámr hafði ok fjóra tigu manna. Var þat lið vel búit at vápnum
ok hestum. Eptir þat ríða þeir alla ina sǫmu leið, þar til er
þeir koma í nætrelding í Jǫkulsdal, fara yfir brú á ánni, ok var 545
þetta þann morgin, er féránsdóm átti at heyja. Þá spyrr
Þorgeirr, hversu mætti helzt á óvart koma. Sámr kvazk mundu
kunna ráð til þess. Hann snýr þegar af leiðinni ok upp á
múlann ok svá eptir hálsinum milli Hrafnkelsdals ok Jǫkulsdals,
þar til er þeir koma útan undir fjallit, er bœrinn stendr undir 550
niðri á Aðalbóli. Þar gengu grasgeilar í heiðina upp, en þar
var brekka brǫtt ofan í dalinn, ok stóð þar bœrinn undir niðri.

Þar stígr Sámr af baki ok mælti: 'Látum lausa hesta vára,
ok geymi tuttugu menn, en vér sex tigir saman hlaupum at
bœnum, ok get ek, at fátt muni manna á fótum.'   555

Þeir gerðu nú svá, ok heita þar síðan Hrossageilar. Þá bar
skjótt at bœnum. Váru þá liðin rismál. Eigi var fólk upp

staðit. Þeir skutu stokki á hurð ok hlupu inn. Hrafnkell
hvíldi í rekkju sinni. Taka þeir hann þaðan ok alla hans
560 heimamenn, þá er vápnfœrir váru. Konur ok bǫrn var rekit
í eitt hús. Í túninu stóð útibúr. Af því ok heim á skálavegginn
var skotit váðási einum. Þeir leiða Hrafnkel þar til ok hans
menn. Hann bauð mǫrg boð fyrir sik ok sína menn. En er
þat tjáði eigi, þá bað hann mǫnnum sínum lífs,—'því at þeir
565 hafa ekki til sakar gǫrt við yðr, en þat er mér engi ósœmð, þótt
þér drepið mik. Mun ek ekki undan því mælask. Undan
hrakningum mælumk ek. Er yðr engi sœmð í því.'
    Þorkell mælti: 'Þat hǫfum vér heyrt, at þú hafir lítt verit
leiðitamr þínum óvinum, ok er vel nú, at þú kennir þess í dag
570 á þér.'
    Þá taka þeir Hrafnkel ok hans menn ok bundu hendr þeira
á bak aptr. Eptir þat brutu þeir upp útibúrit ok tóku reip ofan
ór krókum, taka síðan knífa sína ok stinga raufar á hásinum
þeira ok draga þar í reipin ok kasta þeim svá upp yfir ásinn ok
575 binda þá svá átta saman.
    Þá mælti Þorgeirr: 'Svá er komit nú kosti yðrum, Hrafnkell,
sem makligt er, ok mundi þér þykkja þetta ólíkligt, at þú
mundir slíka skǫmm fá af nǫkkurum manni, sem nú er orðit.
Eða hvárt viltu, Þorkell, nú gera: at sitja hér hjá Hrafnkeli ok
580 gæta þeira, eða viltu fara með Sámi ór garði á brott í ǫrskotshelgi
við bœinn ok heyja féránsdóm á grjóthól nǫkkurum, þar sem
hvárki er akr né eng?'
    Þetta skyldi í þann tíma gera, er sól væri í fullu suðri.
    Þorkell sagði: 'Ek vil hér sitja hjá Hrafnkeli. Sýnisk mér
585 þetta starfaminna.'
    Þeir Þorgeirr ok Sámr fóru þá ok háðu féránsdóm, ganga
heim eptir þat ok tóku Hrafnkel ofan ok hans menn ok settu
þá niðr í túninu, ok var sigit blóð fyrir augu þeim.
    Þá mælti Þorgeirr til Sáms, at hann skyldi gera við Hrafnkel
590 slíkt, sem hann vildi,—'því at mér sýnisk nú óvandleikit við
hann.'

Sámr svarar: 'Tvá kosti geri ek þér, Hrafnkell. Sá annarr, at
þik skal leiða ór garði brott ok þá menn, sem mér líkar, ok vera
drepinn. En með því at þú átt ómegð mikla fyrir at sjá, þá vil
ek þess unna þér, at þú sjáir þar fyrir. Ok ef þú vilt líf þiggja, 595
þá far þú af Aðalbóli með allt lið þitt ok haf þá eina fémuni, er
ek skef þér, ok mun þat harðla lítit, en ek skal taka staðfestu
þína ok mannaforráð allt. Skaltu aldri tilkall veita né þínir
erfingjar. Hvergi skaltu nær vera en fyrir austan Fljótsdalsheiði,
ok máttu nú eiga handsǫl við mik, ef þú vilt þenna upp taka.' 600
Hrafnkell mælti: 'Mǫrgum mundi betr þykkja skjótr dauði
en slíkar hrakningar, en mér mun fara sem mǫrgum ǫðrum,
at lífit mun ek kjósa, ef kostr er. Geri ek þat mest sǫkum sona
minna, því at lítil mun vera uppreist þeira, ef ek dey frá.'

Þá er Hrafnkell leystr, ok seldi hann Sámi sjálfdœmi. 605

Sámr skipti Hrafnkeli af fé slíkt, er hann vildi, ok var þat
raunarlítit. Spjót sitt hafði Hrafnkell með sér, en ekki fleira
vápna. Þenna dag fœrði Hrafnkell sik brott af Aðalbóli ok allt
sitt fólk.

Þorgeirr mælti þá við Sám: 'Eigi veit ek, hví þú gerir þetta. 610
Muntu þessa mest iðrask sjálfr, er þú gefr honum líf.'

Sámr kvað þá svá vera verða.

Hrafnkell fœrði nú bú sitt austr yfir Fljótsdalsheiði ok um
þveran Fljótsdal fyrir austan Lagarfljót. Við vatnsbotninn
stóð einn lítill bœr, sem hét at Lokhillu. Þetta land keypti 615
Hrafnkell í skuld, því at eigi var kostrinn meiri en þurfti til
búshluta at hafa. Á þetta lǫgðu menn mikla umrœðu, hversu
hans ofsi hafði niðr fallit, ok minnisk nú margr á fornan
orðskvið, at skǫmm er óhófs ævi. Þetta var skógland mikit ok
mikit merkjum, vánt at húsum, ok fyrir þat efni keypti hann 620
landit litlu verði. En Hrafnkell sá ekki mjǫk í kostnað ok
felldi mǫrkina, því at hon var stór, ok reisti þar reisiligan bœ,
þann er síðan hét á Hrafnkelsstǫðum. Hefir þat síðan verit
kallaðr jafnan góðr bœr. Bjó Hrafnkell þar við mikil óhœgindi
in fyrstu misseri. Hann hafði mikinn atdrátt af fiskinum. 625

Hrafnkell gekk mjǫk at verknaði, meðan bœr var í smíði.
Hrafnkell dró á vetr kálf ok kið in fyrstu misseri, ok hann helt
vel, svá at nær lifði hvatvetna þat, er til ábyrgðar var. Mátti
svá at kveða, at náliga væri tvau hǫfuð á hverju kvikindi. Á
630 því sama sumri lagðisk veiðr mikil í Lagarfljót. Af slíku
gerðisk mǫnnum búshœgindi í heraðinu, ok þat helzk vel
hvert sumar.

CHAPTER 6

Sámr setti bú á Aðalbóli eptir Hrafnkel, ok síðan efnir hann
veizlu virðuliga ok býðr til ǫllum þeim, sem verit hǫfðu
635 þingmenn hans. Sámr býzk til at vera yfirmaðr þeira í stað
Hrafnkels. Menn játuðusk undir þat ok hugðu þó enn misjafnt
til.

Þjóstarssynir réðu honum þat, at hann skyldi vera blíðr ok
góðr fjárins ok gagnsamr sínum mǫnnum, styrktarmaðr hvers,
640 sem hans þurfu við. 'Þá eru þeir eigi menn, ef þeir fylgja þér
eigi vel, hvers sem þú þarft við. En því ráðum vit þér þetta, at
vit vildim, at þér tœkisk allt vel, því at þú virðisk okkr vaskr
maðr. Gættu nú vel til, ok vertu varr um þik, af því at vant er
við vándum at sjá.'

645 Þjóstarssynir létu senda eptir Freyfaxa ok liði hans ok
kváðusk vilja sjá gripi þessa, er svá gengu miklar sǫgur af. Þá
váru hrossin heim leidd. Þeir brœðr líta á hrossin.

Þorgeirr mælti: 'Þessi hross lítask mér þǫrf búinu. Er þat
mitt ráð, at þau vinni slíkt, er þau megu, til gagnsmuna,
650 þangat til er þau megu eigi lifa fyrir aldrs sǫkum. En hestr
þessi sýnisk mér eigi betri en aðrir hestar, heldr því verri, at
margt illt hefir af honum hlotizk. Vil ek eigi, at fleiri víg
hljótisk af honum en áðr hafa af honum orðit. Mun þat nú
makligt, at sá taki við honum, er hann á.'

655 Þeir leiða nú hestinn ofan eptir vellinum. Einn hamarr
stendr niðr við ána, en fyrir framan hylr djúpr. Þar leiða þeir
nú hestinn fram á hamarinn. Þjóstarssynir drógu fat eitt á

hǫfuð hestinum, taka síðan hávar stengr ok hrinda hestinum
af fram, binda stein við hálsinn ok týndu honum svá. Heitir
þar síðan Freyfaxahamarr. Þar ofan frá standa goðahús þau, 660
er Hrafnkell hafði átt. Þorkell vildi koma þar. Lét hann fletta
goðin ǫll. Eptir þat lætr hann leggja eld í goðahúsit ok brenna
allt saman.

Síðan búask boðsmenn í brottu. Velr Sámr þeim ágæta gripi
báðum brœðrum, ok mæla til fullkominnar vináttu með sér ok 665
skiljask allgóðir vinir. Ríða nú rétta leið vestr í fjǫrðu ok koma
heim í Þorskafjǫrð með virðingu. En Sámr setti Þorbjǫrn niðr
at Leikskálum. Skyldi hann þar búa. En kona Sáms fór til
bús með honum á Aðalból ok býr Sámr þar um hríð.

CHAPTER 7

Hrafnkell spurði austr í Fljótsdal, at Þjóstarssynir hǫfðu 670
týnt Freyfaxa ok brennt hofit.

Þá svarar Hrafnkell: 'Ek hygg þat hégóma at trúa á goð',—ok
sagðisk hann þaðan af aldri skyldu á goð trúa, ok þat efndi hann
síðan, at hann blótaði aldri.

Hrafnkell sat á Hrafnkelsstǫðum ok rakaði fé saman. Hann 675
fekk brátt miklar virðingar í heraðinu. Vildi svá hverr sitja ok
standa sem hann vildi.

Í þenna tíma kómu sem mest skip af Noregi til Íslands.
Námu menn þá sem mest land í heraðinu um Hrafnkels daga.
Engi náði með frjálsu at sitja, nema Hrafnkel bæði orlofs. Þá 680
urðu ok allir honum at heita sínu liðsinni. Hann hét ok sínu
trausti. Lagði hann land undir sik allt fyrir austan
Lagarfljót. Þessi þinghá varð brátt miklu meiri ok fjǫlmennari
en sú, er hann hafði áðr haft. Hon gekk upp um Skriðudal ok
upp allt með Lagarfljóti. Var nú skipan á komin á lund hans. 685
Maðrinn var miklu vinsælli en áðr. Hafði hann ina sǫmu
skapsmuni um gagnsemð ok risnu, en miklu var maðrinn nú
vinsælli ok gæfari ok hœgri en fyrr at ǫllu.

Opt fundusk þeir Sámr ok Hrafnkell á mannamótum, ok
690 minntusk þeir aldri á sín viðskipti. Leið svá fram sex vetr.
Sámr var vinsæll af sínum þingmǫnnum, því at hann var
hœgr ok kyrr ok góðr órlausna ok minntisk á þat, er þeir
brœðr hǫfðu ráðit honum. Sámr var skartsmaðr mikill.

CHAPTER 8

Þess er getit, at skip kom af hafi í Reyðarfjǫrð, ok var
695 stýrimaðr Eyvindr Bjarnason. Hann hafði útan verit sjau vetr.
Eyvindr hafði mikit við gengizk um menntir ok var orðinn inn
vaskasti maðr. Eru honum sǫgð brátt þau tíðendi, er gǫrzk
hǫfðu, ok lét hann sér um þat fátt finnask. Hann var fáskiptinn
maðr.
700 Ok þegar Sámr spyrr þetta, þá ríðr hann til skips. Verðr
nú mikill fagnafundr með þeim brœðrum. Sámr býðr
honum vestr þangat. En Eyvindr tekr því vel ok biðr Sám
ríða heim fyrir, en senda hesta á móti varningi hans. Hann setr
upp skip sitt ok býr um. Sámr gerir svá, ferr heim ok lætr reka
705 hesta á móti Eyvindi. Ok er hann hefir búit um varnað sinn,
býr hann ferð sína til Hrafnkelsdals, ferr upp eptir Reyðarfirði.
Þeir váru fimm saman. Inn sétti var skósveinn Eyvindar. Sá
var íslenzkr at kyni, skyldr honum. Þenna svein hafði Eyvindr
tekit af válaði ok flutt útan með sér ok haldit sem sjálfan sik.
710 Þetta bragð Eyvindar var uppi haft, ok var þat alþýðu rómr, at
færi væri hans líkar.
Þeir ríða upp Þórisdalsheiði ok ráku fyrir sér sextán klyfjaða
hesta. Váru þar húskarlar Sáms tveir, en þrír farmenn. Váru
þeir ok allir í litklæðum ok riðu við fagra skjǫldu. Þeir riðu um
715 þveran Skriðudal ok yfir háls yfir til Fljótsdals, þar sem heita
Bulungarvellir, ok ofan á Gilsáreyri. Hon gengr austr at
fljótinu milli Hallormsstaða ok Hrafnkelsstaða. Ríða þeir upp
með Lagarfljóti fyrir neðan vǫll á Hrafnkelsstǫðum ok svá
fyrir vatnsbotninn ok yfir Jǫkulsá at Skálavaði. Þá var jafnnær
720 rismálum ok dagmálum.

Kona ein var við vatnit ok þó lérept sín. Hon sér ferð manna. Griðkona sjá sópar saman léreptunum ok hleypr heim. Hon kastar þeim niðr úti hjá viðarkesti, en hleypr inn. Hrafnkell var þá eigi upp staðinn, ok nǫkkurir vilðarmenn lágu í skálanum, en verkmenn váru til iðnar farnir. Þetta var 725 um heyjaannir.

Konan tók til orða, er hon kom inn: 'Satt er flest þat, er fornkveðit er, at svá ergisk hverr sem eldisk. Verðr sú lítil virðing, sem snimma leggsk á, ef maðr lætr síðan sjálfr af með ósóma ok hefir eigi traust til at reka þess réttar nǫkkurt sinni, 730 ok eru slík mikil undr um þann mann, sem hraustr hefir verit. Nú er annan veg þeira lífi, er upp vaxa með fǫður sínum, ok þykkja yðr einskis háttar hjá yðr, en þá er þeir eru frumvaxta, fara land af landi ok þykkja þar mestháttar, sem þá koma þeir, koma við þat út ok þykkjask þá hǫfðingjum meiri. Eyvindr 735 Bjarnason reið hér yfir á á Skálavaði með svá fagran skjǫld, at ljómaði af. Er hann svá menntr, at hefnd væri í honum.' Lætr griðkonan ganga af kappi.

Hrafnkell ríss upp ok svarar henni, 'Kann vera, at þú hjalir helzti margt satt — eigi fyrir því, at þér gangi gott til. Er nú 740 vel, at þér aukisk erfiði. Far þú hart suðr á Víðivǫllu eptir Hallsteinssonum, Sighvati ok Snorra. Bið þá skjótt til mín koma með þá menn, sem þar eru vápnfœrir.'

Aðra griðkonu sendir hann út á Hrólfsstaði eptir þeim Hrólfssonum, Þórði ok Halla, ok þeim, sem þar váru vápnfœrir. 745 Þessir hvárirtveggju váru gildir menn ok allvel menntir. Hrafnkell sendi ok eptir húskǫrlum sínum. Þeir urðu alls átján saman. Þeir vápnuðust harðfengiliga, ríða þar yfir á, sem hinir fyrri.

Þá váru þeir Eyvindr komnir upp á heiðina. Eyvindr riðr þar til, er hann kom vestr à miðja heiðina. Þar heita 750 Bersagǫtur. Þar er svarðlaus mýrr, ok er sem ríði í efju eina fram, ok tók jafnan í kné eða í miðjan legg, stundum í kvið, þá er undir svá hart sem hǫlkn. Þá er hraun stórt fyrir vestan, ok er þeir koma á hraunit, þá lítr sveinninn aptr ok mælti til

755 Eyvindar: 'Menn ríða þar eptir oss', segir hann, 'eigi færi en
átján. Er þar mikill maðr á baki í blám klæðum, ok sýnisk mér
líkt Hrafnkeli goða. Þó hefi ek nú lengi eigi sét hann.'
Eyvindr svarar: 'Hvat mun oss skipta? Veit ek mér einskis
ótta vánir af reið Hrafnkels. Ek hefi honum eigi í móti gǫrt.
760 Mun hann eiga ørendi vestr til dals at hitta vini sína.'
Sveinninn svarar: 'Þat býðr mér í hug, at hann muni þik
hitta vilja.'
'Ekki veit ek', segir Eyvindr, 'til hafa orðit með þeim Sámi,
bróður mínum, síðan þeir sættusk.'
765 Sveinninn svarar: 'Þat vilda ek, at þú riðir undan vestr til
dals. Muntu þá geymðr. Ek kann skapi Hrafnkels, at hann
mun ekki gera oss, ef hann náir þér eigi. Er þá alls gætt, ef
þín er, en þá er eigi dýr í festi, ok er vel, hvat sem af oss verðr.'
Eyvindr sagðisk eigi mundu brátt undan ríða,—'því at ek
770 veit eigi, hverir þessir eru. Mundi þat mǫrgum manni
hlœgiligt þykkja, ef ek renn at ǫllu óreyndu.'
Þeir ríða nú vestr af hrauninu. Þá er fyrir þeim ǫnnur mýrr,
er heitir Oxamýrr. Hon er grǫsug mjǫk. Þar eru bleytur, svá
at náliga er ófœrt yfir. Af því lagði Hallfreðr karl inar efri
775 gǫtur, þó at þær væri lengri.
Eyvindr ríðr vestr á mýrina. Lá þá drjúgum í fyrir þeim.
Dvalðisk þá mjǫk fyrir þeim. Hina bar skjótt eptir, er lausir
riðu. Ríða þeir Hrafnkell nú leið sína á mýrina. Þeir Eyvindr
eru þá komnir af mýrinni. Sjá þeir þá Hrafnkel ok sonu hans
780 báða. Þeir báðu Eyvind þá undan at ríða. 'Eru nú af allar
torfœrur. Muntu ná til Aðalbóls, meðan mýrrin er á millum.'
Eyvindr svarar: 'Eigi mun ek flýja undan þeim mǫnnum, er
ek hefi ekki til miska gǫrt.'
Þeir ríða þá upp á hálsinn. Þar standa fjǫll lítil á hálsinum.
785 Útan í fjallinu er meltorfa ein, blásin mjǫk. Bakkar hávir váru
umhverfis. Eyvindr ríðr at torfunni. Þar stígr hann af baki
ok bíðr þeira.
Eyvindr segir: 'Nú munum vér skjótt vita þeira ørendi.'

Eptir þat gengu þeir upp á torfuna ok brjóta þar upp grjót
nǫkkurt.   790
Hrafnkell snýr þá af gǫtunni ok suðr. at torfunni. Hann
hafði engi orð við Eyvind ok veitti þegar atgǫngu. Eyvindr
varðisk vel ok drengiliga. Skósveinn Eyvindar þóttisk ekki
krǫptugr til orrostu ok tók hest sinn ok ríðr vestr yfir háls til
Aðalbóls ok segir Sámi, hvat leika er.   795
Sámr brá skjótt við ok sendi eptir mǫnnum. Urðu þeir
saman tuttugu. Var þetta lið vel búit. Ríðr Sámr austr á
heiðina ok at þar, er vættfangit hafði verit.
Þá er umskipti á orðit með þeim. Reið Hrafnkell þá austr
frá verkunum.   800
Eyvindr var þá fallinn ok allir hans menn.
Sámr gerði þat fyrst, at hann leitaði lífs með bróður sínum.
Var þat trúliga gǫrt: þeir váru allir líflátnir, fimm saman. Þar
váru ok fallnir af Hrafnkeli tólf menn, en sex riðu brott.
Sámr átti þar litla dvǫl, bað menn ríða þegar eptir. Ríða   805
þeir nú eptir þeim ok hafa þó mœdda hesta.
Þá mælti Sámr: 'Ná megum vér þeim, því at þeir hafa
mœdda hesta, en vér hǫfum alla hraða, ok mun nálægt
verða, hvárt vér nám þeim eða eigi, áðr en þeir komask af
heiðinni.'   810
Þá var Hrafnkell kominn austr yfir Oxamýri.
Ríða nú hvárirtveggju allt til þess, at Sámr kemr á heiðar-
brúnina. Sá hann þá, at Hrafnkell var kominn lengra ofan í
brekkurnar. Sér Sámr, at hann mun undan taka ofan í
heraðit.   815
Hann mælti þá: 'Hér munum vér aptr snúa, því at Hrafnkeli
mun gott til manna verða.'
Snýr Sámr þá aptr við svá búit, kemr þar til, er Eyvindr lá,
tekr til ok verpr haug eptir hann ok félaga hans. Er þar ok
kǫlluð Eyvindartorfa ok Eyvindarfjǫll ok Eyvindardalr.   820
Sámr ferr þá með allan varnaðinn heim á Aðalból. Ok er
hann kemr heim, sendir Sámr eptir þingmǫnnum sínum, at

þeir skyldi koma þar um morguninn fyrir dagmál. Ætlar hann
þá austr yfir heiði. 'Verðr ferð vár slík, sem má.'

825　Um kveldit ferr Sámr í hvílu, ok var þar drjúgt komit manna.

CHAPTER 9

Hrafnkell reið heim ok sagði tíðendi þessi. Hann etr mat, ok
eptir þat safnar hann mǫnnum at sér, svá at hann fær sjau tigu
manna, ok ríðr við þetta vestr yfir heiði ok kemr á óvart til
Aðalbóls, tekr Sám í rekkju ok leiðir hann út.

830　Hrafnkell mælti þá: 'Nú er svá komit kosti þínum, Sámr,
at þér mundi ólíkligt þykkja fyrir stundu, at ek á nú vald á lífi
þínu. Skal ek nú eigi vera þér verri drengr en þú vart mér.
Mun ek bjóða þér tvá kosti: at vera drepinn—hinn er annarr,
at ek skal einn skera ok skapa okkar í milli.'

835　Sámr kvazk heldr kjósa at lifa, en kvazk þó hyggja, at
hvárrtveggi mundi harðr.

Hrafnkell kvað hann þat ætla mega,—'því at vér eigum þér
þat at launa, ok skylda ek hálfu betr við þik gera, ef þess væri
vert. Þú skalt fara brott af Aðalbóli ofan til Leikskála, ok sezk
840　þar í bú þitt. Skaltu hafa með þér auðœfi þau, sem Eyvindr
hafði átt. Þú skalt ekki heðan fleira hafa í fémunum útan þat,
er þú hefir hingat haft. Þat skaltu allt í brottu hafa. Ek vil taka
við goðorði mínu, svá ok við búi ok staðfestu. Sé ek, at mikill
ávǫxtr hefir á orðit á gózi mínu, ok skaltu ekki þess njóta.
845　Fyrir Eyvind, bróður þinn, skulu engar bœtr koma, fyrir því
at þú mæltir herfiliga eptir inn fyrra frænda þinn, ok hafi þér
œrnar bœtr þó eptir Einar, frænda yðvarn, þar er þú hefir haft
ríki ok fé sex vetr. En eigi þykki mér meira vert dráp Eyvindar
ok manna hans en meizl við mik ok minna manna. Þú gerðir
850　mik sveitarrækan, en ek læt mér líka, at þú sitir á Leikskálum,
ok mun þat duga, ef þú ofsar þér eigi til vansa. Minn undirmaðr
skaltu vera, meðan vit lifum báðir. Máttu ok til þess ætla, at
þú munt því verr fara, sem vit eigumsk fleira illt við.'

Sámr ferr nú brott með lið sitt ofan til Leikskála ok sezk þar í bú sitt. 855

CHAPTER 10

Nú skipar Hrafnkell á Aðalbóli búi sínum mǫnnum. Þóri, son sinn, setr hann á Hrafnkelsstaði. Hefir nú goðorð yfir ǫllum sveitum. Ásbjǫrn var með fǫður sínum, því at hann var yngri.

Sámr sat á Leikskálum þenna vetr. Hann var hljóðr ok 860 fáskiptinn. Fundu margir þat, at hann unði lítt við sinn hlut. En um vetrinn, er daga lengði, fór Sámr við annan mann — ok hafði þrjá hesta — yfir brú ok þaðan yfir Mǫðrudalsheiði ok svá yfir Jǫkulsá uppi á fjalli, svá til Mývatns, þaðan yfir Fljótsheiði ok Ljósavatnsskarð ok létti eigi fyrr en hann kom 865 vestr í Þorskafjǫrð. Er þar tekit vel við honum. Þá var Þorkell nýkominn út ór fǫr. Hann hafði verit útan fjóra vetr.

Sámr var þar viku ok hvíldi sik. Síðan segir hann þeim viðskipti þeira Hrafnkels ok beiðir þá brœðr ásjá ok liðsinnis enn sem fyrr. 870

Þorgeirr hafði meir svǫr fyrir þeim brœðrum í þat sinni, kvazk fjarri sitja, — 'er langt á milli vár. Þóttumsk vér allvel í hendr þér búa, áðr vér gengum frá, svá at þér hefði hœgt verit at halda. Hefir þat farit eptir því, sem ek ætlaða, þá er þú gaft Hrafnkeli líf, at þess mundir þú mest iðrask. Fýstum vit þik, 875 at þú skyldir Hrafnkel af lífi taka, en þú vildir ráða. Er þat nú auðsét, hverr vizkumunr ykkarr hefir orðit, er hann lét þik sitja í friði ok leitaði þar fyrst á, er hann gat þann af ráðit, er honum þótti þér vera meiri maðr. Megum vit ekki hafa at þessu gæfuleysi þitt. Er okkr ok ekki svá mikil fýst at deila við 880 Hrafnkel, at vit nennim at leggja þar við virðing okkra optar. En bjóða viljum vit þér hingat með skuldalið þitt allt undir okkarn áraburð, ef þér þykkir hér skapraunarminna en í nánd Hrafnkeli.'

Sámr kvezk ekki því nenna, segisk vilja heim aptr ok bað 885

þá skipta hestum við sik. Var þat þegar til reiðu. Þeir brœðr
vildu gefa Sámi góðar gjafar, en hann vildi engar þiggja ok
sagði þá vera litla í skapi.

Reið Sámr heim við svá búit ok bjó þar til elli. Fekk hann
890 aldri uppreist móti Hrafnkeli, meðan hann lifði.

En Hrafnkell sat í búi sínu ok helt virðingu sinni. Hann varð
sóttdauðr, ok er haugr hans í Hrafnkelsdal út frá Aðalbóli. Var
lagit í haug hjá honum mikit fé, herklæði hans ǫll ok spjót hans
it góða.

895 Synir hans tóku við mannaforráði. Þórir bjó á Hrafnkels-
stǫðum, en Ásbjǫrn á Aðalbóli. Báðir áttu þeir goðorðit
saman ok þóttu miklir menn fyrir sér.

Ok lýkr þar frá Hrafnkeli at segja.

VII

BRENNU-NJÁLS SAGA

THERE are three stories told in *Njáls saga*, the first of which is the tragedy of Gunnar; the climax of this story is the first of the following selections. It tells of the friendship between the hero Gunnar and the wise Njál. The envy and vindictiveness of Gunnar's wife Hallgerð made enemies for him, though unable to estrange Njál's friendship. After a fight in which Gunnar was not the aggressor, he was sued for manslaughter and unjustly sentenced to exile for three years. As he rode to the ship his horse stumbled and he fell off. His face was turned towards the hill-side where lay his home (see frontispiece), and he said: 'Fǫgr er hlíðin, svá at mér hefir hon aldri jafnfǫgr sýnzk, bleikir akrar, en slegin tún, ok mun ek ríða aptr ok fara hvergi.' By staying he became an outlaw, whom his enemies could slay without legal guilt.

This story is connected with the second only by the personality of Njál, but by the author's art this is made a strong link. The first part is not only Gunnar's tragedy: it is, just as much, the story of Njál's wisdom and generosity, and without it the central story, Njál's own tragedy, would lose in power and significance. Njál's death is wrought out by fate in the hot-headedness of his sons. They quarrelled with Þráin and slew him: to heal the feud Njál adopted Hǫskuld, Þráin's son, and so put an instrument in the hands of fate. Trouble was made between Njál's sons and Hǫskuld, and they slew him. Flosi, his widow's kinsman, unwillingly took up the blood-feud, and burned Njál and his sons in their house, as is told in the second of the following selections.

The third part tells of the unrelenting vengeance of Kári on the burners, and his final reconciliation with Flosi. It has been suggested that the three parts were based on three distinct sagas, one of Gunnar, one of Njál and his sons, one of Kári, but there is no positive evidence of this. The saga in its present form dates from about 1275–85. It is preserved in a number of vellum manuscripts, the best of which is AM 468, 4° (*c.* 1300); AM 133, fol. is of about the same date. One fragment of twenty-four leaves (AM 162 b, fol.) dates from the end of the thirteenth century. Edited by F. Jónsson in An. Sb., 1908, and by E. Ó. Sveinsson in *Íslenzk Fornrit*, xii, Reykjavik, 1954 (based on *Mǫðruvallabók*).

THE DEATH OF GUNNAR, A.D. 992

Um haustit sendi Mǫrðr Valgarðsson orð at Gunnarr myndi vera einn heima, en lið alt myndi vera niðri í eyjum at lúka

heyverkum. Riðu þeir Gizurr Hvíti ok Geirr Goði austr yfir
ár, þegar þeir spurðu þat, ok austr yfir sanda til Hofs. Þá
5 sendu þeir orð Starkaði undir Þríhyrningi; ok fundusk þeir
þar allir er at Gunnari skyldu fara, ok réðu hversu at skyldi
fara. Mǫrðr sagði at þeir myndi eigi koma á óvart Gunnari,
nema þeir tœki bónda af næsta bœ, er Þorkell hét, ok léti
hann fara nauðgan með sér at taka hundinn Sám, ok fœri
10 hann einn heim á bœinn. Fóru þeir síðan austr til Hlíðar-
enda, en sendu eptir Þorkatli. Þeir tóku hann hǫndum ok
gørðu honum tvá kosti, at þeir myndi drepa hann, ella skyldi
hann taka hundinn, en hann køri heldr at leysa líf sitt ok fór
með þeim. Traðir váru fyrir ofan garðinn at Hlíðarenda, ok
15 námu þeir þar staðar með flokkinn. Þorkell bóndi gekk
heim á bœinn, ok lá rakkinn á húsum uppi, ok teygir hann
rakkann á braut með sér í geilarnar. Í því sér hundrinn at
þar eru menn fyrir ok hleypr á hann Þorkel upp ok grípr
nárann. Ǫnundr ór Trǫllaskógi hjó með øxi í hǫfuð
20 hundinum, svá at alt kom í heilann. Hundrinn kvað við
hátt, svá at þótti þeim með ódœmum miklum vera.

Gunnarr vaknaði í skálanum ok mælti, 'Sárt ert þú
leikinn, Sámr fóstri, ok búit svá sé til ætlat at skamt skyli
okkar í meðal'.

25 Skáli Gunnars var gǫrr af viði einum ok súðþakiðr útan,
ok gluggar hjá brúnásunum ok snúin þar fyrir speld.
Gunnarr svaf í lopti einu í skálanum ok Hallgerðr ok móðir
hans. Þá er þeir kómu at, vissu þeir eigi hvárt Gunnarr
myndi heima vera, ok báðu at einnhverr myndi fara heim fyrir
30 ok vita hvers víss yrði, en þeir settusk niðr á vǫllinn.
Þorgrímr austmaðr gekk upp á skálann; Gunnarr sér at
rauðan kyrtil bar við glugginum, ok leggr út með atgeirinum
á hann miðjan. Þorgrími skruppu fœtrnir ok varð lauss
skjǫldrinn, ok hrataði hann ofan af þekjunni. Gengr hann
35 síðan at þeim Gizuri, þar er þeir sátu á vellinum. Gizurr
leit við honum ok mælti, 'Hvárt er Gunnarr heima?'

Þorgrímr svarar, 'Viti þér þat, en hitt vissa ek, at atgeirr hans var heima.' Síðan fell hann niðr dauðr.

Þeir sóttu þá at húsunum. Gunnarr skaut út ǫrum at þeim ok varðisk vel, ok gátu þeir ekki at gǫrt. Þá hljópu sumir á 40 húsin ok ætluðu þaðan at at sœkja. Gunnarr kom þangat at þeim ǫrunum, ok gátu þeir ekki at gǫrt, ok fór svá fram um hríð. Þeir tóku hvíld ok sóttu at í annat sinn. Gunnarr skaut enn út, ok gátu þeir ekki at gǫrt ok hrukku frá í annat sinn.

Þá mælti Gizurr Hvíti, 'Sœkjum at betr, ekki verðr af oss'. 45 Gørðu þeir þá hríð ina þriðju ok váru við lengi; eptir þat hrukku þeir frá.

Gunnarr mælti, 'Ǫr liggr þar úti á vegginum, ok er sú af þeira ǫrum, ok skal ek þeiri skjóta til þeira, ok er þeim þat skǫmm, ef þeir fá geig af vápnum sínum.' 50

Móðir hans mælti, 'Gør þú eigi þat, at þú vekir þá, er þeir hafa áðr frá horfit.'

Gunnarr þreif ǫrina ok skaut til þeira, ok kom á Eilíf Ǫnundarson, ok fekk hann af sár mikit. Hann hafði staðit einn saman, ok vissu þeir eigi at hann var særðr. 55

'Hǫnd kom þar út', segir Gizurr, 'ok var á gullhringr, ok tók ǫr er lá á þekjunni, ok myndi eigi út leitat viðfanga, ef gnógt væri inni, ok skulu vér nú sœkja at.'

Mǫrðr mælti, 'Brennu vér hann inni.'

'Þat skal verða aldri', segir Gizurr, 'þó at ek vita at líf 60 mitt liggi við. Er þér sjálfrátt at leggja til ráð þau er dugi, svá slœgr maðr sem þú ert kallaðr.'

Strengir lágu á vellinum ok váru hafðir til at festa með hús jafnan. Mǫrðr mælti, 'Tǫku vér strengina ok berum um ássendana, en festum aðra endana um steina ok snúum í 65 vindása ok vindum af ræfrit af skálanum.'

Þeir tóku strengina ok veittu þessa umbúð alla, ok fann Gunnarr eigi fyrr en þeir hǫfðu undit alt þakit af skálanum. Gunnarr skýtr þá af boganum, svá at þeir komask aldri at honum. Þá mælti Mǫrðr í annat sinn at þeir myndi brenna 70

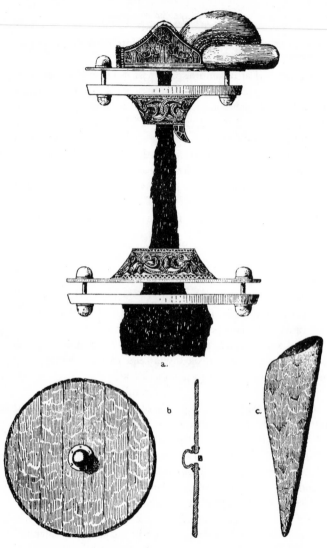

Norse Weapons. *a.* Golden sword-hilt, inlaid with garnets. *b, c.* The two types of Norse shields, *lindiskjǫldr* and *holfinn skjǫldr*.

Gunnar inni. Gizurr mælti, 'Eigi veit ek hví þú vill þat
mæla, er engi vill annarra, ok skal þat aldri verða.'

Í þessu bili hleypr upp á þekjuna Þorbrandr Þorleiksson
ok høggr í sundr bogastrenginn Gunnars. Gunnarr þrífr
atgeirinn báðum hǫndum ok snýsk at honum skjótt ok rekr í 75
gegnum hann ok kastar honum á vǫllinn. Þá hljóp upp
Ásbrandr bróðir hans. Gunnarr leggr til hans atgeirinum,
ok kom hann skildi fyrir sik; atgeirrinn rendi í gegnum
skjǫldinn ok meðal handleggjanna. Snaraði Gunnarr þá
atgeirinn svá fast at klofnaði skjǫldrinn, en brotnuðu hand- 80
leggirnir, ok fell hann út af vegginum. Áðr hafði Gunnarr
sært átta menn, en vegit þá tvá. Þá fekk Gunnarr sár tvau;
ok sǫgðu þat allir menn at hann brygði sér hvártki við sár né
við bana. Hann mælti til Hallgerðar, 'Fá mér leppa tvá ór
hári þínu ok snúið þit móðir mín saman til bogastrengs mér.' 85

'Liggr þér nǫkkut við?' segir hon.

'Líf mitt liggr við', segir hann, 'því at þeir munu mik aldri
fá sótt meðan ek køm boganum við.'

'Þá skal ek nú', segir hon, 'muna þér kinnhestinn, ok
hirði ek aldri hvárt þú verr þik lengr eða skemmr.'   90

'Hefir hverr til síns ágætis nǫkkut', segir Gunnarr, 'ok
skal þik þessa eigi lengi biðja.'

Rannveig mælti, 'Illa ferr þér, ok mun þín skǫmm lengi
uppi.'

Gunnarr varði sik vel ok frœknliga ok særir nú aðra átta 95
menn svá stórum sárum at mǫrgum lá við bana. Gunnarr
verr sik þar til er hann fell af mœði. Þeir særðu hann
mǫrgum stórum sárum, en þó komsk hann ór hǫndum þeim
ok varði sik þá enn lengi; en þó kom þar at þeir drápu
hann.   100

Gizurr mælti, 'Mikinn ǫldung hǫfu vér nú at velli lagit, ok
hefir oss erfitt veitt, ok mun hans vǫrn uppi meðan landit er
byggt.' Síðan gekk hann til fundar við Rannveigu ok mælti,

'Vill þú veita mǫnnum várum tveim jǫrð, er dauðir eru, ok
105 sé hér heygðir?'

'At heldr tveim, at ek mynda veita yðr ǫllum', segir hon.

'Várkunn er þér til þess er þú mælir', segir hann, 'því at
þú hefir mikils mist'; ok kvað á at þar skyldi engu ræna ok
engu spilla. Fóru á braut síðan.

THE BURNING OF NJÁL, A.D. 1011

110   Nú er þar til máls at taka at Bergþórshváli at þeir Grímr
ok Helgi fóru til Hóla—þar váru þeim fóstruð bǫrn—ok
sǫgðu fǫður sínum at þeir mundu ekki heim um kveldit.
Þeir váru í Hólum allan daginn. Þar kómu konur fátœkar ok
kváðusk komnar at langt. Þeir spurðu þær tíðinda. Þær
115 kváðusk engi tíðindi segja—'en segja kunnu vér nýlundu
nǫkkura.'

Þeir spurðu hverja nýlundu þær segði ok báðu þær eigi
leyna. Þær sǫgðu svá vera skyldu: 'Vér kómum at ofan ór
Fljótshlíð, ok sá vér Sigfússsonu alla ríða með alvæpni, ok
120 stefndu þeir upp á Þríhyrningshálsa ok váru fimtán í flokki.
Vér sám ok Grana Gunnarsson ok Gunnar Lambason ok
váru þeir fimm saman ok stefndu allir eina leið. Ok kalla
má at nú sé alt á fǫr ok flaugun.'

Helgi Njálsson mælti: 'Þá mun Flosi kominn austan, ok
125 munu þeir allir koma til móts við hann, ok skulu vit Grímr
vera þar sem Skarpheðinn er.' Grímr kvað svá vera skyldu,
ok fóru þeir heim.

Þenna aptan inn sama mælti Bergþóra til hjóna sinna: 'Nú
skulu þér kjósa yðr mat í kveld, at hverr hafi þat er mest
130 fýsir til, því at þenna aptan mun ek bera síðast mat fyrir
hjón mín.'

'Þat skyldi eigi vera', sǫgðu þeir er hjá váru.

'Þat mun þó vera', segir hon, 'ok má ek miklu fleira af
segja, ef ek vil, ok mun þat til marka, at þeir Grímr ok Helgi
135 munu heim koma áðr menn eru mettir í kveld. Ok ef þetta

gengr eptir, þá mun svá fara fleira sem ek segi.' Síðan bar
hon mat á borð.

Njáll mælti: 'Undarliga sýnisk mér nú: ek þykkjumk sjá
um alla stofuna ok þykki mér sem undan sé gaflveggirnir
báðir, en blóðugt alt, borðit ok matrinn.'   140
Ǫllum fannsk þá mikit um nema Skarpheðni; hann bað
menn ekki syrgja né láta ǫðrum herfiligum látum, svá at
menn mætti orð á því gøra—'ok mun oss vandara gǫrt en
ǫðrum at vér berim oss vel, ok er þat at vánum.'
Þeir Grímr ok Helgi kómu heim, áðr borð váru ofan 145
tekin, ok brá mǫnnum mjǫk við þat. Njáll spurði hví þeir fœri
svá hverft, en þeir sǫgðu slíkt sem þeir hǫfðu frétt. Njáll
bað engan mann niðr leggjask ok vera vara um sik.

Nú talar Flosi við sína menn: 'Nú munu vér ríða til
Bergþórshváls ok koma þar fyrir náttmál.'   150
Þeir gøra nú svá. Dalr var í hválinum, ok riðu þeir
þangat ok bundu þar hesta sína ok dvǫldusk þar til þess er
mjǫk leið á kveldit.
Flosi mælti: 'Nú skulu vér ganga heim at bœnum ok
ganga þrǫngt ok fara seint ok sjá hvat þeir taka til ráðs.'   155
Njáll stóð úti ok synir hans ok Kári ok allir heimamenn ok
skipuðusk fyrir á hlaðinu, ok var þat nær þrír tigir manna.
Flosi nam staðar ok mælti: 'Nú skulu vér at hyggja hvat
þeir taka til ráðs, því at mér lízk svá, ef þeir standa úti
fyrir, sem vér munim þá aldri sótta geta.'   160
'Þá er vár fǫr ill', segir Grani Gunnarsson, 'ef vér skulum
eigi þora at at sœkja.'
'Þat skal ok eigi vera', segir Flosi, 'ok munum vér at
ganga, þó at þeir standi úti. En þat afroð munu vér gjalda,
at margir munu eigi kunna frá at segja hvárir sigrask.'   165
Njáll mælti til sinna manna: 'Hvat segi þér frá, hversu
mikit lið þeir hafa?'
'Þeir hafa bæði mikit lið ok harðsnúit', segir Skarpheðinn,

'en því nema þeir þó nú stað, at þeir ætla at þeim muni illa
170 sœkjask at vinna oss.'

'Þat mun ekki vera', segir Njáll, 'ok vil ek at menn gangi
inn, því at illa sóttisk þeim Gunnarr at Hlíðarenda ok var
hann einn fyrir, en hér eru hús rammlig, sem þar váru, ok
munu þeir eigi sótt geta.'

175 'Þetta er ekki þann veg at skilja', segir Skarpheðinn.
'Gunnar sóttu heim þeir hǫfðingjar er svá váru vel at sér at
heldr vildu frá hverfa en brenna hann inni, en þessir munu
þegar sœkja oss með eldi, ef þeir megu eigi annan veg, því
at þeir munu alt til vinna at yfir taki við oss. Munu þeir þat
180 ætla, sem eigi er ólíkligt, at þat sé þeira bani, ef oss dregr
undan. Em ek ok þess ófúss at láta svæla mik inni sem
melrakka í greni.'

Njáll mælti: 'Nú mun sem optar, at þér munuð bera mik
ráðum, synir mínir, ok virða mik engis, en þá er þér váruð
185 yngri, gørðu þér þat eigi, ok fór yðr þá betr.'

Helgi mælti: 'Gøru vér sem faðir várr vill; þat mun oss
bezt gegna.'

'Eigi veit ek þat víst', segir Skarpheðinn, 'því at hann er
nú feigr. En vel má ek gøra þat til skaps fǫður míns at
190 brenna inni með honum, því at ek hræðumk ekki dauða
minn.' Hann mælti þá við Kára: 'Fylgjumk vér vel, mágr,
svá at engi várr skili við annan.'

'Þat hefi ek ætlat', segir Kári, 'en ef annars verðr auðit, þá
mun þat verða fram at koma, ok mun ekki mega við því gøra.'

195 'Hefn þú vár, en vér skulum þín', segir Skarpheðinn, 'ef
vér lifum eptir.'

Kári kvað svá vera skyldu. Gengu þeir þá inn allir ok
skipuðusk í dyrrin.

Flosi mælti: 'Nú eru þeir feigir, er þeir hafa inn gengit.
200 Skulu vér nú heim ganga sem skjótast ok skipask sem
þykkvast fyrir dyrrin ok geyma þess at engi komisk í braut,
hvártki Kári né Njálssynir, ella er þat várr bani.'

Þeir Flosi kómu nú heim ok skipuðusk umhverfis húsin, ef nǫkkurar væri laundyrr á. Flosi gekk framan at húsunum ok hans menn. Hróaldr Ǫzurarson hljóp þar at sem Skarpheð- 205 inn var fyrir ok lagði til hans. Skarpheðinn hjó spjótit af skapti fyrir honum ok hjó til hans, ok kom øxin í skjǫldinn, ok bar at Hróaldi þegar allan skjǫldinn, en hyrnan sú in fremri tók andlitit, ok fell hann á bak aptr ok þegar dauðr.

Kári mælti: 'Lítt dró enn undan við þik, Skarpheðinn, ok 210 ertu vár frœknastr.'

'Eigi veit ek þat', segir Skarpheðinn, ok brá við grǫnum ok glotti at. Þeir Kári ok Grímr ok Helgi lǫgðu út mǫrgum spjótum ok særðu marga menn, en þeir Flosi gátu ekki at gǫrt. 215

Flosi mælti: 'Vér hǫfum fengit mikinn skaða á mǫnnum várum: eru margir sárir, en sá veginn er vér myndim sízt til kjósa. Nú er þat sét at vér getum þá eigi með vápnum sótta. Er nú sá margr er eigi gengr jafnskǫruliga at sem létu, en þó munu vér nú verða at gøra annat ráð fyrir oss. 220 Eru nú tveir kostir til, ok er hvárgi góðr, sá annarr, at hverfa frá — ok er þat várr bani; hinn annarr, at bera at eld ok brenna þá inni, ok er þat stórr ábyrgðarhlutr fyrir Guði, er vér erum Kristnir sjálfir; ok munu vér láta taka eld sem skjótast.' 225

Þeir tóku nú eld ok gørðu bál mikit fyrir durunum.

Þá mælti Skarpheðinn, 'Eld kveykvi þér nú, sveinar! hvárt skal nú búa til seyðis?'

Grani Gunnarsson svaraði: 'Svá skal þat vera, ok skalt þú eigi þurfa heitara at baka.' 230

Skarpheðinn mælti: 'Því launar þú mér, sem þú ert maðr til, er ek hefnda fǫður þíns, ok virðir þat meira er þér er óskyldara.'

Þá báru konur sýru í eldinn ok sløkðu fyrir þeim.

Kolr Þorsteinsson mælti til Flosa: 'Ráð kømr mér í hug. 235 Ek hefi sét lopt í skálanum á þvertrjám, ok skulu vér þar inn

bera eldinn ok kveykva við arfasátu þá er hér stendr fyrir
ofan húsin.'

Síðan tóku þeir arfasátuna ok báru þar í eld. Fundu þeir
240 eigi fyrr, er inni váru, en logaði ofan allr skálinn. Gørðu
þeir Flosi þá stór bál fyrir ǫllum durum. Tók þá kvenna-
liðit illa at þola, þat er inni var.

Njáll mælti til þeira: 'Verðið vel við ok mæliò eigi æðru,
því at él eitt mun vera, ok skyldi langt til annars slíks. Trúi
245 þér ok því, at Guð er miskunnsamr, ok mun hann oss eigi
láta brenna bæði þessa heims ok annars.'

Slíkar fortǫlur hafði hann fyrir þeim ok aðrar hraustligri.
Nú taka ǫll húsin at loga. Þá gekk Njáll til dura ok mælti:
'Er Flosi svá nær at hann megi heyra mál mitt?'
250 Flosi kvazk heyra mega.

Njáll mælti: 'Vill þú nǫkkut taka sættum við sonu mína
eða leyfa nǫkkurum mǫnnum útgǫngu?'

Flosi svarar: 'Eigi vil ek taka sættum við sonu þína, ok
skal nú yfir lúka með oss ok eigi frá ganga fyrr en þeir eru
255 allir dauðir, en lofa vil ek útgǫngu konum ok bǫrnum ok
húskǫrlum.'

Njáll gekk þá inn ok mælti við fólkit: 'Nú er þeim út at
ganga ǫllum er leyft er. Ok gakk þú út, Þórhalla Ásgríms-
dóttir, ok allr lýðr með þér, sá er lofat er.'
260 Þórhalla mælti: 'Annarr verðr nú skilnaðr okkarr Helga
en ek ætlaða um hríð, en þó skal ek eggja fǫður minn ok
brœðr at þeir hefni þessa mannskaða er hér er gǫrr.'

Njáll mælti: 'Vel mun þér fara, því at þú ert góð kona.'

Síðan gekk hon út ok mart lið með henni. Ástríðr af
265 Djúpárbakka mælti við Helga Njálsson: 'Gakk þú út með
mér, ok mun ek kasta yfir þik kvenskikkju ok falda þik með
hǫfuðdúki.'

Hann talðisk undan fyrst, en þó gørði hann þetta fyrir
bœn þeira. Ástríðr vafði hǫfuðdúki at hǫfði honum, en Þórhildr
270 lagði yfir hann skikkjuna, ok gekk hann út á meðal þeira.

Þá gekk út Þorgerðr Njálsdóttir ok Helga, systir hennar, ok mart annat fólk. En er Helgi kom út, þá mælti Flosi: 'Sú er há kona ok mikil um herðar er þar fór. Takið hana ok haldið henni.'

En er Helgi heyrði þetta, kastaði hann skikkjunni; hann 275 hafði haft sverð undir hendi sér ok hjó til manns ok kom í skjǫldinn ok af sporðinn ok fótinn af manninum. Þá kom Flosi at ok hjó á háls Helga, svá at þegar tók af hǫfuðit.

Flosi gekk þá at durum ok mælti at Njáll skyldi ganga til tals við hann ok Bergþóra. Njáll gørði svá. Flosi mælti: 280 'Útgǫngu vil ek þér bjóða, því at þú brennr ómakligr inni.'

Njáll mælti: 'Eigi vil ek út ganga, því at ek em maðr gamall ok em ek lítt til búinn at hefna sona minna, en ek vil eigi lifa með skǫmm.'

Flosi mælti til Bergþóru: 'Gakk þú út, húsfreyja, því at 285 ek vil þik fyrir engan mun inni brenna.'

Bergþóra mælti: 'Ek var ung gefin Njáli; hefi ek því heitit honum at eitt skyldi ganga yfir okkr bæði.'

Síðan gengu þau inn bæði.

Bergþóra mælti: 'Hvat skulu vit nú til ráða taka?'   290

'Ganga munu vit til hvílu okkarrar', segir Njáll, 'ok leggjask niðr'.

Hon mælti þá við sveininn Þórð Kárason: 'Þik skal út bera, ok skalt þú eigi inni brenna.'

'Hinu hefir þú mér heitit, amma', segir sveinninn, 'at vit 295 skyldim aldri skilja, ok svá skal vera. En mér þykkir miklu betra at deyja með ykkr en lifa eptir.' Síðan bar hon sveininn til hvílunnar.

Njáll mælti við brytja sinn: 'Nú skalt þú sjá hvar vit leggjumk niðr ok hversu ek bý um okkr, því at ek ætla heðan 300 hvergi at hrœrask, hvárt sem mér angrar reykr eða bruni. Mátt þú nú nær geta hvar beina okkarra er at leita.'

Hann sagði at svá skyldi vera. Uxa einum hafði slátrat verit ok lá þar húðin. Njáll mælti við brytjann at hann

305 skyldi breiða yfir þau húðina, ok hann hét því. Þau leggjask
nú niðr bæði í rúmit ok leggja sveininn í millum sín; þá
signdu þau sik ok sveininn ok fálu ǫnd sína Guði á hendi ok
mæltu þat síðast svá at menn heyrði. Þá tók brytinn húðina
ok breiddi yfir þau ok gekk út síðan. Ketill ór Mǫrk tók í
310 mót honum ok kipði honum út; hann spurði vandliga at
Njáli mági sínum, en hann sagði alt it sanna. Ketill mælti:
'Mikill harmr er at oss kveðinn, er vér skulum svá mikla
ógæfu saman eiga.'

Skarpheðinn hafði sét, er faðir hans hafði niðr lagizk ok
315 hversu hann hafði um sik búit. Hann mælti þá: 'Snimma ferr
faðir várr í rekkju, ok er þat sem ván er: hann er maðr gamall.'

Þá tóku þeir Skarpheðinn ok Kári ok Grímr brandana
jafnskjótt sem ofan duttu ok skutu út á þá ok gekk því um
hríð. Þá skutu þeir spjótum inn at þeim, en þeir tóku ǫll á
320 lopti ok sendu út aptr. Flosi bað þá hætta at skjóta, 'því at
oss munu ǫll vápnaskipti þungt ganga við þá. Megu þér vel
bíða þess er eldrinn vinnr þá.' Þeir gøra nú svá. Þá fellu
ofan stórviðirnir ór ræfrinu.

Skarpheðinn mælti: 'Nú mun faðir minn dauðr vera, ok
325 hefir hvártki heyrt til hans styn né hósta.'

Síðan gengu þeir í skálaendann; þar var fallit ofan
þvertréit ok brunnit mjǫk í miðju. Kári mælti til Skarpheð-
ins: 'Hlaup þú hér út, ok mun ek beina at með þér, en ek
mun hlaupa þegar eptir, ok munu vit báðir í braut komask ef
330 vit breytum svá, því af hingat leggr allan reykinn.'

Skarpheðinn mælti: 'Þú skalt hlaupa fyrri, en ek mun
þegar á hæla þér.'

'Ekki er þat ráð', segir Kári, 'því at ek má vel komask
annars staðar út, þó at hér gangi eigi.'

335 'Eigi vil ek þat', segir Skarpheðinn, 'hlaup þú út fyrri, en
ek mun þegar eptir.'

Kári mælti: 'Þat er hverjum manni boðit at leita sér lífs
meðan kostr er, ok skal ok svá gøra. En þó mun nú sá

skilnaðr með okkr verða at vit munum aldri sjásk síðan, því
at ef ek hleyp út ór eldinum, þá mun ek eigi hafa skap til at 340
hlaupa inn aptr í eldinn til þín, ok mun þá sína leið fara
hvárr okkarr.'

'Þat hlœgir mik', segir Skarpheðinn, 'ef þú kømsk í braut,
mágr, at þú munt hefna vár.'

Þá tók Kári einn stokk loganda í hǫnd sér ok hleypr út 345
eptir þvertrénu; sløngvir hann þá stokkinum út af þekjunni,
ok fell hann ofan at þeim er úti váru fyrir. Þeir hljópu
þá undan. Þá loguðu klæðin ǫll á Kára ok svá hárit. Hann
steypir sér þá út af þekjunni ok stiklar svá með reykinum. Þá
mælti einn maðr er þar var næstr: 'Hvárt hljóp þar maðr 350
út af þekjunni?

'Fjarri fór þat', sagði annarr, 'ok kastaði Skarpheðinn
þar eldistokki at oss.'

Síðan grunuðu þeir þat ekki. Kári hljóp til þess er hann
kom at lœk einum ok kastaði sér í ofan ok sløkði á sér eldinn. 355
Þaðan hljóp hann með reykinum í gróf nǫkkura ok hvíldi sik,
ok er þat síðan kǫlluð Káragróf.

VIII

GRETTIS SAGA

The following episode of *Grettis saga* is of special interest to the
English student as being originally the same story as Beowulf's fight
with Grendel. It was a traditional folk-tale, which took characteristic
form in the two literatures: in *Beowulf* it is told in epic style; in the
saga it is shorter, more direct and realistic. Grettir the Strong was an
historic Icelandic outlaw who lived 996–1031; the composition of the
saga in its final form belongs to the end of the thirteenth or beginning
of the fourteenth century. Whether popular tradition or the author
added the fight with Glám and the later fight with the troll-wife
(which is the same story as Beowulf's fight with Grendel's mother)
cannot be determined. The Glám episode is dramatically of great
importance in the saga, for it was Glám's curse that doomed Grettir
to the misery of outlawry; and his fear of the dark that came on him
after the fight was the worst trouble of his tragic career. He could not
bear to live alone, nor could he find a comrade who could be trusted.
Glám himself is a typical Icelandic 'ghost', more material than the
ghosts of English tradition; more accurately, he is one of the 'undead'.
It is the actual body of the dead thrall that walks, but possessed of
more than human strength. The ghostly habit of 'riding the house-
top' may have been suggested originally by the cattle of Iceland getting
on the turf roof to nibble the grass—if indeed such beliefs ever have
a rational explanation.

There are four vellum manuscripts of Grettis saga, all of the fifteenth
century; of these AM 556 a, 4° and AM 551, 4° are the best. Edited
by R. C. Boer, in *An. Sb.*, 1900, and by G. Jónsson in *Íslenzk Fornrit*,
vii, 1936.

GRETTIR'S FIGHT WITH GLÁM, A.D. 1014

Grettir reið á Þórhallsstaði, ok fagnaði bóndi honum vel.
Hann spurði hvert Grettir ætlaði at fara; en hann segisk þar
vilja vera um nóttina, ef bónda líkaði at svá væri. Þórhallr
kvazk þǫkk fyrir kunna at hann væri þar, 'en fám þykkir
5 slœgr til at gista hér um tíma. Muntu hafa heyrt getit um
hvat hér er at væla. En ek vilda gjarna at þú hlytir engi
vandræði af mér. En þó at þú komisk heill á brott, þá veit

ek fyrir víst at þú missir hests þins, því engi heldr hér heilum
sínum fararskjóta, sá er kømr.'

Grettir kvað gott til hesta, hvat sem af þessum yrði.   10

Þórhallr varð glaðr við, er Grettir vildi þar vera, ok tók
við honum báðum hǫndum. Var hestr Grettis læstr í húsi
sterkliga. Þeir fóru til svefns, ok leið svá af nóttin, at ekki
kom Glámr heim.

Þá mælti Þórhallr: 'Vel hefir brugðit við þína kvámu, því   15
at hverja nótt er Glámr vanr at ríða húsum eða brjóta upp
hurðir, sem þú mátt merki sjá.'

Grettir mælti: 'Þá mun vera annathvárt, at hann mun ekki
lengi á sér sitja, eða mun af venjask meirr en eina nótt. Skal
ek vera hér nótt aðra ok sjá hversu ferr.'   20

Síðan gengu þeir til hests Grettis ok var ekki við hann
glezk. Alt þótti bónda at einu fara. Nú er Grettir þar aðra
nótt, ok kom ekki þrællinn heim. Þá þótti bónda mjǫk vænk-
ask. Fór hann þá at sjá hest ·Grettis. Þá var upp brotit
húsit, er bóndi kom til, en hestrinn dreginn til dyra útar ok   25
lamit í sundr í honum hvert bein.

Þórhallr sagði Gretti hvar þá var komit ok bað hann forða
sér, 'Því at víss er dauðinn ef þú bíðr Gláms.'

Grettir svarar: 'Eigi má ek minna hafa fyrir hest minn en
at sjá þrælinn.'   30

Bóndi sagði at þat var eigi bati at sjá hann, 'því at hann
er ólíkr nǫkkurri mannligri mynd; en góð þykki mér hver sú
stund, er þú vill hér vera.'

Nú líðr dagrinn, ok er menn skyldu fara til svefns, vildi
Grettir eigi fara af klæðum, ok lagðisk niðr í setit gegnt   35
lokrekkju bónda. Hann hafði rǫggvarfeld yfir sér ok knepti
annat skautit niðr undir fœtr sér, en annat snaraði hann undir
hǫfuð sér, ok sá út um hǫfuðsmáttina. Setstokkr var fyrir
framan setit, mjǫk sterkr, ok spyrndi hann þar í. Dyraum-
búningrinn allr var frá brotinn útidurunum, en nú var þar fyrir   40
bundinn hurðarflaki, ok óvendiliga um búit. Þverþilit var alt

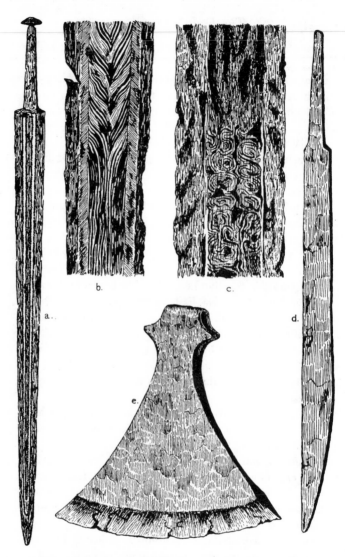

Norse Weapons. *a.* Typical Norse sword. *b, c.* Damascened
sword-blades. *d.* Sax. *e.* Axe-head

brotit frá skálanum, þat sem þar fyrir framan hafði verit, bæði
fyrir ofan þvertréit ok neðan. Sængr allar váru ór stað
fœrðar. Heldr var þar óvistuligt.

Ljós brann í skálanum um nóttina. Ok er af mundi 45
þriðjungr af nótt, heyrði Grettir út dunur miklar. Var þá
farit upp á húsin ok riðit skálanum ok barit hælunum, svá at
brakaði í hverju tré. Því gekk lengi; þá var farit ofan af
húsunum ok til dura gengit. Ok er upp var lokit hurðunni,
sá Grettir at þrællinn rétti inn hǫfuðit, ok sýndisk honum 50
afskræmiliga mikit ok undarliga stórskorit. Glámr fór seint
ok réttisk upp, er hann kom inn í dyrnar. Hann gnæfði
ofarliga við ræfrinu. Snýr at skálanum ok lagði handleggina
upp á þvertréit ok gægðisk inn yfir skálann. Ekki lét bóndi
heyra til sín, því at honum þótti œrit um, er hann heyrði hvat 55
um var úti. Grettir lá kyrr ok hrœrði sik hvergi. Glámr sá
at hrúga nǫkkur lá í setinu, ok rézk nú innar eptir skálanum
ok þreif í feldinn stundar fast. Grettir spyrndi í stokkinn ok
gekk því hvergi. Glámr hnykti í annat sinn miklu fastara,
ok bifaðisk hvergi feldrinn. Í þriðja sinn þreif hann í með 60
báðum hǫndum svá fast at hann rétti Gretti upp ór setinu;
kiptu nú í sundr feldinum í millum sín.

Glámr leit á slitrit er hann helt á, ok undraðisk mjǫk hverr
svá fast mundi togask við hann. Ok í því hljóp Grettir undir
hendr honum ok þreif um hann miðjan ok spenti á honum 65
hrygginn sem fastast gat hann, ok ætlaði hann at Glámr skyldi
kikna við. En þrællinn lagði at handleggjum Grettis svá fast
at hann hǫrfaði allr fyrir orku sakir. Fór Grettir þá undan í
ýmis setin. Gengu þá frá stokkarnir, ok alt brotnaði þat sem
fyrir varð. Vildi Glámr leita út, en Grettir fœrði við fœtr 70
hvar sem hann mátti. En þó gat Glámr dregit hann fram ór
skálanum. Áttu þeir þá allharða sókn, því at þrællinn ætlaði
at koma honum út ór bœnum; en svá ilt sem at eiga var við
Glám inni, þá sá Grettir at þó var verra at fásk við hann úti,
ok því brauzk hann í móti af ǫllu afli at fara út. Glámr 75

færðisk í aukana ok knepti hann at sér, er þeir kómu í and-
dyrit. Ok er Grettir sér at hann fekk eigi við spornat, hefir
hann alt eitt atriðit at hann hleypr sem harðast í fang þræln-
um ok spyrnir báðum fótum í jarðfastan stein, er stóð í
80 durunum. Við þessu bjósk þrællinn eigi; hann hafði þá
togazk við at draga Gretti at sér, ok því kiknaði Glámr á bak
aptr ok rauk ǫfugr út á dyrnar, svá at herðarnar námu upp-
dyrit ok ræfrit gekk í sundr, bæði viðirnir ok þekjan frerin;
fell hann svá opinn ok ǫfugr út ór húsinu, en Grettir á hann
85 ofan.

Tunglskin var mikit úti ok gluggaþykkn; hratt stundum
fyrir, en stundum dró frá. Nú í því er Glámr fell, rak skýit
frá tunglinu, en Glámr hvesti augun upp í móti. Ok svá hefir
Grettir sagt sjálfr, at þá eina sýn hafi hann sét svá at honum
90 brygði við. Þá sigaði svá at honum af ǫllu saman, mœði ok
því, er hann sá at Glámr gaut sínum sjónum harðliga, at hann
gat eigi brugðit saxinu, ok lá náliga í milli heims ok heljar.
En því var meiri ófagnaðarkraptr með Glámi en flestum
ǫðrum aptrgǫngumǫnnum, at hann mælti þá á þessa leið:
95 'Mikit kapp hefir þú á lagit, Grettir', segir hann, 'at finna
mik. En þat mun eigi undarligt þykkja, þó at þú hljótir
ekki mikit happ af mér. En þat má ek segja þér, at þú
hefir nú fengit helming afls þess ok þroska er þér var ætlaðr,
ef þú hefðir mik ekki fundit. Nú fæ ek þat afl eigi af þér
100 tekit er þú hefir áðr hrept, en því má ek ráða, at þú verðr
aldri sterkari en nú ertu, ok ertu þó nógu sterkr, ok at því
mun mǫrgum verða. Þú hefir frægr orðit hér til af verkum
þínum; en heðan af munu falla til þín sektir ok vígaferli, en
flest ǫll verk þín snúask þér til ógæfu ok hamingjuleysis.
105 Þú munt verða útlægr gǫrr ok hljóta jafnan úti at búa einn
samt. Þá legg ek þat á við þik, at þessi augu sé þér jafnan
fyrir sjónum sem ek ber eptir, ok mun þér erfitt þykkja einum
at vera; ok þat mun þér til dauða draga.'

Ok sem þrællinn hafði þetta mælt, þá rann af Gretti ómegin,

þat sem á honum hafði verit. Brá hann þá saxinu ok hjó 110
hǫfuð af Glámi ok setti þat við þjó honum. Bóndi kom þá
út, ok hafði klæzk á meðan Glámr lét ganga tǫluna; en hvergi
þorði hann nær at koma fyrr en Glámr var fallinn. Þórhallr
lofaði Guð fyrir ok þakkaði vel Gretti, er hann hafði unnit
þenna óhreina anda.   115

Fóru þeir þá til ok brendu Glám at kǫldum kolum. Eptir
þat báru þeir ǫsku hans í eina hít ok grófu þar niðr, sem sízt
váru fjárhagar eða mannavegir; gengu heim eptir þat ok var
þá mjǫk komit at degi. Lagðisk Grettir niðr, því at hann
var stirðr mjǫk. Þórhallr sendi menn á næstu bœi eptir 120
mǫnnum, sýndi ok sagði hversu farit hafði. Ǫllum þótti
mikils um vert um þetta verk, þeim er heyrðu. Var þat þá
almælt at engi væri þvílíkr maðr á ǫllu landinu fyrir afls
sakir ok hreysti ok allrar atgørvi sem Grettir Ásmundarson.

Þórhallr leysti Gretti vel af garði ok gaf honum góðan hest 125
ok klæði sœmilig, því þau váru ǫll sundr leyst er hann hafði
áðr borit. Skildu þeir með vináttu. Reið Grettir þaðan í
Ás í Vatnsdal, ok tók Þorvaldr við honum vel ok spurði
inniliga at sameign þeira Gláms, en Grettir segir honum
viðskipti þeira ok kvazk aldri í þvílíka aflraun komit hafa, 130
svá langa viðreign sem þeir hǫfðu saman átt.

Þorvaldr bað hann hafa sik spakan, 'ok mun þá vel duga,
en ella mun þér slysgjarnt verða'.

Grettir kvað ekki batnat hafa um lyndisbragðit ok sagðisk
nú miklu verr stiltr en áðr, ok allar mótgørðir verri þykkja. 135
Á því fann hann mikla muni, at hann var orðinn maðr svá
myrkfælinn at hann þorði hvergi at fara einn saman, þegar
myrkva tók. Sýndisk honum þá hvers kyns skrípi. Ok þat
er haft síðan fyrir orðtœki at þeim ljái Glámr augna eðr gefi
Glámsýni, er mjǫk sýnisk annan veg en er. Grettir reið 140
heim til Bjargs, er hann hafði gǫrt ørendi sín ok sat heima um
vetrinn.

EGILS SAGA SKALLAGRÍMSSONAR

EGIL SKALLAGRÍMSON was one of the greatest of the Icelandic skalds, and we have his life told in one of the greatest of the sagas. Many scholars believe that the author of the saga was Snorri Sturlason, who lived at Borg, Egil's old home in the west of Iceland, from 1201–6; and it was shortly after that time that the saga is thought to have been written (c. 1220). Whoever the author was, he had a gift for clear and vivid narrative, and was well informed of northern history.

Egil was a notable adventurer and fighter, even among Icelanders. It was his readiness to hit out that won for him the hatred of Eirík Blóðøx, son of king Harald Hárfagri, who came so near to taking Egil's life at York. In the first place Egil had slain one of Eirík's farm-stewards, when Eirík himself was under the same roof; the steward had tried to poison Egil because he was drinking up the whole stock of ale in the house. On a second voyage to Norway Egil sued one of Eirík's friends at Gulaþing, but was driven away by Eirík and his men. In revenge Egil soon afterwards slew the man he had sued and a young son of Eirík's as well.

Though the saga gives a brilliant portrait of Egil the adventurer, it hardly does justice to Egil the poet; the author was more interested in the situations that induced Egil to compose than in the poems them-selves. Yet we must be grateful to him for such a memorable passage as that which describes Egil's grief after the drowning of his son, when he determined to end his life, and would not eat, until his daughter tricked him into it. Then, at her request, he put his grief into a poem, the *Sonatorrek*, and it is his masterpiece.

In telling the story of how Egil produced *Hǫfuðlausn* the saga writer was doubtless justified in being more interested in the story. *Hǫfuðlausn* is a brilliant technical achievement, but is not to be counted among Egil's best work. The force of the battle description is diluted with vagueness: the poem might have referred to any group of viking fights, whereas it was intended to describe those of Eirík's career.

On a voyage to England Egil had become the liegeman of King Æþelstan and fought for him at Brunanburh against the confederacy of Northmen and Scots. Some time later, when he had returned to Iceland from his second voyage to Norway, it was said that Gunnhild, Eirík's queen, had a spell worked, so that Egil should have no peace until she looked on him again. Accordingly, Egil became restless and sailed for England, not knowing that Eirík had become king at York. His ship was wrecked at the mouth of the Humber, and then he heard that Eirík was ruling that district, but, also, that his friend Arinbjǫrn was with the king. He thought he would be too easily recognized to escape from Eirík's kingdom, and set out boldly for York to seek Arinbjǫrn's help. Here the following extract begins.

The chronology of this episode in the saga is faulty. If we reckon from the year Eirík left Norway, Egil's adventure at York was in 936; yet the saga represents it as later than Brunanburh, fought in 937. Nor is it known that Eirík was king in Northumbria in 936; it was probably in 947 or 948 that he was first established there, and in 948 that Egil composed *Hǫfuðlausn* for him.

Egils saga is preserved in two vellum manuscripts—*Mǫðruvallabók* and the Wölfenbüttel MS. (from the middle of the fourteenth century) —and in several paper manuscripts, the most important of which is AM 453 quarto (seventeenth century), the fullest text of the saga. There are several fragments of other vellum copies, one of which, AM 162 A θ fol., dates from about 1250. Edited by F. Jónsson in An. Sb., 2nd ed., 1924, and by S. Nordal in *Íslenzk Fornrit*, ii, 1933.

EGIL AT YORK

Kom hann þar at kveldi dags ok reið hann þegar í borgina. Hann hafði síðan hatt yfir hjálmi ok alvæpni hafði hann. Egill spurði hvar garðr sá væri í borginni er Arinbjǫrn átti. Honum var þat sagt. Hann reið þangat í garðinn. En er hann kom at stofunni, steig hann af hesti sínum ok hitti mann 5 at máli. Var honum þá sagt at Arinbjǫrn sat yfir matborði. Egill mælti: 'Ek vilda, góðr drengr, at þú gengir inn í stofuna, ok spyr Arinbjǫrn hvárt hann vill heldr úti eða inni tala við Egil Skallagrímsson.'

Sá maðr segir, 'Þat er mér lítit starf at reka þetta ørendi'. 10 Hann gekk inn í stofuna ok mælti stundar hátt: 'Maðr er hér kominn úti fyrir durum', segir hann, 'mikill sem trǫll, en sá bað mik ganga inn ok spyrja hvárt þú vildir úti eða inni tala við Egil Skallagrímsson'.

Arinbjǫrn segir, 'Gakk ok bið hann bíða úti, ok mun hann 15 eigi lengi þurfa.'

Hann gørði sem Arinbjǫrn mælti, gekk út ok sagði sem mælt var við hann. Arinbjǫrn bað taka upp borðin; síðan gekk hann út ok allir húskarlar hans með honum. Ok er Arinbjǫrn

20 hitti Egil, heilsaði hann honum ok spurði hví hann var
þar kominn. Egill segir í fám orðum it ljósasta af um ferð
sína—'en nú skaltu fyrir sjá hvert ráð ek skal taka, ef þú
vilt nǫkkut lið veita mér.'
'Hefir þú nǫkkura menn hitt í borginni', segir Arinbjǫrn,
25 'þá er þik muni kent hafa, áðr þú komt hér í garðinn?'
'Engi', segir Egill.
'Taki menn þá vápn sín', segir Arinbjǫrn.
Þeir gørðu svá, ok er þeir váru vápnaðir ok allir húskarlar
Arinbjarnar, þá gekk hann í konungsgarð. En er þeir kómu
30 til hallar, þá klappaði Arinbjǫrn á durum ok bað upp láta ok
segir hverr þar var. Dyrverðir létu þegar upp hurðina.
Konungr sat yfir borðum. Arinbjǫrn bað þá ganga inn tólf
menn, nefndi til þess Egil ok tíu men aðra—'nú skaltu,
Egill, fœra Eiríki konungi hǫfuð þitt ok taka um fót honum,
35 en ek mun túlka mál þitt.'
Síðan ganga þeir inn. Gekk Arinbjǫrn fyrir konung ok
kvaddi hann. Konungr fagnaði honum ok spurði hvat er
hann vildi. Arinbjǫrn mælti: 'Ek fylgi hingat þeim manni
er kominn er um langan veg at sœkja yðr heim ok sættask
40 við yðr; er yðr þat vegr mikill, herra, er óvinir yðrir fara
sjálfviljandi af ǫðrum lǫndum ok þykkjask eigi mega bera
reiði yðra, þó at þér séð hvergi nær. Láttu þér nú verða
hǫfðingliga við þenna mann; lát hann fá af þér sætt góða
fyrir þat er hann hefir gǫrt veg þinn svá mikinn sem nú má
45 sjá, farit yfir mǫrg hǫf ok torleiði heiman frá búum sínum.
Bar honum enga nauðsyn til þessar farar, nema góðvili við
yðr.'
Þá litaðisk konungr um ok sá hann fyrir ofan hǫfuð
mǫnnum hvar Egill stóð ok hvesti augun á hann ok mælti:
50 'Hví ertu svá djarfr, Egill, at þú þorðir at fara á fund minn?
Leystisk þú svá heðan næstum at þér var engi ván lífs
af mér.'
Þá gekk Egill at borðinu ok tók um fót konungi. Eiríkr

konungr sagði, 'Ekki þarf ek at telja upp sakar á hendr þér,
en þó eru þær svá margar ok stórar at ein hver má vel endask 55
til, at þú komir aldri heðan lífs. Áttu engis annars af ván
en þú munt hér deyja skulu. Máttir þú þat vita áðr, at þú
mundir enga sætt af mér fá.'

Gunnhildr mælti: 'Hví skal eigi þegar drepa Egil, eða
mantu eigi nú, konungr, hvat Egill hefir gort?—drepit vini 60
þína ok frændr ok þar á ofan son þinn, en nítt sjálfan þik,
eða hvar viti menn slíku belt við konungmann?'

Arinbjorn segir, 'Ef Egill hefir mælt illa til konungs, þá
má hann þat bœta í lofsorðum þeim er allan aldr megi uppi
vera.'   65

Gunnhildr mælti: 'Vér viljum ekki lof hans heyra. Láttu,
konungr, leiða Egil út ok hoggva hann. Vil ek eigi heyra
orð hans ok eigi sjá hann.'

Þá mælti Arinbjorn: 'Eigi mun konungr láta at eggjask
um oll níðingsverk þín. Eigi mun hann láta Egil drepa í 70
nótt, því at náttvíg eru morðvíg.'

Konungr segir, 'Svá skal vera, Arinbjorn, sem þú biðr, at
Egill skal lifa í nótt; hafðu hann heim með þér ok fœr mér
hann á morgin.'

Arinbjorn þakkaði konungi orð sín—'væntu vér, herra, at 75
heðan af muni skipask . mál Egils á betri leið. En þó at
Egill hafi stórt til saka gort við yðr, þá líti þér á þat, at hann
hefir mikils mist fyrir yðrum frændum. Haraldr konungr,
faðir þinn, tók af lífi ágætan mann, Þórólf, foðurbróður hans,
af rógi vándra manna, en af engum sokum; en þér, konungr, 80
brutuð log á Agli sakar Berg-Onundar; en þar á ofan vildu
þér hafa Egil at dauðamanni ok drápuð menn af honum, en
ræntuð hann fé ollu, ok þar á ofan gorðu þér hann útlaga ok
rákuð hann af landi; en Egill er engi ertingamaðr. En hvert
mál er maðr skal dœma, verðr at líta á tilgorðir. Ek mun 85
nú', segir Arinbjorn, 'hafa Egil með mér í nótt heim í garð
minn.'

Var nú svá; ok er þeir kómu í garðinn, þá ganga þeir
tveir í lopt nǫkkut lítit ok rœða um þetta mál. Segir Arin-
90 bjǫrn svá: 'Allreiðr var konungr nú, en heldr þótti mér
mýkjask skaplyndi hans nǫkkut, áðr létti, ok mun nú
hamingja skipta hvat upp kømr. Veit ek at Gunnhildr mun
allan hug á leggja at spilla þínu máli. Nú vil ek þat ráð
gefa, at þú vakir í nótt ok yrkir lofkvæði um Eirík konung;
95 þœtti mér þá vel, ef þat yrði drápa tvítug ok mættir þú
kveða á morgin, er vit komum fyrir konung. Svá gørði
Bragi, frændi minn, þá er hann varð fyrir reiði Bjarnar
Svíakonungs, at hann orti drápu tvítuga um hann eina nótt,
ok þá þar fyrir hǫfuð sitt. Nú mætti vera at vér bærim
100 gæfu til við konung svá at þér kœmi þat í frið við konung.'

Egill segir, 'Freista skal ek þessa ráðs, er þú vill, en ekki
hefi ek við því búizk, at yrkja lof um Eirík konung.'

Arinbjǫrn bað hann freista. Síðan gekk hann brott til
manna sinna; sátu þeir at drykkju til miðrar nætr. Þá gekk
105 Arinbjǫrn til svefnhúss ok sveit hans, ok áðr hann afklæddisk,
gekk hann upp í loptit til Egils ok spurði hvat þá liði um
kvæðit. Egill segir at ekki var ort—'hefir hér setit svala ein
við glugginn ok klakat í alla nótt, svá at ek hefi aldregi beðit
ró fyrir.'

110 Síðan gekk Arinbjǫrn á brott ok út um dyrr þær er ganga
mátti upp á húsit, ok settisk við glugg þann á loptinu, er
fuglinn hafði áðr við setit. Hann sá hvar hamhleypa nǫkkur
fór annan veg af húsinu. Arinbjǫrn sat þar við glugginn
alla nóttina, til þess er lýsti. En síðan er Arinbjǫrn hafði
115 þar komit, þá orti Egill alla drápuna, ok hafði fest svá at
hann mátti kveða um morgininn, þá er hann hitti Arinbjǫrn.
Þeir heldu vǫrð á, nær tími mundi vera at hitta konung.

Eiríkr konungr gekk til borða at vanda sínum, ok var þá
fjǫlmenni mikit með honum. Ok er Arinbjǫrn varð þess
120 varr, þá gekk hann með alla sveit sína alvápnaða í konungs-
garð, þá er konungr sat yfir borðum. Arinbjǫrn krafði sér

inngǫngu í hǫllina; honum var þat ok heimult gǫrt. Ganga
þeir Egill inn með helming sveitarinnar; annarr helmingr
stóð úti fyrir durum. Arinbjǫrn kvaddi konung, en konungr
fagnaði honum vel. Arinbjǫrn mælti, 'Nú er hér kominn 125
Egill; hefir hann ekki leitat til brotthlaups í nótt. Nú viljum
vér vita, herra, hverr hans hluti skal verða. Vænti ek góðs af
yðr; hefi ek þat gǫrt, sem vert var, at ek hefi engan hlut til
þess sparat, at gøra ok mæla svá at yðvarr vegr væri þá meiri
en áðr. Hefi ek ok látit allar mínar eigur ok frændr ok vini 130
er ek átta í Nóregi, ok fylgt yðr, en allir lendir menn yðrir
skildusk við yðr; ok er þat makligt, því at þú hefir marga
hluti til mín stórvel gǫrt.'

Þá mælti Gunnhildr: 'Hættu, Arinbjǫrn, ok tala ekki svá
langt um þetta. Mart hefir þú vel gǫrt við Eirík konung, ok 135
hefir hann þat fullu launat; er þér miklu meiri vandi á við
Eirík konung en Egil. Er þér þess ekki biðjanda, at Egill
fari refsingalaust heðan af fundi Eiríks konungs, slíkt sem
hann hefir til saka gǫrt.'

Þá segir Arinbjǫrn, 'Ef þú, konungr, ok þit Gunnhildr hafið 140
þat einráðit, at Egill skal hér enga sætt fá, þá er þat dreng-
skapr, at gefa honum frest ok fararleyfi um viku sakar, at hann
forði sér, þó hefir hann at sjálfvilja sínum farit hingat á fund
yðvarn, ok vænti sér af því friðar. Fara þá enn skipti yður,
sem verða má þaðan frá.'   145

Gunnhildr mælti: 'Sjá kann ek á þessu, Arinbjǫrn, at þú
ert hollari Agli en Eiríki konungi. Ef Egill skal ríða heðan
viku í brott í friði, þá mun hann kominn til Aðalsteins
konungs á þessi stundu. En Eiríkr konungr þarf nú ekki at
dyljask í því, at honum verða nú allir konungar ofreflismenn, 150
en fyrir skǫmmu mundi þat ekki glíkligt, at Eiríkr konungr
mundi eigi hafa til þess vilja ok atferð, at hefna harma sinna
á hverjum manni slíkum sem Egill er.'

Arinbjǫrn segir, 'Engi maðr mun Eirík kalla at meira
mann, þó at hann drepi einn bóndason útlendan, þann er 155

gengit hefir á vald hans. En ef hann vill miklask af þessu,
þá skal ek þat veita honum, at þessi tíðindi skulu heldr
þykkja frásagnarverð, því at vit Egill munum nú veitask at,
svá at jafnsnimma skal okkr mœta báðum. Muntu, konungr,
160 þá dýrt kaupa líf Egils, um þat er vér erum allir at velli
lagðir, ek ok sveitungar mínir; mundi mik annars vara af
yðr, en þú mundir mik vilja leggja heldr at jǫrðu en láta mik
þiggja líf eins manns er ek bið.'

Þá segir konungr, 'Allmikit kapp leggr þú á þetta, Arin-
165 bjǫrn, at veita Agli lið. Trauðr mun ek til vera, at gøra þér
skaða, ef því er at skipta, ef þú vill heldr leggja fram líf þitt
en hann sé drepinn. En œrnar eru sakar til við Egil, hvat
sem ek læt gøra við hann.'

Ok er konungr hafði þetta mælt, þá gekk Egill fyrir hann
170 ok hóf upp kvæðit ok kvað hátt ok fekk þegar hljóð:

Vestr fórk of ver,   en ek Viðris ber
munstrandar mar,   svá's mitt of far;
drók eik á flot   við ísabrot,
hlóðk mærðar hlut   munknarrar skut.

175 Buðumk hilmi lǫð   ák hróðrs of kvǫð,
berk Óðins mjǫð   á Engla bjǫð.
Lofat vísa vann,   víst mærik þann,
hljóðs biðjum hann,   þvít hróðr of fann.

Hygg vísi at,   vel sómir þat,
180 hvé þylja fet,   ef þǫgn of get.
Flestr maðr of frá   hvat fylkir vá,
en Viðrir sá   hvar valr of lá.

Óx hjǫrva hlǫm   við hlífar þrǫm,
guðr óx of gram,   gramr sótti fram:
185 þar heyrðisk þá,   þaut mækis á,
malmhríðar spá,   sú's mest of lá.

Vasa villr staðar   vefr darraðar
fyr grams glǫðum   geirvangs rǫðum,
þar's í blóði   í brimils móði
vǫllr of þrumði   und véum glumði.   190

Hné folk á fit   við fleina hnit.
Orðstír of gat   *Eiríkr at þat.*

Fremr munk segja,   ef firar þegja;
frágum fleira   til frama þeira.
Œxtu undir   jǫfra fundir,   195
brustu brandar   við bláar randar.

Hlam heinsǫðul   við hjalmrǫðul,
beit bengrefill—   þat vas blóðrefill.
Frák at felli   fyr fetils svelli
Óðins eiki   í járnleiki.   200

Vas odda at   ok eggja gnat.
Orðstír of gat   *Eiríkr at þat.*

Rauð hilmir hjǫr,   þar vas hrafna gjǫr,
fleinn sótti fjǫr,   flugu dreyrug spjǫr.
Ól flagðs gota   fárbjóðr Skota,   205
trað nipt Nara   náttverð ara.

Flugu hjaldrtranar   á hræs lanar,
várut blóðs vanar   benmás granar,
sleit und freki,   en oddbreki
gnúði hrafni   á hǫfuðstafni.   210

Kom gráðar læ   at Gjalpar skæ.
Bauð ulfum hræ   *Eiríkr of sæ.*

Lætr snót saka   sverð-Freyr vaka,
en skers Haka   skíðgarð braka;
brustu broddar,   en bitu oddar,   215
báru hǫrvar   af bogum ǫrvar.

Beit fleinn floginn,   vas friðr loginn,
þá vas almr dreginn,   varð ulfr feginn.
Stózk folkhagi   við fjǫrlagi,
220   gall ýbogi   at eggtogi.

Jǫfurr sveigði ý,   flugu unda bý.
Bauð ulfum hræ   Eiríkr of sæ.

Enn munk vilja   fyr verum skilja
skapleik skata,   skal mærð hvata.
225   Verpr ábrǫndum,   en jǫfurr lǫndum
heldr hornklofi,   hann's næstr lofi.

Brýtr bógvita   bjóðr hrammþvita,
munat hodd-dofa   hringbrjótr lofa.
Mjǫk's hilmi fǫl   haukstrandar mǫl,
230   glaðar flotna fjǫl   við Fróða mjǫl.

Verpr broddfleti   með baugseti
hjǫrleiks hvati,   hann's baugskati;
þróask hér sem hvar,   hugat mælik þar,
frétt's austr of mar   Eiríks of far.

235   Jǫfurr hyggi at,   hvé ek yrkja fat,
gótt þykkjumk þat,   es ek þǫgn of gat.
Hrœrðak munni   af munar grunni
Óðins ægi   of jǫru fægi.

Bark þengils lof   á þagnar rof.
240   Kannk mála mjǫt   of manna sjǫt.
Ór hlátra ham   hróðr bark fyr gram,
svá fór þat fram,   at flestr of nam.

Eiríkr konungr sat uppréttr meðan Egill kvað kvæðit, ok
hvesti augun á hann. Ok er lokit var drápunni, þá mælti
245 konungr: 'Bezta er kvæðit fram flutt. En nú hefi ek hugsat,
Arinbjǫrn, um mál várt Egils, hvar koma skal. Þú hefir flutt

mál Egils með ákafa miklum, er þú býðr at etja vandræðum
við mik; nú skal þat gøra fyrir þínar sakar, sem þú hefir
beðit, at Egill skal fara frá mínum fundi heill ok ósakaðr.
En þú, Egill, hátta svá ferðum þínum at síðan, er þú kømr 250
frá mínum fundi af þessi stofu, þá kom þú aldregi í augsýn
mér ok sonum mínum, ok verð aldri fyrir mér né mínu liði;
en ek gef þér nú hǫfuð þitt at sinni. Fyrir þá sǫk, er þú
gekt á mitt vald, þá vil ek eigi gøra níðingsverk á þér, en
vita skaltu þat til sanns, at þetta er engi sætt við mik né sonu 255
mína ok enga frændr vára, þá sem réttar vilja reka.'

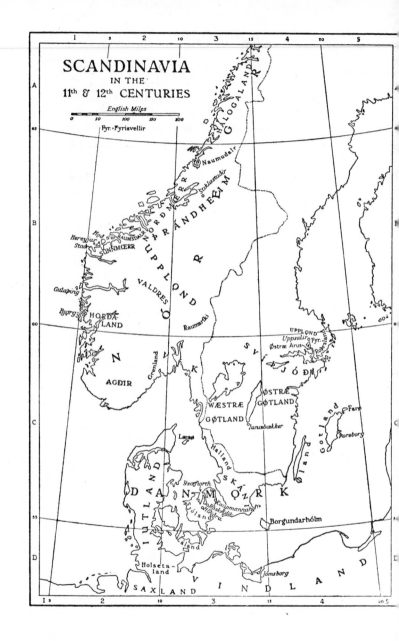

SCANDINAVIA
IN THE
11ᵗʰ & 12ᵗʰ CENTURIES

English Miles

0   50   100   150   200

Fyr.·Fyrisvellir

HALOGALAND

Naumudælr

NORDMŒRR

Syklastaðir

ÞRÁNDHEIMR

Rod

RAUMSDALR

Herethar

Stadr

SUNNMŒRR

UPPLOND

VALDRES

Gulaþing

Bjorgyn

HORDA
LAND

Raumarki

N

AGÐIR

Grenland

K

SVI
JÓÐR

UPPLOND
Uppsalir Fyr.
Østræ Arús

Rorslani

WÆSTRÆ
GØTLAND

ØSTRÆ
GØTLAND

Tunabækker

Gotland

Faro

Porsborg

Halland

SKÁ

Öland

DA   N   M   Ø   R   K

Ysøfiorth

Kaupmannahofn
Roskelde

Oðinsø

Öland

Borgundarhólm

Læsø

JUTLAND

Saland

Holseta-
land

Jomsborg

VINDLAND

SAXLAND

X

HEIMSKRINGLA

Óláfs saga Tryggvasonar

THE evidence that Snorri Sturluson was the author of *Heimskringla*, though good, is not conclusive; but Vigfusson's arguments (Prolegomena to *Sturlunga Saga*, p. lxxv) have never been called in question. *Heimskringla* is the best of northern histories, and no one is known who is more likely to have written such a work than Snorri. Yet its quality is not so different from other histories of the northern lands as has sometimes been stated; the difference could not be very great, for *Heimskringla* is made from the other sagas. Snorri found practically all the sagas of *Heimskringla* already written; the merit of his work is chiefly in the arrangement and selection of material. Snorri had a larger conception of history than the authors of his sources, and he took more care to show the causes and connexions of political events, thereby producing a clearer and more dramatic narrative. The sources of a large part of *Heimskringla* are lost, so that we cannot be sure how independent he was, but where comparison is possible, we can see that he rewrote almost all of his source, condensing even while adding to the significance of the narrative. It is instructive, for example, to compare the following selection with the longer account in *Jómsvíkinga saga* (which probably reproduces Snorri's source). The account of *Heimskringla* is clearer, and brings out King Svein's designs against the Jómsborg vikings as the saga does not. Characteristically, also, Snorri does not pay much attention to the report that it was Earl Hákon's sacrifice which turned the fortune of battle.

The best text of *Heimskringla* was the vellum known as *Kringla*, written *c.* 1260, which was burned in the great fire at Copenhagen in 1728. It had fortunately been twice copied in the seventeenth century, and both copies survive—Codex Holm. paper 18 and AM 35, 36, 63 fol. Of the other manuscripts the most important textually are AM 37, 38 fol. (a paper copy of another burnt vellum, *Jofrskinna*, *c.* 1325), *Frísbók* (AM 45 fol.), written *c.* 1325, and AM 39 fol. (a fragment). The *Heimskringla* matter is also found in compilations with additions and interpolations, as in *Hrokkinskinna* (fifteenth century), *Eirspenill* (abbreviated; early fourteenth century), *Hulda* (fourteenth century). *Flateyjarbók* (late fourteenth century); *Fagrskinna* and *Morkinskinna* (both thirteenth century) include matter from the same sources as those Snorri used. Edited by F. Jónsson, Copenhagen, 1911, and by B. Aðalbjarnarson, in *Íslenzk Fornrit*, xxvi, Reykjavík, 1941.

THE VOWS OF THE JÓMSBORG VIKINGS
A.D. 986

Sveinn konungr gørði mannboð ríkt ok stefndi til sín ǫllum
hǫfðingjum þeim er váru í ríki hans; hann skyldi erfa Harald,
fǫður sinn. Þá hafði ok andazk lítlu áðr Strút-Haraldr á
Skáni ok Véseti í Borgundarhólmi, faðir þeira Búa Digra.
5 Sendi konungr þá orð þeim Jómsvíkingum at Sigvaldi jarl
ok Búi ok brœðr þeira skyldu þar koma ok erfa feðr sína at
þeiri veizlu er konungr gørði.

Jómsvíkingar fóru til veizlunnar með ǫllu liði sínu, því er
frœknast var. Þeir hǫfðu fjóra tigu skipa af Vindlandi, en
10 tuttugu skip af Skáni; þar kom saman allmikit fjǫlmenni.
Fyrsta dag at veizlunni, áðr Sveinn konungr stigi í hásæti
fǫður síns, þá drakk hann minni hans ok strengði heit, áðr
þrír vetr væri liðnir at hann skyldi kominn með her sinn til
Englands ok drepa Aðalráð konung eða reka hann ór landi.
15 Þat minni skyldu allir drekka, þeir er at erfinu váru. Þá var
skenkt hǫfðingjum Jómsvíkinga in stœrstu horn af inum
sterkasta drykk er þar var. En er þat minni var af drukkit,
þá skyldi drekka Krists minni allir menn, ok var Jómsvíkingum
borit æ fullast ok sterkastr drykkr. It þriðja var Mikjáls
20 minni, ok drukku þat allir. Ok eptir þat drakk Sigvaldi jarl
minni fǫður síns ok strengði heit síðan at áðr þrír vetr væri
liðnir skyldi hann vera kominn í Nóreg ok drepa Hákon jarl
eða reka hann ór landi. Síðan strengði heit Þorkell Hávi,
bróðir hans, at hann skyldi fylgja Sigvalda til Nóregs ok flýja
25 eigi ór orrostu, svá at Sigvaldi berðisk þá eptir. Þá strengði
heit Búi Digri at hann myndi fara til Nóregs með þeim ok
flýja eigi ór orrostu fyrir Hákoni jarli. Þá strengði heit
Sigurðr, bróðir hans, at hann myndi fara til Nóregs ok flýja
eigi meðan meiri hlutr Jómsvíkinga berðisk. Þá strengði
30 heit Vagn Ákason at hann skyldi fara með þeim til Nóregs
ok koma eigi aptr fyrr en hann hefði drepit Þorkel Leiru ok

gengit í rekkju hjá Ingibjǫrgu, dóttur hans. Margir hǫfðingj-
ar aðrir strengðu heit ýmissa hluta. Drukku menn þann dag
erfit; en eptir um morguninn, þá er Jómsvíkingar váru ódrukkn-
ir, þóttusk þeir hafa fullmælt ok hafa málstefnur sínar ok 35
ráða ráðum hvernig þeir skulu til stilla um ferðina; ráða þat
af, at búask þá sem skyndiligast. Búa þá skip sín ok herlið;
varð þat allfrægt víða um lǫnd.

Eiríkr jarl Hákonarson spyrr þessi tíðendi. Hann var þá
á Raumaríki ; dró hann þegar lið at sér ok ferr til Upplanda 40
ok svá norðr um fjall til Þrándheims á fund Hákonar jarls
fǫður síns.

Hákon jarl ok Eiríkr jarl láta skera upp herǫr um ǫll
Þrœndalǫg, senda boð á Mœri hváratveggju ok í Raumsdal,
svá norðr í Naumudal ok á Hálogaland, stefna síðan út ǫllum 45
almenningi at liði ok skipum.

Sigvaldi jarl helt liði sínu norðr um Stað; lagði fyrst til
Hereyja. Landsmenn, þótt víkingar fyndi, þá sǫgðu þeir
aldri satt til, hvat jarlar hǫfðusk at. Víkingar herjuðu hvar
sem þeir fóru. Þeir lǫgðu útan at Hǫð, runnu þar upp ok 50
herjuðu, fœrðu til skipa bæði man ok bú, en drápu karla þá
er vígt var at. En er þeir fóru ofan til skipa, þá kom til þeira
gamall bóndi einn, en þar fór nær sveit Búa. Bóndinn mælti:
'Þér farið óhermannliga, rekið til strandar kýr ok kálfa; væri
yðr meiri veiðr at taka bjǫrninn er nú er nær kominn á bjarn- 55
básinn.' 'Hvat segir karl'? segja þeir; 'kantu nǫkkut segja
oss til Hákonar jarls'? Bóndi segir: 'Hann fór í gær inn í
Hjǫrundarfjǫrð; hafði jarl eitt skip eða tvau, eigi váru fleiri
en þrjú, ok hafði ekki til yðvar spurt.' Þeir Búi taka þegar
á hlaup til skipanna ok láta laust alt herfang. Búi mælti: 60
'Njótum vér nú, er vér hǫfum fengit njósn, ok verum næstir
sigrinum'. En er þeir koma á skipin, róa þeir þegar út.
Kallaði Sigvaldi jarl á þá ok spurði tíðenda. Þeir segja at
Hákon jarl var þar inn í fjǫrðinn. Síðan leysir jarl flotann,
ok róa fyrir norðan eyna Hǫð ok svá inn um eyna.   65

Hákon jarl ok Eiríkr jarl, sonr hans, lágu í Hallkelsvík. Var þar saman kominn herr þeira allr; hǫfðu þeir hálft annat hundrað skipa ok hǫfðu þá spurt at Jómsvíkingar hǫfðu lagt útan at Hǫð. Røru þá jarlar sunnan at leita þeira, en er
70 þeir koma þar sem heitir Hjǫrungavágr, þá finnask þeir. Skipa þá hvárirtveggju sínu liði til atlǫgu. Var í miðju liði merki Sigvalda jarls. Þar skipaði Hákon jarl til atlǫgu; hafði Sigvaldi jarl tuttugu skip, en Hákon sex tigu. Í annan fylkingararm var Búi Digri ok Sigurðr bróðir hans með tuttugu
75 skipum; þar lagði í móti Eiríkr jarl Hákonarson sex tigu skipa. Í annan fylkingararm lagði fram Vagn Ákason með tuttugu skipum en þar í móti Sveinn Hákonarson með sex tigum skipa.

Síðan lǫgðu þeir saman flotann; teksk þar in grimmasta
80 orrosta ok fell mart af hvárumtveggjum ok miklu fleira af Hákonar liði, því at Jómsvíkingar bǫrðusk bæði hraustliga ok djarfliga ok snarpliga ok skutu alt í gegnum skjǫlduna, ok svá mikill vápnburðr var at Hákoni jarli at brynja hans var slitin til ónýts, svá at hann kastaði af sér.

85 Jómsvíkingar hǫfðu skip stœrri ok borðmeiri, en hvárir-tveggju sóttu it djarfasta. Vagn Ákason lagði svá hart fram at skipi Sveins Hákonarsonar at Sveinn lét á hǫmlu síga, ok helt við flótta. Þá lagði þannig til Eiríkr jarl ok fram í fylk-ing móti Vagni. Þá lét Vagn undan síga, ok lágu skipin sem
90 í fyrstu hǫfðu legit.

Þá réð Eiríkr aptr til liðs síns, ok hǫfðu þá hans menn undan hamlat, en Búi hafði þá hǫggvit tengslin ok ætlaði at reka flóttann. Þá lagði Eiríkr jarl síbyrt við skip Búa, ok varð þá hǫggorrosta in snarpasta, ok lǫgðu þá tvau eða þrjú
95 Eiríks skip at Búa skipi einu. Þá gørði illviðri ok él svá mikit at haglkornit eitt vá eyri. Þá hjó Sigvaldi tengslin ok snøri undan skipi sínu ok vildi flýja. Vagn Ákason kallaði á hann, bað hann eigi flýja. Sigvaldi jarl gaf ekki gaum at hvat hann sagði; þá skaut Vagn spjóti at honum ok laust

þann er við stýrit sat. Sigvaldi jarl røri í brott með hálfan 100
fjórða tøg skipa, en eptir lá hálfr þriði tøgr.

Þá lagði Hákon jarl sitt skip á annat borð Búa. Var
þá Búa mǫnnum skamt hǫggva í millum. Vígfúss Víga-
Glúmsson tók upp nefsteðja, er lá á þiljunum, er maðr hafði
áðr hnoðit við hugró á sverði sínu. Vígfúss var allsterkr 105
maðr; hann kastaði steðjanum tveim hǫndum ok fœrði í hǫfuð
Ásláki Hólmskalla svá at geirrinn stóð í heila niðri. Áslák
hǫfðu ekki áðr vápn bitit, en hann hafði hǫggvit til beggja
handa; hann var fóstri Búa ok stafnbúi. En annarr var
Hávarðr Hǫggvandi; hann var inn sterkasti maðr ok all- 110
frœkn.

Í þessari atsókn gengu upp Eiríks menn á skip Búa ok aptr
at lyptingunni at Búa. Þá hjó Þorsteinn Miðlangr til Búa
um þvert nefit ok í sundr nefbjǫrgina; varð þat allmikit sár.
Búi hjó til Þorsteins útan á síðuna svá at í sundr tók manninn 115
í miðju. Þá tók Búi upp kistur tvær, fullar gulls, ok kallar
hátt: 'Fyrir borð allir Búa liðar'. Steypðisk Búi þá útan
borðs með kisturnar, ok margir hans menn hljópu þá fyrir
borð, en sumir fellu á skipinu, því at eigi var gott griða at
biðja. Var þá hroðit alt skip Búa með stǫfnum, en síðan 120
hvert at ǫðru.

Síðan lagði Eiríkr jarl at skipi Vagns, ok var þar allhǫrð
viðrtaka; en at lykðum var hroðit skip þeira, en Vagn hand-
tekinn ok þeir þrír tigir ok fluttir á land upp bundnir. Þá
gekk til Þorkell Leira ok segir svá: 'Þess strengðir þú heit, 125
Vagn, at drepa mik, en mér þykkir hitt nú líkara at ek drepa
þik.' Þeir Vagn sátu á einni lág allir saman. Þorkell hafði
mikla øxi; hann hjó þann er útarst sat á láginni. Þeir Vagn
váru svá bundnir at einn strengr var snúinn at fótum allra
þeira, en lausar váru hendr þeira; þá mælti einn þeira: 'Dálk 130
hefi ek í hendi, ok mun ek stinga í jǫrðina, ef ek veit nǫkkut,
þá er hǫfuðit er af mér.' Hǫfuð var af þeim hǫggvit, ok fell
niðr dálkr ór hendi honum. Þá sat maðr fríðr ok hærðr vel;

hann sveipði hárinu fram yfir hǫfuð sér ok rétti fram hálsinn
135 ok mælti: 'Gørið eigi hárit í blóði.' Einn maðr tók hárit í
hǫnd sér ok helt fast. Þorkell reiddi at øxina; víkingrinn
kipði hǫfðinu fast, lét sá eptir, er hárinu helt, reið øxin ofan
á báðar hendr honum ok tók af, svá at øxin nam í jǫrðu stað.
Þá kom at Eiríkr jarl ok spurði: 'Hverr er þessi maðr inn
140 fríði?'

'Sigurð kalla mik', segir hann, 'ok em ek kenningarson
Búa. Eigi eru enn allir Jómsvíkingar dauðir.'

Eiríkr segir: 'Þú munt vera at sǫnnu sannr sonr Búa.
Viltu hafa grið?' segir jarl.
145 'Þat skiptir hverr býðr', segir Sigurðr.

'Sá býðr', segir jarl, 'er vald hefir til, Eiríkr jarl.'

'Vil ek þá', segir hann. Var hann þá tekinn ór streng-
inum.

Þá mælti Þorkell Leira: 'Viltu, jarl, þessa menn alla láta
150 grið hafa, þá skal aldregi með lífi fara Vagn Ákason'.
Hleypr þá fram með reidda øxina, en víkingr Skarði reiddi
sik til falls í strenginum ok fell fyrir fœtr Þorkatli. Þorkell
fell flatr um hann. Þá greip Vagn øxina, hann reiddi upp ok
hjó Þorkel með banahǫgg.
155 Þá mælti jarl: 'Vagn, viltu hafa grið?'

'Vil ek', segir hann, 'ef vér hǫfum allir.'

'Leysi þá ór strenginum', segir jarl, ok svá var gǫrt.
Átján váru drepnir, en tólf þágu grið.

Hákon jarl ok margir menn með honum sátu á tré einu.
160 Þá brast strengr á skipi Búa, en ǫr sú kom á Gizur af Vald-
resi, lendan mann; hann sat næst jarli ok búinn allvegliga.
Síðan gengu menn á skipit út ok fundu þeir Hávarð Hǫggv-
anda, ok stóð á knjám við borðit út, því at fœtr váru af
honum hǫggnir. Hann hafði boga í hendi. En er þeir
165 kómu á skipit út, þá spurði Hávarðr: 'Hverr fell af láginni?'
Þeir sǫgðu at sá hét Gizurr. 'Þá varð minna happit en ek

vilda', segir hann. 'Œrit var óhappit', segja þeir, 'en eigi
skaltu vinna fleiri', ok drepa hann.

Síðan var valrinn kannaðr ok borit fé til hlutskiptis; hálfr
þriði tøgr skipa var hroðinn af þeim Jómsvíkingum. Síðan 170
skilja þeir her þenna. Ferr Hákon jarl til Þrándheims, ok
líkaði stórilla er Eiríkr hafði grið gefit Vagni Ákasyni.

Þat er sǫgn manna, at Hákon jarl hafi í þessari orrostu
blótit til sigrs sér Erlingi syni sínum, ok síðan gørði élit ok
þá snøri mannfallinu á hendr Jómsvíkingum. 175

Eiríkr jarl fór þá til Upplanda ok svá austr í ríki sitt, ok fór
Vagn Ákason með honum. Þá gipti Eiríkr Vagni Ingibjǫrgu,
dóttur Þorkels Leiru, ok gaf honum langskip gott með ǫllum
reiða ok fekk honum skipan til. Skildusk þeir inir kærstu
vinir. 180

ÞORMÓÐ AT THE BATTLE OF
STIKLASTAÐIR

THE first paragraph, containing the quotation from *Bjarkamál*, is from *Óláfs saga Helga* in *Heimskringla*; the remainder of the selection is from the more detailed version of *Fóstbrœðra saga*, preserved in *Hauksbók*, AM 544, 4o (*c.* 1325) and *Flateyjarbók*. This saga is edited in *Íslenzk Fornrit*, vi, and in *Origines Islandicae*, where it is called 'The Story of Thormod'.

Þormóð, unlike most of the hero poets, was not *mikill ok sterkr*, but of medium height and strength. Yet he was as great a fighting man as any, making up for lack of strength by his quickness and reckless courage. He was called 'Kolbrúnarskáld' from a poem he made in praise of the lady Þorbjǫrg Kolbrún, 'which was well spoken of by them that heard it', but has not survived.

Of hasty and passionate temperament, Þormóð was usually in trouble; but his great devotion to King Óláf was also typical of the man. We may also see in his desire not to live after his lord the traditional heroic spirit of the Germanic liegeman, noticed by Tacitus (*Germania*, xiv), and sung by later heroic poets. Even so did the best of Byrhtnoð's retainers fight on over his body, at the battle of Maldon against Óláf Tryggvason's overpowering host, until they were all slain.

Þá nótt, er Óláfr konungr lá í samnaðinum, vakði hann lǫngum ok bað til Guðs fyrir sér ok liði sínu ok sofnaði lítt. Rann á hann hǫfgi móti deginum; en er hann vaknaði, þá rann dagr upp. Konungi þótti heldr snemt at vekja herinn.
5 Þá spurði hann hvar Þormóðr skáld væri. Hann var þar nær ok svarar, spurði hvat konungr vildi honum. Konungr segir: 'Tel þú oss kvæði nǫkkut.' Þormóðr settisk upp ok kvað hátt mjǫk, svá at heyrði um allan herinn; hann kvað Bjarkamál in fornu, ok er þetta upphaf:

10   Dagr's upp kominn,   dynja hana fjaðrar,
           mál's vílmǫgum   at vinna erfiði;
           vaki æ ok vaki!   vina hǫfuð,
           allir inir œztu   Aðils of sinnar.

Hár inn Harðgreipi,   Hrólfr Skjótandi,
ættum góðir menn,   þeir's ekki flýja,   15
vekka yðr at víni   né at vífs rúnum,
heldr vekk yðr hǫrðum   Hildar at leiki.

Þá vaknaði liðit; en er lokit var kvæðinu, þá þǫkkuðu
menn honum kvæðit, ok fannsk mǫnnum mikit um ok þótti
vel til fundit ok kǫlluðu kvæðit Húskarlahvǫt. Konungr 20
þakkaði honum skemtun sína; síðan tók konungr gullhring,
ok stóð hálfa mǫrk, ok gaf Þormóði. Þormóðr þakkaði
konungi gjǫf sína ok mælti: 'Góðan eigum vér konung, en
vant er nú at sjá hversu langlífr konungr verðr; sú er bœn
mín, konungr, at þú látir okkr hvárki skiljask lífs né dauða.' 25
Konungr svarar: 'Allir munu vér saman fara, meðan ek ræð
fyrir, ef þér vilið eigi við mik skiljask.' Þormóðr mælti:
'Þess vætti ek, konungr, hvárt sem friðr er betri eða verri, at
ek sé nær yðr staddr, meðan ek á þess kost, hvat sem vér
spyrjum til, hvar Sighvatr ferr með gullinhjaltann.' Síðan 30
kvað Þormóðr:

          'Þér munk eðr unz ǫðrum
          allvaldr, náið skǫldum —
          nær vættir þú þeira? —
          þingdjarfr, fyr kné hvarfa.   35
          Braut komumk vér, þótt veitim
          valtafn frekum hrafni, —
          víksk eigi þat — vága
          viggruðr, eða hér liggjum.'

Óláfr konungr mælti: 'Sighvati skáldi þykkisk þú nú sneiða, 40
ok þarftu þess ekki, því at hann mundi sik nú hér kjósa, ef
hann vissi hvat hér væri títt; ok má svá vera, at hann komi
oss at mestu gagni.' Þormóðr svarar: 'Vera má at svá sé;
en þat hygg ek, at þunnskipat væri þá um merkisstǫngina í
dag, ef þann veg hefði margir farit.'   45
      Þat hafa menn at ágætum gǫrt, hversu rǫskliga Þormóðr

barðisk á Stiklastǫðum, þá er Óláfr konungr fell; því at hann
hafði hvárki skjǫld né brynju. Hann hjó ávalt tveim hǫndum
með breiðøxi, ok gekk í gegnum fylkingar, ok þótti engum
50 gott, þeim er fyrir urðu, at eiga náttból undir øxi hans.

Svá er sagt, þá er lokit var bardaganum, at Þormóðr væri
ekki sárr. Hann harmaði þat mjǫk ok mælti: 'Þat ætla ek
nú, at ekki muna ek til þeirar gistingar sem konungr í kveld;
en verra þykki mér nú at lifa en deyja.' Ok í því bili er
55 hann mælti þetta, þá fló ǫr at Þormóði ok kom fyrir brjóst
honum, ok vissi hann ekki hvaðan at kom. Því sári varð
hann feginn, því at hann þóttisk vita at þetta sár mun honum
at bana verða. Hann gengr til einnar bygghlǫðu, þar er margir
konungsmenn váru inni sárir. Kona ein vermdi vatn í katli,
60 til þess at þvá sár manna. Þormóðr gengr at einum vand-
bálk ok styðsk þar við. Konan mælti við Þormóð, 'Hvárt
ertu konungsmaðr, eða ertu af bóndaliði?' Þormóðr kvað
vísu:

'Á sér at vér várum
65 vígreifr með Áleifi;
sár fekk, Hildr, at hváru,
hvítings, ok frið lítinn;
skínn á skildi mínum,
skald fekk hríð til kalda;
70 nær hafa eskiaskar
ǫrvendan mik gǫrvan.'

Konan mælti: 'Hví lætr þú ekki binda sár þín, ef þú ert
nǫkkut sárr?' Þormóðr svarar: 'Þau ein hefi ek sár, at ekki
þarf at binda.' Konan mælti: 'Hverir gengu bezt fram með
75 konunginum í dag?' Þormóðr svarar:

'Haraldr vas bitr at berjask
bǫðreifr með Áleifi;
þar gekk harðra hjǫrva
Hringr ok Dagr at þingi;

> réðu þeir und rauðar   80
> randir prútt at standa —
> fekk benþiðurr blakkan
> bjór — dǫglingar fjórir.'

Konan spurði þá enn Þormóð: 'Hversu gekk konungrinn
fram?' Þormóðr kvað vísu: 85

> 'Qrt vas Áleifs hjarta,
> óð fram konungr — blóði
> rekin bitu stál — á Stikla
> stǫðum, kvaddi lið bǫðvar.
> Élþolla sák alla   90
> Jalfaðs, nema gram sjalfan —
> reyndr vas flestr — í fastri
> fleindrífu sér hlífa.'

Margir menn váru í hlǫðunni þeir er mjǫk váru sárir, **ok**
lét hátt í holsárum, sem náttúra er til sáranna. Nú er 95
Þormóðr hafði kveðit þessar vísur, þá kom maðr einn af bónda-
liðinu í hlǫðuna inn, ok er hann heyrir at hátt lætr í sárum
manna, mælti hann: 'Ekki er þó undarligt, at konunginum
hafi ekki vel gengit bardaginn við bœndr, svá þróttlaust fólk
sem þetta er sem konunginum hefir fylgt; því at mér þykkir 100
svá mega at kveða, at þeir menn sem hér eru inni þoli varla
óœpandi sár sín.' Þormóðr svarar: 'Sýnisk þér svá sem ekki
sé þróttigir menn sem hér eru inni?' Hann svarar: 'Svá
sýnisk mér víst, at hér sé margir menn þreklausir saman
komnir.' Þormóðr mælti: 'Svá má vera, sá sé hér nǫkkurr 105
maðr í hlǫðunni inni, er ekki sé þrekmikill — ok ekki mun
þér sýnask sár mitt mikit.' Bóndi gengr at Þormóði ok
vildi sjá sár hans. En Þormóðr sveipar øxinni til hans ok
særir hann miklu sári. Sá kvað við hátt ok stundi fast.
Þormóðr mælti þá: 'Þat vissa ek, at vera mundi nǫkkurr sá 110
maðr inni, er þreklauss mundi vera; er þér illa saman farit —

leitar á þrek annarra manna — því at þú ert þreklauss sjálfr. Eru hér margir menn mjǫk sárir, ok stynr engi þeira, en þeim er ósjálfrátt, þótt hátt láti í sárum þeira; en þú stynr ok 115 veinar, þó at þú hafir fengit eitt lítit sár.'

Nú er Þormóðr mælti þetta, stóð hann við vandbálkinn, þann er í bygghlǫðunni var. Ok er lokit var rœðu þeira, þá mælti konan, sú er vatnit vermdi, við Þormóð: 'Hví ertu svá fǫlr, maðr, ok litlauss sem nár? eða hví lætr þú ekki binda 120 sár þín?' Þormóðr kvað vísu:

'Emka rjóðr, né rauðum
ræðr grǫnn kona manni;
járn stendr fast it forna
fenstigi mér benja;
125   þat veldr mér in mæra
marglóðar, nú, tróða,
djúp ok Danskra vápna
Dags hríðar spor —'

ok er hann hafði þetta mælt, þá dó hann standandi við 130 bálkinn ok fell til jarðar dauðr.

Haraldr Sigurðarson fyldi vísu þá er Þormóðr hafði kveðit hann lagði þetta við, 'svíða' — 'Svá mundi hann vilja kveða, "Dags hríðar spor svíða".'

Nú lauk sem sagt er ævi Þormóðar Kolbrúnarskálds, kappa 135 ins helga Óláfs konungs.

XII

ÞÁTTR AUÐUNAR VESTFIRZKA

AUÐUN, desiring to see the world, made the dangerous voyage to Greenland; there he gave every penny he had for a white bear. This was adventurous, but reasonable behaviour, in the mind of the teller of the story, for Greenland was an important place, and a white bear a great treasure. There is grace in this simplicity of Auðun, who indeed deserved to be *inn mesti gæfumaðr*, and in the simplicity of the narrator: an exquisite story exquisitely told. Auðun's visit to the Danish court cannot be precisely dated, but it must have been about 1050.

This text is from *Morkinskinna*, a history of the Norwegian kings 1030–1177 compiled by an Icelander *c.* 1220. It is preserved in Codex Gamle Kg. Saml. 1009, fol. (*c.* 1275), ed. Unger, Christiania 1867, and F. Jónsson in Samfund g. n. Lit., 1932. There is another copy of this story in *Flateyjarbók*, a fuller and sometimes clearer text, though here and there omitting details found in *Morkinskinna*.

Maðr hét Auðun, vestfirzkr at kyni ok félítill. Hann fór útan vestr þar í fjǫrðum með umráði Þorsteins bónda góðs, ok Þóris stýrimanns, er þar hafði þegit vist of vetrinn með Þorsteini. Auðun var ok þar, ok starfaði fyrir honum Þóri, ok þá þessi laun af honum, útanferðina ok hans umsjá. Hann 5 Auðun lagði mestan hluta fjár, þess er var, fyrir móður sína, áðr hann stigi á skip, ok var kveðit á þriggja vetra bjǫrg. Ok nú fara þeir útan heðan, ok fersk þeim vel, ok var Auðun of vetrinn eptir með Þóri stýrimanni; hann átti bú á Mœri. Ok um sumarit eptir fara þeir út til Grœnlands, ok eru þar of 10 vetrinn.

Þess er við getit, at Auðun kaupir þar bjarndýri eitt, gørsimi mikla, ok gaf þar fyrir alla eigu sína. Ok nú of sumarit eptir fara þeir aptr til Nóregs, ok verða vel reiðfara. Hefir Auðun dýr sitt með sér, ok ætlar nú at fara suðr til Danmerkr 15 á fund Sveins konungs, ok gefa honum dýrit. Ok er hann

kom suðr í landit, þar sem konungr var fyrir, þá gengr hann
upp af skipi, ok leiðir eptir sér dýrit, ok leigir sér herbergi.
Haraldi konungi var sagt brátt at þar var komit bjarndýri,
20 gørsimi mikil, ok á Íslenzkr maðr. Konungr sendir þegar
menn eptir honum; ok er Auðun kom fyrir konung, kveðr
hann konung vel. Konungr tók vel kveðju hans ok spurði
síðan: 'Áttu gørsimi mikla í bjarndýri?' Hann svarar ok
kvezk eiga dýrit eitthvert. Konungr mælti: 'Villtu selja oss
25 dýrit við slíku verði sem þú keyptir?' Hann svarar: 'Eigi
vil ek þat, herra.' 'Villtu þá', segir konungr, 'at ek gefa
þér tvau verð slík? ok mun þat réttara, ef þú hefir þar við
gefit alla þína eigu.' 'Eigi vil ek þat, herra', segir hann.
Konungr mælti: 'Villtu gefa mér þá?' Hann svarar, 'Eigi,
30 herra.' Konungr mælti: 'Hvat villtu þá af gøra?' Hann
svarar: 'Fara', segir hann, 'til Danmerkr ok gefa Sveini
konungi.' Haraldr konungr segir, 'Hvárt er, at þú ert maðr
svá óvitr at þú hefir eigi heyrt ófrið þann er í milli er landa
þessa, eða ætlar þú giptu þína svá mikla, at þú munir þar
35 komask með gørsimar, er aðrir fá eigi komizk klakklaust, þó
at nauðsyn eigi til?' Auðun svarar: 'Herra, þat er á yðru
valdi, en engu játum vér öðru en þessu er vér hǫfum áðr
ætlat.' Þá mælti konungr: 'Hví mun eigi þat til, at þú farir
leið þína, sem þú vill? Ok kom þá til mín, er þú ferr aptr, ok
40 seg mér hversu Sveinn konungr launar þér dýrit. Ok kann
þat vera, at þú sér gæfumaðr.' 'Því heit ek þér', sagði
Auðun.

   Hann ferr nú síðan suðr með landi ok í Vík austr ok þá
til Danmerkr; ok er þá uppi hverr penningr fjárins, ok verðr
45 hann þá biðja matar bæði fyrir sik ok fyrir dýrit. Hann kømr
á fund ármanns Sveins konungs, þess er Áki hét, ok bað hann
vista nakkvarra bæði fyrir sik ok fyrir dýrit: 'ek ætla', segir
hann, 'at gefa Sveini konungi dýrit.' Áki lézk selja mundu
honum vistir, ef hann vildi. Auðun kvezk ekki til hafa fyrir
50 at gefa; 'en ek vilda þó', segir hann, 'at þetta kvæmisk til

leiðar at ek mætta dýrit fœra konungi.' 'Ek mun fá þér
vistir, sem it þurfuð, til konungs fundar; en þar í móti vil ek
eiga hálft dýrit. Ok máttu á þat líta, at dýrit mun deyja
fyrir þér, þars it þurfuð vistir miklar, en fé sé farit, ok er búit
við at þú hafir þá ekki dýrsins.' 55
Ok er hann lítr á þetta, sýnisk honum nakkvat eptir, sem
ármaðrinn mælti fyrir honum, ok sættask þeir á þetta, at hann
selr Áka hálft dýrit, ok skal konungr síðan meta alt saman.
Skulu þeir fara báðir nú á fund konungs, ok svá gøra þeir;
fara nú báðir á fund konungs ok stóðu fyrir borðinu. 60
Konungr íhugaði, hverr þessi maðr myndi vera, er hann
kendi eigi, ok mælti síðan til Auðunar: 'Hverr ertu?' segir
hann. Hann svarar: 'Ek em Íslenzkr maðr, herra', segir
hann, 'ok kominn nú útan af Grœnlandi, ok nú af Nóregi,
ok ætlaðak at fœra yðr bjarndýr þetta. Keyptak þat með 65
allri eigu minni, ok nú er þó á orðit mikit fyrir mér; ek á nú
hálft eitt dýrit', ok segir konungi síðan hversu farit hafði með
þeim Áka ármanni hans. Konungr mælti: 'Er þat satt, Áki,
er hann segir?' 'Satt er þat', segir hann. Konungr mælti:
'Ok þótti þér þat til liggja, þar sem ek settak þik mikinn 70
mann, at hepta þat eða tálma, er maðr gørðisk til at fœra mér
gørsimi ok gaf fyrir alla eign? Ok sá þat Haraldr konungr
at ráði at láta hann fara í friði, ok er hann várr óvinr. Hygg
þú at þá, hvé sannligt þat var þinnar handar! Ok þat væri
makligt, at þú værir drepinn; en ek mun nú eigi þat gøra, 75
en braut skaltu fara þegar ór landinu, ok koma aldri aptr
síðan mér í augsýn. En þér, Auðun, kann ek slíka þǫkk
sem þú gefir mér alt dýrit; ok ver hér með mér!' Þat þekk-
isk hann, ok er með Sveini konungi um hríð.
Ok er liðu nakkvarar stundir, þá mælti Auðun við konung: 80
'Braut fýsir mik nú, herra.' Konungr svarar heldr seint:
'Hvar villtu þá', segir hann, 'ef þú vill eigi með oss vera?'
Hann segir, 'Suðr vil ek ganga.' 'Ef þú vildir eigi svá gott
ráð taka', segir konungr, 'þá myndi mér fyrir þykkja í, er

85 þú fýsisk í braut.' Ok nú gaf konungr honum silfr mjǫk
mikit, ok fór hann suðr síðan með Rúmferlum, ok skipaði
konungr til um ferð hans, bað hann koma til sín, er kvæmi
aptr.

Nú fór hann ferðar sinnar, unz hann kømr suðr í Rómaborg.
90 Ok er hann hefir þar dvalizk, sem hann tíðir, þá ferr hann
aptr; tekr þá sótt mikla; gørir hann þá ákafliga magran.
Gengr þá upp alt féit þat er konungr hafði gefit honum til
ferðarinnar; tekr síðan upp stafkarls stíg, ok biðr sér matar.
Hann er þá kollóttr ok heldr ósælligr.

95 Hann kømr aptr í Danmǫrk at páskum, þangat sem konungr
er þá staddr. En eigi þorði hann at láta sjá sik; ok var í
kirkjuskoti ok ætlaði þá til fundar við konung, er hann gengi
til kirkju um kveldit. Ok nú er hann sá konunginn ok
hirðina fagrliga búna, þá þorði hann eigi at láta sjá sik. Ok
100 er konungr gekk til drykkju í hǫllina, þá mataðisk Auðun úti,
sem siðr er til Rúmferla, meðan þeir hafa eigi kastat staf ok
skreppu.

Ok nú of aptaninn, er konungr gekk til kveldsǫngs, ætlaði
Auðun at hitta hann, ok svá mikit sem honum þótti fyrr fyrir,
105 jók nú miklu á, er þeir váru drukknir hirðmenninir. Ok er
þeir gengu inn aptr, þá þekði konungr mann ok þóttisk finna
at eigi hafði frama til at ganga fram at hitta hann. Ok nú er
hirðin gekk inn, þá veik konungr út ok mælti: 'Gangi sá nú
fram, er mik vill finna. Mik grunar at sá muni vera maðrinn.'
110 Þá gekk Auðun fram ok fell til fóta konungi, ok varla kendi
konungr hann. Ok þegar er konungr veit hverr hann er, tók
konungr í hǫnd honum Auðuni ok bað hann vel kominn:
'Ok hefir þú mikit skipazk', segir hann, 'síðan vit sámk.'
Leiðir hann eptir sér inn. Ok er hirðin sá hann, hlógu þeir
115 at honum. En konungr sagði, 'Eigi þurfu þér at honum at
hlæja, því at betr hefir hann sét fyrir sinni sál heldr en ér.'
Þá lét konungr gøra honum laug ok gaf honum síðan klæði,
ok er hann nú með honum.

Þat er nú sagt einhverju sinni of várit, at konungr býðr
Auðuni at vera með sér álengðar, ok kvezk myndu gøra hann 120
skutilsvein sinn ok leggja til hans góða virðing. Auðun
segir, 'Guð þakki yðr, herra, sóma þann allan er þér vilið til
mín leggja; en hitt er mér í skapi at fara út til Íslands.'
Konungr segir, 'Þetta sýnisk mér undarliga kosit.' Auðun
mælti: 'Eigi má ek þat vita, herra', segir hann, 'at ek hafa 125
hér mikinn sóma með yðr, en móðir mín troði stafkarls stíg
út á Íslandi; því at nú er lokit bjǫrg þeiri er ek lagða til, áðr
ek fœra af Íslandi.' Konungr svarar: 'Vel er mælt', segir
hann, 'ok mannliga, ok muntu verða giptumaðr. Sjá einn
var svá hlutrinn, at mér myndi eigi mislíka at þú fœrir í braut 130
heðan. Ok ver nú með mér þar til er skip búask.' Hann
gørir svá.

Einn dag, er á leið várit, gekk Sveinn konungr ofan á
bryggjur, ok váru menn þá at, at búa skip til ýmissa landa, í
austrveg eða Saxland, til Svíþjóðar eða Nóregs. Þá koma 135
þeir Auðun at einu skipi fǫgru, ok váru menn at, at búa
skipit. Þá spurði konungr, 'Hversu lízk þér, Auðun, á þetta
skip?' Hann svarar, 'Vel, herra.' Konungr mælti: 'Þetta
skip vil ek þér gefa ok launa bjarndýrit.' Hann þakkaði
gjǫfina eptir sinni kunnustu.   140

Ok er leið stund ok skipit var albúit, þá mælti Sveinn
konungr við Auðun: 'Þó villtu nú á braut, þá mun ek nú
ekki letja þik. En þat hefi ek spurt, at ilt er til hafna fyrir
landi yðru, ok eru víða ørœfi ok hætt skipum. Nú brýtr þú
ok týnir skipinu ok fénu, lítt sér þat þá á, at þú hafir fundit 145
Svein konung ok gefit honum gørsimi.' Síðan seldi
konungr honum leðrhosu fulla af silfri, 'ok ertu þá enn eigi
félauss með ǫllu, þótt þú brjótir skipit, ef þú fær haldit þessu.
Verða má svá enn', segir konungr, 'at þú týnir þessu fé:
lítt nýtr þú þá þess, er þú fant Svein konung ok gaft honum 150
gørsimi'. Síðan dró konungr hring af hendi sér ok gaf
Auðuni ok mælti: 'Þó at svá illa verði at þú brjótir skipit

ok týnir fénu, eigi ertu félauss, ef þú kømsk á land; því at
margir menn hafa gull á sér í skipsbrotum, ok sér þá at þú
155 hefir fundit Svein konung, ef þú heldr hringinum. En þat
vil ek ráða þér', segir hann, 'at þú gefir eigi hringinn, nema
þú þykkisk eiga svá mikit gott at launa nǫkkurum gǫfgum
manni — þá gef þeim hringinn, því at tignum mǫnnum sómir
at þiggja. Ok far nú heill!'
160 Síðan lætr hann í haf ok kømr í Nóreg ok lætr flytja upp
varnað sinn, ok þurfti nú meira við þat en fyrr, er hann var
í Nóregi. Hann ferr nú síðan á fund Haralds konungs ok
vill efna þat er hann hét honum, áðr hann fór til Danmerkr,
ok kveðr konung vel. Haraldr konungr tók vel kveðju hans,
165 'ok sezk niðr', segir hann, 'ok drekk hér með oss!' Ok svá
gørir hann.
Þá spurði Haraldr konungr: 'Hverju launaði Sveinn
konungr þér dýrit?' Auðun svarar: 'Því, herra, at hann þá
at mér.' Konungr sagði: 'Launat mynda ek þér því hafa.
170 Hverju launaði hann enn?' Auðun svarar: 'Gaf hann mér
silfr til suðrgǫngu.' Þá segir Haraldr konungr, 'Mǫrgum
mǫnnum gefr Sveinn konungr silfr til suðrgǫngu eða annarra
hluta, þótt ekki fœri honum gørsimar. Hvat er enn fleira?'
'Hann bauð mér', segir Auðun, 'at gørask skutilsveinn hans
175 ok mikinn sóma til mín at leggja.' 'Vel var þat mælt',
segir konungr, 'ok launa myndi hann enn fleira.' Auðun
sagði, 'Gaf hann mér knǫrr með farmi þeim er hingat er bezt
varit í Nóreg.' 'Þat var stórmannligt', segir konungr, 'en
launat mynda ek þér því hafa. Launaði hann því fleira?'
180 Auðun sagði, 'Gaf hann mér leðrhosu fulla af silfri ok kvað
mik þá eigi félausan, ef ek helda því, þó at skip mitt bryti
við Ísland.' Konungr sagði: 'Þat var ágætliga gǫrt, ok þat
mynda ek ekki gǫrt hafa: lauss mynda ek þykkjask, ef ek
gæfa þér skipit. Hvárt launaði hann fleira?' 'Svá var víst,
185 herra', segir Auðun, 'at hann launaði: hann gaf mér hring
þenna, er ek hefi á hendi, ok kvað svá mega at berask, at ek

týnda fénu ǫllu, ok sagði mik þá eigi félausan, ef ek ætta
hringinn, ok bað mik eigi lóga, nema ek ætta nǫkkurum tign-
um manni svá gott at launa, at ek vilda gefa. En nú hefi
ek þann fundit; því at þú áttir kost at taka hvárttveggja frá 190
mér, dýrit ok svá líf mitt, en þú lézt mik fara þangat í friði,
sem aðrir náðu eigi.'

Konungr tók við gjǫfinni með blíðu, ok gaf Auðuni í móti
góðar gjafir, áðr en þeir skildisk. Auðun varði fénu til
Íslands ferðar ok fór út þegar um sumarit til Íslands ok þótti 195
vera inn mesti gæfumaðr.

XIII

ÞRYMSKVIÐA

Þrymskviða is one of the poems (of which there must once have been many, to judge from the stories of Snorri's Edda) that treat the gods as matter for comedy. Þór appears in many stories as a comic character, a mighty but simple-minded deity. This development has little connexion with his origin as the god of thunder; it is artistic and unsymbolic, as a great part of mythology always is. There was nothing irreverent in telling such stories of the gods, nor does it imply scepticism in the author of the divine comedy or in his audience. It implies rather that the gods were regarded as comrades with whom it was permissible to be familiar, and the comedy was the better for the contrast of the mighty deeds which the Æsir were believed to have performed. The same attitude is found in references in the sagas to heathen worship: thus Hrafnkel Freysgoði called Frey his friend (*vinr*) and made him his partner; Þorhall in selection V b calls Þór familiarly 'the Redbeard'.

Þrymskviða is nearer in style to the ballads of the Middle Ages than any other of the Edda poems, and is unmatched in narrative art among them, perhaps among all short narrative lays. It was probably composed about 900, but whether in Norway, Iceland, or the western isles is uncertain.

Þrymskviða is preserved in Codex Regius 2365 quarto, the principal manuscript of the Edda poems, of which a facsimile has been published, Samfund, 1891. Editions of the poetic Edda include: *Sæmundar Edda*, edited by F. Jónsson, Reykjavík, 1905; *Die Lieder der Edda*, edited by B. Sijmons, with complete glossary by H. Gering, Halle, 1903; *Die Edda*, edited by R. C. Boer, Haarlem, 1922 (with commentary), and by G. Neckel, *Edda*, 2nd ed. Heidelberg, 1927.

> Vreiðr vas þá Ving-Þórr es vaknaði
> ok síns hamars of saknaði;
> skegg nam at hrista, skǫr nam at dýja,
> réð Jarðar burr um at þreifask.

5
> Ok hann þat orða alls fyrst of kvað:
> 'Heyrðu nú, Loki, hvat nú mælik,
> es engi veit jarðar hvergi
> né upphimins: Áss es stolinn hamri!'

Gengu þeir fagra   Freyju túna,
ok hann þat orða   alls fyrst of kvað: 10
'Muntu mér, Freyja,   fjaðrhams ljá,
ef minn hamar   mættak hitta?'

Freyja kvað:
'Þó mundak gefa þér,   at ór gulli væri,
ok þó selja,   at væri ór silfri.'   15

Fló þá Loki—   fjaðrhamr dunði—
unz fyr útan kom   Ása garða,
ok fyr innan kom   jǫtna heima.

Þrymr sat á haugi,   þursa dróttinn,
greyjum sínum   gullbǫnd snøri   20
ok mǫrum sínum   mǫn jafnaði.

Þrymr kvað:
'Hvat's með Ásum?   hvat's með álfum?
Hví'st einn kominn   í Jǫtunheima?'

Loki kvað: 25
'Ilt's með Ásum,   ilt's með álfum;
hefr þú Hlórriða   hamar of fólginn?'

Þrymr kvað:
'Ek hef Hlórriða   hamar of fólginn
átta rǫstum   fyr jǫrð neðan,   30
hann engi maðr   aptr of heimtir,
nema færi mér   Freyju at kván.'

Fló þá Loki—   fjaðrhamr dunði—
unz fyr útan kom   jǫtna heima
ok fyr innan kom   Ása garða;   35
mœtti hann Þór   miðra garða,
ok hann þat orða   alls fyrst of kvað:

'Hefr þú ørendi   sem erfiði?
segðu á lopti   lǫng tíðindi;
40   opt sitjanda   sǫgur of fallask
ok liggjandi   lygi of bellir.'

Loki kvað:
'Hefk erfiði   ok ørendi;
Þrymr hefr þinn hamar,   þursa dróttinn,
45   hann engi maðr   aptr of heimtir
nema honum fœri   Freyju at kván.'

Ganga þeir fagra   Freyju at hitta,
ok hann þat orða   alls fyrst of kvað:
'Bittu þik, Freyja,   brúðar líni.
50   Vit skulum aka tvau   í Jǫtunheima.'

Vreið varð þá Freyja   ok fnasaði,
allr Ása salr   undir bifðisk,
stǫkk þat it mikla   men Brísinga—
'Mik veizt verða   vergjarnasta,
55   ef ek ek með þér   í Jǫtunheima.'

Senn váru Æsir   allir á þingi
ok Ásynjur   allar á máli,
ok um þat réðu   ríkir tívar,
hvé þeir Hlórriða   hamar of sœtti.

60   Þá kvað þat Heimdallr,   hvítastr Ása—
vissi hann vel fram,   sem Vanir aðrir—
'Bindu vér Þór þá   brúðar líni,
hafi hann it mikla   men Brísinga.

Látum und honum   hrynja lukla
65   ok kvenváðir   um kné falla,
en á brjósti   breiða steina,
ok hagliga   um hǫfuð typpum.'

Þá kvað þat Þórr,   þrúðugr Áss:
'Mik munu Æsir   argan kalla,
ef ek bindask læt   brúðar líni.'   70

Þá kvað þat Loki   Laufeyjar sonr,
'Þegi þú, Þórr,   þeira orða;
þegar munu jǫtnar   Ásgarð búa,
nema þú þinn hamar   þér of heimtir.'

Bundu Þór þá   brúðar líni   75
ok inu mikla   meni Brísinga,
létu und honum   hrynja lukla,
ok kvenváðir   um kné falla,
en á brjósti   breiða steina,
ok hagliga   um hǫfuð typðu.   80

Þá kvað Loki   Laufeyjar sonr,
'Mun ek ok með þér   ambótt vesa,
Vit skulum aka tvau   í Jǫtunheima.'

Senn váru hafrar   heim of reknir,
skyndir at skǫklum,   skyldu vel rinna.   85
Bjǫrg brotnuðu,   brann jǫrð loga,
ók Óðins sonr   í Jǫtunheima.

Þá kvað þat Þrymr,   þursa dróttinn,
'Standið upp, jǫtnar!   ok stráið bekki
nú fœra mér   Freyju at kván,   90
Njarðar dóttur   ór Nóatúnum.

Ganga hér at garði   gullhyrndar kýr,
øxn alsvartir   jǫtni at gamni;
fjǫlð ák meiðma,   fjǫlð ák menja,
einnar mér Freyju   ávant þykkir.'   95

Vas þar at kveldi   of komit snimma,
ok fyr jǫtna   ǫl fram borit;
einn át oxa,   átta laxa,
krásir allar   þær's konur skyldu,
100   drakk Sifjar verr   sáld þrjú mjaðar.

Þá kvað þat Þrymr,   þursa dróttinn,
'Hvar sáttu brúðir   bíta hvassara?
Sákak brúðir   bíta breiðara,
né inn meira mjǫð   mey of drekka.'

105   Sat in alsnotra   ambótt fyrir,
es orð of fann   við jǫtuns máli,
'Át vætr Freyja   átta nóttum,
svá vas hon óðfús   í Jǫtunheima.'

Laut und línu,   lysti at kyssa,
110   en hann útan stǫkk   endlangan sal:
'Hví eru ǫndótt   augu Freyju?
Þykki mér ór augum   eldr of brenna.'

Sat in alsnotra   ambótt fyrir,
es orð of fann   við jǫtuns máli:
115   'Svaf vætr Freyja   átta nóttum,
svá vas hon óðfús   í Jǫtunheima'.

Inn kom in arma   jǫtna systir,
hin's brúðfjár   biðja þorði:
'Lát þér af hǫndum   hringa rauða,
120   ef ǫðlask vill   ástir mínar,
ástir mínar,   alla hylli.'

Þá kvað þat Þrymr,   þursa dróttinn,
'Berið inn hamar   brúði at vígja,
leggið Mjǫllni   í meyjar kné,
125   vígið okkr saman   Várar hendi.'

Hló Hlórriða   hugr í brjósti,
es harðhugaðr   hamar of þekði.
Þrym drap hann fyrstan,   þursa dróttin,
ok ætt jǫtuns   alla lamði.

Drap hann ina ǫldnu   jǫtna systur,   130
hin's brúðfjár   of beðit hafði;
hon skell of hlaut   fyr skillinga,
en hǫgg hamars   fyr hringa fjǫlð.
Svá kom Óðins sonr   endr at hamri.

XIV

THE WAKING OF ANGANTÝR

THIS poem is found in *Hervarar saga ok Heiðreks konungs*; doubtless once there existed a whole cycle of poems of which the saga gives a bare summary. The story summarized still more briefly is this: King Svafrlami got the sword Tyrfing from the dwarfs who forged it. One of them laid a curse on it, that it should bring death to its bearer, no wound made by it should ever be healed, and three shameful deeds should be wrought with it. The saga works out this doom, as *Vǫlsunga saga* works out the fate laid on the Niflung hoard. Svafrlami was slain by Arngrím, who took the sword Tyrfing. His sons, Angantýr and eleven brothers, were vikings, and Angantýr got Tyrfing from his father to bear in his wars. One time Angantýr came to Upsala and bade the king give him his beautiful daughter, or find a champion to meet him; the king sent Ǫrvar-Odd and Hjálmar as his champions, and the fight was to be at Samsey. Odd and Hjálmar reached the island first and landed, leaving their crew on the ship. Angantýr and his brothers came up, and in a berserk fury slew all the crew. When the fury had passed, leaving them exhausted, Odd and Hjálmar appeared. In the fight that followed, Hjálmar slew Angantýr, and Odd the eleven brothers; but Tyrfing had done its work, and Hjálmar had only time to sing his death lay before he was dead of his wounds. Odd took his body away, but the twelve brothers were buried in a great barrow on the island. Angantýr had a posthumous daughter, Hervǫr, who was brought up as a bondmaid and for long did not know who her father was. But when she learned the truth, the battle spirit of her family came upon her too. Determined to avenge her father and her uncles she went to Samsey to get the sword Tyrfing. Angantýr, knowing the curse on it, is unwilling to give it to her, but no terrors of the grave can turn her determination, and she gets the sword.

The mystery and terror of an existence 'between the worlds' is a special Scandinavian property, used with good effect in this poem as a harmony with the dreadful fate that was in the sword. The poet's real aim, however, was not to tell of adventure between the worlds, but to show heroic behaviour before a tragic alternative. The basis of the poem is the need for revenge, and Hervǫr has to choose between the revenge and the curse. In accordance with heroic tradition she puts revenge first.

Hervarar saga is preserved in *Hauksbók* and in Codex Regius 2845 quarto (early fifteenth century). It is edited by Jón Helgason,

Samfund g. n. Lit., 1924. The poem is also in *Corpus Poeticum Boreale*, vol. i, and in Heusler and Ranisch's *Eddica Minora*.

Hitt hefir mær ung   í Munarvági
við sólarsetr   segg at hjǫrðu.

Hirðir kvað:
'Hverr's einn saman   í ey kominn?
gakktu greiðliga   gistingar til!'   5

Hervǫr kvað:
'Munkat ganga   gistingar til,
þvít engan kank   eyjarskeggja;
segðu hraðliga   áðr heðan líðir
hvar ru Hjǫrvarði   haugar kendir?'   10

Hirðir kvað:
'Spyrjat at því,   spakr est eigi,
vinr víkinga,   þú'st vanfarinn;
fǫrum fráliga   sem okkr fœtr toga —
alt es úti   ámátt firum.'   15

Hervǫr kvað:
'Men bjóðum þér   máls at gjǫldum;
muna drengja vin   dælt at letja:
fær engi mér   fríðar hnossir,
fagra bauga,   svát farak eigi.'   20

Hirðir kvað:
'Heimskr þykki mér   sá's heðra ferr,
maðr einn saman,   myrkvar grímur;
hyrr's á sveimun,   haugar opnask,
brennr fold ok fen —   fǫrum harðara!'   25

Hervǫr kvað:
'Hirðumat fælask   við fnǫsun slíka,
þótt of alla ey   eldar brenni!
Látumat okkr   liðna rekka
skjótla skelfa;   skulum við talask.'   30

Vas þá féhirðir   fljótr til skógar
mjǫk frá máli   meyjar þessar;
en harðsnúinn   hugr í brjósti
um sakar slíkar   svellr Hervǫru.

35   Hon sá nú haugaeldana ok haugbúa úti standa, ok gengr
til hauganna ok hræðisk ekki; óð hon eldana sem reyk, þar
til er hon kom at haugi berserkjanna. Þá kvað hon:

'Vaki, Angantýr!   vekr þik Hervǫr,
einga dóttir   ykkur Tófu.

40   Selðu ór haugi   hvassan mæki,
þann's Svafrlama   slógu dvergar.

Hervarðr, Hjǫrvarðr,   Hrani, Angantýr!
vekk yðr alla   und viðar rótum,
hjálmi ok með brynju,   hvǫssu sverði,

45   rǫnd ok með reiði,   roðnum geiri.

Mjǫk eruð orðnir, Arngríms synir,
megir meinsamir,   moldar at auka,
es engi skal   sona Eyfuru
við mik mæla   í Munarvági.

50   Svá sé yðr ǫllum   innan rifja,
sem þér í maura   mornið haugi,
nema sverð selið   þat's sló Dvalinn;
samira draugum   dýrt vápn fela.'

Þá svarar Angantýr:

55   'Hervǫr dóttir,   hví kallar svá
full feiknstafa?   Ferr þér at illu.
Œr est orðin   ok ørvita,
villhyggjandi   vekr menn dauða!

Grófat mik faðir niðr   né frændr aðrir.

60   Þeir hǫfðu Tyrfing   tveir es lifðu,
varð þó eigandi   einn of siðir'

Hon kvað:
'Segðu eitt satt: svá láti Áss þik
heilan í haugi   sem þú hefir eigi
Tyrfing með þér!   Trauðr est at veita   65
arfa þínum   einga barni.'

Þá var sem einn logi væri alt at líta um haugana, er opnir
stóðu. Þá kvað Angantýr:

'Hnigin es helgrind,   haugar opnask,
allr es í eldi   eybarmr at sjá;   70
atalt es úti   um at litask.
Skyntu, mær, ef mátt,   til skipa þinna!'

Hon segir:
'Brenni þér eigi   bál á nóttum,
svát ek við elda   yðra fælumk;   75
skelfrat meyju   muntún hugar,
þótt hon draug séi   í durum standa.'

Þá kvað Angantýr:
'Segik þér, Hervǫr,   hlýttu til meðan,
vísa dóttir,   þat's verða mun;   80
sjá mun Tyrfingr,   ef trúa mættir,
ætt þinni, mær,   allri spilla.

Muntu son geta   þann's síðan mun
Tyrfing bera   ok trúa afli;
þann munu Heiðrek   heita lýðar,   85
sá mun ríkstr alinn   und rǫðuls tjaldi.'

Hon kvað:
'Ek vígi svá   virða dauða,
at ér skuluð   allir liggja
dauðir með draugum,   í dys fúnir;   90
selðu, Angantýr,   út ór haugi
dverga smíði!   Dugira þér at leyna.'

Hann segir:
'Kveðkat þik, mær ung,   mǫnnum líka,
95   es þú of hauga   hvarfar á nóttum
grǫfnum geiri   ok með Gota málmi,
hjálmi ok með brynju   fyr hallar dyrr.'

Hon kvað:
'Maðr þóttumk   menskr til þessa,
100   áðr sali yðra   sœkja réðak;
selðu ór haugi   þann's hatar brynjur,
hlífum hættan   Hjálmars bana!'

Angantýr kvað:
'Liggr mér und herðum   Hjálmars bani,
105   allr es hann útan   eldi sveipinn;
mey veitk enga   moldar hvergi,
at þann hjǫr þori   í hendr nema.'

Hon segir:
'Ek mun hirða   ok í hendr nema
110   hvassan mæki   ef hafa mættak;
uggi ek eigi   eld brennanda —
þegar loga lægir   es ek lít yfir.'

Hann kvað:
'Heimsk est, Hervǫr,   hugar eigandi,
115   es þú at augum   í eld hrapar;
heldr vilk selja   sverð ór haugi,
mær in unga,   mákat synja.'

Hon kvað:
'Vel gørðir þú,   víkinga niðr,
120   es þú seldir mér   sverð ór haugi;
betr þykkjumk nú,   buðlungr, hafa,
en Nóregi   næðak ǫllum.'

Hann kvað:
'Veizt eigi þú—   vesǫl est mála,
fláráð kona—   hví fagna skal;   125
sjá mun Tyrfingr,   ef trúa mættir,
ætt þinni, mær,   allri spilla.'

Hon segir:
'Ek mun ganga   til gjálfrmara;
nú's hilmis mær   í hugum góðum: 130
lítt hræðumk þat,   lofðunga niðr,
hvé synir mínir   síðan deila.'

Hann kvað:
'Þú skalt eiga   ok una lengi,
hafðu á hulðu   Hjálmars bana,   135
takat á eggjum,   eitr es í báðum;
sá's manns mjǫtuðr   meini verri.

Far vel, dóttir!   fljótt gæfak þér
tólf manna fjǫr,   ef trúa mættir,
afl ok eljun,   alt it góða   140
þat's synir Arngríms   at sik leifðu.'

Hon kvað:
'Búi þér allir—   brott fýsir mik—
heilir í haugi!   Heðan vilk skjótla.
Helzt þóttumk nú   heima í millim,   145
es mik umhverfis   eldar brunnu.'

XV

EIRÍKSMÁL

In 954 Eirík Blóðøx was driven out of Northumbria for the second time. He was slain in the same year, perhaps in an attempt to regain his throne, at Stainmoor, not far from Kirkby Stephen, on the road from Carlisle to York. His slayer, according to Symeon of Durham, was Maccus, son of Anlaf. This Anlaf was probably Eirík's old enemy, Óláf Kvaran, the hero celebrated in English romance as Havelok. In the version of *Hákonar saga Góða* incorporated in *Fagrskinna* (chapter 7), it is stated that *Eiríksmál* was composed at the request of Eirík's queen Gunnhild (doubtless soon after Eirík's death), who was then in the Orkneys. The surviving part of the poem is given in *Fagrskinna* (see p. 157), and the first five lines are also quoted by Snorri in *Skáldskaparmál*, chapter 2.

Óðinn kvað:

Hvat's þat drauma?   Hugðumk fyr dag rísa
Valhǫll at ryðja   fyr vegnu folki;
vakðak Einherja,   baðk upp rísa
5   bekki at stráa   bjórker at leyðra,
Valkyrjur vín bera,   sem vísi kœmi.

Erumk ór heimi   hǫlða vánir
gǫfugra nǫkkurra,   svá's mér glatt hjarta.
Hvat þrymr þar, Bragi,   sem þúsund bifisk
10   eða mengi til mikit?

Bragi:

Braka ǫll bekkþili   sem myni Baldr koma
eptir í Óðins sali.

Óðinn:

15   Heimsku mæla   skalat inn horski Bragi,
þvít þú vel hvat vitir;
fyr Eiríki glymr,   es hér mun inn koma
jǫfurr í Óðins sali.

Sigmundr ok Sinfjǫtli!   rísið snarliga
   ok gangið í gǫgn grami: 20
inn þú bjóð,   ef Eiríkr sé;
   hans erumk nú ván vituð.

Sigmundr:
Hví's þér Eiríks ván   heldr en annarra?

Óðinn: 25
Þvít mǫrgu landi   hann hefr mæki roðit
   ok blóðugt sverð borit.

Bragi:
Hví namt hann sigri þá,   es þér þótti snjallr vesa?

Óðinn: 30
   Þvít óvíst's at vita —
sér ulfr inn hǫsvi   á sjǫt goða.

Sigmundr:
Heill nú Eiríkr!   vel skalt hér kominn
   ok gakk í hǫll, horskr;   35
hins vilk fregna   hvat fylgir þér
   jǫfra frá eggþrimu?

Eiríkr:
Konungar ru fimm,   kennik þér nafn allra;
   ek em inn sétti sjálfr.   40

XVI

MISCELLANEA

UNDER this head are brought together several short passages selected from various Icelandic texts to illustrate characteristic Norse ideas and epigrams, and notable points of history.

A. 'LYING SAGAS'

Þar var nú glaumr ok gleði mikil ok skemtun góð, ok margs konar leikar, bæði danzleikar, glímur ok sagna skemtun. Þar var sjau nætr fastar ok fullar setit at boðinu, af því at þar skyldi vera hvert sumar Óláfs gildi — ef korn gæti at kaupa, 5 tvau mjǫlsáld, á Þórsnessþingi — ok váru þar margir gildis-brœðr. Á Reykjahólum váru svá góðir landskostir í þann tíma at þar váru aldri ófrævir akrarnir. En þat var jafnan vani at þar var nýtt mjǫl haft til beinabótar ok ágætis at þeirri veizlu, ok var gildit at Óláfs messu hvert sumar. Frá 10 því er nǫkkut sagt, er þó er lítil tilkváma, hverir þar skemtu eðr hverju skemt var. Þat er í frásǫgn haft, er nú mæla margir í mót ok látask eigi vitat hafa, því at margir ganga duldir ins sanna, ok hyggja þat satt er skrǫkvat er, en þat logit er satt er. Hrólfr af Skálmarnesi sagði sǫgu frá Hrǫng-15 viði víkingi ok frá Óláfi Liðsmanna konungi, ok haugbroti Þráins berserks, ok Hrómundi Gripssyni, ok margar vísur meðr. En þessari sǫgu var skemt Sverri konungi, ok kallaði hann slíkar lygisǫgur skemtiligastar. Ok þó kunnu menn at telja ættir sínar til Hrómundar Gripssonar. Þessa sǫgu hafði 20 Hrólfr sjálfr saman setta. Ingimundr prestr sagði sǫgu Orms Barreyjarskálds, ok vísur margar, ok flokk góðan við enda sǫgunnar, er Ingimundr hafði ortan. Ok hafa þó margir fróðir menn þessa sǫgu fyrir satt.

B

Þorsteinn Ingimundarson var þá hǫfðingi í Vatnsdal.

Hann bjó at Hofi, ok þótti mestr maðr þar í sveitum. Ingólfr 25
ok Guðbrandr váru synir hans. Ingólfr var vænstr maðr
norðanlands; um hann var þetta kveðit:

Allar vildu meyjar   með Ingólfi ganga
þær's vaxnar váru—   vesl emk æ til lítil !
Ek skal ok, kvað kerling,   með Ingólfi ganga   30
meðan mér tvær of tolla   tennr í efra gómi.

C. THE FOUNDER OF SCARBOROUGH

Þeir brœðr (Þorgils Skarði ok Kormákr) herjuðu um Írland,
Bretland, England, Skotland, ok þóttu hinir ágæztu menn.
Þeir settu fyrst virki þat er heitir Skarðaborg. Þeir runnu upp
á Skotland ok unnu mǫrg stórvirki ok hǫfðu mikit lið; í þeim 35
her var engi slíkr sem Kormákr um afl ok áræði.

D. THE SWORD SKǪFNUNG

Skútaðar-Skeggi hét maðr ágætr í Nóregi. Hans sonr
var Bjǫrn er kallaðr var Skinna-Bjǫrn; hann var Hólm-
garðsfari. Hann fór til Íslands ok nam Miðfjǫrð ok Lín-
akradal. Hans sonr var Miðfjarðar-Skeggi; hann var garpr 40
mikill ok farmaðr. Hann herjaði í austrveg, ok lá í Dan-
mǫrk við Sjóland; hann var hlutaðr til at brjóta haug Hrólfs
konungs Kraka, ok tók hann þar ór Skǫfnung sverð Hrólfs,
ok øxi Hjalta, ok mikit fé annat. En hann náði eigi Laufa,
því at Bǫðvarr vildi at honum; en Hrólfr konungr varði 45
hann.

E

Hrólfr hét maðr Hǫggvandi. Hann bjó á Norðmœri; bœr
hans hét Moldatún. Hans synir váru þeir Vémundr ok
Molda-Gnúpr, vígamenn miklir, ok járnsmiðir. Vémundr
kvað þetta er hann var í smiðju: 50

'Ek bar einn   af ellifu
banaorð.   Blástu meirr!'

F

Þengill Mjǫk-siglandi fór af Hálogalandi til Íslands. Hann
bjó at Hǫfða. Hans synir váru þeir Vermundr ok Hallsteinn,
55 er þetta kvað, er hann sigldi af hafi, er hann frá andlát fǫður
síns:

> 'Drúpir Hǫfði,   dauðr er Þengill;
> hlæja hlíðir   við Hallsteini.'

G

Í þenna tíma bjó Hólmgǫngu-Bersi í Saurbœ á þeim bœ
60 er í Tungu heitir. Hann ferr á fund Óláfs ok bauð Halldóri
syni hans til fóstrs. Þat þiggr Óláfr, ok ferr Halldórr heim
með honum. Hann var þá vetrgamall. Þat sumar tekr
Bersi sótt ok liggr lengi sumars. Þat er sagt einn dag, er
menn váru at heyvirki í Tungu, en þeir tveir inni, Halldórr ok
65 Bersi, lá Halldórr í vǫggu. Þá fellr vaggan undir sveininum
ok hann ór vǫggunni á gólfit. Þá mátti Bersi eigi til fara.
Þá kvað Bersi þetta:

> 'Liggjum báðir   í lamasessi
> Halldórr ok ek,   hǫfum engi þrek;
> 70   veldr elli mér   en œska þér,
> þess batnar þér,   en þeygi mér.'

Síðan koma menn ok taka Halldór upp af gólfinu; en
Bersa batnar.

H. SAYINGS OF THE HIGH ONE

> Þagalt ok hugalt   skyli þjóðans barn
> 75   ok vígdjarft vesa;
> glaðr ok reifr   skyli gumna hverr,
> unz sinn bíðr bana.

Ósnjallr maðr   hyggsk munu ey lifa,
  ef við víg varask;
en elli gefr   honum engi frið,   80
  þótt honum geirar gefi.

Veizt, ef þú vin átt þann's þú vel trúir,
  ok vill þú af honum gott geta,
geði skalt við þann   ok gjǫfum skipta,
  fara at finna opt.   85

Ef þú átt annan   þann's þú illa trúir,
  vill þú af honum þó gott geta,
fagrt skal mæla   en flátt hyggja,
  ok gjalda lausung við lygi.

Ungr vask forðum,   fórk einn saman,   90
  þá varðk villr vega;
auðigr þóttumk   es ek annan fann:
  maðr es manns gaman.

Váðir mínar   gafk velli at
  tveim trémǫnnum;   95
rekkar þat þóttusk   es ript hǫfðu;
  neiss es nøkkviðr halr.

Meðalsnotr   skyli manna hverr,
  æva til snotr sé;
snotrs manns hjarta   verðr sjaldan glatt,   100
  ef sá es alsnotr es á.

Deyr fé,   deyja frændr,
  deyr sjálfr it sama;
ek veit einn   at aldri deyr:
  dómr of dauðan hvern.   105

I. KING HEIÐREK'S RIDDLES

Hverjar ru þær snótir   es ganga syrgjandi
at fǫgnuði fǫður?
Hadda bleika hafa þær   inar hvítfǫldnu,
ok eigu í vindi vaka.

110   Hverjar ru þær meyjar   es margar ganga saman
at fǫgnuði fǫður?
Mǫrgum hafa manni   þær at meini komit,
ok eigut þær varðir vera.

Hverjar ru þær brúðir   es ganga brimskerjum í,
115   ok eigu eptir firði fǫr?
Harðan beð hafa þær   inar hvítfǫldnu,
ok leika í logni fátt.
Heiðrekr konungr,   hygg þú at gátu!

Sá ek á sumri   sólbjǫrgum í
120   verðung vaka   vilgi teita:
drukku jarlar   ǫl þegjandi,
en œpandi   ǫlker stóðu.
Heiðrekr konungr,   hygg þú at gátu!

K. A RUNE SONG

ᛈ (fé) veldr frænda rógi; fœðisk úlfr í skógi.
125   ᚢ (úr) es af illu járni; opt hleypr hreinn á hjarni.
ᚦ (þurs) veldr kvenna kvillu; kátr verðr fár af illu.
ᚨ (óss) es flestra ferða fǫr, en skálpr er sverða.
ᚱ (reið) kveða hrossum versta; Reginn sló sverðit bezta.
ᚲ (kaun) es beygja barna; bǫl gørir mann fǫlvan.
130   ᚼ (hagall) es kaldastr korna; Kristr skóp heim inn forna.
ᚾ (nauð) gørir hneppa kosti; nøktan kelr í frosti.
ᛁ (ís) kǫllum brú breiða; blindan þarf at leiða.
ᛅ (ár) es gumna góði; getk at ǫrr vas Fróði.
ᛋ (sól) es landa ljómi; lútik helgum dómi.

↑ (Týr) es einhendr Ása; opt verðr smiðr at blása.   135
ᛒ (bjarkan)'s laufgrœnstr líma; Loki bar flærðar tíma.
ᛉ (maðr) es moldar auki; mikil es greip á hauki.
ᚱ (lǫgr)'s, es fellr ór fjalli, foss; en gull eru hnossir.
ᛣ (ýr) es vetrgrœnstr viða; vant's, es brennr, at svíða.

L. VERSES BY EARL RǪGNVALD KALI

(i) A Gentleman's Accomplishments

Kali var inn efniligsti maðr, meðalmaðr á vǫxt, kominn 140
vel á sik, limaðr manna bezt, ljósjarpr á hár. Manna var
hann vinsælastr ok atgørvimaðr meiri en vel flestir menn
aðrir. Hann orti vísu þessa:

> 'Tafl emk ǫrr at efla,
> íþróttir kank níu,   145
> týnik trauðla rúnum,
> tíð erum bók ok smíðir,
> skríða kank á skíðum,
> skýtk ok rœk, svát nýtir;
> hvártveggja kank hyggja,   150
> harpslátt ok bragþáttu.'

(ii) Rǫgnvald at Grimsby

Þá var Kali fimtán vetra er hann fór með kaupmǫnnum
vestr til Englands, ok hafði góðan kaupeyri. Þeir heldu til
þess kaupstaðar er Grímsbœr heitir. Kom þar mikit fjǫl-
menni bæði af Nóregi ok Orkneyjum, af Skotlandi ok 155
Suðreyjum. Eptir þat fór Kali vestan á hinu sama skipi ok
kómu útan at Ǫgðum ok heldu þaðan til Bjǫrgynjar. Þá
kvað hann vísu:

> 'Vér hǫfum vaðnar leirur
> vikur fimm megingrimmar;   160
> saurs vara vant, er várum,

viðr, í Grímsbœ miðjum.
Nú'r þat's más of mýrar
meginkátliga látum
165 branda elg á bylgjur
Bjǫrgynjar til dynja.'

(iii) Rǫgnvald in Palestine

Þeir Rǫgnvaldr jarl fóru þá ór Akrsborg ok sóttu alla hina helgustu staði á Jórsalalandi. Þeir fóru allir til Jórðánar ok lauguðusk þar. Þeir Rǫgnvald jarl ok Sigmundr Ǫngull 170 lǫgðusk yfir ána ok gengu þar á land, ok þangat til sem var hrískjǫrr nǫkkur, ok riðu þar knúta stóra. Þá kvað jarl:

'Ek hefi lagða lykkju
(leiðar þvengs) of heiði
(snotr minnisk þess svanni
175 sút), fyr Jórðán útan;
en hykk at þó þykki
þangat langt at ganga
(blóð fell varmt á víðan
vǫll) heimdrǫgum ǫllum.'

XVII

FAGRSKINNA

Fagrskinna is a compilation of Norwegian history, covering, more
briefly, the same period as *Heimskringla*, from King Halfdan the
Black to 1177. The matter is largely from earlier histories, but re-
written and supplemented from oral traditions preserved in skaldic
poems. There are numerous verses quoted throughout, and many of
them are not found elsewhere. This compilation was made in Norway
about 1240, for King Hákon the Old, but the author was an Icelander.
The name *Fagrskinna* was first given to a manuscript having an un-
usually beautiful binding, one of the two manuscripts of the work
known to have existed in the seventeenth century. Both of these
manuscripts were Norwegian; one was written *c.* 1250, the other at
the beginning of the fourteenth century. They were burned in the
Copenhagen fire of 1728, though both had previously been copied by
the Icelander, Ásgeir Jónsson; the copies of the earlier one are now
AM 51 fol. and AM 302, 4°, of the other AM 52, fol., AM 301,
303, 4°. The best edition of *Fagrskinna* is F. Jónsson's, Samfund
g. n. Lit. 1902–3. There is a parallel text of the following extract in
Haralds saga Harðráða in *Heimskringla*.

As the following account indicates, the Norwegians at Stamford
Bridge were taken by surprise. The English army had marched on
them more rapidly than they expected, and part of their force and
equipment was still in the ships on the Humber. If Harðráði had not
allowed himself to be caught thus, he might have had the opportunity
of contesting the throne of England with William of Normandy.

THE BATTLE OF STAMFORD BRIDGE
A.D. 1066

Haraldr konongr Sighurðarsun ræið svǫrtum hesti bles-
óttom firir framan fylking sína ok sá hværsu liðit stóð,
ok skipaðe þæim framar er þá villde hann. Ok í þesse ræið
fell hestrenn undir hanum oc konongrenn framm af, oc
mællti, 'Fall er farar hæill'.   5

Þá mællti Haraldr Ænghla konongr viðr Norðmenn þá er
með hanum váro, 'Kenndo þér þenn hinn myckla meðr
þæim blá kyrtli oc hin faghra hialm, er þer skaut sér af

hestinum frem?' Þæir svaraðo, 'Kennom vér; þet var
10 Norðmanna konongr.' Þá mællti Ænghla konongr, 'Mikill
maðr oc hǫfðinghleghr er hann, oc hitt er nú venna at farinn
sé at hamingiu.'

Nú ríða fram xx riddarar fyrir fylking Norðmanna oc allir
albryniaðer. Þá mælti æinn riddarenn, 'Hvar er Tósti iarl,
15 hvárt er hann í liði eða æighi?' Hann svaraðe, 'Æighi er
því at lœyna, hér munu þér hann finna megha.' Þá mællti
enn riddarenn: 'Haraldr konongr bróðer yðar sændi yðr
kvæðiu oc þer meðr þet, at þér skulur hafa grið oc Norðymbra-
land allt, oc ænn vill hann, hælldr enn þit bæriz, gefa yðr
20 þriðiung ríkis síns meðr sér.' Þá svaraðe iarlenn, 'Boðet er
þá nǫccot annat enn úfriðr oc svívirðinginn sem í vetr, oc en
þetta være fyrr boðet, þá være marghr maðr sá hæill oc meðr
lífi er nú er æighi, oc þá mun æighi verr standa ríki Englanz.
Nú takum vér þenna kost; enn hvat vilir þér nú bióða
25 Haraldi kononge firir sitt starf?' Þá svaraðe riddarenn: 'Sact
hæfir hann þer nǫcot af hværs hann mun hanom unna af
Englande, hann scal hafa vii fæta længð — oc því længra,
sem hann er hærre enn aðrir menn.' Þá svaraðe iarlenn:
'Farit nú oc sæghit Haraldi kononge at hann búiz til orrosto,
30 firir því at annat skal sannaz enn þet sem Norðmenn sǫghðu
at Tósti iarl munde svíkia Harald konong oc skiliaz viðr
hann, þeghar hann skulde bæriaz um, oc fylla þá flock
fiándmanna hans, enn hælder skulum vér nú taca allir æitt
ráð, dœya hælder með sœmd eða fá Ængland með sighri.'

35 Nú riðu riddarar aftr. Þá mælti Haralldr konongr
Sighurðarsun til iarlsens, 'Hvær var þessi hinn snialli maðr?'
Þá svaraðe iarlenn, 'Þer var Haraldr konongr Goðvinasun.'
Þá mælti Haraldr konongr, 'Oflængi var ec þesso lœyndr.
Þæir váro svá comnir firir lið várt, at æighi munde þesse
40 Haraldr kunna sæghia dǫuðarorð várra manna.' 'Satt er
þet, herra', saghðe iarlinn, 'úvarlegha fór þvílícr hǫfðingi oc
være mætti þetta er nú sæghi þér; sannum vér þat, en hann

vilde þó bióða brœðr sínum grið oc mikit valld, oc væri ec
víst þá callaðr værri hǫfðingi, þó at þenn cost tœkem vér,
hældr enn ec biðaðe svá ælli at ec være banamaðr bróðor 45
míns; enn þó er bætra at þiggja bana af brœðr sínum enn
væita honom bana.' 'Lítil konongr var þesse', saghðe
Haraldr konongr, 'oc stóð væl í stigræip sin.' Þet sæghia
menn, at Haraldr konongr kvæðe vísu þessa:

> 'Fram gengom vér   í fylkingu,   50
> bryniulausir   meðr blár æggiar;
> hialmar skína,   hæfkaðek mína;
> nú liggr scrúð várt   at scipum niðri.'

Emma hét brynia hans; hon tóc ofan í mitt bæin hanum,
oc svá stærk at æcki festi vápn á henne. Þá mælti Haraldr 55
konongr, 'Þetta er illa ort, oc scal gæra nú aðra vísu bætri'.
oc cvað þá þetta:

> 'Kriúpum vér firir vópna
> (valtæigs) brǫkon æighi
> (svá bauð Hilldr) at hialdri   60
> (haldorð) í bugh skialdar;
> hátt bað mec, þer's mœtozt,
> mennskurð bera forðom,
> lackar ís oc hǫusar,
> hialmstal í gný malma.'   65

Nú væita Ænglar Norðmǫnnum áreið oc varð á mót
viðrtaca hǫrð, oc svá váro sættar kæsiurnar oc koms þet mest
viðr hestana. Bæriaz þó hvárirtvæggiu meðr sínu afle oc réð
seint mannfallit á, oc var svá mikill liðsmunr at mykyl fiǫlde
Ængla gerðo ring um þá, oc riðo flockom at þæim. Oc þá 70
er þæir kómoz at bac þæim, þá losnaðe fylkinginn oc gerðe
mannfall mikit í hværtvæggia liðit; oc í rofino geck Haraldr
konongr fram meðr skiǫlld sinn oc sværð oc hió á báðar
hænndr bæðe menn oc hesta svá at æcke fæstiz viðr.

75 Þá var Haralldr konongr skotenn framan í óstena svá at
þeghar com út blóð at munninum. Þetta var hans banasár,
oc því nest fell hann til iarðar. Nú er þesse tíðinde vóro
orðenn, þá sótto Ænglar at svá fast at þá fell allt liðit þet er
nest hafðe staðit konongenom.

80 Enn nú varð Tósti iarl þess var, at konongrenn var
fallenn, veic þeghar þer til er hann sá mærkit Landæiðuna,
oc æggiaðe fast til frammgǫngu, oc bað enn bæra þat sama
mærki firir sér; oc varð þá snǫrp orrasta firir því at allir
Norðmenn áæggiaðo oc saghðe hvær ǫðrum at æighi villdi
85 flýia. Þá lét Haraldr Goðvinasun blása lúðri sínum, oc bað
stǫðva orrastona oc bǫuð Tósta iarle brœðr sínum grið oc
ǫllu liði hans. Enn allir Norðmenn œpto upp senn oc létoz
ængi grið af honum þiggia vilia, létoz hælldr skula sighraz á
úvinum sínum eða liggia þer allir um konong sinn. Hófz
90 þá orrostann í annat sinn oc varð hin harðasta, oc æighi
lǫng áðr enn Tósti iarl fell.

Nú í því bili com til Œysteinn Orre meðr því liðe er á
skipum hafðe veret, oc þæir allir vóro albryniaðir. Oc var þá
orrastann hit þriðia sinn, oc feck Œysteinn Landœyðuna
95 mærke konongsens, oc var þá orrastann myklu harðaz, oc
fellu Ænskir menn mest, oc var viðr sialft at þæir mundu flýa.
Nú varð oc Œysteinn oc hans menn miǫc móðer, firir því at
þæir hǫfðu gengit langa ríð undir ringhabrynium oc gærðiz
veðrit miǫc heitt af sólu, at þá váro þæir nálegha úfœrir oc
100 stœyptuz þá allir ór brynium sínum. Enn þesse orrosta fór
sem vón var at, at þæir hǫfðu bætra lut er aflit hǫfðu mæira
oc búnað bætra með vópnum, oc fell þar nú Œysteinn Orri oc
nálegha allt stórmenni. Enn þessi orrasta var callat Orrahríð;
enn þet var œfro lut dagsins.

105 Var þetta sem mælt er, at æi kemr æinn hvaðann; oc firir
því at sumum var ǫuðit længri lífdagha oc kómuz meðr því
undan. Styrkar stallare coms þer undan hinn fræghaste maðr,
því at hann fec sér hest oc ræið á brot um cvældit. Oc gerðez þá

á vindr kalldr, enn Styrkar hafðe verit í skirtu æinni klæða oc
hialm á hǫfðe oc í hænde brughðit sværð. Nú dvaldez hann 110
er hann ratt mœðenne af sér, oc í því com at hanum vagncarl
æinn í kǫssunge síðum. Nú spurðe Styrkar, 'Villtu sælia
kǫssung þinn, bónde?' Hann svaraðe, 'Víst eighi þér. Þú
munt vera Norðmaðr, kenne ec mál þitt.' Þá svaraðe Styrkar,
'Hvat villt þú þá, ef ec em Norðmaðr?' Hann svaraðe, 'Ec 115
villde drepa þec, oc er nú svá illa at borez at ec hæfi ecke
vápn þat er nýt sé.' Þá mælti Styrkar, 'Ef þú mátt ei mec
drepa, bónde, þá scal ec fræista ef ec meghi þec drepa.'
Ræiðir þá til sværðit oc svá á hals bónda at fauc af hǫfuðit.
Tóc hann síðan þer sér skinniúp oc lióp síðann á hest sinn 120
oc lœypti svá til scipa.

II. EAST NORSE

XVIII

GESTA DANORUM

THERE were a number of chronicles written in Denmark in the Middle Ages, at first in Latin and later in Danish. The oldest of them is the *Chronicle of the Kings of Lejre*, composed in the latter half of the twelfth century; it has only survived, however, by being incorporated into the fourteenth-century *Annals of Lund*. The *Annals of Lund* were one of the sources of the Danish annals called *Gesta Danorum*. The selection given below is based on a portion which goes back to the *Chronicle of the Kings of Lejre*, and so represents a tradition that is older than Saxo. The matter does not correspond exactly with that of the *Annals of Lund*, however, as the author has made corrections and additions from other sources.

Most of the legendary matter in the Danish chronicles is to be found in a more detailed form in the Latin *Gesta Danorum* of Saxo Grammaticus, finished in the early years of the thirteenth century. Saxo was better informed of the Danish legends than any other Danish historian, and he added to them from Icelandic sources. But the curious folk-story of the dog-king of Denmark, and how Snio won the kingdom after the dog was dead, is not in Saxo.

The text of the following selection is from Codex Holm. B 77 (written in the first half of the fifteenth century) collated with Codex Holm. C 67, as these manuscripts are printed by Lorenzen in *Gammel-Danske Krøniker*, Samfund g. n. Lit. 1887–1913.

Thā war Haldan konung. Han drap thaghær sin brōthær Rō, oc Skat, oc thērræ wenær, oc sithæ strā-dō han. Haldan han haftæ twā sønær, ēn hēt Rō — oc summe sighæ at han hēt Haldan — oc anner hēt Helghe. Thē skiftæ rīkæt swā at Rō fek all fast land oc Helghe all watn. Ĭ thæn tīmæ war ĭ 5 Siǣland hōs Hōgæbiǣrgh ēn kø̄pstath, hētæ Hōkækø̄pingæ, oc for thȳ at thæt war lanct frān strand, thā giorthe Rō konungh kø̄pstath hōs Ŷsæfiorth oc kallæthe thæt æfter sit ēgiæt nafn oc ēn keldæ, hēt Roskeldæ. Hælghe han kom ēn tīmæ til Halland oc lagthæs mæth Thōræ, Rōlfs carls 10 dōttær, oc aflæthe mæth hænne ēnæ dōttær, hēt Yrsæ.

Annæn tīmæ took han sīnæ ēghnæ dōttær ūwitændhes oc
aflæthe ēn søn, hētæ Rōlf Kragæ. Rō konung iōrthæthæs ī
Læthræ. Hælghe drap konung af Windæn ī striith oc wan
15 Hodbrodæ oc fik alt Danmark. Sithæn, for skam skyld at
han haftæ sīnæ dōttær, thā flȳthæ han til ōstærrīke oc drap
sek thær sæluær.

Thā sendæ konung Hākun af Swērīke et køuærne Danum
til konung, mæth thē forōrth at hwilkæn thæt først sauthe at
20 han war dōthær, han skuldæ mistæ sit liif. Ēn dag sum
Rakkæ sath withær bōrth, oc hunda rēuus ā gulue, thā sprōng
han frān bōrth oc ī bland hundanæ, oc thē rēwo honum ī
hæl; oc thæt thōrdæ ængæn sighæ konung Hākonæ. Thā
bath Læ iæten ī Læsø sin hirthæ Sniō faa sek konungædōmæt
25 af konung Hākune. Thā spōrthe Hākun konung Sniō vm
tīthendæ. Sniō suaræthæ: 'Bīn faræ all wōrthælōs ī
Danmark.' Thā sauthæ Hākon konung: 'Hwar laat tū ī
nāt?' Sniō swaræthæ konungæn: 'Thær sum faaren ātæ
vluænæ.' 'Huræ swā?' 'Forthȳ at vluæn søzs oc gafs
30 faarum at drikkæ for lægædōm.' 'Hwar laat thū andræ
nāt?' sathe konungæn. Sniō swarathe: 'Thær sum vluæ
ātæ waghnæn, oc ōkæn lōp bort.' 'Huræ māttæ thæt waræ?'
'Forthȳ vluæ ātæ biæuærthrælen, thær weth haftæ mællæn
sīn bēn, oc thē biæfræ sum drōgho, thē løpæ bort.' 'Hwar
35 laat thū thrithiæ nāt?' sathe konungæn. Sniō swarathe:
'Thær sum mȳs ātæ yxenæ oc æi skaftæt.' 'Hwī swā?'
'Forthȳ børn giorthæ yxæ af hwīt ost; hennæ ātæ mȳs, oc
æi stikken ther skaftæt war aff.' Thā spōrthæ konung æfter
tīthændæ. Sniō swaræthe: 'Bīn faræ all wōrthælōs.' 'Thā
40 ær Rakkæ dōthær!' 'Thæt sigær thū oc æi iak', sathe
Sniō; oc swā war han konung ī Danmark, wrōngær oc
ofhaarth dōmare oc grym oc fek gōzs mæth vskæll, oc megæt
thwingæthe han allæ mæn. Ēn hēt Rōth, han stōth hōnum
ī gæn. Hōnum sændæ konung for awnd skyld til Læ iætæn
45 at spøriæ sin dōth. Thā sathæ Rōth quæthiæ konungæns

Læ iætænæ oc sauthæ thrē sansaghær: eet, at han saa
aldrigh thiokkære wæggæ ā hūsæ æn Læ hafthæ; annat, at
han saa aldrigh ēn man hauæ swā mang houæth; thæt
thrithiæ, at wōræ han thæthæn, thā længdæ han aldrigh tīth
atær at komæ. Oc swā frælsæthe han sit liif. Thā sændæ 50
Læ iætæn Sniō konunge twā wantæ, oc swā sum han sat ā
thingæ ī Iūtlande oc han drōgh ā thē wantæ, sithæn ātæ lȳs
hōnum til dōthæ.

Sithæn war Rōlf Kragæ konungh, Hælgæ søn. Han war
stolther man ī līkæmæ oc ī hugh, oc swā gernæ gaf han, at 55
ængæn bath hōnum tyswar om nogær thing. Thā war ēn
grēue ī Skāne oc war Thȳtesk oc hēt Hartwar; han war
Rōlfs skatgildær. Han fik Rōlfs systær ā mōth hans wilghæ;
oc summæ sighæ at han gaf hānum hænnæ oc Swērīkæ mæth.
Ēn tīmæ fōr Hartwar til Siǣland mæth mekæn hær oc bath 60
Rōlf, thær thā sat ī Læthræ, takæ sin skat, oc swā drap
Hartwar Rōlf oc alt hans folk ūtæn ēn — han hēt Wigge, oc
han stak hōnum ī gømæn thæn samæ dagh mæth thæt sammæ
swærth han skuldæ hōnum mandōm mæth gøræ. Hartwar
war konung frān morænæn oc til prīm-tīmæ; Skulda hēt hans 65
drōthning. Sommæ sighæ at Ākæ, Haubōrths brōthær, drap
Hartwar, oc swā war han konung.

Sithæn warth Høthær konungh, Hodbrodæ søn, Hadding
konungs dōttærsøn, forthȳ at han war næstæ arwæ. Han
wan konung af Saxæland. Han drap ī strīth Baldær, Ōthæns 70
søn, oc æltæ Ōthæn oc Thōr oc thērræ kompanæ; thē
hafthæs for guthæ, æn thō thē thæt æi wōræ. Sithæn war
han dræpæn af Both, Ōthæns søn, ī strīth.

Thā war Rørik Slængeborræ ællæ Rake, hans søn,
konungh. Han wan Cūrland oc Windær oc Swērīke; thē 75
wētathe hōnum skat. Han giorthe Ørwændæl oc Fæng for-
mæn ī Iūtland. Konung gaf Ørwændel sīnæ systær for sin
thriflēk. Han aflæthæ mæth henne ēn søn, oc kallæthæs
Ambløthæ. Sithæn drap Fæng Ørwændæl for awnd oc tōk

80 hans konæ sek til hūstrø. Thā rǣddæs Ambløthæ om sit
liif oc giorthe sek til dāræ. Thā saa Fæng with Ambløthæ
oc sændæ honum til konung af Brittania mæth twā sīnæ
swǣnæ oc thȳlict brēf at Ambløthæ skuldæ op hangæs. Han
skrapathæ thæt af, methæn thē sōwæ, oc skrēf swā, at thē
85 twā swǣnæ skuldæ hængæs oc Ambløthæ skuldæ konungs
dāttær fā; oc swā war thæt. At iæmblingæ dagh sum
Fængh drak Ambløthæ ærue, thā kom han til Danmark oc
drap Fæng, sin fathærbanæ, oc brendæ allæ Fængs mæn
innen et tiald oc war swā konung ī Iūtland. Sithæ fōr han ī
90 gēn til Brittania oc drap sin swær thær hæfnæ wildæ Fængs
dȫth. Sithæn fik han drōtning af Skothland sek til hūs-
frūghæ. Thaghær han hēm kom, thā war han dræpin ī
strīth.

Æfthær Rørik Rake war Wīghlēk, hans søn, konung.
95 Nanna hēt hans drōtning. Han hafthæ frith oc nāthæ ī sīnæ
daghe, oc straa-dō han.

Sithæn war Wærmund, hans søn, konung. Han hafthæ
gōth frith ī førstænnæ, æn ī hans aldørdōm war han blind, oc
Offæ, hans søn, war swā thȫft af sek at han wǣntæs æi at
100 waræ fallæn til konung. Thā bēdæs konungs søn af Saxland
at waræ konung ī Danmark, ællær Wærmund skuldæ gā
innæn ēnwīghe mæth hōnum. Thā bēdæs Offæ at gōnga ā
mōt thwā Thȳthæskæ, hwilkæ thē han wildæ, æn før gik ēn
Thȳthæsk ā mōt twā Danskæ. Thā gik konungs søn af
105 Saxland oc ēn stark kæmpe ā mōt Offa, och thēm drap han
bāthæ, oc sithæn war Offæ·hin Starke konung ī Saxland oc ī
Danmark.

THE WEST-GAUTISH LAWS

It is not known certainly when Gautland was first absorbed by
Sweden; perhaps it was at the end of the sixth century, the period of
which the Anglo-Saxon poem *Beowulf* tells something, namely, that
the Swedes were then giving heavy blows to the Gauts (AS. *Geatas*)
who were in constant fear of Swedish hostility. It is evident from the
fact that the Gauts had a voice in the election of the king that the
union was not brought about by conquest, but probably by half-
voluntary submission to avoid the fate of the conquered.

The West Gautish Laws from which these extracts are taken are
preserved in Codex Holm. B 59, and this part of it dates from 1281–90
—one of the oldest Swedish manuscripts. The text here is from
Schlyter, *Corpus Juris Sueogotorum Antiqui*, Stockholm, 1834, vol. i,
p. 36.

How the king, bishop, and lawman were chosen

Svēar ēgho konung at takæ ok svā vrækæ. Han skal mæþ
gīslum ouæn faræ ok ī Østrægøtland. Þā skal han sændimæn
hingæt gæræ til aldrægøtæ þings. Þā skal lagmaþær gīslæ
skiptæ, tvā sunnæn af landi ok tvā norþæn af landi. Siþæn
skal aþræ fiūræ mæn af landi gæræ mæþ þēm. Þēr skulu til 5
Iūnæbækkær mōte faræ. Østgøtæ gīslæ skulu þingæt fylghiæ
ok vittni bæræ at han ær svā inlændær, sum lægh þerræ
sighiæ. Þā skal aldrægøtø þing ī gēn hānum næmnæ. Þā
han til þings kombær, þā skal han sik allum Gōtom trōlekæn
sværiæ, at han skal ēigh ræt lægh ā landi vāru brȳtæ. Þā 10
skal lagmaþær han fyrst til konongs dømæ ok siþæn aþrir, þēr
ær han biþær. Konongær skal þā þrim mannum friþ giuæ,
þēm ær ēigh hauæ nīþingsværk giort.

Æn biskup skal takæ, þā skal konungær allæ landæ at
spyriæ huarn þēr viliæ hauæ. Han skal bōndæ sun væræ. 15
Þā skal konongær hānum staf ī hand sæliæ ok gullfingrini.

Siþæn skal han ī kirkiu lēþæ ok ī biskups stōl sættiæ. Þā ær han fulkomen til valdær ūtæn vixlt.

Bōndæ sun skal lagmaþær væræ. Þȳ skulu allir bōndær 20 valdæ mæþ Guss miskun. Konongær skal næmd firi sik sætiæ ok lagmaþær ā þingi. Þæt hētir ē aldrægōtæ þing, ær lagmaþær ær ā. Þær mā folk ætlēþæ ok sættum lȳsæ.

Þættæ ær lēcara rātær

Varþær lākæri barþær, þæt skal ē ūgilt varæ. Varþær 25 lēkari sārgaþær, þæn sum mæþ gīghu gangar allær mæþ fiþlu far allær bambu, þā skal kuīghu takæ ōtamæ ok flytiæ up ā bāsing. Þā skal alt hār af roppo rakæ ok siþæn smyria. Þā skal hānum fā skō nȳsmurþæ. Þā skal lēkærin takæ kuīghuna um roppo, maþær skal til huggæ mæþ huassi gēsl. 30 Gitær han haldit, þā skal han havæ þæn gōþa grip ok niūtæ, sum hundær græss. Gitær han ēigh haldit, havi ok þole þat sum han fæk, skama ok skaþa; biði aldrigh haldær rāt æn hūskonæ hūþstrukin. Ē ā variændi vitu ok skyldæsti arf at takæ.

XX

THE LIFE OF SÀINT ERIC

ERIC, the fourth Swedish king of that name, ruled 1150–60. He was as truly northern in his saintliness as Óláf, faultless of life, of iron will; but he was more compassionate, since he could weep for the heathen whom he had to slaughter unsaved.

This life of St. Eric is preserved in Codex Bildstenianus in the library of Uppsala University. It was written in the second quarter of the fifteenth century, but the original version was probably a century earlier. It was translated from a Latin version, which no longer exists. There is, however, a closely-related Latin life which occasionally helps to define the meaning of the Swedish text. The Swedish text is edited by Stephens in *Et Forn-svenskt Legendarium*, Stockholm, 1858, p. 883.

Hǣr viliom wī medh Gudz nādhom sighia medh faam ordhom aff thøm hælgha Gudz martire Sancto Ērīco, som fordum war konungher ī Swērīke. Bādhe aff ǣt ok ædle han war swā fast aff konunga slækt som aff androm Swērīkis høfdingiom. Sidhan rīkit var ūtan forman, ok han var kiǣr 5 allom lanzins høfdingiom ok allom almōganom, thā valdo thē han til konungh medh allom almōghans gōdhwilia, ok sattis hēdherlīca ā konungx stool vidh Upsala. Sidhan han kom til valdha, hēdradhe han mykyt Gudh, oc thrēm lundom skipadhe han sit līfwerne, ey swā mykyt aff thȳ for thet valde 10 som han var thā til komin, ūtan aff enne mykle umhuxan, ok fulkompnadhe væl sit līfwerne, til han ændade thet medh hēderlico martirio. Han følgdhe thēra gōdha konungha æptedøme, som ī gamblo laghomen vāro, først til thē helgho kirkio ok Gudz dȳrk økilse, sidhan til almōghans stȳrls ok 15 rǣtzl vīsa manna styrkilse, oc at ȳtersto satte han sik allan ā mōth trōnna ōwinum. Sidhan skipade han ī Opsala kirkio, som gambla konungha hans foreldra hafdo byriat ok ēn dēl vp byght, Gudz thiænistomæn. Sidan foor han vm alt sith

20 rīke ok søkte sit folk, ok foor fram at rǣttom konunghslekom
vægh. Han dømde rǣtta dōma vtan allan vinskap ælla
pæninghavild ok ey ōrǣtta dōma for rǣddogha ælla hath
sculd. Han gik fram at thøm vægh som lēdher til himerīkes.
Han sǣtte ōsāta mæn, han frelsadhe fātōka mæn aff sīnom

25 iwirmannom, ok størkte rǣtuīsa mæn ī Gudz thiǣnist, ok
wranga mæn vilde han ey thola ī sīno lande, ūtan giordhe
hwariom sin rǣt. Han var almōghanom swā kiǣr bādhe for
thetta ok swā for andra gōda gerninga at aldir almōghin vilde
hanom ūt gifwa thridhia dēlin aff allom brutpæningom, som

30 æpte lanz laghum lāgho til konungx fatabūr. Thā sighs han
thøm hafwa swarat, som hānom thet budhu: 'Jak hafwir
øfrīkt aff mīno ēghno gōze, ok hafwin ī idhart, for thȳ at thē
æpte idher koma, thē thorfuo thet væl vidher'; ok thet var
rǣtuīs manz ordh, ok siældhan finz nū hans līke, som sik lǣtir

35 nøghia at sīno ēghno ok ey girnas sinna vndirdāna gōz.

Sannelīka for thȳ at thæt ær rǣtuīst, at thæn annan skal
stȳra oc dōma, han scal førra dōma sik siælfuan, ok gøra
siǣlinna vndirdāna ok stȳra sin hugh til Gudz, som scrifwaz:
'Jac pīnar min līkama ok lifwer jak ī Gudz thiǣnist.' For

40 thæn sculd var thæn hælghe konunghin starkir ī vaku,
idhelīken ā bønum, tholugher ī ginuærdo ok milder ī almoso
ok thwingade sit køt medh hwasso hārklǣdhe, ok ī thȳ samu
hārklǣdhe war han som ī rǣtwīsonna brynio vm thæn thīma
han var dræpin, ok thet ær æn ī dagh gømpt ī Vpsala kirkio,

45 vǣt ī hans halgha blōdhe. Vm fasto ælla vm andra helgha
thīma kom han ey ī drōtninginna sǣng, vtan thā nātūrlīkin
lusta krafdhe køtit, thā hafdhe han eet kar fult medh kalt
vatn bādhe vm vintir ok somar, som han slækte nātūrlīkan
losta medh.

50 Sidhan, som wī først sagdhom, at kirkian var bygdh ok rīkit
væl skipat, thā samkadhe han saman hær ā mōt vantrōnne
ok sīns folks ōwinum, ok thōk medh sik aff Vpsala kirkio
Sanctum Henrīcum biscop ok fōr til Finlanz ok stridde, ok

drap all thøm som ey vildo taka vidh rǣtuīso ok rǣtte troo,
for thȳ at han hafdhe opta thøm Gudz troo ok frid budit, oc 55
thē wāro swā forhardhe at thē vildo engalund vndi ganga,
v̄tan medh hardhe hand. Sidhan han hafdhe sigher wonnit
ok han var ā sīnom bønom, ok badh til Gudh medh grātande
tārom, for thȳ han hafdhe milt hiærta, thā spurdhe ēn hans
swēn, hwī han grǣt mædhan han hafdhe Gudz ōwini sighrat 60
oc wunnit, som han mātte hællir glædhias aff. Han swaradhe
swā: 'Sannelīka jak glædz ok lofwar Gudh for gifnan sigher,
ok sørgher mykyt at swā manga siǣla sculdo forfaras ī dagh,
som hældir mātto hafwa komit til himerīkis, vm thē hafdho
takit vidh Cristindōm.' Ok thā kalladhe han saman folkit 65
som epte lifdhe, ok gaff landeno fridh ok lǣt prēdica landeno
Gudz troo ok cristnadhe folk ok bygdhe kirkior, ok satte ther
ater Sanctum Henrīcum, som thær æpte tholde martirium.
Sidhan ther vāro preste skipadhe ok annur thē thing som
Gudz dȳrk tilhørdhe: thā foor han ater til Swērīkis medh 70
hēdherlikom sighir.

Ā tīonda āre hans konungx rīke, thæn gamble ōwinin
vekte vp ā mōt hānom ēn man som hǣt Magnus, konungxins
son aff Danmark, som ā sit mødherne ātte konunger at vara
ā mōt laghum, som forbiūdha at ūtlænningia sculu rādha. Han 75
legdhe medh sik ēn høfdhingia, ok rēddo sik saman til hans
dødh ok sampnado lønlīca saman hær ā mōt konungenom,
hānom ōuitande, vidh Østra Ārus; thetta thīmde vm hælgha
Thōrsdagh ī Sanctae Trinitatis Kirkio, ā thȳ biærghe, som
hēter Mons Domini, som nū ær kirkian bygdh. Mædhan 80
han hørde mæsso, var honom saght at hans ōwini vāro nǣr
stadhenom, ok rādhelīkit wāre at mōta thøm ginstan medh
sinne makt. Thā swaradhe konungin: 'Lǣtin mik vara
mædh nādum at høra fulkomlīka Gudz thiǣnist ī swā stōre
høghtiiδ, for thæn sculd at jak hopas til Gudz, at thet som 85
hǣr atir staar af hans thiǣnist, thet scolum vī annars stadhs
høra.' Sidhan thetta var sakt, thā anduardadhe han sik

Gudhi ī hændir oc vald, ok giordhe kors før sik ok gik ūt aff
kirkionne, ok væmpte sik medh kors tēkne ok sīna swēna
90 først, ok sidhan medh vāpnom, thō at thē vāro faa, ok mø̄tto
mannelīka ōmanlīcom. Sidhan thē kōmo saman, thā hiōldo
fleste medh værsta gram ā mōt gōdum Gudz vini. Sidhan
han var nidherslaghin ok huggin saar owan ā saar, ok swā
som han war varla dø̄dher, thā wordho grymi grymare, ok
95 giordho haad aft hēdherlīkom, ok huggho hofwed af hānom
som aff androm fanga fūlom. Han anduardadhe Gudhi sīna
siæl oc foor aff iordrīke ok til himerīkis rīke.

Thætta var thet første miraculum, at ī thæn stadh hans
blōdh var først ūtgutit, brast vp ēn rinnande kiælda, som en
100 ī dagh ær til vitna. Sidhan thē vāro borto, oc hans helghe
līkama atir ī samma stadh han var dræpin; oc faa aff hans
swēnom vāro atir ok tōko līkit, ok bāro thet in til enna fātika
enkio hūs, ok var ther een fātik kona blindh vm langan tīma,
ok sidhan hon hafdhe takit vpā hans līkama, ok hænna fingir
105 vāro vaath wordhin aff hans blōdhe, ok thōk ā sīnom ø̄ghum,
oc fik ī samu stundh skiæra sȳn ok lofwadhe Gudh. Mangh
annur thōlik miracula som Gudh hafwer giort medh sīnom
hælgha martire Sancto Ērīco æru annar stadh scrifwat. Han
vardh dræpin æpter Gudz byrdh thūsanda aarum ok hundrada
110 ok sextighi ārum, quinto decimo Kalendas Iunii, ī Alexandri
Pāua daghum thridhia, regnante domino nostro Iesu Christo,
cui est omnis honor ac gloria in secula seculorum. Amen.

XXI

THE LEGENDARY HISTORY OF GOTLAND

THIS remarkable history of the island of Gotland is folk-lore, but it evidently contains also some vaguely-remembered historical traditions. Can the entry of the exiled Gotlanders into Byzantine territory be a reminiscence of Gothic history? Or does it merely tell of one of the later movements of the Swedish expansion into Russia? The mention of the settlement in the emperor's territory where the inhabitants 'still have something of our speech' suggests the Goths. It is known that a kind of Gothic was still spoken in the Crimea as late as the sixteenth century when it was noted by the Fleming Busbek; no Swedish settlement so far south is known.

The information about later times is less fabulous; the details of the heathen practices are accurate, and the story about Awair Strawlegs also is doubtless historical. Gotland became part of the Swedish kingdom by some such agreement in the ninth century.

The *Guta saga* of which this selection is the beginning is in Codex Holm. B. 64, written about 1350. It has been edited by H. Pipping, *Guta Lag och Guta Saga*, Samfund g. n. Lit. 1905–7.

Gutland hitti fyrsti maþr þan sum Þieluar hīt. Þā war
Gutland sō eluist at þet daghum sanc oc nātum war uppi.
En þann maþr quam fyrsti eldi ā land, oc siþan sanc þet
aldri. Þissi Þieluar hafþi ann sun sum hīt Hafþi, en Hafþa
cuna hīt Huītastierna. Þaun tū bygþu fyrsti ā Gutlandi. 5
Fyrstu nāt sum þaun saman suāfu, þā droymdi henni draumbr,
sō sum þrīr ormar wārin slungnir saman ī barmi hennar, oc
þȳtti henni sum þair scriþin ȳr barmi hennar. Þinna draum
segþi han firi Hafþa bōnda sīnum. Hann raiþ dravm
þinna sō: 10

> 'Alt ir baugum bundit,
> bōland all þitta warþa,
> oc fāum þrīa syni aiga' —

þaim gaf hann namn allum ōfȳdum —

15   'Guti al Gutland aigha,
       Graipr al annar haita,
       oc Gunfiaun þriþi.'

Þair sciptu siþan Gutlandi ī þrīa þriþiunga, sō at Graipr
þann elzti laut norþasta þriþiung oc Guti miþalþriþiung, en
20 Gunfiaun þann yngsti laut sunnarsta. Siþan af þissum þrim
aucaþis fulc ī Gutlandi, sō mikit um langan tīma at land elpti
þaim ai alla fȳþa. Þā lutaþu þair bort af landi huert þriþia
þiauþ, sō at alt sculdu þair aiga oc miþ sīr bort hafa sum
þair vfan iorþar āttu. Siþan wildu þair nauþugir bort fara,
25 men fōru innan Þorsborg oc bygþus þar firir. Siþan wildi ai
land þaim þula, v̄tan rācu þaim bort þeþan.

Siþan fōru þair borth ī Fāroyna oc bygþus þar firir. Þar
gātu þair ai sic vppi haldit, v̄tan fōru ī aina oy wiþr Aistland
sum haitir Dagaiþi, oc bygþus þar firir oc gierþu burg aina
30 sum enn sȳnis. Þar gātu þair oc ai sic haldit, v̄tan fōru vpp
at watni þī sum haitir Dyna, oc vpp ginum Ryzaland. Sō
fierri fōru þair at þair quāmu til Griclanz. Þar baddus þair
byggias firir af Grica konungi vm nȳ oc niþar. Kunungr
þann lufaþi þaim, oc hugþi at ain niþ ann mānaþr wāri.
35 Siþan gangnum mānaþi wildi hann þaim bort wīsa, en þair
annzsuaraþv þā at nȳ oc niþar wāri ē oc ē, oc quāþu sō sīr
wara lufat. Þissun þaira wiþrātta quam firir drȳtningina vm
sīþir; þā segþi han, 'Minn herra kunungr, þū lufaþi þaim
byggia vm nȳ oc niþar. Þā ir þet ē oc ē; þā mātt þū ai af
40 þaim taka.' Sō bygþus þair þar firir, oc enn byggia, oc enn
hafa þair sumt af wāru māli.

Firi þan tīma oc lengi eptir siþan trōþu menn ā hult oc ā
hauga, wī oc stafgarþa, oc ā haiþin guþ. Blōtaþu þair synum
oc dȳdrum sīnum, oc fīlēþi miþ mati oc mungāti. Þet gierþu
45 þair eptir wantrō sinni. Land alt hafþi sīr hoystu blōtan miþ
fulki, ellar hafþi huer þriþiungr sīr; en smēri þing hafþu

mindri blōtan meþ fīlēþi, mati oc mungāti, sum haita *suþnaut-ar*, þī et þair suþu allir saman.

   Mangir kunungar stridu ā Gutland miþan haiþit war; þau hieldu Gutar ē iemlīca sigri oc rēt sīnum. Siþan sentu Gutar 50 sendimenn manga til Suīarīkis, en engin þaira fic friþ gart fyr þan Āwair Strābain af Alfha-socn; hann gierþi fyrsti friþ wiþr Suīa kunung. Þā en Gutar hann til bāþu at fara, þā suaraþi hann, 'Mik witin īr nū faigastan oc fallastan. Giefin þā mīr, en īr wilin et iec fari innan slīkan wāþa, þrȳ wereldi, att mīr 55 sielfum, annat burnum syni mīnum, oc þriþia cunu.' Þȳ et hann war snieldr oc fielkunnugr, sō sum saghur af ganga, gicc hann ā staggaþan rēt wiþr Suīa kunung. Siextighi marca silfs vm ār huert, þet ier scattr Guta, sō at Suīarīkis cunungr hafi fiauratighi marcr silfs af þaim siextighi, en ierl 60 hafi tiughu marcr silfs. Þinna staþga gierþi hann miþ lanz rāþi fyr en hann haiman fōri. Sō gingu Gutar sielfswiliandi vndir Suīa kunung, þȳ at þair māttin frīr oc frelsir sȳkia Suīarīki ī huerium staþ, vtan tull oc allar ūtgiftir; sō aigu oc Suīar sȳkia Gutland firir vtan cornband ellar annur forbuþ. 65 Hegnan oc hielp sculdi kunungr Gutum at waita en þair wiþr þorftin oc kallaþin. Sendimen al oc kunungr oc ierl samu-laiþ ā Gutnalþing senda, oc lāta þar taka scatt sinn. Þair sendibuþar aighu friþ lȳsa Gutum alla steþi tilsȳkia yfir haf sum Upsala kunungi tilhoyrir, oc sō þair sum þan wegin aigu 70 hinget sȳkia.

III. RUNIC INSCRIPTIONS

RUNIC INSCRIPTIONS

THERE are rival theories about the origin of runes. According to Wimmer (in *Die Runenschrift*, Berlin, 1887) the runes were adapted from the Latin alphabet; according to S. Bugge (in *Norges Indskrifter med de ældre Runer*, Inledning, 1905–13) and O. von Friesen (in Hoops's *Reallexicon der germanischen Altertumskunde*, vol. iv, 1919) they originated among the Goths on the north coast of the Black Sea and were taken mainly from the Greek alphabet, though certain letters, namely *f*, *u*, *r*, and *h* are clearly forms of Latin letters. In more recent times many scholars would trace the runes back to Etruscan or North Italian alphabets, and this theory is upheld by H. Arntz (in his *Handbuch der Runenkunde*, 2nd ed., Halle, 1944). The theory has much to recommend it, for the actual symbols used correspond most closely to those of the North Italian alphabets, though so far no such alphabet has been discovered which contains all the runic symbols. This difficult question of the origin of the runes cannot yet be said to have been settled. Only recently another Scandinavian scholar, F. Askeberg (in *Norden och Kontinenten i gammal Tid*, Uppsala, 1944) argues for a return to the old theory of derivation from the Latin alphabet.

In the oldest Norse inscriptions the early fuþark is still well preserved, though some of the runes necessarily have different values from those which they must have had in Gothic use. The earliest Norse inscriptions belong to the third century, and the oldest complete fuþark (on the stone of Kylfver, on the island of Gotland) to the fourth century. The usual forms of the older Norse fuþark were these:

ᚠ	ᚢ	ᚦ	ᚨ	ᚱ	ᚲ	ᚷ	ᚹ	ᚺ	ᚾ	ᛁ	ᛃ or ᛃ
f	u	þ	a	r	k	ȝ	w:	h	n	i	j

ᛇ	ᛈ	ᛉ	ᛊ:	ᛏ	ᛒ	ᛖ	ᛗ	ᛚ	ᛜ	ᛟ	ᛞ
?i	p	ʀ	s:	t	b	e	m	l	ng	o ð and d

The rune ᛇ was rare, and its value uncertain. In Norse it seems to have stood for *i* or *e*; in Gothic it was probably ƕ. Owing to the loss of initial *j* in Norse, the value of the rune ᛃ *j* (*ár*) by about 600 had changed to *a*, and ᚨ was then used only of nasalized *a* (*ą*).

During the eighth century owing to confusion of spelling which allowed one rune to represent several related sounds, some of the runes began to fall into disuse. From about 800 a reduced fuþark of sixteen runes came into use, appearing earliest in Danish inscriptions. The usual forms of this fuþark (with the names of the runes) are given in the Rune-Song, p. 154. The names of the runes are also given in an old Danish form in a Leyden manuscript (Codex Leidensis Lat.

quarto 83) written in runes and in Latin letters, in the latter form rather corrupt. This passage goes back to an original of the ninth or early tenth century, as is evident from the archaic forms: *fēu, ūr*R, *þurs, aus* (= *ǫs*), *ræiþu, kaun, hagal, nauþ*R, *īs, ār, sōlu, Tīu*R, *biarkan, mann*R, *laug*R (= *lǫg*R), *ïr* (for *īu*R). The first letter of each rune-name gives the value of the rune, except that *ýr* represented R. In Sweden and Norway the shortened fuþark appears first at the end of the ninth century (as in the Rök inscription, no. 12). Some of the runes of the Swedish fuþark differed from the Danish forms, namely ┼ = *h*, ├ = *n*, Ⱶ = *a*, ⏐ = *s*, ⊨ = *b*, ┬ = *m*, ⏐ = R. These forms were in part displaced by the Danish runes during the eleventh and twelfth centuries. In Norway the earliest short fuþark resembled the Swedish one, and the early Norwegian forms were still used in the Isle of Man in the eleventh and twelfth centuries (as in no. 4). Elsewhere Norwegian inscriptions of the eleventh and twelfth centuries show strong Danish influence and some independent developments, as the distinction between *a* (⟨) and *æ* (⟨ or ⥿), the use of *ýr* as *y* instead of R, of *áss* (later *óss* as in the Rune Song) as *o* instead of *q*. It seems to have been in Norwegian use also that dotted runes were first produced, and the earliest of them were ⊧ = *e* and ⩤ = *y*; these were used in the eleventh century. A little later different consonantal values were also distinguished; a dot on a runic consonant usually indicated that it was voiced. The dotted runes spread to all the Scandinavian lands, even Greenland (as in no. 8).

It will assist in interpreting the inscriptions if some of the principles of runic spelling are pointed out. The first two of the following observations apply also to the inscriptions in the older runes:

1. Double runes are seldom expressed as such. A single rune may stand for two even when they are in separate words, as *furaþum* = *fōr rāpum* 16. Sometimes a pair of runes must be repeated in the reading, as *tualraub*R = *tua ualraub[a]*R 12.

2. The rune for *n* is often omitted before a consonant, especially after *q*, as in *mǫ(n)*R 2; similarly *m* is sometimes omitted, especially in the common word *ku(m)bl* 11.

3. In inscriptions in later runes (and sometimes in the older) the same rune is used for a voiceless consonant and for the corresponding voiced consonant; thus *hiuku* = *hiuggu* 16, *fokl* = *fogl* 2. The ambiguity of this use was avoided in the dotted runes of the thirteenth and fourteenth centuries, except that the dots were not always used consistently, as in *gakntag* = *gagndag* 8, in which only the first and last runes are dotted.

4. The vowels are as ambiguous as the consonants.

a may stand also for *ǣ* and *ǭ*: *uamoþ* = *Wǣmōþ* 12; *tanmarku* may represent *Danmǫrku* 14.

i may stand also for *ě, ǣ, ě̄, æi,* or *j: stin* = *stēn* 13; *tri(n)ka*R =

*dræng*aʀ 13; after *æi* had become *e* in Norse, the runic spelling *ai* continued to be used conventionally for *e*, as in *maistar* = *mæstar* 14, and then the spelling *ai* was extended to words which never had contained the diphthong *æi*, as *taiþir* = *dæþir* 14.

u may stand also for *ŏ, ў, ø, au,* or *w: trutin* = *dróttin* 13, *at u* = *at* Ø or *at Øy* 14, *huki* = *haugi* 14.

au may stand also for *ŏ, ǫ,* or *o: auft* = *øft* 11, *saulua* = *Sǫlwa* 11, *haursa* = *Horsa* 16 (rare).

The uses of runes were specialized, and most of the inscriptions fall into clearly defined conventional types. The most varied and interesting are those cut for magical effect. Such are nos. 2 and 3. An event might be brought to pass if it were cut in runes which were inlaid with blood while charms were recited. There is a description in *Egils saga* of how Egil detected poison with runes: he cut them on the drinking horn, reddened them with his blood, and recited a verse (quoted in the saga). Thereupon the horn burst asunder. Related to the magical inscriptions are those appealing to heathen deities, as does no. 11. The sagas and early poems abound with instances of the magical power of runes, as *Grettis saga* (chapter 79), *Vatnsdæla saga* (chapter 34) where Jǫkul cut runes on a *níðstǫng* 'með ǫllum þeim formála er fyrr var sagðr'; Egil did likewise when he raised a *níðstǫng* against Eirik Bloodaxe (*Egils saga,* ch. 57, where part of the *formáli* is quoted). *Sigrdrífumál* in the poetic Edda contains a treatise on the use of runes for magic. Runes were often used to inscribe the name of the owner of an article, especially on swords and weapons, as in nos. 6 and 9. They served also for the artist's signature, either the maker of weapons or the cutter of an inscription: see nos. 1, 7, 10, 11, 12, 16. Most numerous of all are the memorial inscriptions, usually for the dead—nos. 4, 8, 11, 12, 13, 14, 15, 16. Sagas and poems tell of runes being used for messages too; the message which Hamlet took to England (see p. 168) was in runes, and in *Atlamál* (and the prose version in *Vǫlsunga saga,* chs. 33 and 34) Guðrún tried to warn her brothers in a runic message against visiting Attila. Both inscriptions were altered by the messengers. In *Egils saga* Egil's daughter is said to have cut Egil's poem *Sonatorrek* on pieces of wood (*rúnakefli*), the only known instance of the literary use of runes in early times, though *rúnakefli* are elsewhere mentioned. From a later period, thirteenth and fourteenth centuries, comes a manuscript, the old Danish Codex Runicus, written in runes, and there are also fragments of another Danish runic manuscript. Runes on pieces of wood were also used for sortilege, a practice mentioned in *Vǫluspá* 20, and in English ballads called 'casting the kevels'.

The range of Scandinavian enterprise in the viking age is well illustrated by the distribution of Norse runic inscriptions. Farthest north and west is the inscription of Kingiktorsoak; farthest east the stone of Berezanji; farthest south, the inscription on the marble lion from Athens. The vikings at times penetrated east and south of these points, but not in their ordinary range. Of all Scandinavian lands Sweden is the richest in runic inscriptions—there are more than 2,000 Swedish inscriptions still in existence—and Iceland the poorest. Though so much is said in Icelandic literature of the use of runes, inscriptions in Iceland are few, and the oldest (on the church door at Valþjófsstaðr) dates from *c.* 1200. In the four Scandinavian lands the use of runes for charms and memorial inscriptions lasted into the sixteenth century.

WEST NORSE AREA

1. Stone at Einang, Norway, *c.* 400.

Inscription: ðaჳaʀ þaʀ runo faihiðo.

OIcel.: Dagr þær rúnar fáða.

Translation: [I], Dag, fashioned these runes.

2. Stone at Eggjum, Norway, *c.* 800.

Inscription: A. hin warb naseu | mą(n)ʀ maðe þaim | kaiba i bormoþa huni | huwaʀ ob kam haris ą | hi ą lą(n)t ჳotna | fiskʀ oʀ[uki] nauim suemą(n)de | fokl if s[liti na] ჳ[a]land(e).

B. is a[lin] misurki.

C. nis solu sot uk ni sakse stain skorin | ni [sati] mą(n)ʀ nakða | ni snareʀ ni wiltiʀ mąnʀ lagi.

OIcel.: Hinn varp násæ maðr, máði þeim keipa í *bormóða húni. Hverr of kom hers á, hér á land gotna? Fiskr øruggi návim svimandi, fogl, ef slíti ná galandi, es alinn *misyrki. Né's sólu sótt ok né saxi steinn skorinn, né seti maðr nøkðan, né snarir né viltir menn leggi.

Translation: This stone has been inlaid with the sea of the body (blood), and the wood of a sledge-runner has been shaped with it, bored with the gimlet. Which of the (rune)-horde has come here to the land of men? The trusty fish that swims the stream of the body, the bird, screaming if he tears a corpse (i.e. against Ormar) is born a revenger. The stone is not reached by the sun, nor is it cut with knife. Let no man make this stone naked, nor let bold or senseless men throw it down.

3. A piece of bone, found at Trondhjem in 1901; c. 1050.

Inscription: unak mæyiu i(k) uilat reą ælens fulæ uif ækia hakaþi.

ONorw.: Unnak møyiu; ek vilat réą Ællends fúlæ víf. Ækkia hagaði.

Translation: I loved her as a maiden; I will not trouble Erlend's detestable wife. When she is a widow it is the better.

4. Kirk Michael, Isle of Man, c. 1100.

Inscription: mallumkun raisti krus þena efter malmuru fustru sin e[n] totir tufkals kona as aþisl ati (b)etra es laifa fustra kuþan þan son ilan.

OIcel.: Mallomkun reisti kros þenna eptir Malmuru, fóstru sín, en dóttir Dufgals, kona es Aðils átti. Betra es leifa fóstra góðan en son illan.

Translation: Mael-Lomchon and the daughter of Dubh-Gael, whom Aðils had to wife, raised this cross in memory of Mael-Muire, his fostermother. It is better to leave a good fosterson than a bad son.

5. On the stones of Maeshowe, Orkney, 1152–3.

Inscriptions: 20. iorsala farar brutu orkøuh.

ut norþr er fe folgit mikit þat er lo eftir uar fe folgit mikit sæl er sa ir fina ma þan øuþ hin mikla.

18 *and* 16: þisar runar rist sa maþr er runstr er fyrir uæstan haf mæþ þæiri øhse er ati køukr trænils sonr fyrir sunan lant.

ONorw.: Jórsalafarar brutu Orkhǫug.

Út norðr er fé folgit mikit þat er lá eptir, var fé folgit mikit. Sæll er sá er finna má þann ǫuð hinn mikla.

Þessar rúnar   ræist sá maðr
er *rýnstr er   fyrir vestan haf
með þæirri øxi   er átti Gǫukr
Trandils sonr   fyrir sunnan land.

Translation: The crusaders to Jerusalem broke open the Orkney grave-mound.

In the north-west is the great treasure hidden, which was left behind (after death); great treasure was hidden. Happy is he who can find this great wealth!

These runes that man cut who is most skilled in rune-craft west over sea, with that axe which Gauk, Trandil's son, in the south (of Iceland) owned.

6. Sword-hilt found in a grave-mound at Greenmount, Louth, Ireland, 12th century.

Inscription: tomnal selshofoþ a soerþ (þ)eta.

OIcel.: Domnal Selshǫfuð á sverð þetta.

Translation: Domnal Seal's-Head owns this sword.

7. Pennington, Furness, *c.* 1150.

Inscription: [ka]mial seti þesa kirk hubert masun uan.

OIcel.: Gamall setti þessa kirkju; H. masun vann.

Translation: Gamal endowed this church; Hubert the mason built it.

8. Stone from the island of Kingiktorsoak, Baffin's Bay, west of Greenland. Beginning of the fourteenth century.

Inscription: elli(n)kr sikuaþs sonr ok bianne tortarson | ok enriþi (i)o(n)sson laukartakin fyrir gakndag | hloþu uarda te ok rydu . . .

OIcel.: Erlingr Sighvatsson ok Bjarni Þórðarson ok Eindriði Jónsson laugardaginn fyrir gagndag hlóðu varða þá ok ruddu . . .

Translation: Erling S. and Bjarni Þ. and Eindriði J. on the
   Saturday before the minor Rogation Day (April 25th)
   piled these cairns and cleared . . .

EAST NORSE AREA

9. End-clasp of a sword-sheath from Torsbjærg, Slesvig,
   c. 300.

Inscription: owlþuþewaʀ ni wajemariʀ.

ODan.: Ullþéʀ ne wæimǣrr.

Translation: Ullþer, of no ill fame (the name of the owner).

10. The Golden Horn of Gallehus, North Slesvig, *c.* 400.

Inscription: ek hlewaӡastiʀ holtijaʀ horna tawiðo.

ODan.: Ek, Hlēgestʀ Høltiʀ, horn tāða.

Translation: I, Hlegest of Holt (i.e. Holtstein), made the horn.

11. Stone of Glavendrup, Denmark, *c.* 900–25.

Inscription: A. raknhiltr sa|ti stain þ<u>a</u>nsi auft | ala saulua
   kuþa | uia haiþ uiarþan þiakn.

   B. ala suniʀ karþu | ku(m)bl þausi aft faþur | sin auk h<u>a</u>ns
   kuna auft | uar sin in suti raist run|aʀ þasi aft trutin
   sin | þur uiki þasi runaʀ.

   C. at rita sa uarþi is stain þ<u>a</u>nsi | ailti iþa aft <u>a</u>n<u>a</u>n traki.

ODan.: Ragnhildr satti stæin þ<u>a</u>nnsi øft Alla, S<u>a</u>lwa goða, wēa
   hæiðwerðan þegn. Alla syniʀ gærðu kumbl þausi aft faður
   sīnn auk h<u>a</u>ns kona øft wer sīnn; en Sōti ræist rūnaʀ þāssi
   øft drōttin sīnn. Þōrr wīgī þāssi rūnaʀ. At rētta sā werði,
   es stæin þannsi ælti eða aft <u>a</u>nn<u>a</u>n dragi.

Translation: Ragnhild raised this stone in memory of Alli,
   priest in Salve, the revered servant of the temple. Alli's
   sons raised this monument in memory of their father, and
   his wife in memory of her husband; but Soti cut these
   runes in memory of his lord. May Þor hallow these runes.

He shall expiate his guilt, who throws down this stone or removes it elsewhere.

12. Stone of Rök, East Gotland, Sweden, *c.* 900.

Inscription: A. aft uamoþ stǫntu runaʀ þaʀ | in uarin faþi faþiʀ aft faikiǫn sunu | sakum u(n)kmini þat huariaʀ ualraubaʀ uaʀin tuaʀ | þaʀ suaþ tualf sinum uaʀin (n)umnaʀ tua (ua)lraub[a]ʀ | baþaʀ sǫmǫn ǫ umisum (m)ǫnum. þat sakum ǫna|rt huaʀ fur niu altum ǫn urþi fiaru | miʀ hraiþkutum auk tu | miʀ ǫn ubs (s)akaʀ | raiþ (þ)iaurikʀ hin þurmuþi stiliʀ | flutna strǫntu hraiþmaraʀ sitiʀ nu karuʀ ǫ

B. kuta sinum skialti ub fatlaþʀ skati mari(n)ka

C. *sakum u(n)kmini uaim si burin (n)iþ|ʀ* tra(n)ki uilin is þat *knua knat* | (i) iatun uilin is þat *nu* | saʒwm o(n)ʒmeni þad hoaʀ i(n)ʒold | (i)nʒa oaʀi ʒoldind ʒoǫnaʀ husli | þat sakum tualfta huar histʀ si ku|naʀ itu (u)ituǫ(n)ki ǫn kunu(n)kaʀ tuaiʀ tikiʀ sua|þ ǫ likia. þat sakum þritaunta huariʀ t|uaiʀ tikiʀ. kunu(n)kaʀ satint siulunt i fia|kura uintura (a)t fiakurum nabnum burn|iʀ fiakurum bruþrum. ualkaʀ fim raþulfs (s)u|niʀ hraiþulfaʀ fim rukulfs (s)uniʀ hǫislaʀ fim haruþs suniʀ kunmuntaʀ fim airnaʀ suniʀ. | nu (un)kmi[ni mi]ʀ alu [sa]ki ain huaʀ iþ[kialtu] þ[ausi is i]ftiʀ fra

D. [s]a[k]um u(n)[k]mini | þur

E. biari a ui uis | runimaþʀ.

Old Swedish: Aft Wæmōþ stǫnda rūnaʀ þār, en Warin

fāþi faþir   aft fæighian sunu.

Saghum ungmenni þat, hwæriaʀ walrauvaʀ wāʀin twār þār, swāþ twalf sinnum wāʀin numnaʀ, twā walrauvaʀ bāþaʀ sǫmǫn ǭ ȳmissum mǫnnum. Þat saghum annart, hwaʀ for nīu aldum ǫn urþi fiaru mēʀ Hræiþgutum, auk dō mēʀ æn ofs sakaʀ.

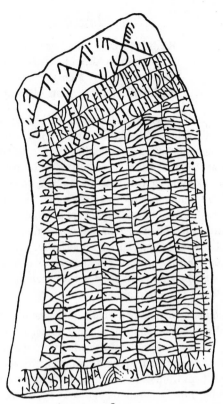

a.

b.

a. Side C of the Rök stone.
b. The runic stone from Kingiktorsoak

Ræiþ ÞiaurikR   hin þormōþi,
stilliR flotna   strąndu HræiþmaraR.
SitiR nū garuR   ą gota sīnum
skialdi of fatlaþR   skati Mæringa.

Saghum ungmenni (h)wæim sēi burin niþR: drængi.
Wilin is þat. Knōą knātti iatun: Wilin is þat. Nū saghum
ungmenni þat: hwaR Inguldinga wāRi guldinn kwąnaR hūsli.
Þat saghum twalfta hwar hestR sēi GunnaR etu wētwangi
ąn, kunungaR twæiR tighiR swāþ ą liggia. Þat saghum
þrettāunda, hwæriR twæiR tighiR kunungaR sātin Sēoland
ī fiaghura wintura at fiaghurum nafnum, burniR fiaghurum
brøþrum: WalkaR fēm Rāþulfs syniR, HræiþulvaR fēm
Rughulfs syniR, HąislaR fēm Haruþs syniR, GunmundaR
fēm ÆirnaR syniR. Nū ungmenni mēR allu sagi æinn
hwaR iþgialdu þausi es æftiR frā. Saghum ungmenni: þor.
Biari ā wē, wīs rȳnimaþR.

Translation: In memory of Wæmoþ stand these runes, but
Warin fashioned them, a father in memory of his dead son.
(1) Let us tell to the youth what were the two war-booties
that were taken twelve times, the two war-booties, each
of them from different men. (2) This secondly let us tell,
who, nine generations ago, was born among the Hreið-
Goths, and afterwards perished among them through his
overweening pride: (3) Theoderic the brave of heart, lord
of sea-rovers, ruled the strand of the Gothic sea (the
Adriatic). (4) Now he sits ready on his Gothic steed, a
shield hung round his neck, the lord of the Mærings.
(5) Let us tell to the youth to whom a son is born: (6) to
the warrior. (7) It is Wilin. (8) He was a conqueror of
giants: (9) Wilin it is. (10) Now let us tell this to the
youth: (11) who of the race of Inguld was redeemed by the
sacrifice of a woman. (12) This let us tell as the twelfth,
where the steed of Gunn (i.e. the wolf) sees food on the

field of battle, on which twenty kings lie low. (13) This
let us tell as the thirteenth, who were the twenty kings of
four names, sons of four brothers, who for four winters
dwelt in Sealand. (14) They were Walki and his four
brothers, Raþulf's sons, Hreiþulf and his four brothers,
Rugulf's sons, Haisl and his four brothers, Haruþ's sons,
Gunnmund and his four brothers, Eirn's sons. (15) Now
let each one tell to the youth the full tale of these wergelds
which he has heard of. Let us say to the youth: be bold.
Biari has the temple, a wise rune-carver.

13. Stone at Hällestad, Skåne, *c.* 985.

Inscription: A. askil sati stin þansi ifti[ʀ] | tuka kurms sun saʀ
hulan | trutin saʀ flu aigi at ub|salum.

B. satu tri(n)kaʀ iftiʀ sin bruþ[u](r) | stin a biarki stuþan
runum þiʀ.

C. kurms tuka ki(n)ku nistiʀ.

ODan.: Āskell satti stēn þ*ạ*nnsi æftiʀ Tōka Gormssun, sǣʀ
hollan drōttin,

> sāʀ flō ēgi   at Uppsalum;
> sattu drængaʀ   æftiʀ sīnn brōþur
> stēn *ạ̄* biargi   stōðan rūnum,
> þēʀ Gorms Tōka   gingu nǣstiʀ.

Translation: Askel raised this stone in memory of Toki Gorm's
son, his true lord, who fled not at Upsala. The warriors
set, in memory of their brother, a stone standing fast with
runes upon the rock—those who were nearest to Toki,
Gorm's son.

14. Stone near Karlevi, Sweden, *c.* 1000.

Inscription: sta[in sasi is] satr aiftir siba | [hin] fruþa sun
fultars in hạns | liþi sati at u taus aiþ[rs mini] | fulkin likr
hins fulkþu flaistr | uisi þat maistar taiþir tulka | þruþar

traukr i þaimsi huki | munat raiþ uiþar raþa ruk starkr | i
tanmarku untils iarmun | kruntar urkrantari lanti.

ODan.: Stæinn sāsi es sattr æftiʀ Sibba hin Frōða, sun
Fuldars, en hąns liði satti at Øy dauðs hæiðrsminni.

> Folginn liggr hinns fylgðu
> (flæstr wissi þat) mæstar
> dǣðir dolga Þrūðar
> draugr ī þæimsi haugi;
> munat ræið-Wiðurr rāða
> rōgstarkr ī Danmarku
> Ondils jarmungrundar
> ørgrąndari ląndi.

Translation: This stone is set up in memory of Sibbi the
 Wise son of Foldar, and his henchman set in Øland this
 memorial in honour of the dead.

The tree of the Þruð of battle (warrior) in whom was the
 greatest prowess—most men knew that—lies hidden in
 this mound; a more honest, hard-fighting farer upon
 Ondil's expanses will never rule the land in Denmark.

15. Stone from Berezanji on the Black Sea, Russia, 11th
 century.

Inscription: krani kerþi half þi(n)si iftir kal filaka sin.

OSwed.: Grani gærþi hwalf þensi eftir Kal, fēlaga sin.

Translation: Grani made this grave-vault in memory of Kal,
 his comrade.

16. The Marble Lion in Venice, taken from the Piraeus,
Athens, in 1687. Inscription *c.* 1170.

Inscription: hiuku þir hilfni(n)ks milum hna: en i hafn þesi
 þir min eoku runar at haursa bu(n)ta kuþan a uah | riþu
 suiar þita linu | fur (r)aþum kul uan farin || tri(n)kiar
 (r)istu runar [a rikan strin]k hiuku þair isk[il] . . . [þu]rlifr

litu auka ui[l þir a] roþrs lanti b[yku] . . . a sun iuk runar
þisar ufr uk . . . ii st[intu] a[t haursa kul] uan farn.

O.Swed.: Hiuggu þēr hælfnings   millum han,
   en ī hafn þæssi þēr mæn (h)ioggu rūnar at Horsa, bōnda
   gōþan, ā wāg. Rēþu Swīar þætta ā lēnu. Fōr rāþum, gull
   wan han faren.

       Drængiar ristu rūnar   ā rīkan stræng hiuggu.
   Þæir Æskil . . . ok Þurlēfr lētu hogga wæl, þēr ā Roþrslandi
   byggu. . . . asun (h)iog rūnar þæssar. Ulfr ok . . . stēntu at
   Horsa; gull wan faren.

Translation: They cut him down in the midst of his force; but
   in the harbour the men cut runes in memory of Horse, a
   good warrior, by the sea. The Swedes set this on the lion.
   He went his way with good counsel, gold he won in his
   travels. The warriors cut runes, hewed them in an orna-
   mental scroll. Æskel (and others) and Þorlef had them
   well cut, they who lived in Roslagen. N. son of N. cut
   these runes. Ulf and N. coloured them in memory of
   Horse; he won gold in his travels.

NOTES

I

1. *A* is from *Gylfaginning*, chapter 42. A translation of this first selection may be of service to the beginner:

'It was early in the beginning of the gods' dwelling (in Asgarð), when the gods had established Miðgarð and built Valhǫll, that a certain artificer came there and offered to build them, in three seasons, a stronghold so good that it should be staunch and secure against the hill-giants and frost-ogres, even if they got in over Miðgarð; but he demanded as wages that he should have Freyja, and he would fain have the sun and moon too. Then the Æsir went to conclave and took counsel, and this bargain was made with the builder, that he should have what he stipulated for, if he could get the stronghold built in one winter; but if on the first day of summer any part were unfinished in the stronghold, he should forfeit his reward; and he was not to receive help in the work from any one. When they told him these terms, he asked that they should allow him to have the help of his horse, which was called Svaðilfari. And Loki so prevailed that this was granted to him.

He began on the first day of winter to build the stronghold, and by night he hauled stones to the building with his horse. It seemed a great marvel to the Æsir, what huge stones the horse drew, and the horse performed as much again of that mighty labour as did the builder. But there were strong witnesses to the bargain and many oaths, for the giants thought it was not safe to be among the Æsir without truce, if Þór came home; but he had gone into the east to fight trolls. And as winter passed away, the building of the stronghold was far advanced, and it was so high and strong that it could not be taken by assault. When it was three days to summer, the work had nearly reached the gate of the stronghold. Then the gods sat down in their judgement seats and sought means of evasion, and each asked the other who had counselled that they should marry Freyja into Giantland, or so spoil the sky and heavens as to take away the sun and moon and give them to the giants. And all agreed that he must have counselled this who gives most evil counsels, Loki Laufeyjarson, and they declared his deserving an evil death, if he did not devise a plan by which the builder should lose his reward; and they laid violent hands on Loki. And when he was frightened, he swore oaths that, whatever it cost him, he would contrive that the builder should forfeit his wages.

That same evening, when the builder drove out after stones with the horse Svaðilfari, a mare ran from a wood towards the horse and neighed to him. And when the horse saw what manner of horse this was (i.e. that it was a mare), he became frantic and broke the traces asunder and ran to the mare, and she away to the wood, and the builder after them, and tried to catch the horse. But the horses ran all the night, and the work was delayed that night; next day too no such building was accomplished as had been before. When the builder saw that the work would not be finished, he fell into a giant-fury. But when the Æsir saw for certain that it was a hill-giant who had come there, no reverence was shown for the oaths, and they called on Þór, and he came at once; and straightway the hammer Mjǫllnir was raised aloft. Þór paid the wages of the work, and not with the sun and the moon. Nay, he denied him even to dwell in Giantland, and struck but the one first blow, at which his skull broke into small pieces, and sent him down into Niflheim.

But Loki had had such dealings with Svaðilfari that some time later he bore a foal. It was grey and had eight legs, and this horse is the best among gods and men.'

2. *Miðgarðr*: 'the middle enclosure.' The world was conceived to be a circular disk, in the middle of which a circular portion was enclosed by the sea; this was Miðgarð, where men had their dwelling. Across the zone of sea was Jǫtunheim 'Giantland' or Útgarð 'the outer enclosure'. Above Miðgarð was Ásgarð, the home of the gods; and below Miðgarð was Niflheim, the realm of Hel. From Miðgarð to Ásgarð was the rainbow-bridge Bifrǫst, so that Miðgarð might be regarded as an outpost of Ásgarð; but Snorri represents Ásgarð to be in the middle of Miðgarð, in order to accord with his rationalizing of the gods as ancient kings who were later worshipped as gods. The illustration of Norse cosmography on p. 196 is based on the older system.

6. *Freyja*: the fairest of the goddesses, daughter of Njǫrð (the sea-god), and sister of Frey. She was one of the Vanir (see note to 13/61) and, like the others, she was a deity of fertility. Her name and Frey's are related to OE. *frēa* 'lord' (IE. *prowo-*) and ON. *frygð* 'bloom, excellence' (IE. *pr_ewo-*). She was especially the goddess of love.

10. *sumarsdag*: the first day of summer was the Thursday that fell in 9–15 April.

15. *Loki*: he is aptly characterized by Snorri (*Gylf.* 32): 'He is also numbered among the Æsir, whom some call the mischief-maker of the Æsir and the first father of falsehoods and the blemish of all gods and men; he is named Loki or Lopt, son of Fárbauti ('perilous striker') the giant; his mother is named Laufey ('leafy island', i.e. wood) or Nál ('needle'). Loki is handsome and fair to look upon, of evil disposition, most fickle in his conduct. He had that kind of cleverness which is called cunning (*slægð*) beyond all others, and had artifices for all occasions. He continually brought the Æsir into great trouble, and

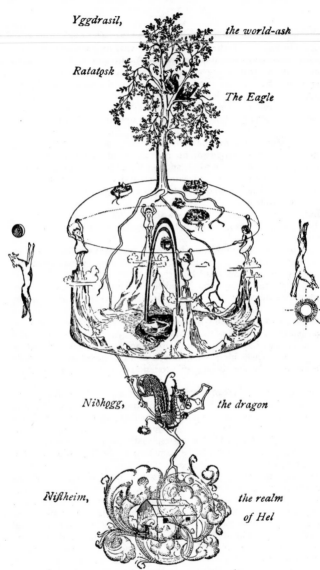

Yggdrasil, the world-ash

Ratatǫsk

The Eagle

Niðhǫgg, the dragon

Niflheim, the realm of Hel

Diagram illustrating Norse cosmography

often got them out of it with his crafty counsel.' Loki appears only in Scandinavian myth, in which he seems to have been originally a fire-elf. Doubtless it was in the character of lightning that he came to be regarded as a companion of Þór. In Snorri's myths, however, he is not treated symbolically, but simply as a comic character.

er here = 'that'; cf. the use of *er* in 4/45 and 113.

16. *vetrardag*: the first day of winter was the Saturday that fell in 10–16 October.

18. *hálfu* 'by half' in comparison came to mean 'by far', or, when the sense is made definite, 'twice as much'.

21. *Þórr*: 'thunder,' OE. *Þunor*. He was Óðin's eldest son, and the strongest of the gods, though not the wisest. He wielded the hammer Mjǫllnir (i.e. the thunderbolts) and possessed a girdle of strength which increased still more his divine might.

46. *Mjǫllnir*: the name probably means 'the shining one'; cf. the cognate Russian *molnija* 'lightning'. It has also been interpreted as 'crusher' (cf. ON. *mylja* 'crush'), but the name is usually spelt in MSS. with double *ll*, which is then difficult to account for.

50. *Niflheim*: the lowest of all the worlds, the realm of Hel, Loki's daughter, who rules over the evil dead; *nifl* = mist.

54. *B* is from *Gylf.* 37. Snorri derived the story from the poem *Skírnismál*, which is preserved in an incomplete form in the poetic Edda. The verse which Frey utters is quoted from *Skírnismál*. Snorri's version is shorter and clearer than the poem, but in some details less vivid.

Freyr: a god of fertility, and especially of agriculture. Hár tells Gangleri that Frey 'rules over the rain and the shining sun, and also the fruit of the earth, and it is good to call on him for fruitful seasons and peace'.

Hliðskjálf: Óðin's abode, probably to be interpreted as 'gate-hall', i.e. 'hall of many doors'. Hliðskjálf may then be the same as Valhǫll, the 640 doors of which were celebrated (*Grímnismál* 23). Hár tells Gangleri that when Óðin 'sat in the high-seat there he looked out over the whole world and saw every man's acts'.

63. *Njǫrðr*: god of the sea, and father of Frey and Freyja. 'He rules the course of the wind, and stills sea and fire; on him shall men call for fortune in voyages and fishing.' Like others of the Vanir he was originally a god of fertility. A goddess of fertility is described by Tacitus whom he calls *Nerthus*: this is the same name, as Germanic **Nerþuz* regularly became Icel. *Njǫrðr*. The relation of this goddess to the god Njǫrðr has not been satisfactorily explained. There may have been two deities called **Nerþuz*, parallel to the pairs *Frey* and *Freyja*, *Fjǫrgynn* and *Fjǫrgyn*, each consisting of a male and a female; but in this instance both had exactly the same name, which is unparalleled.

66. *lézk ganga mundu*: 'said that he would go'. Grammar § 170, vi.

75. *sjálft vásk*: 'it would fight of itself'.

78. *Barrey*: in *Skírnismál* the name is Barri, and it is said to be a wood; the poet evidently associated the name with *barr* 'pine-needles'. Actually *barr* 'barley' may be the basis of the name; Barri would then be a natural haunt of the god of agriculture. Snorri makes the place an island (*ey*), perhaps identifying it with Barrey in the Hebrides.

81–84. This stanza is the last in *Skírnismál* in the *Elder Edda*. It is difficult to understand unless one recalls the folk-lore belief that a married couple should not have intercourse for the first three nights after their marriage, cf. *Huld*, vi. 5, *Ragnars saga Loðbrókar*, ch. 6, and the apocryphal book of *Tobias*, vi. 18. The meaning of *hýnótt* here is both 'the night before the marriage or the eve of the marriage' and 'the three nights of continence'. Hence Freyr says: 'One night is long (three days), long is a second (six days); how shall I endure for three (nine days in all, see l. 78). Often a month has seemed shorter to me than half such a *hýnótt*.'

87. The first paragraph of *C* is from *Skáldskaparmál* 1, the rest from *Gylf*. 23. Þjazi had made Loki steal for him the apples which kept the gods young. The gods then threatened Loki until he took Freyja's feather-suit (see 13/11 ff.), flew to Jǫtunheim and stole the apples again from Þjazi. Þjazi pursued him in the form of an eagle, but the gods lit fires as they came over Ásgarð, and Þjazi's feathers were caught by the flames. When he fell they slew him.

89–90. *hon skal kjósa ... fleira af*: 'she should choose a husband for herself from the Æsir, and choose him by his feet, and not see any more of him'.

92. *fátt mun ljótt á Baldri*: 'there can be little that is ugly about Balder'. Hár describes Balder thus: 'Óðin's second son is Balder, and there is good to be told of him. He is so fair of feature and so bright that a light shines from him; and a certain grass is so white (of flower) that it is likened to Balder's eyelash. It is the whitest of all grasses, and by it you may judge his beauty, both of his hair and his body.'

þat var Njǫrðr: Njǫrð, being god of the sea, had the cleanest feet.

Nóatún: 'the enclosure of ships', i.e. the sea. The first element of the name is the gen. pl. of *nór* 'ship', which is cognate with Latin *navis*, Greek ναῦς.

110. *D* is from *Gylf*. 44–47.

Qku-Þórr: probably 'Þór of the chariot' or 'driving-Þór'. Qku must be gen. sg. of a noun **aka*, which is not otherwise recorded. Vigfússon in his dictionary says that Qku- is not related to *aka* 'to drive', but is of Finnish origin; the name of the Finnish thunder-god was Ukko. There is not much evidence of Finnish influence in Norse mythology, however, and the forms do not correspond phonologically.

hafra: Þór had two goats, Tanngnjóstr ('tooth-gnasher') and Tanngrisnir ('tooth-grinder'), which drew his chariot.

111. *reið*: 'chariot'. A clap of thunder is still called *reið*, originally from the notion of Þór driving through the heavens.

116. *Þjálfi*: probably identical with *Þieluar* of 21/1, who took fire to Gotland and so disenchanted it. The name means 'one who seizes and holds', and is etymologically identical with *þjálmi* 'receptacle', 'noose'.

117. *Rǫskva*: her name, earlier *Vrǫskva, is related to Gothic *wrisquan* 'to bear fruit'. She was one of the many fertility gods.

120. *spretti á knífi*: *á* is adverbial, *knífi* an instr. dative. The literal sense is 'caused his knife to twist in it (the thigh-bone), and broke it for the marrow'.

129–30. *en þat er hann sá . . . samt*: 'but what he saw of his eyes— then he thought that he would fall down at the very sight (of them). The anacoluthon is deliberate, to give vividness.

133. *fyrir*: adverbial, 'for (the offence)', i.e. in compensation, 'offered that all they had should be given in compensation'.

134. *gekk af honum móðrinn*: 'his anger left him'.

139. *alt til hafsins*: 'all the way to the sea'. Þór passes through Miðgarð, so his way to Jǫtunheim necessarily lies across the sea.

144. *en til vista var eigi gott*: Probably 'they were badly off for lodgings'. They carried their food with them, cf. ll. 144, 168, 170.

157. *hvat látum*: 'what manner of noises'. Grammar, § 164.

160–1. *en þá er sagt . . . hamrinum*: 'and then it is said that Þór for once had not the boldness to strike him with the hammer'.

162. *Skrýmir*: the name means 'huge one'; cf. modern Norw. *skrymja*, Swed. *skrymma* 'to take up great space, seem big'.

173. *eik*. 'oak'. a meaning nearly obsolete in Iceland. As there were no oaks in Iceland, the word came to mean 'tree' in general. The mention of an *akarn* in 191 indicates that the older sense 'oak' is intended here, doubtless derived from an older original.

177. *skal leysa*: 'tries to unloose it'.

184–5. *Þórr segir . . . ganga*: 'Þór says they are just going to sleep'.

195–6. *ef hann kvæmi . . . síðan*: 'if he got an opportunity to strike the third blow, he (Skrýmir) should never see himself again', i.e. would not survive it.

200. *er upp vissi*: 'which was turned up'. The sense 'face in a certain direction' of *vita*, which usually means 'to know', is a survival of the original sense of the verb from which the preterite-present *veit* was derived. Forms of the original verb and its derivative exist in Greek ἴδειν 'to see' (stem **wid-* as in ON. *vita*), and οἶδα 'I know' (stem **woid-*, as in Icel. *veit*, Gothic *wáit*), originally a perfect 'I have seen'.

208–9. *Nú mun ek ráða yðr heilræði*: 'Now I will give you a piece of wholesome advice'.

210. *Útgarða-Loki*: the giant-king's name was Loki, and he was called Loki of Útgarð to distinguish him from Þór's companion, Loki of Ásgarð.

217. *bæði þá heila hittask*: 'bade that they should meet again in health', a form of farewell.

220. 'They laid the backs of their heads on their backs before they were able to see over it.'

227–8. *hann leit seint til þeira*: 'he was slow to take notice of them'.

249–51. *ok kallar . . . freista*: 'and declares that there is likelihood of this, that he must be well endowed with fleetness, if he is to perform this feat; and yet he says that it shall speedily be put to the test'.

282. *hvat leið drykkinum*: 'what progress had been made in the drinking'.

294–5. *Muntu nú . . . vera*: 'Are you not sparing yourself for the one (remaining) drink more than will be well for you?'

315. *miklu minni fyrir þér*: 'of much less strength'. The words *fyrir þér* (*mér*, *sér*) are usually added to an adjective of quantity when degree of strength or prowess is to be expressed: *lítill* (*mikill*) *fyrir sér* = of little (great) strength.

320–1. *þá létti kǫttrinn einum fœti*: 'then the cat lifted up one foot'. Grammar, § 158.

334. *Ekki er langt um at gǫra*: 'There is no need to make a long story about it'.

345. *lét setja þeim borð*: 'had a table set up for them'. The tables consisted of a board top which was laid on trestles. After the meal the tables were removed, and were usually hung on the wall.

356. *þat veit trúa mín*: 'that my good faith knows' = by my honour or faith.

380. *þér satt at segja*: 'to tell you the truth'.

382. *Miðgarðsormr*: the world-serpent, an offspring of Loki. Óðin threw him 'into the deep sea, where he lies encompassing all the land', that is, coiled around Miðgarð.

383–4. *ok vannsk . . . hǫfuð*: 'and his length was scarcely enough for his head and tail to touch the ground'.

400. *E* is from *Gylfaginning* 51.

401. *ragnarǫkr* 'the twilight of the (divine) powers'. The word was originally *ragnarǫk*: 'the doom of the powers', but the second element was misunderstood and altered to *rǫkr*.

403. *kømr* is present, used as future, as are many other verbs in this selection. Grammar, § 166.

405. *ekki nýtr sólar*: 'there shall be no light from the sun'.

406–7. *En áðr ganga . . . miklar*: 'But first shall come three other winters, such that over all the world shall be mighty battles'.

409. *Vǫluspá*: 'The Sibyl's Prophecy', a poem preserved in the poetic Edda. Óðin, knowing that disaster was prophesied for the gods, wishes to find out their fates more clearly. A *vǫlva*, perhaps called from the grave as in *Baldrs Draumar*, describes the creation and then the final destruction. This magnificent poem was Snorri's chief authority for his account of the doom of the gods, but not the only one. He has added information from at least two of the other Edda poems.

415. *úlfrinn*: the identity of this wolf and the 'other wolf' of 417 is given in *Gylf.* 12. Hár tells there that the sun fares swiftly because she is pursued by a wolf named Skǫll; the moon too is pursued by a wolf, named Hati, and they will take their prey at the doom of the gods. They are sons of Fenrir and the old witch who 'dwells east of Miðgarð in the forest called Ironwood'. The mightiest of her wolf-sons is Hati, known also as Mánagarmr ('Moon-hound'). 'He shall be filled with the flesh of all men that die, and he shall swallow the moon, and sprinkle with blood the heavens and the air.'

416. *sólna*: acc. sg. for more normal *sólina*.

420. *Fenrisúlfr*: the wolf whose name is Fenrir, one of Loki's evil brood. *Fenrisúlf* originally meant 'wolf descended from Fenrir' (as in the first lay of Helgi Hundingsbani, stanza 42); later Eyvindr Skaldaspillir (and perhaps other skalds) used the name as = the wolf Fenrir. Snorri adopted this form of the name from poetic use. He tells in *Gylf.* 34 how the gods, knowing that Fenrir was destined to harm them, had difficulty in devising a fetter strong enough to bind him with, and in getting it on the wolf when it had been made. They told him it was merely a trial of his strength, but he would not let the fetter be placed on him until Týr put his hand in his mouth as a pledge of good faith. When he could not break the fetter 'all laughed except Týr'; he lost his hand. So the wolf lies in fetters until the doom of the gods.

434-5. *Múspells synir*: fire-giants, chief of whom is Surtr, the fire-god. Múspell himself is a personification of the destruction of the world by flame. The word is used in the sense 'world-destruction' in the OS. poem *Hēliand* in the form *mudspelli*, and in the OHG. poem *Muspilli*. The first element of the name is perhaps cognate with Latin *mundus* (which has infixed *n*; cf. Grammar, § 132), and the second is related to ON. *spilla* 'destroy'.

437. *Bifrǫst*: 'tremulous way', the bridge from heaven to earth, the rainbow.

441. *Heljar sinnar*: Hel was Loki's daughter, whom Óðin cast into Niflheim. 'The companions of Hel' were those who had led evil lives on earth, or, according to another tradition, they were those who died of sickness or old age.

444. *Heimdallr*: according to 13/60 'the whitest of the gods'. His name means 'world-radiance'. He is the gods' watchman, and when the hostilities of the evil powers are afoot, he blows Gjallarhorn to warn them. The Goths traced their descent back to Heimdall, according to Jordanes. See further notes to 13/53 and 61.

445. *Gjallarhorn*: 'the horn of alarum', which is kept under the great ash Yggdrasil until this occasion.

446–7. *Mímisbrunnr . . . Yggdrasills*: 'Mímir's well' and 'steed of Ygg (Óðin)'. Yggdrasil is the ash-tree on which the structure of the universe is based. Jafnhár describes it thus to Gangleri: 'The Ash is the greatest of all trees and the noblest; its limbs spread out over all the worlds and stand above heaven. Three roots of the tree uphold it and spread far out; one root is among the Æsir, another among the frost-giants, in the place where once (before creation) was the Yawning Gap; the third stands over Niflheim, and under that root is Hvergelmir (a well, the source of all rivers), and Níðhǫggr (a dragon) gnaws the root from below. Under that root which turns towards the frost-giants is Mímir's well, in which are wisdom and understanding. He is called Mímir who guards the well; he is full of ancient lore, for he drinks of the well from Gjallarhorn. Thither came the Allfather (Óðin) and asked for a drink of the well, but did not get it until he had laid his eye in pledge.' There was a well under the third root also, Urðarbrunnr, the well of fate.

449. *Einherjar*: 'the chosen warriors', the slain whom Óðin sends his *valkyrjur* ('choosers of the slain') to bring from the battlefields. He gathers them that he may have their aid in the last great battle at Vígríð. Until then they live in Valhǫll; every day they fight and fell each other, but rise up again whole to revel in the evening.

451. *Gungnir*: Óðin's spear was made by the dwarfs at Loki's request. It was its special virtue that 'it never stayed in the place where it had smitten'. The name therefore probably contains the same root as ODan. *gunge* 'swing, oscillate'.

457. *Garmr*: the hound of hell, who is chained by *Gnípahellir* ('cliff-cave'), the entrance to the domain of Hel.

462. *Úlfrinn*: Fenrir.

463. *Víðarr*: one of Óðin's sons. Hár says he is 'the silent god', and that he is 'nearly as strong as Þór'. His name means 'far-harrier'.

473. *við Míms hǫfuð*: Mímr and Mímir in 447 are identical. It is told in *Ynglinga saga* 4 that after the war of the Vanir and Æsir (see note to 13/61) Mímir and Hœnir were the hostages whom the Æsir gave to the Vanir, receiving Njǫrð and Frey in return. The Vanir made Hœnir one of their leaders, but they found that he could give no counsel when Mímir was not at hand, and in anger that they had been deceived, cut off Mímir's head and sent it back to the Æsir. 'Then Óðin took the head and smeared it with such herbs that it might not rot, and sang charms over it and gave it such might that it spoke to him and told him many hidden matters.' This is a different tradition from the one implied in lines 446–7.

475. *jǫtunn*: the identity of this giant is uncertain. Surt or Loki (whom the gods bound with poison dropping on his face, as punishment for having brought about Balder's death) might be intended, or even Fenrir, who was regarded as a giant in wolf's form.

476. *Hvat's með Ásum? hvat's með álfum?* 'How fare the Æsir? How fare the elves?' This line is several times repeated in the Edda poems; cf. 13/23. The Æsir and elves were coupled as neighbours in heaven, and as the beings friendly to men. Álfheim was said to be near Urðarbrunnr. Æsir and elves are similarly coupled in an OE. charm: *Gif hit wære esa gescot, oððe hit wære ylfa gescot*, 'Whether it (the pain) be due to Æsir-shot, or to elf-shot'. The elves were conceived to be smaller than men and radiantly beautiful, 'fairer to look on than the sun', according to Hár. Already in Snorri's time they were to some extent confused with dwarfs, and later were often identified with them.

487. *bróðir Býleists*: nothing is known about *Býleistr*. Snorri in *Skáldskaparmál* gives this phrase as a normal kenning for *Loki*.

489. 'The sun shines from the sword of the battle-gods.'

491. *troða halir helveg*: 'men tread the way to Hell', i.e. perish.

492. 'Then Hlín's second sorrow comes to pass.' *Hlín* ('she who protects') is a personification of the protective power of Frigg, and is sometimes regarded as a distinct goddess; here, however, Hlín must be taken to be identical with Frigg. Her first sorrow was when her son Balder was slain, and now her husband Óðin is to fall before the wolf Fenrir.

494. *bani Belja*: see line 86.

495. *Frigg*: her name contains the same root as OE. *frēogan* 'to love'. She was the goddess of love, and so was often equated with Venus, as in OE. *Frīgedæg = Latin dies Veneris*.

498–9. 'With his hand he shall make his sword stand in the heart of the monster's son (the wolf); then is his father avenged.' *mund* is instrumental dative; *hveðrungr* (= 'monster', 'giant') refers to Loki. *fǫður* is gen. after *es hefnt*, which is impersonal.

500. *mǫgr Hlóðynjar*: Þór. *Hlóðyn* is a name for *Jǫrð*, Þór's mother. She was the *dea Hludana* of several inscriptions, indicating that she was once a goddess favoured by the German soldiers in the Roman army. Her name corresponds phonologically to Latin *Latona* and Greek *Λητώ*.

501. *ókvíðinn*: MS. *okviðnum*. Codex Regius of the poetic Edda reads similarly *oqviðnō*. Thus the readings of the MSS. make the epithet refer to the serpent, whereas it naturally belongs to Þór. *ókvíðinn*, which is here assumed to be the original form, in a medieval MS. would be very similar to *ókvíðnū*, and might easily be misread as such.

509–12. From *Vafþrúðnismál* (stanza 41).

II

1. *Siggeir konungr*: King Siggeir was Signý's husband. To revenge a fancied insult, he invited his father-in-law, King Vǫlsung, and his sons to visit him, and then fell on them; only Sigmund escaped, by Signý's help. He lived in hiding in an underground room (*jarðhús*) in the woods, waiting for an opportunity of vengeance.

4. *við*: adverb expressing purpose; 'if he would in any wise seek means of avenging his father'.

14. *þau systkin*: Sigmund and Signý.

22. Signý, perceiving that only one of pure Vǫlsung strain would be fit for the task of vengeance, visited Sigmund in disguise, having changed semblance with a witch. See her statement in 125–6. Sinfjǫtli, their son, was so named by those who first devised the story because of his origin; his name means 'very spotty'. Originally, no doubt, his name was *Fetulæ* 'spotty', a variant of *Fitela*, the name given to him in *Beowulf*; the *sin-* 'cinder' was added to make his name alliterate with the other Vǫlsung heroes, especially Sigmund. See line 112, and 15/19. Cf. OHG. *Sintarfizzilo*.

26. *eigi allra tíu vetra*: gen. dependent on an adj. meaning 'old' which is understood; 'he was hardly ten years old'.

28. 'sleeves' (*ermarnar*) is to be understood after *saumaði*.

31–32. *hon kvað . . . verða*: 'she said he must feel great pain from this'.

39. *Eigi . . . eigi* = positive in English: 'I suspected that there was something alive in the meal at first when I began to knead'.

41. *með knoðat*: 'kneaded in'.

44. *mikill fyrir sér*: 'had such might in him.' See note to 1/315.

45–46. *Sinfjǫtla . . . á hann*: 'Sinfjǫtli might endure that poison should come on him externally'.

50. *sér* refers to Sigmund and Sinfjǫtli: 'to get money for themselves'. *mjǫk í ætt*: 'he took much after the kin of the Vǫlsungs'.

55. Here is omitted a passage which tells how Sigmund and Sinfjǫtli became werwolves for a time. It is not relevant to the vengeance theme, and in part of it the MS. is defective.

66. *at gulli*: probably not toys made of gold but gold rings; the king had so many treasures of gold that even his children could take them to play with.

67. *gullhringr*: an arm- or neck-ring.

81. *heitr*: this form is used in the transitive senses of the verb, 'call (on)', &c., whereas the present in the intransitive sense 'be named' is weak: *heiti*, *heitir*. These forms are only apparently weak, however; in reality they are a survival of the IE. middle voice. The ending *-ir* is directly descended through Germanic *-izai* from the IE. middle ending *-esai*, but the other forms are due to later analogy with the active forms.

84. *ok þykkisk . . . næst er*: 'and for a long time he who was nearest felt he had the worst of it'.

88. *at*: 'upon this;' *fyrir sér*: 'within himself'.

89. *kendi*: past subj. pl., 'which they would feel'.

95. *megin*: originally the accus. sg. of *vegr* 'way', in the frequent use as accus. of direction, with suffixed article; cf. *þan wegin* 21/70. The accus. of direction is near in sense to the locative dative; hence *veginn* (reduced to *vegin*) was taken to be a dative, as if from a noun **veginn* 'side'. The initial *v* was then assimilated to the final *m* of the dative ending of the preceding adj. or pronoun; such a combination as *sínum vegin* became *sínum megin*. *vegna* in 93 is an irregular gen. pl. of *vegr*, also formed as if from **veginn* 'side'.

104. *i* is adverbial, *sverði* instr. dative with *stinga*. See Grammar, § 158.

111–12. The poem from which this is quoted has not survived. It was probably the source of the whole of this episode.

129–30. *hefi ek . . . lift*: 'I have also done such terrible things that the vengeance might come to pass, that for no consideration can I bear to live longer.'

135. *skipa*: if this form is retained, it must represent the verb 'to array', but perhaps the original reading was either '*liðs ok skipa*' or '*lið ok skip*'. *Fá* can govern either a gen. or acc.

III

3. *beztu*: for normal *beztum* in Old Icelandic. The ending of the weak dat. pl. of adjs. in -*u* was a Norwegianism which also became the regular form in late Old Icelandic. On the date of the saga and the MSS. see the introductory notice. Most of the late spellings in the text, however, have been removed in the process of normalization.

18. *hǫggum*: the blows of the bones which Hrólf's men threw at him. The Danish practice of bone-throwing is heard of in actual history too: the Danish host at Greenwich martyred the archbishop Ælfheah (Elphege), by throwing bones at him during their feasting, as the *Anglo-Saxon Chronicle* records (*anno* 1012), and, in more detail, the Latin life by Osbern (*Anglia Sacra*, ed. Wharton, ii. 122). Bone-throwing was also known in the Homeric age: the Odyssey tells how Ktesippos threw an ox-foot at Odysseus and got a spear-blade in return (*Od.* xx. 287–319 and xxii. 284–91).

45. *þar fylgir leggrinn með*: the leg-bone was still joined to the knuckle-bone.

50. *i kastalann*: this detail (including the word *kastali*) is medieval, and not true of the heroic age. In Hrólf's time (the sixth century) the king lived in the same hall as his henchmen, withdrawing only to sleep. Cf. *Beowulf*, ll. 662–5.

55. *þat skyldu fjarri*: 'that should by no means be'. Grammar § 171.

66. *Til þess . . . fekk*: 'he earned what he got'.

69–70. *ok dveljask . . . setit*: 'and we will both sit nearer to you than this (henchman) sat'. *heldr* is used pleonastically in a kind of apposition to the preceding comparative *nær*. *þessi* = the man he had slain.

75. *innar*: 'further in'. The more honourable seats were in the centre of the hall near the high-seats. See the plan of the Norse hall, p. 229.

89–90. *en fé . . . auðnar*: 'but the cattle will fare as is fated'.

98. *bikkjuna*: 'the dog', literally 'bitch', a term of contempt applied to both men and women. *hans* represents in indirect speech the fem. possessive adj. 'þín' of direct speech. Bǫðvar said '*þegi þú, bikkjan þín*!' 'Be silent, you dog!' This use of the possessive adj. or possessive pronoun in the gen. in such forms of address is still common in Modern Icelandic.

102. *eggjar*: probably used in its usual sense 'urges', 'exhorts'. Bǫðvar's sword was such a lordly one that it could not easily be drawn. This was the famous sword Laufi: see 16/44, 5/324 and notes. It seems that Bǫðvar might exhort the sword when a mighty deed was to be performed, to have special help from it; but no doubt he could use it on other occasions too.

109. *drekka blóð dýrsins*: the Norsemen had great belief in the virtues of blood. In Saxo's history the blood of a lion and of a bear are also drunk to give courage and strength. It was the same notion of vitality in blood that caused it to be used for sacrificial purposes and for reddening runes.

125. *heldr geyst*: *heldr* could be taken as either the 3rd sg. of *halda* 'to make one's way' or, more probably, the adverb 'rather'.

127. *óvætt*: *ó-* is depreciatory, not negative; 'evil creature' is the sense, as of the corresponding OE. *unwiht*.

131–2. *Þat væri . . . forvitnisbót*: 'That would cure the curiosity of the most stout-hearted'.

134. *til* is adverbial; *annarra* goes with *engi*.

142–3. *Hvat má vita . . . þykkir?*: 'How can one know that more has not changed in your temper than can be seen?'

IV

1. *Þorlákr*: 1085–1133, bishop of Skálholt from 1118; see note to 5/534–8.

2. *Katli*: dat. of *Ketill*; he became bishop of Hólar in 1122.

Sæmundr prestr: known as *hinn Fróði*. He also was an historian, but his works (probably in Latin) have not survived (see p. xlix). The collecting of the Edda poems was wrongly attributed to him in the seventeenth century, and the poetic Edda is still often called *Sæmundar Edda* to distinguish it from Snorra Edda.

2–4. *En með því . . . Konunga-ævi*: 'And in as much as they wished to have it thus or with additions, I have written this version covering the same ground, without the Genealogies and the Lives of the Kings'.

7. 'Then it is right to hold that which may be proved more accurate.'

14. *Eadmund*: king of East Anglia, who was slain in 870 by the Danes under Ingwær, according to Old English tradition. *Ingwær* in later Norse is *Yngvarr*; the name has been confused with *Inwær*, borne by another of Loðbrók's sons, which appears as *Ívarr* in later Norse. Ragnarr Loðbrók ('Shaggy-breeches') was a famous Danish viking, hero of the half-legendary *Ragnars saga Loðbrókar* and leader of many viking raids, the most famous of which was the attack on Paris in 845. According to Norse tradition Ragnarr was captured during a raid in Northumbria, and ordered by King Ella to be thrown into a serpent pit. Ella may be identical with Ælle, the Northumbrian king slain by Loðbrók's sons in 866.

15. *dccclxx*: this date does not agree with *Landnámabók*, which puts Ingólf's settlement in 874. It is not certain which date is right, though most authorities have adopted 874.

16. *sǫgu*: Eadmund's 'saga' is perhaps the Latin life by Abbo of Fleury *c.* 980. There is an admirable OE. paraphrase of it in Ælfric's *Lives of Saints*.

18. The dates of Harald Fairhair are uncertain. Icelandic sources, based on the chronology of Ari, suggest A.D. 850–933, but it is now generally admitted that he must have lived rather later, perhaps 865–948. According to *Heimskringla* he was ten years old when he succeeded his father.

20–1. *Minþakseyri*: the origin of the name is explained in *Landnámabók*. Ingólf was short of water, and his Irish thralls kneaded meal and butter together to relieve their thirst. This *minþak*, as they called it, they threw overboard when they got water, and it drifted to Minþakseyri. *minþak* probably represents Irish *menadach*, a kind of prepared food, resembling that described here.

23. *viði vaxit*: in Ari's time there were few trees in Iceland, and there are still fewer now. These few are all birch. Building timber to a large extent had to be brought from Norway.

24. *papar*: Irish monks. There had been Irish monks in Iceland since 800 or a little earlier. The Norsemen only discovered the island about 860. Some of the monks' dwelling-places are marked by place-names, as Papey and Papafjǫrðr, on the south-east coast.

32. *lxx vetra*: in his eightieth year Harald put his son Eirík on the throne, though he survived for some three years. Ari is doubtless taking this abdication of Harald's into account in his chronology.

36. *mǫrk*: a mark is eight *aurar* (ounces). The standard mark was

about 214 grammes or a little less than half an English pound avoir-
dupois (453·6 grammes).

44–7. 'They found there human dwelling-places both east and west
in the land, and broken kayaks and stone-work (articles made of stone),
so that it may be seen from this that the same kind of people had been
there as they who inhabited Vínland, whom the Greenlanders call
Skrælings.' *austr ok vestr á landi* refers to the two Norse settlements
in Greenland, Eystribygð and Vestribygð. These were not in reality
'east and west in the land', but both on the west coast, Eystribygð
being the farther south; see the map, facing p. xvii.

45. *steinsmíði þat, er af því*: *er af því* = 'from which'. Vigfússon
and Powell in *Origines Islandicae* punctuate thus: *steinsmíði; þat er af
því*, which is interpreted 'it is from this (that) one may see'. But after
þat er af því one would expect *at skilja má*.

52. *Óláfr* rex *Tryggvason*: he ruled Norway 995–1000. He was
baptized while on a viking expedition in the west, being converted by a
hermit who lived on one of the Syllingar Eyjar (perhaps the Scilly Isles).
He attempted to convert Norway by force, with only partial success.

53. *kom Kristni . . . á Ísland*: a more detailed account of the
Christianizing of Iceland than that which follows is to be found in
Kristni saga (*Origines Islandicae*, i. 378), but Ari's account gives some
details that are lacking in the longer one.

54. *Þangbrandr*: he came to Iceland in 997. He was a Saxon of good
birth, son of the *greifi* of Bremen, and a better fighting-man than priest.
He undertook the mission to Iceland as a penance imposed by King
Óláf because he had been living as a viking. His mission to Iceland
failed chiefly because of his violent deeds there.

64. *hann*: King Óláf.

66. *útan*: 'from Iceland'. Journeys from Norway are spoken of as
út, and journeys from other lands to Norway are *útan* 'from out'. The
Icelanders carried on this Norwegian manner of referring to journeys
in relation to Norway, and when going abroad spoke of going 'from
out', unless travelling away from Norway.

71–72. *er x vikur váru af sumri*: 'when ten weeks of the summer
were past', i.e. 18–24 June.

74. *it næsta sumar áðr*: 'the summer before.'

78–79. *með tólfta mann*: 'with eleven men', he himself being the
twelfth.

79. *fjǫrbaugsmaðr*: 'lesser outlaw', an outlaw whose life is not for-
feit, if he pays a fine of a mark of silver and spends three years in exile.
A full outlaw was *alsekr* or *skógarmaðr*.

82. Hjalti's couplet was ironical: 'I will not blaspheme the gods, but
I think Freyja is a bitch'. The metre is *málaháttr*. Odd the Monk in
his version (Codex AM 310) adds:

　　　　Æ mun annattveggja　　　*Óðinn grey eðr Freyja*

'Either must ever be a bitch, Óðin or Freyja.' But this line is probably not genuine. *Njáls saga* (cap. 102) has the additional line and reads *sparik eigi* for *vilkat*. Hermansson, following Genzmer, translates the couplet, 'Barking gods I disesteem, And a bitch I Freyja deem'. Either interpretation is possible.

91–92. ok hafði svá nær . . . á miðli: 'and it came so near to a battle that one could not have said if it would happen or not'. *sjá á miðli* = decide between two probabilities.

96–97. sǫgðusk hvárir ór lǫgum við aðra: 'each side declared they would not live under the same laws as the other'. The Christians wished to have Christian laws, to which the heathens objected.

101. því goes with the following *at*: 'for this reason . . . that'.

103. búðir: temporary shelters, which usually consisted of walls of turf or stone, over which a roof of canvas was spread when the booth was in use during the *þing*. On the *þing* see introduction to selection 6.

111. skyldi: 'they should not let that come to pass'.

111–13. sagði at þat myndi . . . eyddisk af: 'said disturbances would follow to such an extent that it might be expected as certain that such battles would arise among men that the land would be laid waste'.

114. konungar: in *Kristni saga* they are named as Tryggvi of Norway and Dagr of Denmark. The example is legendary, not historical. The point of it is that peace made even between unwilling parties may hold.

117. sendusk: reciprocal, 'sent each other'.

118–22. En nú þykkir . . . einn sið: 'And now this seems to me the best counsel', said he, 'that we do not let those prevail who are most eager to be at each other; but let us mediate in these matters between them so that each of them shall have part of his case, and let all have one law and one faith'.

128. barna útburð: 'the exposure of infants'. *Gunnlaugs saga*, cap. 3, says of this: 'It was then the custom, when the land was heathen, that people who were poor and had many dependants on their hands had their infants exposed, but it was always thought an evil deed'.

128–9. hrossakjǫts át: 'the eating of horse-flesh'. The sacrificial animals slain by the heathen were often horses, and their flesh was then boiled and eaten at the sacrificial feast. It was this association with the heathen sacrifice which made the eating of horse-flesh an abomination to Christians.

133. Iceland was converted and Óláf Tryggvason betrayed to his death in the year 1000. The great story of Óláf's last fight is told in *Óláfs saga Tryggvasonar* (in *Heimskringla*).

V

1. A is from *Grœnlendinga þáttr (Flateyjarbók).*

2. *Ingólfr*: see 4/16 ff. The information given here is drawn from *Landnámabók*.

5. *útan*: 'abroad;' see note to 4/66.

6–7. *ok var sinn vetr . . . sínum*: 'he spent his winters alternately abroad and with his father'.

11. *Hafgerðingadrápa*: 'the lay of the sea-walls', i.e. of the tremendous waves. The second element of the name, *gerðing*, means 'fencing', 'enclosing walls'; it is a derivative of *garðr*. These tremendous waves were probably off Greenland; the enormous waves of the Greenland seas are given the same name elsewhere, and are described in some detail in *Konungs Skuggsjá* and in *Biskupa sǫgur* (i. 483). The passage in *Konungs Skuggsjá* may be rendered thus: 'There is still another marvel in the Greenland seas. It is called *hafgerðingar*, and it has the appearance as if all the waves and tempests of the ocean had been collected into three heaps, out of which three huge waves are formed. These close in the entire sea, so that no opening can be seen anywhere; they are higher than lofty mountains, and resemble steep overhanging cliffs. Seldom have men been known to escape who were on the seas when this occurred.' The Danish scientist Japetus Steenstrup in an article in *Aarbøger*, 1871, explained these waves as due to seaquakes. The 'heaps' were the waters thrown up at the time of the disturbance, and the *hafgerðingar* three successive waves resulting from the subsidence of the heaps, striking in thence to the shore.

12. On the metre of these lines see Grammar, § 184. Translation: 'I pray to the blameless prover of his monks (God) to further my journey. May the lord of earth's lofty hall hold his hand over me!' From the use of the phrase *Munka reynir* some have inferred that the poet himself was a monk, but it seems unlikely that a monk would go in heathen company to Greenland.

14–15. *heiðis . . . stalli*: 'hawk's perch', i.e. hand.

22. *var hon mjǫk gefin til fjár*: 'she was married to him mainly for his money'.

37. *dœgr*: properly twelve hours, but often used of the astronomical day, twenty-four hours. In the accounts of the voyages here the *dœgr* is probably twenty-four hours.

37. *þeir sá land*: According to this account Bjarni was the discoverer of America. Gathorne-Hardy considers 'that the voyage is recorded with the utmost precision'. He would identify the lands seen by Bjarni as Barnstaple peninsula (Massachusetts), Nova Scotia, and Newfoundland. Reman, too, accepts Bjarni as the discoverer but identifies the land-falls differently. Hermannsson, however, would reject this account and give Leif the honour of discovery.

43. *bakborði*: 'port side'. It was so called because in the ships of those times the steering oar was fastened on the right side near the stern, and the steersman stood by the oar with his back to the port side

or 'backboard'. The starboard was called *stjórnborði* 'steering-side'. Cf. the terms used in OE. *bæcbord* and *stēorbord* (King Alfred's account of Ohthere's voyage).

48. *tók af byr*: 'the favouring wind dropped.' *tók* is impers., *byr* accus.

51. *at engu ... óbirgir*: 'you are short of no such thing'. Hermannsson comments on '*við ok vatn*', 'One wonders what they wanted wood for at that particular stage of the voyage. I suspect it is merely a desire for alliteration in the oral story.'

54. *útsynnings byr*: 'a south-west wind'. *útsynningr* is a derivative of *útsuðr* 'south-west'. The following diagram shows the West Norse names of the points of the compass, and of the divisions of the day, which depend on the position of the sun in these directions: Such terms as *landnorðr* = north-east, and *útsuðr* = south-west are Norwegian in origin.

As the hours were calculated from the position of the sun, some varied in the different seasons to the extent of about an hour, *Rísmál* in summer was about 5 a.m., in winter 6 a.m.; *dagmál* varied between about 8.30 a.m. and 9.30 a.m.; *hádegi* and *mið nótt* of course did not vary; *eykt* varied between 2.30 p.m. in winter and 3.30 p.m. in summer; *miðr aptann* between 6 p.m. and 7 p.m.; *náttmál* and *ótta* did not vary. The time was usually told by the position of the sun over landmarks; thus in *Hrafnkels saga* it is said that when the sun is over Einar's Cairn, seen from Einar's hut, it is *miðr aptann*.

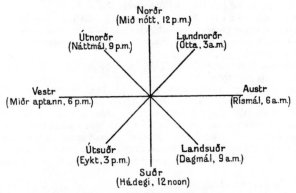

72. *B* is from *Þorfinns saga Karlsefnis*, Hauk's text.

73. The third son, Þorvald (cf. line 19), is also recognized by *Þorfinns saga* (213 below).

77. The episode of Leif's love affair in the Hebrides, where he broke his journey, is omitted as irrelevant.

86–87. *ok muntu giptu . . . yðvar við*: 'and you will bring luck to it (the undertaking)'. 'That will only happen', said Leif, 'if I have your help as well'. The Norsemen were very superstitious about luck derived from association with certain men; a king especially was supposed to have an unusual supply of luck. In *Óláfs saga Helga* (chapter 67) it is related that the king sent Bjǫrn the Marshal to make peace with Óláf of Sweden, which Bjǫrn said was 'a doomed man's errand'. Hjalti Skeggjason comforted him with the saying *mikit má konungs gæfa* 'a king's luck can do much'. Many thought they could tell by looking at a man whether he was lucky or not; Skarpheðinn of selection 7 *B* was one who was said to 'look unlucky', while Auðun of selection 12 was thought by King Harald to look like a *gæfumaðr* the first time he had seen him. Luck was thought to be transferable at will; hence Leif's remark in line 87. Similarly King Óláf Tryggvason when sending Hallfreð the poet on a dangerous errand tells him *Skal ek til leggja mína giptu*: 'I shall give you my luck for the enterprise'. (*Hallfreðar saga*, cap. 6).

88–89. *þau er . . . ván til*: 'whose existence he had not suspected before'.

89. *hveitiakrar sjálfsánir ok vínviðr*: the wild corn and the grapes are also noticed by later explorers. Mr. Gathorne-Hardy quotes the following passages, and others to the same effect:

Cartier (of Baye de Chaleur): 'Therè is not here any little spot void of woods and made up of sand which may not be full of wild grain, which has an ear like rye, and the kernel like oats'.

Champlain (of Cape Anne): 'We found in this place a great many vines, the green grapes on which were a little larger than peas'.

Denys (St. John's River): 'There is found here also a great quantity of wild grapes'.

Hudson (near Cape Cod): 'They went on land and found goodly grapes and rose-trees'.

90. *mǫsurr*: probably the maple. The Icelanders and Greenlanders were rather uncertain in their use of tree-names, and it is said later in *Þorfinns saga* that Karlsefni did not know what sort of tree it was. But when he returned to Iceland he took with him a *húsasnotra* (carved ornamental piece placed on the gable of a house or on a ship) made of the wood, and sold it to a merchant of Bremen for half a mark of gold. It was doubtless from the merchant that he learned the name of the wood.

107. *C* is from *Flateyjarbók*.

116. *réð til háseta*: 'engaged a crew for it', *til* is adverbial.

128. *suðrmaðr*: a German, as is evident from 189.

138. *Helluland*: usually identified as the coast of Labrador. Identification of Helluland, Markland, and Vínland is difficult, and few of those who have written on the matter agree. Reman, for instance,

would identify Leif's *Helluland* with Resolution Island off the south coast of Baffin Island. Hermannsson believes Markland to be the south-eastern portion of the coast of Labrador, Reman argues for Newfoundland and Gathorne-Hardy for Nova Scotia. For the arguments for and against see the accounts given by these three authorities.

150. *jafnsœtt*: this is the legendary sweet dew, on which see Nansen, i. 338. Its presence here may be due to the explorers finding a cluster of plants producing honey-dew, which later tradition has exaggerated; or to a late misunderstanding of a statement about the purity of water collected in a dew-pond. *sœtr* applied to water ordinarily means 'fresh', 'pure'.

163. *lax í ánni*: Hermannsson points out that if this statement is correct—though he places little credence on the *Flateyjarbók* account—it gives valuable information, for salmon have not been found south of the Hudson River, except occasionally in Delaware.

166. *engi frost*: this can hardly be true, unless as Reman believes there have been great climatic changes. In his book Reman makes great use of the assumption that the climate both in North America and Greenland deteriorated in the later Middle Ages.

167–8. *Sól . . . skammdegi*: 'the sun was up over the marks for *eykt* and *dagmál* when the days are shortest (i.e. from November to January).' In Iceland and Greenland the sun rises after *dagmál* and sets before *eykt* on the shortest days of the year. Attempts to establish the latitude by mathematical calculations on the basis of the above seem to be inconclusive.

180. *þeim feðgum*: Leif and Eirík the Red.

185. *skapgott*: 'in good spirits.' It does not seem to be meant that Tyrkir was drunk, as some critics think. It is possible that those who have handed down the saga might think that fresh grapes were intoxicating, but here Tyrkir seems only to be excited, as he soon replies intelligently to their questions. The presence of Tyrkir meets the objection which has been made to the other accounts of the discovery of grapes, namely, that Greenlanders and Icelanders would not know grapes when they saw them.

206. *D* is from *Þorfinns saga*, the text of Codex AM 557, quarto, with some corrections from *Hauksbók*. *Hauksbók* is the older text, and in many details probably nearer the original written version; but AM 557 is on the whole stylistically superior.

The date of Karlsefni's voyage is uncertain. If the chronology of *Þorfinns saga* is accepted, his expedition was 1003–7; another dating which is also widely accepted is 1007–11; while Vigfússon makes it fall between 1025 and 1040. He argued that as Snorri Þorfinnsson's grandson was born in 1085, and thirty years is a good allowance for each generation, Snorri's birth in Vínland must have been about 1030. But such reckoning cannot be expected to give an accurate date, as there are not always thirty years between generations. On the chronology of the saga itself see the following note, and note to line 222; compare also note to line 213.

208–9. *Snorri . . . Þórhallr*: Snorri Þorbrandsson, whose emigration from Iceland to Greenland is recorded in *Eyrbyggja saga* and Þórhall Gamlason; they were well known in Iceland as voyagers to Vínland. Snorri's journey there is mentioned in *Eyrbyggja saga*, and Þórhall is called *Vínlendingr* in *Grettis saga*, though it is doubtful whether he is the same man. According to the chronology of *Eyrbyggja saga*, Þórhall, Bjarni, and Karlsefni all came to Greenland in the same year, either 1001 or 1002.

213. *Þorvaldr*: said to have been killed on this expedition, see below, 430 ff. But according to *Grœnlendinga Þáttr* he was killed on a separate expedition of his own, which preceded Karlsefni's. The *þáttr* may well be right, as its account of Þorvald's death is much more credible. Karlsefni's voyage in *Þorfinns saga* may have been given the chronological place of Þorvald's. Both stories tell of an unsuccessful attempt by Þorstein Eiríksson to find Vínland, and in the *þáttr* it was made between Þorvald's voyage and Karlsefni's. It is to allow time for these intervening voyages that the date 1007–11 is adopted for Karlsefni's expedition.

Þórhallr Veiðimaðr: distinct from Þórhallr of line 209. This Þórhallr had evidently been in Greenland for many years.

220–1. *lengi . . . haldit*: 'had long been in the habit of consulting him.'

222. *Þorbjǫrn*: he had emigrated to Greenland in 1001. Þorfinn's expedition is quite consistently represented to be two summers later. The episode of selection E took place during the first winter he spent in Greenland, and Guðríð there mentioned is his daughter.

víða kunnigt í óbygðum: this suggests that Þórhall had sailed and explored in this area more often than the others, and he was probably taken as a pilot.

225. 'Four tens of the second hundred of men', that is, 160 men. *hundrað* = 120.

227. *Bjarneyjar*: Nansen says that 'the southern part of the Western Settlement must have been then, as now, that part of the coast where bears were scarcest'. Hence the 'Bear Isles' are not likely to have been very near Vestribygð. The Bjarneyjar are mentioned by an Icelandic geographer, Bjǫrn Jónsson (1574–1656), who had access to older Icelandic records now lost. He says that these islands are nine days rowing from the southern part of Vestribygð, that is, a distance of about 190 miles. Bjǫrn's statements of distance in Greenland seas, however, are not very trustworthy.

234–5. *Bjarney, Markland*: Gathorne-Hardy suggests Sable Island and Nova Scotia; Hermannsson the northernmost peninsula of Newfoundland and the south-eastern area of Labrador; Reman, who believes that the *Markland* and *Vinland* of Karlsefni were not identical with those of Leif, would place them both in Ungava Bay off the Hudson Strait.

246–7. *Haki . . . Hekja*: masc. and fem. formations on the same stem. The names are not Gaelic, but the Norsemen frequently renamed foreign thralls with Norse names. A similar pair, called Krók and Krekja, are given by Óláf Tryggvason to the hero of *Bárðar saga Snæfellsáss*. The similarity of nomenclature suggests that they have been borrowed into both sagas from the same source.

254. *kjafal*: so Hauksbók; AM 577 has *bjafal*. Both forms may be corrupt. Gaelic *cabhail* 'the body of a shirt' and *gioball* 'garment', 'shawl' have been compared, but it is difficult to establish direct connexion with either.

258–9. *annat . . . .annat*: 'one . . . the other'. The neuter is used because one, Haki, is masculine and the other feminine.

264. *Straumsey*: thought by Hermannsson to be Heron Island in Chaleur Bay, off the Gulf of St. Lawrence. Gathorne-Hardy suggests Fisher's Island at the entrance to Long Island Sound, which he takes to be Straumsfjǫrð. Reman believes it to be an island at the mouth of Chesterfield inlet on the north-western shore of the Hudson Bay.

265. Large breeding-places of birds are noticed by later discoverers also. Charles Leigh says of the islands in the Gulf of St. Lawrence that they are 'sandy red, but with the multitude of birds upon them they looke white. The birds sit as thicke as stones lie in a paved street'.

268. *fé*: the Icelandic settlers took cattle with them to Greenland, as is proved by the numerous bones of cattle found in the middenheaps of the Greenland settlements. As cattle could survive that voyage, there is nothing unlikely in the statement that they were brought to Vínland.

276. 'Their prayer was not granted as soon as they desired.'

279–81. *Hann horfði . . . þuldi nǫkkut*: 'He gazed up into the sky with staring eyes, open mouth, and dilated nostrils, and clawed at himself, pinched himself and recited something.' He was making a charm, reciting verses to Þór.

282–4. *Hann kvað . . . at gøra*: 'He said it was no business of theirs; he told them not to be astonished, said he had lived long enough to make it unnecessary for them to look after him.'

288–9. Icelanders were accustomed to eat whale-meat even when not pressed by hunger.

290. The whale is supposed to have come as a result of Þórhall's verses to Þór; but Þórhall's contempt for the whale as food, expressed in the verse below, lays this account open to suspicion. In the shorter account in *Grœnlendinga þáttr* the whale-meat does them no harm,

and this seems to be correct, as Þórhall in his verse expects them to go on eating it.

300 ff. Þórhall evidently thought they had missed Leif's Vínland while out at sea between Markland and Kjalarnes; he also seems to have thought that the new land did not extend much farther south. Karlsefni argues reasonably that Vínland is not likely to be northward, as vines should be looked for in the south, and he believes that the new land does extend farther south. The fact that they have not yet found Vínland shows that the story of Haki and Hekja has been given too soon.

308 ff. These epigrammatic verses are accepted by all as genuine. The spurious verses which were sometimes inserted in sagas at a later period than that of the events related were seldom as good as these. These verses are in fact the most certainly genuine part of the whole account, as verses were not easily corrupted in oral tradition, especially verses of such rigid form as these (in *dróttkvætt*; see Grammar, § 183). Compare note to 16/22.

The first stanza may be rendered thus: 'The battle-stock (men) said when I came here (well may I curse the land before all men) I should have the best of drinks. Though I have won honour under helmet (now) I have to wield the bucket—or rather I creep to the spring. No wine has touched these lips of mine.' Note the effective order of the words in this stanza.

308. *meiðr* = 'stem', 'tree-trunk'; *malmþing* = 'meeting of metal', 'battle'; *meiðar malmþings* = 'the warrior race', 'men'. Men and women are frequently spoken of in poetry as trees, the reference being to the myth of man's origin. The gods took two trees and made one of them into a man named Askr, and the other into a woman named Embla. From this first pair mankind is descended.

312. *Bílds hattar*: *bíldr* is a kind of spear, but also one of Óðin's by-names. 'Óðin's hood' is the helmet.

313. *beiði-Týr*: 'Týr who asks.' *beiði-Týr Bílds hattar*: 'Týr who asks for helmet', i.e. a man of fighting fame and service. Such concentrated metaphors cannot be translated with the same effect as the original.

318–25. 'Let us go back where our own countrymen are; let the adventurous steed of the sand's heaven explore the broad running-ground of ships, while the energetic host who praise this land sit on Wonder-strand and boil their whale.'

319. *sandhiminn*: 'sand-heaven', the surface of the sea. 'The adventurous steed of the sea' is the ship.

320. *lǫtum*: the vowel of the verb *láta* is here shown by the metre to be shortened (originally in unaccented use). Grammar, § 176.

kenni-Valr: *Valr* was the name of a famous horse, the steed of the hero Véstein. *kenni-* is from the stem of *kanna* 'explore'. *valr* also means a hawk, a sense which would be more suitable than the mixture of metaphors in the interpretation adopted. But *valr* = 'hawk' is not elsewhere used in a kenning for 'ship', while *Valr* often is; the skalds were not greatly troubled by mixture of metaphor.

323-4. *bellendr Laufa veðrs*: 'those who raise the storm of Laufi', i.e. band of warriors. Laufi was Bjarki's famous sword.

335. *Hóp*: Gathorne-Hardy conjectures that Hóp is the land around New York harbour; Hermannsson suggests 'somewhere north of Cape Cod'; Reman, of course, keeps it in the Hudson Bay, probably around the Nelson River.

339. *helgir fiskar*: etymologically the meaning of the name is the same as of English halibut, but actually it was applied to other flat-fish. Mr. Gathorne-Hardy suggests that the fish referred to here are American plaice, also called 'chicken halibut'. He quotes Goode's *American Fishes*: 'Shoal water seems to be particularly attractive (to them), and they are often found at the water's edge, embedded in the sand, with only their eyes in view.'

344-5. *ok var veift . . . sólarsinnis*: 'and staves were waved from the canoes, and made a noise very like threshing, and they were waved in the direction of the sun's course'. *trjóna* is a pole, and here may be used of a carved totem pole; the word was also used of the carved figure-heads of ships; its original sense was 'snout'. The noise like threshing was doubtless made by rattle-sticks, which the Indians are known to have used at their ceremonies. It is possible also that the *trjónur* were themselves rattle-sticks.

347. *skjǫld hvítan*: white and red were used as symbolic of peace and war among the Indians as among many other peoples. Later the Indians of the prairies are known to have carried small flags, one of white bison's hide and the other of reddened leather, for use in the same way that the red and white shields were used by the Norsemen. For the red shield see line 375.

349. *smáir menn*: these men are called *Skrælingar* below (line 370). It is disputed whether Indians or Eskimos are meant. The description given here would suit either, as some of the Indian tribes are *smáir menn*; it should be noticed also that for *smáir Hauksbók* reads *svartir* 'dark', which may be right. There is no doubt that the Greenlanders called the Eskimos *Skrælingar*. Ari speaks of traces of them in Greenland (4/47), which the Indians never reached, and the Icelandic Annals record the attacks of Skrælingar on the Norse settlements in Greenland in the fourteenth century. Moreover, the name has survived among the Eskimos themselves, and is still used of the Eskimos of south Greenland. *Skræling* should become *Sakalaleq in Eskimo of south Greenland, but the form actually used is *Kalaleq*. Hans Egede, who published a dictionary of Greenland Eskimo in 1739, says that the Eskimos themselves told him that they got the name from the Norsemen

who once lived in Greenland. According to the map drawn by the
Danish cartographer Claudius Clavus Svartho for the 1427 edition of
Ptolemy's geography, the heathen inhabitants of Greenland were
called *Careli*; see the reproduction of his map in *Nansen*, ii. 248. This
seems to represent the contemporary Eskimo form of the name
Skræling, which was still *Karaleq* in Egede's time. Thus the initial *s*
was lost early by the Eskimos, or possibly never existed in the form
which they produced in trying to pronounce *Skræling*.

It is uncertain whether the Greenlanders had seen Eskimos when
they made their first voyages to Vínland; probably they had not. They
brought back a tradition of a dark-skinned race of men from Vínland
whom they called Skrælings, and it was natural that they should give
the same name to the Eskimos when they found them in the north,
even though the natives whom they saw in Vínland were probably
Indians. To Norsemen they would appear to have the same general
characteristics. It seems clear that Karlsefni was now too far south to
meet with Eskimos. There is evidence that the Eskimos formerly
came as far south as Newfoundland and the mouth of the St. Lawrence
River, but probably they did not go south of these points. Now they
seldom come south of Hamilton Inlet in Labrador. Moreover, it is
hardly reasonable to associate Eskimos with a land of vines. The 'skin
canoes' of line 344 at first sight do seem to indicate Eskimos, but no
doubt Norsemen would think that the birch bark of Indian canoes was
a kind of skin. In the voyage of Þorvald related in *Grœnl. þáttr* it is
related that Þorvald and his men found three canoes, and three men
sleeping under each; they killed eight, but one got away with his canoe.
Three men could not sleep under a Greenland kayak, nor were the
canoes umiaks, as one man could hardly carry one away. It is known
also that the Indians frequently slept under canoes; Jacques Cartier
says of one tribe: 'They have no other dwelling but their boats which
they turn upside down, and under them they lay themselves all along
the bare ground'. The Skræling food mentioned in line 412 'beast's
marrow mixed with blood' is also characteristic of the Indians. It was
later known as pemmican or moose-butter, cakes of hard grease ex-
tracted from moose-bones, of which one authority says, 'It was this
which they (the Indians) used as their entire provision for living when
they went hunting'.

The meaning of the name Skræling is uncertain. It may be related
to modern Norwegian *skræla* 'scream', or to Icelandic *skrælna* 'shrink'.
In modern Icelandic *skræling* means 'churl', 'coarse fellow', in modern
Norwegian 'weakling'. Connexion with *skræla* 'scream' seems more
natural, but the modern forms point rather to the other etymology.

370. In *Grœnl. þáttr* the savages fled because one of them was cut
down while trying to steal weapons. This accounts for the attack made
later.

378-81. The nature of the weapon here described is uncertain. It may be the same as that described in a passage in Schoolcraft's *Indian Tribes of the United States* (i. 85): 'Algonquin tradition affirms that in ancient times, during the fierce wars which the Indians carried on, they constructed a very formidable instrument of attack, by sewing up a large boulder in a new skin. To this a long handle was tied. When the skin dried it became very tight round the stone, and after being painted with devices assumed the appearance and character of a solid globe upon a pole. This formidable instrument to which the name of 'balista' may be applied is figured (in one of the plates of the book) from the description of an Algonquin chief. It was borne by several warriors who acted as balisteers. Plunged upon a boat or canoe it was capable of sinking it. Brought down on a group of men on a sudden it produced consternation and death.' The passage was first pointed out in this connexion by Professor A. Bugge.

392. *eigi heil*: she was with child.

400. *fjórir*: *Hauksbók* has *fjǫldi* 'multitude'.

409-10. *af þeim er fyrir bjoggu*: 'because of those who first inhabited the land.'

431. *Einfœtingr*: the account in *Grœnl. þáttr* of Þorvald's death in a fight with Skrælings says nothing of a uniped; the conventional bravado of line 434 and the verse are also omitted. Probably all these details are embroideries on the original account. The Greenlanders are not likely to have known of the legend of the unipeds, which came to Iceland with the Latin literature of the church, so that it is improbable that this Einfœtingr belonged to their account. In Iceland the legend was certainly known long before the surviving texts of *Þorfinns saga* were written down. In the same MS., *Hauksbók*, unipeds are mentioned among other wonders of the east, in the treatise *Heimlýsing ok Helgifrœði*. F. Jónsson thinks that this compilation was made as early as *c.* 1200. The source of its information about unipeds is Isidore of Seville.

434. *Gott land . . . ístruna*: this speech resembles that of Þormóð when the arrow was pulled out of his wound after the battle of Stiklastað (according to the version in *Heimskringla*). Þormóð looked at the arrow and said, 'The king has fed us well; there is a white coat (of fat) about the roots of my heart'. Probably the saying was part of the story-teller's stock-in-trade, and was an embellishment upon truth in both of these accounts.

450. *kom til*: 'was born'. Karlsefni's wife, the mother of Snorri, was Guðríð, mentioned in *E* below.

455. *skeggjaðr*: 'bearded' = full-grown man.

461-3. *Þeir sǫgðu . . . flíkr*: 'They said that there was a country on the other side opposite their own, and people lived there who wore white clothes and uttered loud cries, and carried poles and went about with flags'. The white clothes were probably buckskin; the loud cries Indian war-whoops; and Indian flags are well known.

464. *Hvítramannaland*: there was an Icelandic legend of such a place, called also Ireland the Great. It was originally an Irish tradition. *Landnámabók* ii. 19 tells how Ari Másson was driven by storms to Hvítramannaland, which was six days' sail west of Iceland. Ari could not get away from the country, but was recognized by later travellers who did, and they reported that he was held in high honour there. The same story is told in *Eyrbyggja saga* of Bjǫrn Ásbrandsson, except that the name of the country is omitted.

467. *E* is also based primarily on AM 557. The events belong probably to the winter of 1001–2.

475–6. *þótti til hans . . . stóð*: 'it was felt that the duty was his of finding out when these times of scarcity which were troubling them would cease'.

480. *er móti henni var sendr*: 'who had been sent to fetch her'.

482. *alt í skaut ofan*: the whole length of the garment, as far as the hem.

486. *hnjóskulindi*: a belt made of touchwood, dried fungus used as tinder.

489. *ok á*: 'and on them' (the thongs).

496. *hjú ok hjǫrð ok svá hýbýli*: 'household and herd and likewise the home', evidently an alliterative formula used for welcoming a *spákona*. There might be something displeasing to her or the spirits in the place, so that it was necessary to give her an opportunity to inspect the place.

511. *varðlokur* (so *Hauksbók*; AM 557 has *-lokkur*): the second element of this word is *loka* 'lock', and the first is the stem of *vǫrðr* 'guardian', implying 'guardian spirit', cf. Mod. Norwegian *vord* 'spirit'. The *varðloka* was perhaps conceived to be a charm which attracted spirits and locked them within the circle formed by joining hands (l. 522). Discussion of this difficult word will be found in an essay by M. Olsen in *Maal og Minne*, 1916, and in D. Strömbäck, *Sejd*, 1935, pp. 124 ff.

515. *þá ertu happfróð*: 'then you are wise in good time', when the wisdom is most needed.

522. 'The women made a ring (by joining hands) around the platform, and Þorbjǫrg sat on top (of the platform).'

534–8. Guðríð married first Þórir (dead at this time? He is not mentioned in *Þorfinns saga*), then Þorstein, son of Eirík the Red, which is the honourable match promised in 534–5; and finally Þorfinn Karlsefni. Her descendants were distinguished, as Þorbjǫrg promised; the grandson of her son Snorri Þorfinnsson, for instance, was Bishop Þorlák, friend of Ari the historian.

537–8. *ok yfir þínum . . . sét*: 'and over the branches of your family shine brighter beams than I have power to see completely'.

VI

1. The earliest surviving version of this genealogy is in Ari Thorgilsson's *Íslendingabók* which is probably the ultimate source of the present version.

3. *freys*: the original genealogy, as in Ari, has *frets*, but the evidence of the *Hrafnkels saga* manuscripts suggests that the author deliberately altered to *freys*, perhaps to establish a connexion with the nickname of his hero.

9. *Arnþrúðarstǫðum*: this place-name has not survived. The author's interest in place-names and his attempts to explain them are noteworthy; cf. ll. 15, 18, 45, 183, 556, 623, 660, 820.

16. *geit*: this reading is here preferred, despite the weight of manuscript authority against it, because of the place-name Geitdalr in l. 18. The probable source for the passage, *Landnámabók*, has *gǫltr ok griðungr*, 'boar and bull', for *geit ok hafr*, but the author's alteration of *griðungr* to *hafr* was clearly deliberate. The alteration of *gǫltr* to *geit* seems very probable therefore; cf. his interest in place-names (9 n.) and the suggested alteration 'freys'. For a comparison of the two accounts of Hrafnkel's arrival in Iceland see *Medium Ævum*, viii, pp. 9 ff.

20. *at brúm*: this bridge, which is mentioned several times in the saga (ll. 284, 545, 863), seems to have been a natural bridge of rock.

26. Oddbjǫrg is not mentioned in any other source. Hrafnkel's two sons are known from other sagas.

33. *goðorð*: the authority of a *goði*, who, originally a temple priest, became a secular chieftain in Iceland. The *goði*'s dependents and supporters were called his *þingmenn*. His authority over them could be legally handed over, either temporarily or permanently, to another; cf. l. 372. The nickname *Freysgoði* is also to be found attached to Þórð Ǫzurarson (*Landnámabók* and elsewhere).

47. *at Laugarhúsum*: according to l. 214 Laugarhús should be north of Aðalból, but if the present site of Aðalból is the original one Laugarhús is south of it. The topography of the saga seems to be confused, though it is difficult to say whether this confusion is due to the author or to the wrong identification of farm-sites by later readers. Professor Jóhannesson's suggestion (in his edition) that in saga-times Hrafnkel's farm was in fact farther up valley than the present Aðalból is attractive and would eliminate many topographical difficulties. The site of Leikskálar (l. 52) is unknown, but it must have been near the mouth of the valley.

55. *í Miklagarði*: the visits by Eyvind Bjarnason and Þorkel Lepp (l. 346) to Constantinople are probably fictional (see *Hrafnkatla*, p. 24). Several Icelanders are said to have served in the Varangian guard in Constantinople including Kolskegg Hámundarson (*Njáls saga*), Bolli

Bollason (*Laxdœla saga*), and Halldór Snorrason who went there with
King Harold of Norway (*Heimskringla*).

90. *fimm . . . seli*: note that *seli* is dative. 'Your duties will be to drive
back the fifty ewes at the shieling.'

93. *í dalnum fram*: 'in the upper part of the valley'. This is the normal
meaning of *fram* in *Hrafnkels saga*; cf. l. 111 *hann gengr fram yfir ána*
'he walked up valley across the river'.

99. *forn orðskviðr*: the author is very fond of proverbs; cf. ll. 220,
446, 447, 619, 644, 728.

128. *til miðs aptans*: see note to 5/54.

130. *honum mundi mál heim*: note the omission of two infinitives,
'it must *be* time for him *to go* home,' cf. ll. 555, 597, 836, 885, &c.

177. *at ekki verði at þeim mǫnnum*: 'no good will come to those men.'
Some word meaning 'fortune' or 'good-luck' must be supplied here.

183-4. *ok er þaðan . . . selinu*: i.e. it is six o'clock when, seen from the
shieling, the sun stands above the cairn.

185. *víg*: 'slaying', though in modern law it would be called murder.
In Old Norse law, however, *morð* was used only of secret slaughter. A
slaying was not a heinous crime, if the author of it made his deed
known. It then became the duty of the relatives of the dead either to
take vengeance on the slayer or to exact compensation in accordance
with the legal scale of payments for such killings, the amount varying
according to the rank of the dead man.

189-90. *ok verða . . . hafa*: 'and men will have to put up with it'.

193-4. *mundi . . . orðit*: 'no other small matter would have made trouble
between me and Einar'. Professor Helgason, in his edition, suggests
the insertion of *en* between *annat* and *smátt*, i.e. 'only small (difficul-
ties) would have arisen between me and Einar'.

226. *því síðr . . . við*: 'there was the less courage in him, the more there
was at stake'.

229-30. *biðr Sám út ganga*: he wished to speak to Sám privately, and for
this purpose it was usual to go out of doors. The hall (*skáli*) or sitting-
room (*stofa*), even if the house had both, were used by most of the
household and were not private enough for the discussion of secrets.

236-7. *er þetta mál . . . hǫggvit*: 'the case is thus, that though the man is
nearest of kin to me, yet the blow is struck not far from you', i.e. has
fallen on one of no distant relationship to you.

244. *mun . . . fara*: 'he is sure to behave well in some way'.

251. *yðr vex alt í augu*: 'everything grows big in your sight', that is,
everything seems too difficult for you to attempt.

256. *hvat sǫk horfir*: 'how the case will go'. *hvat* is accus. of direction,
as were originally the many adverbial phrases with *veg*, as *þann veg*
l. 236.

260. *verðr . . . má*: 'however it turns out'.

264. The blood feud against Hrafnkel was legally Þorbjǫrn's, as he

was next of kin to the dead man, and by this formality he transfers it to Sám.

266. This was part of the necessary procedure before summoning Hrafnkel to the quarter court. The *búar* of l. 271 are witnesses in the case. Hrafnkel summons his supporters to ride with him, as he would have done even though there had been no case against him.

275. The approximate routes of Hrafnkel and Sám to the þing are shown on the map of Iceland at the end of the book. That taken by Hrafnkel was the normal route. Sám wished to get there before him to enlist the aid of other chieftains, and so he took the shorter route, which, however, could only be used by one who had a thorough knowledge of the interior of Iceland; cf. ll. 537–8.

282. *einhleypinga*: unmarried, landless men, i.e. not farmers; cf. the description Þorkel gives of himself in l. 345. Hrafnkel's *þingmenn* are all farmers and property-owners.

286. *fyrir ofan Bláfjǫll*: 'above (i.e. farther inland than) Bláfjǫll.'

301. *hrakit af málaferlum*: probably because Hrafnkel with his numerous *þingmenn* prevented his opponents from entering the court to plead their case, as happens to him in ll. 498–502. It is essential for Sám to obtain the help of *goðar* with an equal or even greater number of supporters.

320–1. *fyrir ván komit*: 'past all hope'.

348. Neither Þorgeir nor Þorkel are mentioned elsewhere. Nor could Þorgeir have been a *goði* in the western fjords (see *Medium Ævum*, viii, p. 7). The third brother, Þormóð from Álptanes near Reykjavík, is known from *Landnámabók*, but his family is not, as the saga suggests, from the western fjords. Nor is it correct that he married Þórdís, the niece of the famous hero of selection ix.

407–9. *spurði . . . at orði*: 'asked who went about so clumsily, stepping on men's feet which were sore already. But Sám and he had nothing to say for themselves.'

412–14. *En mǫrgum . . . skapi*: 'But many a man does worse than he intends, and it happens with many a one that he can't think of everything when he has much on his mind'.

445. *er á Hrafnkel . . . róit*: 'who could get the better of Hrafnkel' (*literally* in rowing).

450–1. *ok haf þú . . . báðir*: 'and you have it as (long as) I have held it in the past, and from then on we will share it between us'.

471. *áðr dómar fara út*: the author is here thinking of the setting of the quarter courts, which seems to have begun with a procession from the Law-rock. In fact this is an anachronism, as the quarter courts were not instituted until A.D. 962–3. According to the early constitution the whole suit should have been heard not at the Althing but at a local meeting in the east. The author cannot have had a clear idea of procedure at the Althing, for in l. 481 he suggests that the court was

held at the Law-rock itself. This vagueness on procedure shows that the saga was written some time after 1263 when, as a result of the amalgamation of Iceland and Norway, the constitution of the republic was changed.

484. *miskviðalaust*: 'without making a single slip in his pleading.' The need to be word-perfect in the pleading of a suit is stressed in the famous court-scenes at the Althing in *Njáls saga* (see Dasent's translation, chs. 141–3).

495. *lítil vǫrn fyrir landi*: 'that the ground would be but poorly defended'; an idiom handed down from viking times when attacks were often made on an almost undefended coast.

503. *alsekr*: a complete outlaw, who might be slain and whose property might be seized after the court of forfeiture (*féránsdómr*) had been held on the outlaw's land fourteen days after the end of the þing.

523. *vápnatak*: the interpretation given in l. 524 agrees with the Icelandic laws, but the original meaning was probably the giving of assent by clashing weapons together, as in the Old Norwegian laws (cf. also Tacitus, *Germania*, ch. xi).

556. *Hrossageilar*: 'horse-lanes'; the place-name is now unknown.

560. *konur ok bǫrn var rekit*: note the impersonal construction; *konur* and *bǫrn* are accusative.

573–4. *á hásinum þeira*: Professor Nordal (*Hrafnkatla*, p. 38) points out that in Saxo Grammaticus, Bk. viii (Holder's edition, pp. 278–9). Iarmericus treats his Slav prisoners in a similar fashion.

605. *sjálfdœmi*: 'absolute powers', i.e. Sám is allowed to fix whatever penalty he thinks fit.

625. *mikinn atdrátt af fiskinum*: i.e. Hrafnkel made great use of fish caught in Lagarfljót in provisioning his household in these first difficult years on the new farm.

627–8. *dró á vetur . . . ábyrgðar var*: 'In the first year Hrafnkel set aside both calf and kid (i.e. every young animal) for winter-feeding and kept (every animal) he risked so well that nearly all of them lived'.

654. *er hann á*: i.e. Freyr, or, from the Christian point of view, the devil. This action and the despoiling of the gods in the temple are clear anachronisms, as no *goði* in heathen times could have done such a thing.

666. *vestr í fjǫrðu*: i.e. *í Vestfjǫrðu*.

678. *Í þenna tíma . . . Íslands*: the falseness of this statement and the impossibility of Hrafnkel's re-establishing himself, with such success, in Fljótsdal at so late a date (mid-tenth century) show the strong fictional element in the saga (cf. *Medium Ævum*, viii, p. 19 and *Hrafnkatla*, p. 19).

713. *en þrír farmenn*: i.e. Eyvind and two others from the ship; the *skósveinn* is not included here, cf. l. 707.

738. *Lætr . . . kappi*: 'really lets herself go'.

753. *hraun*: has here not the normal Icelandic meaning of 'lava' but rather 'a boulder-strewn stretch of ground with little or no vegetation'. This sense is characteristic of the east of Iceland.

768. *er eigi dýr í festi*: 'the animal is not in the trap.' The normal meaning for *festr* is 'rope, cord', and Professor Nordal (*Hrafnkatla*, p. 50 n.) suggests that *dýr* should be read as meaning 'precious thing' and not 'animal'.

770–1. Eyvind is here shown as a hero of the new school. It is noteworthy that Hrafnkel, a heroic figure of the older type, does not hesitate to run away when outnumbered in order to prevail in the long run.

776. *lá þá . . . þeim*: 'their horses sank a considerable way into the mire.' The construction is impersonal.

788. *segir*: the manuscript reading is *svarar*, which must be a mistake unless something has been lost from the text.

789. *brjóta upp grjót*: a common expedient in the sagas when an attack is expected.

807–10. *því at . . . heiðinni*: these words of Sám can only be to encourage his men, for in fact Hrafnkel's horses, rested during the battle, must have been fresher than his.

830 ff. Note the similarity of wording and situation with Sám's earlier triumph over Hrafnkel. Parallelism is a favourite device of the author, cf. the pairs of characters—Hrafnkel and Sám, Einar and Eyvind, Þorgeir and Þorkel, Þorbjǫrn and Bjarni.

864. *uppi á fjalli*: is used to distinguish this Jǫkulsá from the one Sám had already crossed at the bridge (l. 863). The two rivers are now known as *Jökulsá á brú* and *Jökulsá á fjöllum*.

880. *gæfuleysi þitt*: *gæfa* 'good fortune' plays a large part in the Icelandic sagas and seems almost to have taken the place of the Old English, and presumably Germanic, concept of 'fate'. In the sagas *gæfa* was an attribute which belonged to a man, see selection xii where Auðun is called a *gæfumaðr*; cf. 5/86. Grettir, after his fight with Glám, was an *ógæfumaðr* for the rest of his life (8/104).

893. *spjót hans it góða*: this is presumably the weapon mentioned in l. 607, and it seems probable that there existed a traditional story about it which the author did not avail himself of in the saga.

VII

1. *Mǫrðr Valgarðsson*: a kinsman of Gunnar, a crafty man who had joined with Gunnar's enemies out of envy for Gunnar, who was probably the greatest fighting man and athlete in Iceland. It was Mǫrð who later by his slander made trouble between Njál's sons and Hǫskuld, whose death led to the burning of Njál. Mǫrð was a traitor to both sides in the feud.

6. *allir er at G. skyldu fara*: 'all who were to attack Gunnar', his personal enemies and many, like Geir and Gizur, who undertook vengeance on Gunnar out of duty to the dead slain by him, rather than from personal enmity.

14. *traðir* (pl. of *trǫð*): by etymology 'a well-trod way', used of the path or lane leading up to a house. Along such a lane there were usually stone walls to prevent the cattle in the farmyard from getting out, and these walls concealed the attacking party. This lane at Hlíðarendi is still traceable. As indicated by *fyrir ofan*, it ran up the hill-side from the house.

16. *á húsum uppi*: on the roof of the house. The roof of an Icelandic house usually came down so low at the eaves that a dog could easily jump on to it.

17. *geilarnar = traðir*.

21. *með ódœmum . . . vera*: lit. 'to be among the unexampled things', i.e. it was exceedingly strange.

22–24. Of this speech W. P. Ker has observed in *Epic and Romance* (p. 214): 'The words of Gunnar when he is roused by the dog's howl are a perfect dramatic indication of everything that the author wishes to express—the coolness of Gunnar, and his contempt for his enemies, as well as his pity for the dog. They set everything in tune for the story of Gunnar's death which follows.' The speech was not selected as an unusually dramatic one, but as typical of the saga-teller's careful and unobtrusive art.

25. *súðþakiðr*: *súð* (related to *sýja* 'sew') is usually applied to the overlapping planks of a clinker-built ship. Gunnar's house was roofed with planks overlapping in the same way.

32. *atgeirinum*: the *atgeirr* was a large spear, used chiefly for thrusting rather than for throwing. Sometimes it was provided with an axe-blade as well as a spear-head, like a halberd. Gunnar in this saga is sometimes described as swinging his *atgeir*, sometimes thrusting, and occasionally as throwing it (at close quarters).

66. *vinddása*: accus., object of *snúum*; *í* is adverbial, referring to *strengina*. They were to tie the ends of a rope looped around the projecting ends of the ridge-beam round some rocks, and then twist the ropes by turning a piece of wood between them.

89. *kinnhestinn*: Hallgerð, to make trouble for Gunnar, had cheese stolen from a man who was already not well disposed to Gunnar, and brought to her larder. Gunnar, when he heard of the theft, asked Hallgerð where she got her cheese from. She said it was not a man's business to trouble about the house-keeping; Gunnar became angry and slapped her face. She promised to bear the blow in mind and repay it.

91. *Hefir hverr til síns ágætis nǫkkut*: 'Everyone does something for his fame', a proverb used sarcastically of one who brings dishonour on himself.

106. *At heldr tveim, at ek mynda veita yðr ǫllum*: 'The more readily for two, that I would like to give it (i.e. ground for burial) for all of you.'

113. *konur fátœkar*: lit. 'poor women', probably meaning 'wandering women', 'tramps'.

114. *tíðindi*: 'important events', distinct from *nýlundu* 'news'. The doings of Flosi and his company are only news, for as yet no result has come to pass.

119. *Sigfússonu*: brothers of Þráin whom Njál's sons had slain in a fight, and uncles of Hǫskuld, whose death renewed the feud.

121. *Grana Gunnarsson*: Grani, though son of Njál's best friend, had joined with the sons of Sigfús.

128 ff. Njál had second sight, but Bergþóra had not; she has presentiments because she is 'fey'.

162. *at at sœkja*: the first *at* is adverbial; *sœkja at* = 'attack'. The second *at* introduces the infin.

171–4. Njál's counsel was unwise, but not so unwise as may seem, as, but for Kol Þorsteinsson's knowledge of the house, the attackers would probably have been unable to burn it. ·

208. *bar at Hróaldi*: 'knocked back towards Hróald.'

210. *Lítt dró enn undan við þik*: 'There was still little chance of getting the better of you.' The construction is impersonal.

220. *létu*: pl., where sg. is grammatically correct, because *margr* is pl. in sense.

231. *sem þú ert maðr til*: 'as such a man as you would (reward one).'

246. *annars*: 'the next (world).'

254. *skal nú yfir lúka . . . ganga*: impers. 'and now our dealings shall be brought to an end, and there shall be no going from here until. . . .'

278. *tók* is impers., equivalent to a passive: 'so that the head flew off.'

288. *eitt skyldi ganga yfir okkr bæði*: 'the same fate should come upon us both.'

293. *Þórð Kárason*: Kári was Njál's son-in-law, and Njál had taken his son Þórð as his foster-son.

309. *Ketill ór Mǫrk*: one of the burners, through duty; he was son of Sigfús and brother of Þráin, but he had married Þorgerð, Njál's daughter.

319–20. *tóku . . . á lopti*: 'caught them as they flew.'

334. *þó at hér gangi eigi*: 'though it does not come about here' = even if I cannot get out here.

357. *Káragróf*: still known by that name.

VIII

Þórhall, a farmer who lived in the north of Iceland, had a huge Swedish thrall named Glám, who was killed by a ghost. Glám then haunted Þórhall's farm himself. Grettir, a young man of eighteen, but already one of the strongest men in Iceland, undertook the adventure of laying the ghost.

10. 'Grettir said there were plenty of (other) horses, whatever became of this one.'

15. *Vel hefir brugðit við þína kvámu*: 'Things have taken a good turn since your coming.'

16. *ríða húsum*: the ghost would sit astride the ridge-beam and go through the motions of riding.

17. *hurðir*: *dyrr* is properly the doorway, *hurð* the door.

22. *Alt þótti bónda at einu fara*: 'all seemed to the farmer to go one way', i.e. good luck was continuing.

36. *lokrekkja*: a locked bed-closet, usually strongly made for security against attack. Often the men simply slept on bedding laid at the sides of the hall.

39. *spyrndi hann þar í*: 'he set his feet against it.'

41. *þverþili*: the wainscot across the end of the hall (*skáli*), dividing it from the entrance passage (*anddyri*). The diagram opposite shows the position of the various beams and other parts of the hall mentioned in this selection.

A *lopt* (7/27) was an upper room at the end of the hall, its floor on a level with the *þvertré*. On one side (or on both sides) of the *mœniáss* were *ljórar*, openings in the roof, fitted with shutters, to let out the smoke of the open fires. Windows (*gluggar*) were either under the *brúnásar* or under the eaves. This is the simpler type of hall. Sometimes there was a dais at the end opposite the door, and a row of bed-closets along the wall.

54. *upp á þvertréit*: indicating his great size.

64–69. *Ok í því hljóp . . . setin*: 'And at that moment Grettir leapt under his arms and grasped him round the middle, and bent his back as hard as he could, and thought that Glám's knees would give way at this. But the thrall bore down on Grettir's arms so hard that he gave way at the might of it. Then Grettir gave way from one bed-space to another.'

stokkarnir: the movable planks used either to divide the *set* into separate sleeping spaces (cf. *ýmis setin*) or to separate the end of the *set* from the centre of the hall and not the equivalent of *ǫndvegissúlur*, the main pillars of the hall, as in *Landnámabók*, v. 11.

77 ff. Grettir, seeing that he cannot prevent Glám from getting out, suddenly changes his tactics and pushes against him instead of drawing back. Glám is not expecting this and falls over backwards.

86–87. *hratt . . . dró frá*: 'at times it drifted in front of the moon, and at times cleared away.'

90–92. *Þá sigaði . . . heljar*: 'Then such a sinking came over Grettir from all together, (namely) his weariness and because he saw Glám

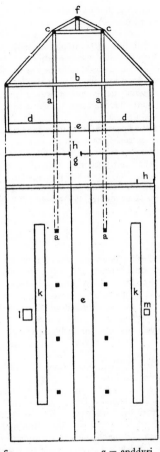

aa = innstafir
b = þvertré
cc = brúnásar (7/26)
dd = set
e = arinn
f = mœniáss

g = anddyri
hh = dyrr
k = borð
l = ǫndvegi (hásæti) it œðra
m = ǫndvegi it óœðra

PLAN OF A NORSE HALL

rolling his eyes horribly, that he could not draw his *sax*, but lay almost between life and death.' A *sax* was either a long sword with one cutting-edge, sharp point, and no cross-guard, or a short sword of similar form, except that often it had a small cross-guard and two cutting-edges. Grettir's *sax* was probably a short one, but was evidently much bigger than a knife, as earlier in the saga (chapter 23) it is described as a *sverð*, and is swung with similar effect.

104. *hamingjuleysis*: the *hamingja* was a guardian spirit, which brought good fortune. Hence the word came to mean 'good luck', and *hamingjuleysi* 'lucklessness'.

111. This was the approved method of laying a ghost.

140. *Glámsýni*: in reality this word is not derived from *Glámr*, but Glám's name is derived from the word which forms the first element in this compound. *glámr* occurs as a poetic name for the moon; cf. also *glámblesóttr* adj. 'having a moon-shaped blaze on the forehead' (of a horse), modern Norwegian *glaam* 'one with staring eyes', *glaama*, v. 'stare with large eyes', or 'roll large eyes'. The original sense of the word was probably 'moonlight'.

IX

1. *þar*: to York.

2. *hatt yfir hjálmi*: a hood was commonly worn over the helmet, specially made for the purpose. It was properly known as a *hjálmhǫttr*.

8. *spyr*: note the change from subj. to imper.

26. *engi* = more usual *engan*, acc. sg. masc.

29. *konungsgarðr*: known from English records of the thirteenth century as *Kuningesgard*, *conyngesgarth*, &c., and now called King's Court. Coney Street in York similarly goes back to *Cuningesstrete* in the twelfth century. The East Norse form for 'king' is noteworthy, cf. ODan. *kunungr*.

32. *konungr*: Eiríkr Blóðøx, son of King Harald Fairhair. According to Icelandic sources Eiríkr was made king in 930, before his father's death, but when Harald died, his youngest son Hákon, who had been fostered by King Æþelstan of England, returned to Norway in 934 and drove Eiríkr from the land (935). Eiríkr then came to England, and was allowed by Æþelstan to rule Northumbria under him. According to the *Anglo-Saxon Chronicle*, however, he came to England in 947 when Eadred was king, and was driven out by Eadred in the following year. Simeon of Durham also under the year 948 says: 'Post iuratam ei (Eadred) fidelitatem, Northymbrienses quendam Danum Ericum praeficiunt regem.' The English tradition is more reliable, since it is ultimately based on records written not many years after the events; whilst the Norse tradition was probably oral for at least two centuries. It is likely that Eiríkr, after his expulsion from Norway, lived a viking life for a time with the Orkneys as his base. For this there is the

authority of *Hákonar saga Góða* 3 (in *Heimskringla*): 'When he (Eirík) saw that he had no power to withstand Hákon's host, he sailed away west over seas with such men as would follow him. He went first to the Orkneys, and he got thence a great force of men; then he sailed south toward England and harried in Scotland wherever he came to land.' Hence the epithet *fárbjóðr Skota* 'destroyer of the Scots' in line 205, which the account in *Egils saga* would leave inexplicable. *Hákonar saga* also, however, wrongly puts Eirík's reign at York in the time of Æþelstan.

33. *tíu*: himself the twelfth.

37. *hvat er*: a mixture of two constructions, *hvat þat var er hann vildi* and *hvat hann vildi*.

59. *Gunnhildr*: Eirík's queen, a determined and unscrupulous woman, but probably not so wicked as she was later reputed to be. The period of her sons' rule in Norway was unfortunate, and their reputation and Gunnhild's suffered accordingly. Good seasons and prosperity were believed to depend on the king; cf. *Ynglinga saga* 11, where it is said of Njǫrð's rule in Sweden: 'In his days there was exceedingly good peace, and seasons of all kinds of plenty, so great that the Swedes believed that Njǫrð swayed the plenty of the year and the prosperity of mankind.' Gunnhild and her sons became unpopular because they brought no such fortune to the kingdom; hence the sagas represent her as cruel and treacherous, and a great sorceress.

61. *nítt*: Egil had erected a *níðstǫng* ('stake of scorn') against Eirík on an island off the coast of Norway. This was not only an insult, but a serious injury as well. The *níðstǫng* was a stake on which was placed a mutilated mare's head, turned towards the victim's home, while magical formulas were uttered. Part of the charm is given in the saga: ' "Here I set up the stake of scorn, and I turn this scorn against King Eirík and Queen Gunnhild"—he turned the head in towards the land —"I turn this scorn against the spirits of the land who dwell in this country, so that they shall go all astray in their ways (*villar vega*; cf. 16/91 and note), and none of them shall find or come to his dwelling until they drive King Eirík and Gunnhild from the land." Then he drove the stake into a crack in the rock and let it stand there; moreover he turned the head in towards the land and cut runes on the stake and recited all the magical formulas.' We are to understand that this stake caused the spirits to drive Eirík and Gunnhild from the land two years later. Because of the effect of ugly heads on the spirits of the land, in heathen times ships were forbidden to approach Iceland bearing a dragon figurehead.

71. *morðvíg*: a crime and disgrace; see note to 6/185. Concealment of slaughter, and slaying a man by night or when asleep were the ordinary cases of *morð*.

81. *Berg-Ǫnundar*: it was he whom Egil sued at Gulaþing, and

afterwards slew. Eirík broke the law in this instance by using force to drive Egil from his case.

84–85. *En hvert . . . tilgørðir*: 'in every case that one must judge, it is necessary to consider the provocation.'

97. *Bragi*: Bragi inn Gamli Boddason, earliest of the known skalds. A portion of *Ragnarsdrápa*, his poem on Ragnar Loðbrók, is preserved, and dates from the second quarter of the ninth century. He was Arinbjǫrn's great-grandfather on his mother's side. Nothing more of his adventure with King Bjǫrn is known than is told here. Two later examples of 'head-ransom' in the form of a poem are also known. The skald Óttar Svarti composed a love-song to Princess Ástríð, whom Óláf the Saint married, and in 1023, when he fell into Óláf's hands, he would have lost his life for it if he had not at once composed a poem in praise of Óláf. Another Icelandic skald, Þórarin Loftunga, was indiscreet enough to come to Knút the Great with only a short lay (*flokkr*) on him. Knút was angry and bade him bring him a *drápa* the next day, or he should hang for his boldness. 'So Þórarin made a refrain and put it in the song, and eked it out with a few stanzas.' But Knút was satisfied, and rewarded him with fifty marks of silver. This was probably in the year 1026.

112. *hamhleypa*: a witch who goes about in the shape of a beast or bird. The bird who hindered Egil was the sorceress Gunnhild.

131. *lendir menn*: men holding lands from the king, the nobility. Snorri in *Skáldskaparmál* 52 says that the title *hersir* or *lendr maðr* corresponds to *greifi* in Saxland and *barún* in England.

151. *fyrir skǫmmu*: 'a short time ago', when Eirík was king of Norway.

161. *mundi*: impers. 'I would have expected different treatment from you.'

166. *ef því er at skipta*: 'if the matter stands thus.' The following clause should by normal syntactical usage begin with *at* instead of *ef*.

171 ff. This is a shorter *drápa* than most, but it is one of the few that has survived complete, containing the twenty stanzas which, according to line 95, was the original extent of the poem. The metre, a variety of *runhenda*, was not ås commonly used in courtly encomia as *dróttkvætt*. The poem is not found in *Mǫðruvallabók*, the chief MS. of the saga. For further commentary on the interpretation of the difficulties in this poem see Nordal's edition and K. Reichardt, *Egill Skallagrímsson* (Hǫfuðlausn, &c.), Halle, 1934. Following is a translation of the first nine stanzas:

'Westward I fared over the sea, and I bore the sea of Óðin's breast (i.e. I had a cargo of song), such was my hap. I launched my ship as the ice broke, (and otherwise) I loaded the back cabin of that ship, my mind, with a portion of praise.

'I offered myself to the king as guest; (wherefore) it is right that

I should praise him; I bear Óðin's mead to England's fields. I have achieved the praise of the prince, truly I shall declare his fame. A hearing I crave of him, for I have devised his praise.

'Give heed, O king—it will become you well—how I recite my song, if I may have silence. Most men have heard what battles the king has fought, and Óðin has seen where lay the slain.

'The din rose of weapons beating on the rims of shields, the battle grew fierce about the king, still the king rushed on. There was heard the fate-laden song of storming blades; the sword-stream roared on its course.

'The weaving of spears was rightly placed before the king's merry rank of shields; the surging sea, the field of seals, broke in wrath under the banners, as it lay in blood.

'The host sank on the shore before the shock of spears; therein Eirík won renown.

'Further will I tell, if men will keep silence—I have heard more of their heroic deeds. Wounds waxed many, when the princes met; brands broke upon black shields.

'Blades hammered upon blades, the wound-engraver bit—that was the point of the sword; I heard that Óðin's oaks fell before the ice of the belt (flashing sword) in that play of iron.

'There was swinging of edges and shock of points; therein Eirík won renown.'

171–2. *Viðris . . . munstrandar marr*: 'the sea of Óðin's breast.' According to myth (see *Skáldskaparmál* 1) poetry was a mead made by dwarfs from the blood of Kvasir, the wisest of men. A giant took it from the dwarfs, and Óðin stole it from the giant. He drank it all and so carried it back to Ásgarð. Viðrir is a name for Óðin which means 'weather-maker'.

174. *hlut*: the portion which Óðin has granted him. *skutr*: the stern cabin, where the catch of fish was usually put. Egil thus elaborates the metaphor of the ship of his mind and the details of the poem which he has stored in his memory.

177. *lofat . . . vann*: *vinna* used like *fá* with the past part. as predicate: 'I have accomplished the praising.'

183. *hlǫm*: the MSS. have *hlom, hlǫm*, and *glavm*, and *av* is doubtless used as a spelling for *ǫ* (as often). A fem. *hlǫm* or *glǫm* does not certainly exist, though accepted by Vigfússon, and the right reading may be *hlam* or *glam*, the normal forms. The rhyme gives no indication, as *a* often rhymes with *ǫ* in skaldic verse.

187. *villr staðar*: 'astray of the (right) place.'

189–90. The logical word-order is: *brimils vǫllr glumði í móði und véum, þar's í blóði of þrumði*.

205. *flagðs goti*: 'the steed of the giantess' was the wolf; cf. note to 10/11, and *hestr Gunnar* in iii/12 (p. 190).

206. 'Nari's sister trod the eagle's supper.' Nari was a son of Loki, and his sister was Hel, the goddess of death.

209-10. 'The wolf tore at wounds, and the wave of the sword (blood) welled up to the raven's beak.'

211. *Gjalpar skæ*: 'the steed of Gjǫlp' (later *Gjálp*) is the wolf; cf. line 205. Gjǫlp is a giantess of whom a story is told by Snorri, *Skáldskaparmál* 18.

213. *snót saka*: 'maid of battles', a *valkyrja*; see note to 1/449.

214. *Haki* was a sea-king; 'the rock (*sker*) of Haki' is the sea; 'the ski (*skíð*) of the sea' is the ship. The enclosure (*garðr*) of the ship are shields, referring to the custom of fastening a row of shields around the bulwark of a ship. See the illustration, p. 412. Translate 213-14; 'This Frey of the sword (Eirík) caused the maid of battles to be roused, and shields to rattle.'

224. *skal mærð hvata*: *mærð* is dat.: 'I shall make haste with my song of praise.'

225-6. The difficulty of these lines lies in the word *hornklofi*, which is apparently the dat. sg. of *hornklof*, a noun otherwise unknown. The general sense of the passage seems to be that the king throws his money about, but keeps a tight hold on his lands; this was the proper behaviour for kings: *hann var mildr af gulli . . . en fasthaldr á jǫrðum* says *Ágrip* of King Óláf the Quiet. *Klof* means a cleft, and hence some kind of vice or instrument for gripping tightly. Professor Nordal suggests that it was an instrument for holding a piece of horn so that it could be worked into the desired shape. There was later an instrument of this kind, used for making horn spoons, called *spónalög*. Another possibility is that a primitive vice was made from a cleft piece of horn. Any object forced down into the cleft would be firmly gripped. In either case *halda hornklofi* would mean 'hold in a vice-like grip'.

229. 'The King is most liberal with the gravel of the hawk's land', i.e. with gold, worn on 'the hawk's land', the arm.

230. *Fróða mjǫl*: 'gold'. Fróði was an early and legendary king of Denmark, grandson of Skjǫldr. Snorri in the Edda says that he lived at the time of Augustus Caesar. He had a mill named Grotti which would grind out whatever was asked of it, and gold was what he had ground from it first.

231-2. 'He swings the shield with his arm, the rouser of the play of swords; he is generous with rings.'

233a goes with 234b: 'Eirík's nobility gathers fame here as everywhere; it is heard of eastward over the sea—not lightly do I say this.' *hugat mælik þar*: lit. 'there I speak a thing (that has been) pondered', i.e. 'in this I speak sincerely'.

234. *austr of mar*: in Norway and Iceland. Cf. 171: as the British Isles are *vestr* from Iceland, so Iceland is included in the lands *austr*

from York. The convention of speaking of England as *vestr* in Iceland was a continuation of Norwegian use.

237–8. 'I have drawn forth Óðin's flood with the lips (lit. mouth) from the depths (lit. ground) of my mind, with the artist of battle for my theme' (lit. on the artist of battle).

239–40. 'I have borne the king's praise to the breaking of silence (at the end of the poem). I know the measure of speech in the assembly of men.' He knows the right words and the right number, so that he does not go on too long with his poem.

244. *hvesti augun á hann*: in the *Arinbjarnarkviða*, composed in 962, Egil describes his feelings under the king's gaze: 'It was neither a safe thing nor a thing without terror to face the beam from Eirík's eyes, when the light of the moon of the king's brow shone serpent-keen with fearsome light. Yet I dared to recite my Pillow-mate (Head) Ransom before the lord of the land, so that Óðin's cup came foaming to the ear-mouth of every man.' He then describes the head which was saved, and we see the poet as a man with wolf-grey hair, black deep-set eyes, and craggy brows. He does not omit to express his gratitude to Arinbjǫrn for having saved him.

X

From *Óláfs saga Tryggvasonar* in *Heimskringla*, chapters 35–42. The skaldic verses quoted as authorities for details in the account, and a passage describing the coming of the Jómsvíkings to Norway are omitted.

Introductory notice, first paragraph: *Jómsvíkinga saga*. There are two versions, the longer one in Codices AM 291, quarto (1275–1300); AM 510, quarto; and *Flateyjarbók*; and a shorter version in Codex Holm. 7, quarto. It is the longer version which is referred to here.

2. *hann skyldi erfa Harald*: his father, Harald Gormsson, had refused to share the kingdom with Svein, who then attacked him. Svein was beaten off, but in the fight his father got wounds from which he died.

3. *Strút-Haraldr* was king of Skáney, father of Earl Sigvaldi, ruler of Jómsborg.

4. *þeira Búa*: 'of Búi and Sigurð', two of the foremost Jómsvíkings.

9. *af Vindlandi*: from Jómsborg, which was on the coast of Wendland.

10. *tuttugu skip af Skáni*: followers of Strút-Harald.

11 ff. The original heathen custom which was the origin of this feast is described in *Ynglinga saga*, chapter 36: 'It was the custom at that time, when a funeral feast was to be held after kings or earls, that he who gave the feast and was to be brought to his heritage, should sit on a stool before the high-seat until the cup was borne in which was

called *bragafull*; then he would stand up to meet the *bragafull* and make a vow, and then drink off the cup. Then he should be led into the high-seat that was his father's, and thus he was fully come into the heritage after him.' *bragi* in the expression *bragafull* is probably the word meaning 'prince', though it is possible that it is the 'cup of (the god) Bragi'. A frequent variant is *bragarfull*, in which the first element seems to be the gen. sg. of *bragr* m. 'the best', 'foremost'; hence the sense is 'cup of the (dead) hero or king'. The *braga(r)full* was drunk not only at funeral feasts, but at all sorts of festivals. Thus in *Hervarar saga*, chapter 3: 'One Yule evening in Bólm Angantýr made a vow over the *bragarfull* (as the custom was), that he would have Ingibjǫrg daughter of Yngvi the king at Uppsala, or perish else, and have no other woman for wife.' Similarly in *Helgakviða Hjǫrvarðssonar* in the prose inserted before stanza 32: 'Heðin was coming home alone from the forest on a Yule evening, and met a troll-wife; she was riding on a wolf and had snakes for bridle. She asked Heðin for his company and he said nay. She said, "You shall pay for this at the *bragarfull*". That evening there was making of vows. The sacrificial boar was brought in, and the men laid their hands on it and made their vows at the *bragarfull*. Heðin vowed that he would have Sváva, the beloved of his brother Helgi; and then had such sorrow that he went away by wild paths to the southern lands and sought Helgi his brother.' This is one of many instances of extravagant vowing. See also note to 21/43–44. It was usual to put one foot on the planking-beam when making the vow; so in *Hrólfs saga Kraka*: 'Vǫggr mælti ok sté upp á stokk ǫðrum fœti: "Þess strengi ek heit, at ek skal þín hefna, &c."'

12–14. King Svein afterwards led his army to England, but not within three years. He made his first attack in 994, and eventually chased Æþelred from his kingdom in 1013.

18. *Krists minni*: the toasts to Christ and Michael were substituted for toasts to heathen gods in the older custom.

18–19. *ok var Jómsvíkingum . . . drykkr*: Svein was trying to lead them into great vows. He owed Sigvaldi and his vikings a grudge because they had kidnapped him and forced him to make peace with the Wends on terms which the Jómsvíkings dictated.

23. *Þorkell Hávi*: he appears a little later in English history, leading Danish viking expeditions in England 1009–12. The Danes who martyred Ælfheah in 1012 (see note to 3/18) were men of his host. After receiving a ransom Þorkel entered the service of Æþelred and helped to defend London successfully in 1013 against King Svein. He left the English king's service in 1015 because the English had slain his brother, and he was a favourite of Knút's when he won the English throne. The Jómsvíkings are said to have played a part in the invasions of England in the early eleventh century, and some of their leaders were given estates in Worcestershire.

43, *skera upp herǫr*: 'dispatch a war-arrow'; the *herǫr* was an arrow of iron or wood sent about the country as an urgent summons to arms in an emergency.

88. The success of the Norwegians was due as much to Eirík as to the storm that beat in the face of the vikings. Eirík was one of the hardest fighters of the time, and a generous enemy, as is illustrated in this selection. He proved his prowess again in the fight against Óláf Tryggvason, in which the Danes and Swedes would have accomplished little without him. The fight is briefly noticed in 4/134. After Óláf Tryggvason's death Eirík became ruler of Norway; but in 1014 he left Norway to his sons and his brother Svein and went with Knút to take part in the conquest of England. In 1015 Saint Óláf got possession of Norway, so Eirík remained in England in Knút's service.

95. *illviðri*: see below, line 174 and note.

96. *Sigvaldi*: he afterwards betrayed King Óláf Tryggvason to his death.

103. *Vígfúss Víga-Glúmsson*: an Icelander. His father was a famous fighting-man and the hero of *Víga-Glúms saga*. Vígfús at this time had been exiled for manslaughter. According to *Víga-Glúms saga* he was 'a noisy, assertive fellow, domineering, strong and full of courage'.

173–5. Much is made of this in *Jómsvíkinga saga*. There it is said that Hákon left his men and went up on the island of Prímsigd, where he prayed to the goddess Þorgerðr Hǫrðabrúð 'the lady of the Hǫrðar', a Norwegian people (also called *Hǫrgabrúð* 'bride of Hǫrgi', a mythical king). She would not listen to him, though he offered a human sacrifice, but eventually she accepted his little son Erling. Clouds then gathered, and a sudden hail-storm drove into the faces of the Jómsvíkings. Þorgerð and her sister Irpa were seen fighting in Hákon's host, and it was at this sight that Sigvaldi fled. A temple of these goddesses, of whom little is known, is mentioned in *Njáls saga*.

XI

1. King Óláf (the Saint) knew that the battle was to be in the morning. He had been driven out of his kingdom in 1028 by Knút, king of England and Denmark, and now (August 1030) had gathered a force, and was trying to recover his kingdom. At Stiklastað he found himself opposed by overwhelming numbers, so that it is not strange that he felt uneasy about the result of the battle. He had expected more of his former vassals and subjects to join him, but he had made himself unpopular by the severity of his justice.

9. *Bjarkamál in fornu*: 'the ancient lay of Bjarki', as distinct from a later lay, of which only a few lines have survived. The old *Bjarkamál* was composed about 900, probably in Denmark, and was one of the most famous of the old heroic poems. The Norse version is lost except

for a few stanzas, but there is a fairly close paraphrase in Latin hexameters by Saxo, and a more distant prose paraphrase in *Hrólfs saga Kraka*.

10–17. The Icelandic text of the *Bjarkamál* from which these stanzas are quoted is thought to be a sophisticated one, as it does not correspond very closely with Saxo. There is nothing in Saxo equivalent to the first two lines, for example; there is no reference to Aðils, nor are the first two lines of the second stanza paralleled in Saxo. The elaborate diction of the other three stanzas which have survived also indicates that the poem had been worked over again in Iceland. See Olrik's *Heroic Legends of Denmark*, p. 192.

12. *hǫfuð* is used in the sense 'man', so that *vina hǫfuð = vinir* 'friends' (Saxo: *amici*), referring to the *drótt* or personal followers of the king.

13. *Aðils . . sinnar*: followers of Aðils, who was Hrólf's enemy. But Hrólf had sent his twelve champions to assist Aðils when he won the kingdom of Sweden from Áli. The phrase is probably a reference to their service of Aðils on that occasion. Olrik would emend to *aðalsinnar* 'excellent followers'.

14. *Hár, Hrólfr*: two of Hrólf Kraki's champions. Hrólf is named in the list of champions in *Hrólfs saga Kraka*, chapter 32, where his nickname is *Skjóthendi*, doubtless the correct form. Instead of Hár the saga has *Hrómundr harði*.

30. *Sighvatr*: another of King Óláf's poets, considered by many to be the greatest of the skalds. Before Óláf's expedition had been decided upon, he had gone on a pilgrimage to Rome.

32–39. 'I will still stand before your knee, O king mighty and hardy in the fight, until you get your other poets—when do you expect them? We shall come hence, though we give the greedy raven booty of the slain, O rider of the steed of the waves—of this there is no doubt—or here shall we lie.'

56. *vissi hann ekki hvaðan at kom*: 'he did not know whence it came.' There may be a suggestion of the miraculous. In the version in *Flateyjarbók*, Þormóð, finding himself only slightly wounded, spoke to the spirit of the dead king and prayed him not to cast him off from the agreement. With that he heard a bow-string twang, and the arrow came.

62. *bóndaliði*: the landsmen's army, the war levy of the country gathered to resist Óláf. They are so called in contradistinction from 'king's men' or household troops.

64–71. 'It was seen that I was rejoicing in the battle with Óláf. Yet a wound I got, O divinity of the horn, and but brief security. My shield glittered, the poet was caught in a storm over-cold; the archers have nearly made me left-handed.'

65. *Áleifr*: a variant of *Óláfr, Óleifr, Ólafr*, all from *Anulaifar. *a* became *ǫ* by *u*-mutation, then *ó* after the loss of *n* (Grammar,

§§ 70, 53); ǫ usually became ó when nasalized. The different developments of *ai* are due to differences of stress. Under secondary accent *ai* became *á*, under strong stress *ai* became *ei*. Syncope of unaccented vowels took place earlier before syllables of strong accent; *Áleifr* arises from the dropping of *u* before the period of *u*-mutation.

66–67. *Hildr . . . hvítings*: 'Hild of the horn.' Hild was a *valkyrja*, here (as often in skaldic poetry) a complimentary term = 'fair lady'. It was a lady's duty to hand round the drinking-horn at the bidding of the head of the house; hence the expression 'divinity of the horn' = lady.

68. This at first sight seems to contradict l. 48, but it was probably after Óláf had fallen that Þormóð threw away shield and mail-shirt, in order to get his mortal wound.

76–83. 'Harald was fierce in the fight, rejoicing in battle with Áleif; there went Hring and Dag to the meeting of hard swords; these did stand proudly under red shields—the eagle got his dark beer—four noble princes!'

76. *Haraldr*: Harald Harðráði, half-brother of Saint Óláf, and afterwards king of Norway. He was a mere boy when the battle took place, and Óláf tried unsuccessfully to keep him out of the fighting.

79. *Hringr ok Dagr*: Hringr is identified as *Dagsson* in the *Flateyjarbók* account. Dagr was son of a king of Upplǫnd in Norway whom Óláf had driven from his kingdom. When Óláf made his attempt to recover Norway, he invited Dag to come with him, promising to restore him to his lands in Norway, if they were successful. Dag commanded the right wing in the battle; he was late in getting into line, which made the victory easier for the landsmen. When he did come up he made a strong attack (*Dags hríð* in line 128), but it was too late.

86–93. 'Strong was Óláf's heart; the king stormed on at Stiklastað —steel brands bit, blood-stained—he whetted his men to battle. I saw all of the stock of Óðin's storm (the fighters) except the king himself— all were put to the test— cover themselves (with the shield) in the thick rain of darts.'

109. *miklu sári*: according to other versions, only a small wound, which agrees with l. 115, unless *eitt lítit* there is taken as ironical.

121–8. 'I am not ruddy of hue, nor has the fair slender lady to deal with a rosy-faced man. The old iron stands fast, (the arrow) which wades in my blood; this is the cause, noble lady, that now the deep track of Dag's storm and of Danish weapons'—(causes me pain).

124. *fenstigi benja*: lit. 'that which treads (*stigi*) in the swamp of wounds (blood).'

126. *marglóð*: 'sea-flame', i.e. gold. Ægir, one of the sea-gods, once invited the Æsir to a feast in his hall on the sea-bottom, and he used gold for lights, so bright that it illumined the hall like fire. *tróða* = 'wand'; 'gold-wand' = gold-adorned woman.

127. *Danskra*: the landsmen had assistance from Knút, on whose behalf they were fighting.

XII

1. Auðun was a kinsman of Þorstein and belonged to his household. When the Norwegian sea-captain came to stay with Þorstein, Auðun was assigned to serve him.

6. *þess er var*: 'of that which there was', i.e. that he owned.

7. *á* is adverbial: 'this was agreed to be subsistence for three years.'

12. *Auðun kaupir bjarndýri*: In the Flateyjarbók version details are given: 'A Greenland huntsman named Eiríkr had caught a bear, an exceedingly fine one, a red-cheek. When Auðun heard of it, he bought it. The huntsman said it was unwise to give all he possessed for it, but Auðun said he did not care, and bought the beast, giving his entire possession for it.' 'Red-cheek' seems to be an expression for a large savage bear. Being a Greenland bear, it must have been a white one. White bears were greatly prized in Europe. It is related in *Hungrvaka* that Ísleif, the first bishop in Iceland, brought a white bear which had come from Greenland to the Emperor (of the Holy Roman Empire), 'ok var þat dýr in mesta gørsimi'. This was about the year 1054.

17. *suðr í landit*: Fl. more definitely *á Hǫrðaland*. *var fyrir*: 'was to be found.'

19. *Haraldi konungi*: Haraldr Harðráði.

35–36. *þó at nauðsyn eigi til*: 'though they might have (*eigi* is the subjunctive of *eiga*) pressing business there.'

54. *þars*: from *þar es*, *es* being the older form of *er*.

64. *nú . . . nú*: 'lately . . . just now.'

83–85. *Ef þú vildir . . . í braut*: 'If you did not desire to adopt so excellent a course, then I should be displeased that you are hastening away.' The king does not oppose Auðun's going, but is sorry to lose him.

86. *Rúmferlum*: cf. *Rómaborg* in l. 89. *ú* is the traditional vowel, going back to early Germanic times, as in Gothic *Rūmōneis* 'the Romans'. *Róma-* is due to a later re-adoption of the name.

109. *at sá muni*: either indicating Auðun as he spoke or more probably, as Heusler suggests, 'that such a man (i.e. one who wishes to see me) is there.' (*Elementarbuch*, 1921, p. 205/7 n.)

121. *skutilsvein*: a rank of high dignity, though like many other titles originally a menial office in the king's court. The *skutilsveinn* was originally one who waited on the king's table (*skutill* = plate or trencher), but later was the highest rank in the king's retinue. Snorri Sturluson received this title from the king of Norway in 1219.

129–31. *sjá einn . . . heðan*: 'this was the only reason for your going away that would not displease me.'

143. *ilt er til hafna fyrir landi yðru*: 'your country is poorly supplied with harbours', true of the south coast which ships from Norway would naturally reach first.

161. *ok þurfti . . . Nóregi*: 'and now he needed more help for this (unloading his goods—*flytja upp varnað sinn*) than last time he was in Norway', when he required no help at all. Now, as *Fl.* says, 'he had need of many men to serve him'.

179. *því fleira*: 'with more than this'; Grammar, § 163.

XIII

1. *vreiðr*: MS. *reiðr*. Alliteration indicates the older form, though not with certainty, as even in first half-lines of type A there is often only one alliterative stave; cf. 51, where the MS. has *reið*. See also Grammar, §§ 63, 189. *Ving-Þórr*: 'Swinging-Þór', Þór who wields the hammer. In *Vafþrúðnismál* he is called Vingnir. Cf. ON. *vingsa* 'swing round', 'brandish'.

3–4. *nam* and *réð* are auxiliaries indicating past tense; *nam* is not merely inchoative, but is used generally to indicate a past action which extends over some time, as distinct from a momentary act.

4. *Jarðar burr*: Þór; cf. note to 1/500.

8. For scansion see Grammar, § 180. 'The god has had his hammer stolen.' The construction is normal; the active is *stela e-n e-u*.

9. *túna*: gen. after *ganga*, a construction found only in the oldest poetry. Freyja's home was *Sessrúmnir* 'rich in seats'. *Fagra* gen. pl. agreeing with *túna*. This was the normal epithet for Freyja and possibly the line was originally identical with l. 47.

11. *fjaðrhamr*: a bird's skin which had the magical power of turning the wearer into a bird. Many men also were believed to be 'skin-changers' who became beasts temporarily by putting on magic skins. *ljá*: if the poem is as old as some suppose, the original here had *léa* (Grammar, § 46 *end*), so that the line is not of the short type.

19. *Þrymr sat á haugi*: a favourite seat of kings and chiefs. Usually the mound was a grave-mound, and the habit of sitting there was connected with ancestor-worship. Respect for mounds and hills was also connected with the worship of *Fjǫrgyn(Jǫrð)*. Men usually went to a hill or mound for meditation or to discuss important matters. In *Eyrbyggja saga* 28 Stýr went to consult Snorri Goði about his troubles; Snorri said: 'We will go up on to Helgafell, for those counsels have been the last to come to nought that have been taken there.' Earlier it is told (chapter 4) that Snorri's ancestor Þórólf named the fell, 'and he believed that he should go there when he died, and all his kindred'. *Landnámabók* ii. 10 also says 'it was the faith of Þórólf and his kin that they should die into this fell'.

22. *Hvat's með Ásum?*: cf. note to 1/476.

26–27. *álfum*, *fólginn*: the vowels would not be long at the time when the poem was composed. See Grammar, § 54.

27. *hefr*: MS. *hefir*. See note to 17/52, where the short form is the MS. reading. *Hlórriði*: a common name for Thor in the Poetic Edda; the etymology is doubtful.

30. *fyr jǫrð neðan*: later the order would be *fyr neðan jǫrð*, *fyr neðan* being a compound preposition with *jǫrð* in the accus.

36. *Þór*: dat. after *mætti*. *miðra garða*: gen.; cf. note to 9.

38. 'Have you news as well as your toil?', that is, have you news for your trouble?

39. 'Tell the whole of your tidings aloft', i.e. before you alight, for reasons given in the next two lines.

40. 'Often the accounts of one sitting fail, and if he lies down, he deals in lies.' A messenger should deliver his message at once before he forgets it. If he is allowed still more time, he will not only have forgotten it, he will have invented another to replace it.

53. *men Brísinga*: this necklace or neck-ring is called *Brōsinga mene* in *Beowulf*, where the hero Hama (ON. Heimir) is said to have carried it off 'to the bright mansion—he fled the treacherous wiles of Eormenric—and chose eternal gain'. He seems to have carried it off from Eormenric and afterwards entered a monastery, thus 'choosing eternal gain'. How Freyja's necklace came into the possession of mortals is not known. The Norse form of the name seems more likely to be right than the OE. one, as the spelling is well attested, whereas in OE. the name only occurs once, in a MS. that was none too accurate. It has been suggested that the Brísings were fire-dwarfs who made the ring; cf. ON. *brísingr* (once) apparently meaning 'fire', modern Norwegian *brising* 'flame', *briseld* 'flaming fire'. The skald Ulfr Uggason in his *Húsdrápa* tells that Loki stole *Brísinga men*, but it was recovered from him by Heimdallr, who fought with Loki at a place called Singastein. Bugge thinks this a more original form of the Hama-story, and that Hama or Heimir is identical with Heimdall—an ingenious but uncertain conjecture.

61. 'He could see into the future, even as could the Vanir.' The sense is not 'as could the other Vanir', as Heimdall was not one of them; he was Óðin's son. According to *Ynglinga saga* 4 the Vanir were rivals of the Æsir, and wars were waged between them which ended in peace and exchange of hostages. The war is usually understood to represent rival cults of gods in the north, peace coming when the divinities were worshipped in common. They seem to have been originally gods of fruitfulness, and their cult came to the north from the south shore of the Baltic. The name Vanir may contain the same root as Latin *Venus*, and ON. *una* 'enjoy', *vanr* 'accustomed', &c., the original sense of the root being 'desire'. The Vanir are usually spoken of as 'wise' and having knowledge of the future.

64. *und honum*: 'from his belt.'

68. *þrúðugr Áss*: three syllables only, a type of half-line which occurs often in other poems, but in this poem it is the only one, and it is therefore open to suspicion.

83. *tvau*: Bugge's emendation *tvær* 'we two women' is unnecessary. The parallel in l. 50 argues for the retention of the MS. reading. Cf. B. Dickins, *Leeds Studies in English*, iv, 1935, p. 79.

86. There was thunder and lightning when Þór drove his chariot; see note to 1/111.

89. It was usual to drive the bride to the wedding in a *vagn tjaldaðr* 'tilted waggon'. Hence Þrym can see from a distance that his bride is coming, just as Hálfdan does in *Hálfdanar saga Svarta* 5 (in *Heims-kringla*). *stráið bekki*: before a feast it was usual to strew the benches with cushions and skins for the guests to sit on.

96. The impersonal construction here (as often) has a general sense: 'it was come there early in the evening' = 'guests arrived early in the evening'.

99. 'All the dainties intended for the ladies.'

100. *Sifjar verr*: 'Sif's husband' = Þór. Sif's name is etymologically identical with OE. *sibb* 'peace', 'happiness'. She had hair of gold which was made for her by the dwarfs, after Loki had cut her own off; it grew to the flesh as soon as she put it on her head. This hair evidently represents the fruits of peace, golden harvests of corn.

115. There is no alliteration; the text is probably corrupt, but no good emendation has been suggested.

118. *brúðfjár*: originally *brúðféar*, as also in line 131.

123. Þór was doubtless waiting for this. No other instance is known of the hammer being used to hallow a bride, though it was for various other consecrations. The sign of the hammer is found on runic stones, for example, and a story is told of King Hákon of Norway (934–61) which shows that the sign of the hammer was sometimes made over drink before it was drunk. Cf. also 1/122 where Þór hallows the dead goats with the hammer and brings them to life.

125. *Várar hendi*: 'by the hand of Vár' = as we make our vows calling Vár to witness. Vár was the goddess who 'hearkens to oaths and compacts made between men and women; hence such covenants are called *várar*' (*Gylf.* 35).

XIV

10. *Hjǫrvarði*: equivalent to a gen. He was one of her dead uncles.

33–34. 'But in such perils the hard-knit heart of Hervǫr rose higher in her breast.'

39. *ykkur Tófu*: 'of you and Tófa', Angantýr's wife, whom he

married after he found that the Swedish princess Ingibjǫrg was unwilling to marry him.

46–47. 'Much have you changed, sons of Arngrím, a violent kindred, to increase the dust.' She knows that their bodies are still possessed by their spirits, but taunts them, in order to draw an answer from them, with having mouldered to dust like men of ordinary spirit.

48. *Eyfura*: wife of Arngrím, mother of the twelve brothers.

59–61. 'It was not my father who buried me, nor other kinsman (but my enemies, who would take my sword); they two got Tyrfing who remained alive, but afterwards only one possessed it.'

60. *Tyrfingr*: this is the usual spelling, though the rare *Tyrvingr* is more correct. For *f* = earlier *v*, see Grammar, § 16. *Hervarar saga* deals with early Gothic traditions, so early indeed that the land of the Goths (*Hreiðgotaland*) is still said to be on the south shore of the Baltic. The Goths had left this district by the third century, at the latest. The two main branches of the Goths were called in Latinized form *Tervingi* (the West Goths), and *Greutingi* (the East Goths). These names, recorded first *c.* 300, seem to have arisen when some of the Goths had passed from the land around the Vistula to south Russia. Those living on the sandy steppes of Russia became the *Greutingi* 'dwellers on sand' (cf. ON. *grjót* 'gravel'), while those who remained in the forest land north and west were *Tervingi* 'forest-dwellers'. The same element appears in ON. *tyr(v)i*, a resinous fir; it is related by vowel gradation to *tré* 'tree' (Germ. **teru-* and **treu-*). The sword name is a reminiscence of the Gothic tribal name, and is equivalent to 'the Terving sword'.

85. *Heiðrekr*: a group of Gothic names found in *Hervarar saga* also appear in the OE. poem *Widsiþ*, another proof of the antiquity of the traditions of the saga. The names do not correspond exactly, but nevertheless can be identified almost with certainty. For *Heiðrekr* and his sons *Angantýr* and *Hlǫðr* are named in *Widsiþ* 116, *Heaþoric, Hliþe*, and *Incgenþeow*. On Heiðrek see also note to 16/106.

96. *Gota málmi*: probably (though not certainly) an expression for 'armour'.

100. *réðak*: the disyllabic form is to be explained either as subj. after *áðr* or as a weak form of the indicative, see Cleasby–Vigfusson, sub *ráða*.

104. *Hjálmars bani*: the sword Tyrfing.

136. *eitr*: it is unlikely that the swords were actually poisoned, though poisonous blades are spoken of in other poems. It was one of the many poetic superstitions connected with swords that the damascening of the blade produced a magical poisoning effect. Cf. *Beowulf* 1459, where a sword is said to be *ātertānum fāh* 'adorned with poison twigs', these being the wavy lines of the damascening. Elsewhere (e.g. *Helgakviða Hjǫrvarðssonar* 9, *Þiðreks saga*, cap. 114) the wavy damascening is regarded as a serpent, which could be poisonous.

XV

Eirík and Gunnhild were Christians, and possibly more than nominal Christians. Gunnhild and her sons later added to their unpopularity by destroying heathen temples in Norway; and there is an *Ericus rex Danorum* in the Durham *Liber Vitae* (f. 51 b), who may well be this Eirík. Yet this poem commemorating his death is purely heathen in conception.

16. 'For you well know all about it.'

30. See note to 1/449.

32. *ulfr inn hǫsvi*: Fenrir. See note to 1/420.

39. *konungar fimm*: their names are given in *Hákonar saga* 4 in *Heimskringla*: Gottormr and his two sons, Ívarr and Hárekr; and Sigurðr and Rǫgnvaldr. Of these Rǫgnvaldr was Eirík's brother, according to Matthew Paris, who says that King Eilricus was treacherously slain, with his son Haericus and his brother Reginaldus, in a desert place called Stenmor, by the 'Consul' Maco. Haericus is evidently the same as Hárekr, though according to Norse tradition he was not Eirík's son. Maco is more correctly Maccus, an Irish name which was equated with Norse Magnus.

XVI

1. *A* is from *Sturlunga saga* (ed. Vigfusson, vol. i, p. 19). This passage shows that historical and unhistorical sagas were carefully distinguished. *lygisǫgur* was the technical term for those known to be unhistorical. *glaumr ok gleði*: an alliterative formula; cf. ME. *glaum ande gle* (*Sir Gawain* 46). The occasion of this merrymaking was a wedding.

2. *danzleikar*: carols, dancing-songs, which came to Iceland by way of Denmark and Norway at least as early as the twelfth century. They are mentioned in *Jóns saga* as sung before Jón was bishop (1106–21).

4. *Óláfs gildi*: the guilds in early times were societies for feasting and drinking, more especially for drinking. At first they had no fixed meeting-place; the first guildhall in the north was built by Óláf the Quiet (1066–93), and dedicated to Saint Óláf. The guilds remained for some time, however, purely convivial assemblies, with no connexion with craft or trade.

14–16. These persons do not belong to separate sagas, as is assumed by Vigfusson (*Prolegomena*, p. cxcvi) and others; Hrǫngviðr, Óláfr Liðsmanna konungr and Þráinn are all told of in the saga of Hrómundr Gripsson (or Greipsson, as he is called in some documents). Hrǫngviðr was slain in the first episode of the saga by Hrómund, who was fighting in Óláf's force. Of Þráinn the saga tells that he had been a viking who 'conquered Valland and was king there, a great berserk and strong, full of enchantments'. Hrómund sailed to Valland and broke into his grave. After a long struggle with the 'undead' viking, Hrómund took from him a valuable ring, a gold collar (*men*) and a famous sword called Mistilteinn. Grave-mounds were frequently broken into by treasure-seekers; cf. D below and iii/5. The version of *Hrómundar saga Gripssonar* which Hrólf told, and also that to which King Sverrir listened, was probably fuller than the text which now exists. The known version, a late work compiled in the seventeenth century, tells of the same events. It was based on a set of *rímur* known as *Griplur*, which are thought to have been composed *c.* 1400 on the basis of the older, lost saga. Although fictions gathered around Hrómund in his saga, there can be little doubt that he was an actual Norwegian chief; according to *Landnámabók* he was grandfather of Ingólf, the first Norse settler in Iceland.

16. *berserkr*: a wild warrior on whom a fighting-rage descended like madness. Berserks were probably named 'bear-shirts' from a super-stition that they were 'skin-changers' who got superhuman strength from their animal nature; they were also called *úlfheðnar* 'wolf-coats'. Bjarki was said to have fought in the form of a bear at Hrólf Kraki's last fight, and many historic persons were said to be 'skin-strong'.

17. *Sverrir*: King of Norway 1184–1202, born in the Faeroe Islands and ordained as a priest. In his twenty-fourth year he was told by his mother that his father had been king of Norway. He immediately set out thither and at the head of the anti-clerical party fought his way to kingship. His 'saga' was written by Karl Jónsson, the abbot of Þingeyrar.

20–21. *Ormr Barreyjarskáld*: this poet evidently lived in Barrey or Barra, one of the southern Hebrides. He is twice quoted by Snorri in his *Edda*, but nothing more is known of him.

22. A saga based on verses the learned believed to be true, as the metrical form would prevent the verses from being altered much in oral tradition. Snorri in the preface to *Heimskringla* says that the songs of skalds, preserved by oral tradition, are one of his most reliable sources. The later writers of sagas, knowing the respect given to verses, often invented them and inserted them; but usually the late spurious verses can be detected.

24. *B* is from *Hallfreðar saga*, chapter 2; the verse is also in *Vatnsdœla saga*, chapter 37.

32. *C* is from *Kormáks saga*, chapter 27.

34. *Skarðaborg*: Scarborough in Yorkshire is named from its founder Skarði. It appears from the saga that Skarði and Kormák came to England not long after Harald Greycloak's expedition to Bjarmaland (Permia, by the White Sea) in 965. It was probably in 966 or 967 that Skarði founded Scarborough. Kormák was famous in Iceland as skald and viking, more famous than his brother; but in

England it was Skarði who was celebrated. Robert Mannyng of Brunne, in his *Story of Inglande* (finished in 1338), refers (line 14789) to romances about Skarði, one by Mayster Edmond, probably in Anglo-Norman, the other by Thomas of Kendal, in English. Both of them are lost, but Mannyng gives a summary of their story. There is very little of the real Skarði's history in them: Mayster Edmond even represented him to be a Briton who won back the land from the Angles. Thomas of Kendale gave the name of Skarði's brother as Flayn (ON. *Fleinn*). As the only brother of Skarði known in England must have been Kormák, it is likely that Fleinn was Kormák's nickname; his nickname is not recorded at all in Norse. The name Flein is found as the first element in the place-name Flamborough; see the forms quoted in Lindqvist's *Middle English Place-Names of Scandinavian Origin*, p. 44. As Flein was not a common name, it is quite likely that the founder of Flamborough was Skarði's brother, Kormákr (Fleinn) the skald.

37. *D* is from *Landnámabók*, iii. 2. (*Origines Islandicae*).

43. *Skǫfnungr*: recorded in *Hrólfs saga Kraka* as the name of Hrólf's sword. There can be no doubt that Skeggi did get a famous sword from a mound, though it can hardly have been Hrólfs sword. In *Þórðar saga Hreðu* it is said that the mound from which the sword was taken was at Hleiðra (Lejre), but even if Hrólf's mound could still be distinguished among the many there, after three centuries in the ground the sword would hardly be usable. In *Kormáks saga* 9 Skeggi's sword is described as a magic one; Skeggi lent it to Kormák to fight Bersi (of G below), but Kormák neglected the magical procedure which the sword required, and lost the duel by a technicality.

44. *Laufi* was the name of Bǫðvar's sword. Saxo says, 'Bjarki used a sword of wonderful sharpness and unusual length, which he called Løvi'. It was so called either from the twig-like patterns of the damascening, or from leaf ornament on the wooden scabbard. On its magical qualities see note to 3/102. It was also called *Snyrtir* 'snicker'.

47. *E* is from *Landnámabók* iv. 17.

50. *kvað þetta*: to his brother.

53. *F* is from *Landnámabók* iii. 16.

59. *G* is from *Laxdœla saga*, chapter 28. The verse is found, with some differences, in *Kormáks saga*, chapter 16. *Hólmgǫngu-Bersi*: so called because he was a famous duellist.

74. *H* is from *Hávamál*, stanzas no. 15, 16, 44, 45, 47, 49, 55, 77. *Hávamál* = the sayings of the High One (Óðin). It is a collection of proverbs and wise counsels, but fragments of poems and charms are also included in it.

91. *villr vega*: an alliterative phrase which the Scandinavians brought to England; cf. *Wars of Alexander*, line 2984, *willid fra þe way*.

97. Cf. *Barlaams saga* 61/1 *nøktan ok neisan*. This is another

alliterative phrase which was brought to England; cf., for example, *Cursor Mundi* 989: 'Adam was out don nais and naked Into þe land quar he was maked.' *nais* is recorded in English only in this phrase; see the *Oxford English Dictionary*, sub *nais*, adj.

101. 'If he is a true sage who owns it.'

106. *I* is from *Hervarar saga*. Heiðrek is Hervǫr's son, foretold in 14/86. Heiðrek esteemed himself a man of wit and wisdom, and he vowed that any man who could ask a riddle he could not answer should be free, whatever offence he might have committed. Óðin came to his court under the name Gestumblindi (from older *Gestr *unblindi*; *Gestr* 'stranger' was a well-known name for Óðin, and he was called 'unblind' because he had exchanged one of his eyes for omniscience—see note to 1/446–7), and asked numerous riddles which Heiðrek solved; but in the end Óðin asked, 'What did Óðin say in Balder's ear, before he was raised to the pyre?' Heiðrek cried out, 'Wonder and wickedness and all kinds of lewdness! No one knows those words of yours but you, evil and wretched spirit!' And he drew Tyrfing and cut at Óðin. Óðin instantly changed himself into a hawk, but had his tail cut off. It was considered a great disgrace to be wounded in such a part, and in revenge Óðin saw to it that Heiðrek was slain that very night by his own thralls; thus the doom on Tyrfing was again fulfilled. In *Vafþrúðnismál* the giant Vafþrúðnir wagered his head against Óðin's on a contest of wisdom, and Óðin overcame him with the same question.

The answer to the first three riddles here given is 'the waves'; to the last 'a sow with a litter of sucking pigs'.

124. This runic song was printed by Ole Worm in *Danica Litteratura Antiquissima* in 1636 from a MS. afterwards destroyed. It was composed in Norwegian, about the end of the twelfth century, but it is here given in normalized Icelandic spelling. The second half of each line is an independent gnome, and has no connexion in sense with the first half.

125. *úr*: 'fine-rain' is here used for the flakes which fall from bad iron. The original name of the rune was the word which appears in Icelandic as *úrr* 'wild ox'.

127. 'The estuary is the wǎy of most journeys', which is true of Norway. The earlier name of the rune was *áss* 'god', but as the value of the rune changed from *a* to *o* the name was altered to *óss* 'estuary'.

128. *hrossum versta*: the Norwegian forms were *rossum, væsta*, which give good rhyme and alliteration. *Reginn*: the smith of the Vǫlsung story, who forged the sword with which Sigurð slew the dragon.

130 a. This is a very old alliterative half-line, probably going back to common Germanic tradition; cf. the OE. poem *Seafarer*, line 32: *hægl feoll on eorþan | corna caldast*.

131. *hneppa*: *næppa* in Norwegian, alliterating with *nauð* and *nøktan*.

133. *ár*: a good season. *ár* in Norse usually meant 'season'; for measurements of time in years *vetr* and *sumar* were used.

136. 'Loki brought the luck of guile', i.e. brought misfortune by his trickery.

138. 'Water which falls from the fell is a force'. In this line the end-rhyme is replaced by *hendingar*: *fellr*: *fjalli*, and *foss*: *hnossir*.

139 b. 'There is usually singeing when it burns', i.e. it makes a hot fire.

140. *L* is from *Orkneyinga saga*. Rǫgnvald was Earl of the Orkneys 1135–58. His verses are simpler and more direct in statement than most of those composed in *dróttkvætt*.

144. This verse is an imitation of one composed by King Harald Harðráði beginning *Íþróttir kank átta*: 'I have eight accomplishments: I can compose poetry, I am a keen horse-rider, I have at times taken part in swimming'—but the rest is lost.

146. 'I have not forgotten my runes.'

159–66. 'We have waded in mire for five terrible weeks; there was no lack of mud where we were, in the middle of Grimsby. But now away do we let our beaked elk (ship) resound merrily on the billows over the mew's swamp (the sea) to Bergen.'

163. *nú'r*: the later form *er* (for older *es*) is definitely established here by the skothending *nú'r*: *mýr-*.

171. *ríða þar knúta stóra*: 'tied great knots there' in the young trees. In this they imitated King Sigurð Jórsalafari, who sailed on his crusade to Palestine in 1107. Afterwards in a quarrel with his brother Eystein he taunted him thus: 'The farthest point that I reached on this journey was the Jordan, and I swam over the river; and out on the bank is a copse, and there in the copse I tied a knot, and spoke thus over it, that you should loose it, brother, or else have all such spells as were laid on it.' Rǫgnvald probably made the knots for the special benefit of Eindriði Ungi who had persuaded him to go on the crusade, but had deserted off the coast of Spain and sailed away to Marseilles. But they were also a mock to all stay-at-homes.

172–9. This verse was composed farthest east of all Norse poetry that has survived, while those of 5/308 ff. were composed farthest west. Translation: 'I have laid a loop on the heath beyond Jordan—the wise lady will remember this during the serpent's (lit. path-thong's) sorrow (i.e. winter); but I think it seems far to all stay-at-homes to go thither; blood fell warm on the wide plain.'

174. *snotr* . . . *svanni*: 'the wise lady' may be the lady Ermingerð whom he met at Narbonne on the way to Palestine, or perhaps merely the hypothetical lady in Norway to whom he will tell their exploits on their return.

XVII

It is not usual, when printing Old Norwegian or East Norse texts, to show vowel length by diacritics or to print ǫ for the *u*-mutation of *a*. It is done in the text for pedagogical reasons.

7. *hinn myckla*: this may be a substantive use of the adj.—'the big one', but more probably a few words have been dropped here; cf. the *Heimskringla* version: 'Kendu þér þann inn mikla mann er þar fell af hestinum, við inn blá kyrtil ok inn fagra hjálm?'

15. *Hann svaraðe*: Tosti answered.

18. *þer meðr* = Icel. *þar með* 'also'.

20 ff. Tosti had been Earl of Northumberland under Eadweard the Confessor, and was driven out by his own liegemen in 1065, after he had murdered a thane who came to him with a sworn safe-conduct. His brother Harold, then Earl of Wessex, refused to assist him, and Tosti declared that Harold had been the instigator of the rebellion against him. The Norse version unhistorically relates that Harold and Tosti quarrelled about the succession and that Harold, when he secured the throne, took all Tosti's authority from him and deprived him of his earldom.

26. *hann*: King Harold of England, spoken of as a third person.

52. *hæfkaðek* = *hef-ek-at-ek*: 'I have not', with the pronoun suffixed twice, as often in West Norse poetry. Note the early form of the present of *hafa*, which in the sg. was: 1 pers. *hef*, 2 and 3 *hefr*. Cf. Grammar, § 143.

56. *illa ort*: doubtless because only in the popular metre. He betters it by composing in the courtly metre.

58–65. 'We do not creep in battle into the shelter of a shield before the crash of weapons—so bade me the divinity of hawk-land (fair lady), true of word. The wearer of the necklace long ago bade me bear the head high amid the din of metal, where the ice of battle (gleaming sword) and skulls do meet.'

59–60. *valtæigs Hilldr*: 'divinity of the hawk-land' = fair lady. 'Hawk-land' is the arm, a metaphor from falconry. The kenning for lady 'divinity of the arm' is elliptical; the full expression would be 'divinity of the adornment (or fire) of the arm' = fair lady wearing gold arm-rings. This kind of kenning was so well known that the sense of 'divinity of the arm' would be readily recognized.

70. *riðo flockom*: this use of cavalry by the English is surprising. Probably the account is unhistorical in this as in many other details.

95. *orrastan*: note the confusion of final *n* and *nn* in the unaccented syllable, cf. *orrastann* in l. 94. See also *orðenn* (l. 78) and the feminine *svívirðinginn* (l. 21).

105. *at æi kemr æinn hvaðann*: 'always someone escapes from everywhere,' i.e. 'there's always someone who escapes (from any battle)'.

114. *kenne ec mál þitt*: if this story could be accepted as accurate in its details, the carter's statement 'I recognize your speech' would be important evidence that Norse was still spoken in Yorkshire in 1066, though readily distinguishable from the Norse of a Norwegian. But many of the details of the battle are unhistorical, and it seems unlikely that a conversation between a fugitive and a peasant after the battle should be preserved with any great accuracy.

XVIII

The Danish kings mentioned in this selection are the Skjǫldungs, whose early history is also told in Icelandic sagas (see Introduction to 3), Saxo Grammaticus, and the OE. epic *Beowulf*. Their descent and the equivalent forms of the names in Icelandic (in italics) and OE. (in brackets) are given in the following table:

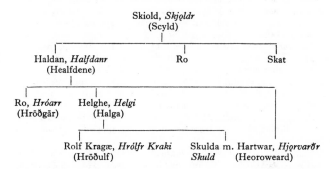

Skiold, *Skjǫldr*
(Scyld)

Haldan, *Halfdanr*   Ro   Skat
(Healfdene)

Ro, *Hróarr*   Helghe, *Helgi*
(Hróðgár)   (Halga)

Rolf Kragæ, *Hrólfr Kraki*   Skulda m. Hartwar, *Hjǫrvarðr*
(Hróðulf)   *Skuld*   (Heoroweard)

Several generations are given in Norse sources between Skiold and Haldan; in *Beowulf* only one. The Danish tradition no longer recognizes Hartwar as related to Rolf Kragæ, but it is clear from *Beowulf* that they were cousins. The reign of Ro was roughly about A.D. 500.

2. *Ro oc Skat*: these brothers are late additions to the Skjǫldung line.

stra-do: 'died in the straw' (of the bed), considered the least desirable death, as only those who died of wounds went to Valhǫll. Even the Christian Earl Siward of Northumbria (of Danish blood) said it was a cow's death to die without a wound.

3. *summæ sighæ*: according to the *Annals of Lund*, Helgi and Haldan were brothers, sons of Ro. The author of the *Gesta* corrects this, probably from Saxo.

10. *Halland*: better *Lāland* (one of the Danish isles), as in the *Annals of Lund*, &c.

12. He married Yrsæ not knowing that she was his daughter.

14. *Læthræ*: Icel. *Hleiðra*, modern Danish *Lejre*. It was here rather than at Roskilde that the Skjǫldungs had their seat, the great hall called Heorot in *Beowulf*. The connexion of Roskilde with Ro is due to a mistake in etymology (though neither is the name connected with *ros* 'horse', as suggested by Steenstrup, *Danske Stednavne*, p. 65). The earliest recorded form of the name is *Hróiskelda*, in a poem composed *c.* 1050 (MS. thirteenth century). The town was therefore not named from Hróarr (Ro), but from Hróir, a name recorded otherwise only on the runic stone of Hunnestad, Denmark (*c.* 980).

18. *Hakun*: The *Annals of Lund* have *Athisl* here, which is right. *Athisl* or *Aðils* = *Eadgils* in *Beowulf*.

18–19. *et køuærne til konung*: 'a little dog to be their king'. The smaller Swedish Rhyming Chronicle says Aðils did this to avenge the death of his kinsman, Harald Whiteleg, whom the Danes slew. Other instances of a dog-king in northern legend are known: Saxo vii. 240 relates that Gunnar King of the Swedes conquered Norway, and 'to burst the bubble conceit of the Norwegians', gave them a dog as ruler. In *Hákonar saga Góða* 13 it is told that King Eystein the Bad of Upplǫnd overcame the men of Þrándheim, and bade them choose whether they would have as king his thrall or his hound, and they chose the dog, thinking that they would then do as they pleased. But the hound had 'the wisdom of three men, and he barked two words and spoke the third'. He had a high seat 'and sat on a mound as kings do'. Once, when wolves fell on his flocks, his courtiers urged him to defend his sheep, so he leapt down from his mound, and the wolves killed him.

24. *Læ iæten*: this giant is identical with Hlér, who in *Skáldskaparmál* is related to have set out to find the gods. He was also named Ægir, and was skilled in magic. Saxo calls him Ler, and gives the information that he and Eyr (whom he takes to be a different person) were generals under King Helghe. This is typical of Saxo's habit of rationalizing myth, for originally Hlér (Ægir) was a demon of the sea.

26–27. *Bin faræ all worthæløs i Danmark*: 'The bees fly all bewildered in Denmark.' Another Danish chronicle (*Een deel aff danske kronike i hedendomen*, ed. Klemming) has: *ther flyga biin all wil oc wisaløs*. This is nearer to the Latin of the *Annals of Lund*: *Apes equidem omnes sine principe existunt errantes* (intended to be a hexameter). Probably *worthæløs* is corrupt, and *wisæløs* 'without ruler' = *sine principe* should be read, or even *wil oc wisæløs*. There was a Danish proverb which suggested Snio's remark: *Naar Wijsen ær borthe, thaa fare Byerne wildhe*, 'When the ruler is gone, then the bees are all astray'. In the later Danish Chronicle at Stockholm Snio's speech actually has the form of the proverb. *bin = bi* nom. pl.+-*n* article.

27 ff. The account of the interview follows closely that of the *Annals of Lund*, except that the king's questions *Huræ swa*, &c., in 29, 32, 36 have been added. In the Stockholm Chronicle a more natural account is given. When Snio has made his remark about the bees, the king guesses that Rakkæ is dead; then Snio pleads that the king has said it, not he, and it is conceded that he shall have his life if he can tell of three new (unheard of) things. Snio then tells the novelties here related.

33–34. *Forthy vluæ . . . bort*: 'For the wolves ate the beaver-thrall, who had the wood between his legs, and the beavers who drew him, they ran away.' Details are omitted here which are supplied by the *Annals of Lund*. Snio saw three beavers—*videt fibros tres ligna colligentes, quorum unus, qui servus dicitur, scilicet byæuerthrell, extensis pedibus, resupinus ad terram cecidit, cui alii duo inter crura eius ligna congregarunt, illumque quasi boves precedentes traxerunt.* The beaver-thrall lay on his back, and the wood was placed on top of him; the others then dragged him along the ground, and while they were doing so the wolves fell on them.

45. *at spøriæ sin døth*: the Latin is clearer = to ask by what death King Snio should die, but it was intended that Røth should not return alive. Læ says he will tell him nothing unless he first utters three true saws. Røth sits on a mound in the old fashion before he utters them, cf. note to 13/19.

57. *Hartwar*: properly *Hiarwarth*, as in the *Annals of Lund*. He was not a German, but himself a Skjǫldung. Hjǫrvarð's attack on Hrólf is magnificently described in *Hrólfs saga Kraka*. An account is given in Saxo too, who relates in detail the vengeance of Wiggo. The Danish form *Wigge* shows that the true Icelandic form is *Vøggr*; the usual *Vǫggr* is due to late confusion of ø and ǫ.

65. *Skulda*: a Latinized form. The Norse form is *Skuld*.

68–73. This paragraph is a rationalized form of the myth of the death of Balder, told by Snorri in *Gylfaginning*, chapter 49.

73. *Both*: *Bous* in Saxo, representing ODan. *Bōe* = Icel. *Búi*. The name was sometimes Latinized as *Boethius*, whence perhaps the *th* in this form. According to Snorri, the son of Óðin who avenged Balder was named Vali.

74. *Rørik Slængeborræ*: read *Slænganbøghe* 'ring-thrower', the first element being a worn-down form of *slængand-*, the stem of the pres. part. The origin of the nickname is explained by Saxo, Book III, p. 85. Rørik attempted to throw valuable rings from ship to shore, but they were lost in the sea. *Rake* is the adj. 'proud'. Its identity in form with the noun meaning 'dog' may have been the origin of the legends of dog-kings.

79. *Ambløthæ*: identical with Shakespeare's Hamlet. There is a full version of the early Hamlet legend in Saxo, Book III, p. 87 ff. As in Shakespeare, Fæng and Ørwændæl are brothers.

83. *bref*: Saxo—'a letter graven on wood, a kind of writing material frequent in old times'. This is enough to show that the message was in runes.

99. *Offæ*: the story of Offa is told in detail in Saxo, Book IV, p. 113 ff. It is also referred to in the OE. poem *Widsiþ*, 38 ff.: 'Offa gained, first of men, by arms the greatest of kingdoms while yet a boy; no one so young did greater deeds of valour in battle with his single sword. He drew the boundary against the Myrgings at Fifledore (the Eider). The Angles and Swabians held it afterwards as Offa struck it out.' As the OE. poem indicates, Offa was not a Dane, but an Angle. The Myrgings, who were the actual opponents, were a tribe nearly related to the Saxons, though they are loosely spoken of as Swabians in the next sentence. Doubtless the reason why Offa came to be regarded as a Dane was that the tradition of his fixing the boundary at the Eider localized him in territory that was afterwards Danish.

XIX

18. *utæn vixlt*: *vixlt* is pp. neut., 'without his consecration having yet taken place'.

20–21. *Konongær . . . þingi*: 'The king has the power vested in him to hold a court of justice at the Assembly, and so has the lawman.'

XX

2. *Gudz martire Sancto Erico*: Eric was never canonized, but nevertheless his day appears in the Swedish calendar as 18 May, and offices were composed for him and inserted in Scandinavian service-books. Many of the lections and collects correspond closely to passages in the Swedish life. They are probably derived from the lost Latin life of St. Eric, and not the life from the offices. A large part of the matter of the life is not found in any of the existing offices, and even in the parts which are used details are omitted which would be unsuitable for a church service (as lines 45–49).

5. *vtan forman*: *regno vacante* in the Latin versions, referring to the period 1134–50, when there was no king in Sweden.

13–14. *konungha . . . som i gamblo laghomen varo*: the 'old law' is the Old Testament; cf. the Latin, *veteris testamenti reges*.

32. *hafwin*: the 2nd pl. regularly ends in -*in* in OSwed.; here it is imperative.

32–33. *for thy at . . . vidher*: 'for those who come after you (your children) may well have need of it.' The Latin of the whole speech is: *Mihi mea sufficiunt; vobis vestra sint salva, quia his posteri vestri futuris temporibus indigebunt.*

36–38. *Sannelika . . . til Gudz*: 'For indeed it is just that he who is to rule and judge others should first judge himself and humble his spirit (*spiritui subjiciendo*) and direct his soul to God.'

39. *Jac pinar . . . thiænist*: this sentence does not correspond exactly with any passage in the scriptures. The author is probably giving the gist of some passage which is too long to quote in the original form. Compare 1 Peter iv. 18, Colossians iv. 4, 2 Corinthians vi. 4–9, Romans viii. 13.

41. *idheliken*: in late OSwed. adjs. in *-līker* often took the ending *-in* (*-en*) from the analogy of adjs. like *hēþin* 'heathen'.

46. *drotninginna*: Queen Christina; see note to 74.

62. *for gifnan* (acc. sg. pp.) *sigher*: a Latinism.

68. *Henricum, som thær æpte tholde martirium*: Henry was murdered in Finland in 1157 by a man whom the church had condemned for homicide.

74–75. *som a sit mødherne . . . radha*: 'who on his mother's side claimed to be king, against the law, which forbids that foreigners should rule.' The Latin: *qui ex haereditate materna ius regnandi contra consuetudinem terrae sibi vindicabat.* Magnus's mother, wife of Henry the Halt, King of Denmark, was daughter of Rǫgnvald, King of Sweden, who was slain about 1130, and so he was in the direct line of succession. Eric's descent is not known. His wife Christina was of royal blood, but belonged to a younger branch of the family than Magnus's mother.

75–76. *han legdhe . . . høfdhingia*: 'he won over one of the nobles to him.' The Latin: *quendam principem regni associans.*

78. *Østra Arus*: Uppsala, or, more strictly, the estuary leading to Uppsala. The name means 'the eastern estuary'; *ārus* = Icel. *áross.* The Swedish translation of the existing Latin life has: *Østra Arus, som nu kallas Uppsala.*

78–79. *hælgha thorsdagh*: Maundy Thursday, which in that year fell on 18 May.

99. *en rinnande kiælda*: St. Eric's Källa (fountain) is still known.

XXI

1. *Þieluar*: probably identical with Þjálfi, Þór's follower.

2. *so eluist . . . uppi*: 'so bewitched that it sank by day and was above water by night.' The legend of the enchanted floating island was common among the Scandinavians. Magical origin was attributed especially to islands which, like Gotland, had fertile soil. Among the

islands of magical origin are Svinöi in the Faeroes, Svinöi in Nordland, Norway, Tautra in Trondhjemsfjord, and Øland in Limfjord, Jutland. Such islands were disenchanted either by fire or steel, and it is related of most of them that a sow was observed to visit the island; men then tied steel to the sow and thus disenchanted it. From this legend two of those mentioned derive their name Svinöi. Giraldus Cambrensis (*Topographia Hibernica*, ii. 12) tells of a similar floating island west of Ireland. It was fixed by shooting a red-hot arrow on to it. William of Malmesbury (*De Antiquitate Glast. Ecclesiae*, cap. 1 and 2) tells the sow story of the isle at Glastonbury. Even there the legend is doubtless ultimately of Scandinavian origin.

The belief in fire as a means of casting out enchantments and evil influences on land is probably the explanation of the method of landtake used by settlers in Iceland; they carried fire through the land they were to occupy, and around its limits. See *Eyrbyggja saga* 4, *Landnámabók* iii. 8, &c., and especially *Hænsa-Þóris saga* 9.

6. *droymde*: not impers. as usual with this verb; this construction is an extension of the normal personal use in the sense 'appear in a dream'.

22–23. *Þa lutaþu . . . þiauþ*: 'then they selected by lot and sent out of the land every third man.' A similar tradition is recorded of the Saxons by Gildas and Geoffrey of Monmouth. Such traditions point to over-population as one of the causes of viking activity.

31–32. This was one of the recognized routes to *Gricland*. Travellers went up the Dyna by boat, then crossed to the Dnieper, which they descended by boat to the Black Sea, over which they sailed to Constantinople.

33. *vm ny oc niþar*: 'during the waxing and waning of the moon', which the king took to be a month; but as the moon is always waxing or waning, the Gotlanders replied that the meaning was 'forever'.

36. *e oc e*: 'forever'; this idiom was borrowed in English: cf. *a33 okk a33* in the *Orrmulum*.

42–43. *troþu a hult . . . haiþin guþ*: 'believed in sacrificial groves, and in grave-mounds (see note to 13/19), in temples and sacred enclosures, and in heathen gods.' Victims were hanged on the trees of the sacred groves; of these and of other sacrifices Adam of Bremen (*Descriptio Insularum Aquilonis* 27) gives information, describing the temple at Uppsala: 'Sacrificium itaque tale est. Ex omni animante, quod masculinum est, novem capita offeruntur, quorum sanguine deos placare (by reddening their seats in the temple) mos est. Corpora autem suspenduntur in lucum, qui proximus est templo. Is enim locus tam sacer est gentilibus ut singulae arbores eius ex morte vel tabo immolatorum divinae credantur. Ibi etiam canes et equi pendent cum hominibus, quorum corpora mixtum suspensa narravit mihi aliquis christianorum vidisse.' Usually the human victims sacrificed were criminals or others whom it was considered desirable to remove, though in great need the Swedes even sacrificed their king.

The alliterative phrase *a hult oc a hauga oc a haiþin guþ* is a reminiscence of the law against sacrificing. In the Gutnish laws (which precede *Guta saga* in the same MS.) the passage runs:

> 'Blōt iru manum   miec firibuþin
> oc fyrnsca all   þann sum haiþnu fylgir.
> Engin mā haita ā   huatki ā
> hult eþa hauga   eþa haiþin guþ,

hvatki ā vī eþa stafgarþa.' 'Sacrifices are strictly forbidden, and all the old practices which belong to heathendom. No one may call for aid upon holt or howe or heathen god, or on temple or sacred enclosure.'

43–44. *Blotaþu . . . fileþi miþ mati oc mungati*: 'they sacrificed cattle with feasting and drinking.' These sacrificial feasts are described in detail elsewhere, as in *Hákonar saga Góða* 15: 'It was the old custom, when a sacrifice was to be made, that all the landholders (*bœndr*) should come to the place where the temple was, bringing with them all the victuals that they would need while the feast should last. At that feast all men should have ale, and there were slaughtered cattle of every kind, and also horses. And all the blood that came from them was called sacrificial blood (*hlaut*), and sacrificial bowls (*hlautbollar*) were those in which the blood stood, and sacrificial twigs (*hlautteinar*) were put together as a sprinkler. With this sprinkler all the altars were reddened, and also the walls of the temple outside and inside, and the men were also sprinkled, but the meat was boiled for the men's entertainment. There had to be fires in the middle of the temple floor, and cauldrons over them, and health-cups should be borne over the fire. But he who made the feast and was master of it (i.e. the *goði*, though this is not the word in the text) should sign the cups and all the meat (with the sign of Þór's hammer), and first Óðin's cup should be drunk for the victory and dominion of the king, and then Njǫrð's cup and Frey's cup for good seasons and peace. After that many were accustomed to drink the *Bragafull*, and they drank also to their kinsmen who had been laid in mound, and that was called the cup of memory (*minni*).'

RUNIC INSCRIPTIONS

WEST NORSE

Page 181, Introduction, second paragraph. The rune ᛂ occurs in eight OE. inscriptions, seven Norse inscriptions, and on the Charnay brooch (Burgundian). In OE. it had several values. In some MSS. it is given as = *eo*, in one (St. John's Coll., Oxford C. 17) as *h*. In the OE. runic fuþark of Codex Salisb. 71, in Vienna, its value is *i* and *h*;

if this is parallel to *n* and *g* in the same MS. for the rune *Ing*, the value intended is *ih*. In the inscription on the Ruthwell Cross the rune stands for *h* in *almehttig*; in other OE. inscriptions it is best interpreted as *i*, as on the Dover stone (Stephens ii. 865). The name of the rune in OE. is *ēoh* or *īh*, variants of OE. *ēow* 'yew'. In Norse the values are more uncertain. In one inscription it occurs in a man's name identical with that of the rune: dat. *ēhe* (Asum Bracteate). On the Dannenburg bracteate the best interpretation is *i* in *gliaugiʀ uiu r[u]n[o]ʀ*, 'I, the bright-eyed one (Þór; cf. 13/112) hallow these runes', with *gli-* cf. Icel. *gljá* 'shine', containing the same stem. *uiu* = Pr.N. **wīgiu* 'I hallow'. The other inscriptions in which the rune occurs are all obscure, though in some of them *e* or *i* seems the most likely value. The name of the rune gives the best indication of the original use. OE. *ēoh* and *īh* go back to Germanic **ihwaz*. There were already runes for *e* and *i* in Gothic, so that neither of these seem likely to have been the original value. But there is no known rune for *ƕ*, a Gothic sound which is represented in Wulfila's alphabet, and occurs in the name of the rune. Von Friesen (*Nordisk Kultur VI*) suggests that the rune originally stood for short open *e* and that its Gothic name *aíhs* 'horse', the name which is normally associated with the *e* rune (cf. OE *eoh*). In the north, where only one symbol was needed for the *e* sound, ᛗ was chosen, but the name **ehwaʀ* was retained for it. ᛇ was then named **īhwaʀ* 'yew', as can be seen from its OE. name in the Anglo-Saxon *Runic Poem*. (For further comment see H. Arntz, *Handbuch der Runenkunde*, 2nd. ed., pp. 206–8.)

1. *runo*, acc. pl. should become **rúna* in Icel., but already in PrN. the nom. pl. form of strong fems. was used for the acc. pl. *runoʀ* is found as acc. pl. on the Järsberg stone (Sweden, sixth century).

faihiðo: the verb *fá* 'draw', 'paint' was still used in Old Icelandic of colouring or fashioning runes; cf. *Hávamál* 158: 'A twelfth (song of incantation) I know; if I see a hanged man swinging on a tree, so do I cut and colour the runes (*svá ek rít ok í rúnum fák*) that the man walks forth and speaks with me.'

2. Professor M. Olsen's ingenious reading and interpretation are here followed. It is more plausible than may at first appear to the reader. The punning method of representing the name Ormar serves the same purpose as the secret runes in other inscriptions, the greater the secrecy, the greater the magic.

mq(n)ʀ: in the runic texts given here those letters are placed between round brackets which are supplied in accordance with the conventions of runic spelling, and also letters of which part is legible, as in *i(k)* in 3. Letters are placed between square brackets when gaps in the inscription are filled by conjecture, as in *oʀ[uki]*.

bormoþa: dat. sg. fem. weak, 'cut with the gimlet'; cf. Icel. *bora* 'gimlet' and *-móðr* in *eggmóðr* 'cut down with the sword'.

naseu: 'the sea of the body' is blood. The use of the kennings is paralleled in other inscriptions; cf. No. 12. The inlaying with blood gave the inscription magical virtue, as in the stanza quoted in 1 from *Hávamál*.

Hverr of kom hers á, hér á land gotna? The reference is to the belief mentioned in *Sigrdrífumál* 18, that Óðin wrote runes on various holy things (as is described in *Hávamál* 143), shaved them off and mixed them with mead, and 'sent them on wide ways; the gods got some, the elves and the Vanir got some, and some came to mortal men'. This divine origin is the source of their magic.

hi: 'here'; cf. OSwed. *hit* 'hither', from *hī-at*.

gotna: gen. pl. of *gotar* 'men', which is identical with the name of the Goths. The sense 'men' is usually taken to be the secondary one, but as the etymology of the word is unknown, this is uncertain.

fiskʀ . . . suemande: 'the trusty fish that swims the sea of the body' is the sword. *nauim*: *ná* 'body'+*vim* 'stream'; cf. OHG. *uuimi* 'spring' and Icel. *Vimr*, a mythical river.

sliti na: cf. 1/483.

fiskʀ . . . fokl: the combination of the sword, commonly called *ormr vígs* (or *vals*) 'the serpent of battle' (or 'slaughter') with the bird, by which is meant *ari* 'eagle', is thought to be an anagram for *Ormari*, dat. sg. of the name *Ormarr*. *Ormari* is taken with *is alin misurki*: 'against Ormar is born an avenger'. The purpose of the inscription is to act as a spell which will bring about the vengeance on Ormar by the hand of the son of some one he has slain. A similar anagram is found in the poem *Rígsþula*, where a youth named *Konr Ungr* is a type of the kingly class (*konungr*).

3. *réq*: see Grammar, § 46 *end*.

4. Kermode (in *Manx Crosses*, London, 1907) reads *raisti Krus thena efter mal muru fustra sine totir tufkals kona is Athisl ati*; translate 'Mael-Lomchen raised this cross in memory of Mael-Muire his foster-mother, the daughter of Dubh-Gael—a woman whom Aðils had to wife'. (Cf. also M. Olsen in Sheteleg, *Viking Antiquities*, vi, pp. 215–17).

as: representing *æs*, an old form, found in other inscriptions, probably as early as the sixth century in the inscription of Fonnås, Norway. The vowel *æ* in this form is etymologically obscure.

þan: 'than.' In the later language this form is found only in OSwed. (beside normal *æn*), but occurs elsewhere in runic inscriptions, e.g. on stone 4 of Aalum, Denmark, *c.* 1000–25. The short form *an, en* (like *at*, conj. from **þat*) arose in enclitic use from the assimilation of *þ* to a preceding consonant, e.g. *betra ætt* (*þ*)*an*. The form which thus arose in special circumstances was then generalized.

Dufgal = Ir. *Dubhgall* 'dark stranger'. This was the name the Irish gave to the Danes.

5. Maeshowe is not itself a Norse work, but Pictish. The inscriptions

were cut by Norsemen who broke into it. There are more than thirty of them, most of them cut in the twelfth century. They are given complete, so far as they are legible, by B. Dickins in *Proceedings of the Orkney Antiquarian Society*, viii. No. 20: the crusaders under Rǫgnvald Kali were in the Orkneys during the winter of 1151–2, which gives the date of this inscription.

lo: possibly a mistake for *lá*, as in the fuþark use *o* ⟨ resembles *a* ⟨. But *lǫ́* might also be a genuine form, taking its vowel from the analogy of the pa. t. pl. *lǫ́gum* (Grammar, § 40).

ut norþr: 'to the north-west'. Cf. p. 211.

þesar runar: these runes are in secret runes of the kind called twig-runes. For the purpose of constructing these runes, the fuþark was divided into three groups: *t, b, m, l, y: h, n, i, a, s: f, u, þ, o, r, k*. The number of strokes on the stem of the twig indicated the group and the rune's position in it. Thus *r*, the fifth rune of the third group, was ⟨⟨.

Gǫukr Trandilssonr: a chief of some fame who lived in the south of Iceland, and was killed *c*. 990. There was once a saga about him, which has been lost. He had relatives in the Orkneys, and the author of this inscription may have been descended from one of them.

7. This inscription shows that a debased Norse dialect was still in use in England in the twelfth century. Norse was still spoken in Ireland too, probably in a less debased form.

8. This stone is the most tangible evidence of the daring explorations of the Norsemen in the north-west. Kingiktorsoak is off the coast of Greenland in 72° 55′ north. A letter written by a Greenland priest named Halldór to the court chaplain of King Magnus VI of Norway tells of an expedition which was made in 1266, to the north of a place called *Króksfjarðarheiði*; observations described in the letter show that Króksfjǫrð itself was in 75° 46′ north, and the expedition went three days' journey north of this. This was a 'farthest north' which was to stand for centuries.

bianne: the same assimilation of *rn* to *nn* took place also in fourteenth-century Icelandic.

te: perhaps representing a form *þé* = Icel. *þá*. Cf. MNorw. acc. sg. fem. *þé* = Icel. *þá*.

The six secret runes at the end of this inscription were once interpreted as MCXXXV, which was guess-work. Such a date is impossible, as the runes are of the latest (dotted) type and are probably fourteenth century.

East Norse

9. Nos. 9 and 10 are usually regarded as Scandinavian, though, as far as is known, Slesvig was occupied by Anglo-Frisian tribes at the date ascribed to these inscriptions. Bugge argued that they must be Norse because the rune ⟨ was used with the value R (or possibly *z*,

from which R arose), which he believed to be a specially Norse de-
velopment. In later OE. inscriptions this rune never had the value *z*
or *r*, but was usually *x*, which Bugge took to be the original value.
Wimmer's view that *z* was the original value, however, is just as
plausible. It is worth noting that the letter Ψ also had the value *z* in
the Celtiberian alphabet. If *z* was the original value of this rune, there
is no reason why it should not have been used as *z* in Anglo-Frisian
of *c.* 300–400. In OE. *z* became *r* in the middle of a word, but at the
end of a word, where it was most frequent, it disappeared. It is not
unnatural that the value of the rune should change in OE. If these
inscriptions are Anglo-Frisian, read *z* for R.

No. 9 is one of the oldest inscriptions, but there are a few from the
third century.

owlþu-: the *o*-rune was sometimes used for *w*, and the *w*-rune for *u*;
cf. the part of No. 12 written in old runes. Hence *owlþu-* = *wulþu-*,
a stem meaning 'glory', found also in the name of the god *Ullr*.

wajemariR: the elements of this compound appear separately in
Icelandic as *vei* 'woe' and *mærr* 'famous'. Cf. also *vesæll* 'wretched' =
vei+sæll 'happy', and Gothic *wajamērjan* 'to slander', 'blame'.

10. This inscription is alliterative, and has been described as the
oldest recorded line of alliterative verse in a Germanic language. It
is doubtful, however, if it was intended for verse; it does not scan
very happily. The Golden Horn on which it was cut was found at
Gallehus in 1734. In 1802 it was stolen and melted by the thief for the
sake of the gold; but the runes had been copied and published, together
with an engraving of the horn in 1734 by Dr. G. Krysning of Flens-
borg. His engraving is reproduced by Stephens (iii. 128; Handbook,
p. 87).

holtijaR: also read *holtingaR*. The form ϟ developed both from the
j-rune and the *ng*-rune, and is ambiguous, but in the oldest inscriptions
it is *j*. *holtijaR* is the correct form of a *ja*-stem adj., *-ij-* being regular
instead of *-j-* after a long syllable. Its sense is 'belonging to the
forest', i.e. Holtsetaland in later Norse, now Holstein.

11. *Þorr wigi þassi runar*: Þór is often invoked in runic inscriptions;
cf. No. 12 (end), and the inscription quoted on p. 258. His name
appears on several others, and on many the sign of his hammer ᛨ.

At retta sa werði: 'he must expiate'. This sense of *retta* is also
found in the Old Jutish Laws (ii. 47). The same curse occurs in three
other Danish inscriptions.

12. The longest of all the runic inscriptions, and one of the most
interesting. Most of it is inscribed in the short (later) runic alphabet,
but part (indicated by italics) is in secret runes, which were first
explained by Sophus Bugge in 1878 and later. The key to part of the
secret runes is that each rune of the series *fuþarkhniastblmR* has the
value of the following rune. Part also is in the older runic fuþark, and

the last portion is in a variety of twig-rune, in which the rune is indicated by its position in one of the three groups into which the fuþark is divided, *tblmʀ* being taken as group I. Thus ⊤⊤⊤⊤ᴸᴸ is the fourth rune of the second group = *a*. In its rhetorical style the inscription resembles that of the Eggjum stone. The references, except at the beginning and the end, are to legendary heroes and kings who are not now known, except *Þiaurikʀ*, who is clearly Theodoric, the famous ruler of the East Goths. Bugge thought that Wæmoþ was regarded as Þiaurikʀ born again, just as in the Edda lays *Helgakviða Hjǫrvarðssonar* and *Helgakviða Hundingsbana* each of the Helgis is said to have been born again; but it is very doubtful if this conception was applied to Þiaurik.

sakumukmini: this phrase occurs as a formula at intervals in the inscription. It has been interpreted in at least three different senses. The first part is clearly *saghum*, though whether sg. or pl. is uncertain. The second part may be (1) *(m)ukmini* = **mōgmenni* n. 'the multitude', 'the commons'; (2) *(m)ukmini* = **mōgminni* n. 'memorial of the people'; (3) *u(n)kmini* = *ungmenni* n. 'youth' (collectively or singly). Of these words the first two are hypothetical, while *ungmenni* occurs in actual use. Where the formula is spelled in old runes (*sagwmogmeni* on side C), the use of *e* in *-meni* favours (1) and (3). *o* in *mog-* is not specially in favour of (1), as *o* is used in this same part for *w* (*hoaʀ*, &c.) and for *u* (*goldind*). Following von Friesen, it seems best to prefer *ungmenni*, the existing word, to the hypothetical forms.

tua (ua)lraub[a]ʀ: emended also to *tua[ʀ] ualraub[a]ʀ* (Bugge) and *[a]t ualraub[a]ʀ* (von Friesen). *tuaʀ* is the normal form, but *tua* probably existed also; see Noreen, *Altschwedische Grammatik*, § 480.

Hræiþgutum: the Goths were commonly called *Hreiðgotar* in Icelandic, *Hrēðgotan* in OE. The sense of the epithet *Hreið-* is unknown.

do ofs sakar: von Friesen prefers to read *u(m)b sakar* 'in strife'. Theodoric did not die either 'because of overweening pride' nor 'in strife', but legend was early busy altering his life-story. In Walafrid Strabo's Latin poem about Theodoric (composed *c.* 830) he is represented as a blasphemer and a haughty tyrant. He has something of the same fierce and arrogant character in the MHG. representation of him as Dietrich von Bern, and in the Norwegian *Þiðreks saga* (derived from Low German sources).

Hræiþmaraʀ: gen. sg. 'of the Gothic sea', the Adriatic, since Theodoric ruled in Italy = *Italicis in oris* in Walafrid Strabo's poem.

sitiʀ nu garuʀ . . . fatlaþʀ: Bugge pointed out a passage in Agnellus (*Liber Ecclesiae Ravennaticae*, cap. 94, written in 839) which tells of a huge equestrian statue of Theodoric which had been in Ravenna; his shield hung over his left shoulder, and in his right hand he held a spear. in 801 Charlemagne had it removed to Aix, and there Walafrid Strabo wrote his *Versus de Imagine Tetrici*. Bugge thought it likely that the composer of the lines in the inscription knew of this statue. It is certainly an extraordinary coincidence that the lines are so applicable.

skati Mæringa: in the OE. poem *Deor's Lament* we are told that Theodoric *ahte þritig wintra | Mæringa burg*. The Mærings were the East Goths, so called perhaps from the names of Þeodoric's father, Þiudamers, and his brothers Walamers and Widamers. The German tribe Hermunduri similarly were known later by a shortened name of this type, Thuringi (OE. *Þyringas*).

nu: this reading is doubtful.

sagwm . . . husli: in the older runes. The remainder of the inscription is in twig-runes, except the name Biari which is in the ordinary later runes.

þat saghum twalfta: Bugge and Brate take this as the beginning of side C. But the inscriber has not yet come to 'twelfthly' in his statements, so that the reading of this side should evidently be begun at the other end.

WalkaR fem . . . ÆirnaR syniR: there cannot have been five brothers named Walki, five other brothers named HræiþulfR, and so on; though instances are known in legend and history of two or three brothers having the same name, especially when they were twins or triplets, as the three brothers Grep in Saxo (Book V); the two Haddings, Arngrim's sons, in *Hervarar saga*, who were *tvíburar*; and also twins who were sons of King Harald Fairhair. But it is probable that here the expression is parallel to Latin *Castores* = Castor and Pollux; ON. *tívar* 'gods' similarly may be 'Týr and the other gods'. Thus the idiom is equivalent to *fem Raþulfs syniR, þæir Walki*, &c.

þor: the word is in a different type of twig-rune, and seems intended to stand by itself. It may be either the imper. sg. of *þora* 'dare', or the name of the god, used to hallow the stone, just as the sign of his hammer was. Cf. note on No. 11.

biariauiuis: these runes may also be interpreted: *Biari (i) auiu is* = *Biari ī Øyiu is*. There is a place called Öjan in Östergötland, which has been pointed out as the possible home of Biari.

13. This inscription and three others (two of them at Hällestad) commemorate Danish nobles who fell at the battle of Fýrisvellir, *c*. 985. Stýr-Bjǫrn, nephew of the Swedish king, Óláf the Victorious, quarrelled with the king and was banished. He took up a viking life, and on one of his expeditions he attacked Jómsborg and captured it. He then entered into an agreement with the Jómsvikings that they should give him help in his wars. In Denmark he defeated King Harald Gormsson and forced him also to supply levies of men. Nevertheless Stýr-Bjǫrn was defeated with immense slaughter at Fýrisvellir, the plains before Uppsala. He had burned his ships so that no flight was possible.

Tóki Gormsson: brother of the king of Denmark.

14. The stanza is in *dróttkvætt* metre, unique in runic inscriptions, except for a couplet on a copper box from Sigtuna, Sweden. The Karlevi inscription commemorates a Dane, Sibbi Fuldarsson; yet, as the skaldic metre is considered to be a West Norse verse form, it has been laid down that the author of the verse was a Norwegian or Icelander. There seems to be no reason, however, why skaldic metre should not have been adopted in Denmark by this time. We are told in *Knýtlinga saga* of a popular poem sung by the Danish army in 1016, *Liðsmannaflokkr*, which is composed in skaldic metre and in the usual skaldic manner. See Introduction, p. xliii.

Ondils: usually amended to *Wǫndils*, but the alliteration indicates that the inscriptional form is right. The reference is clearly to the legendary sea-king usually called Vandill, and this form must be regarded as a variant of his name. *Ondill* would arise from a form with a different grade of vowel in the suffix, **Wandul-*; cf. the name of the Vandals, which is etymologically identical, recorded in the forms *Vandali*, *Vandili*, and *Vanduli*. *Vandill* itself shows influence of a variant form, as the regular development was *Vendill* (which also occurs). *Ondill* is also a blend of *Ondull* and *Vendill*. For the loss of *v*, cf. the doublets *onder* and *vander* 'wicked' in OSwed., the form without *v* arising from the parts in which *u* followed in the next syllable, as in the dative. Or possibly **Yndill* is the name intended.

16. This inscription is now very indistinct, and the authorities differ considerably in their readings. That of Brate (in 'Pireus-Lejonets Runinskrift', *Antikvarisk Tidskrift för Sverige*, vol. 20) is adopted here. For other readings see Brate's article. From the type of ornamental scroll in which the inscription is worked it is evident that it was cut by Swedes.

haursa: a peculiar spelling for *Horsa*, paralleled in several other Swedish inscriptions. See Brate's article, p. 20.

Roþrslandi: the old name of Roslagen, by etymology 'the land of rowing'. It was from knowledge of the men of Roþ(r)sland that the Finnish name for Sweden, *Ruotsi*, was derived, and thence the forms *Rus* in Slavonic, *Rhōs* in Greek, applied to the Swedish vikings who founded the kingdom of Russia. The name here probably means the original district in Sweden to which it properly belongs, though it is also possible that it is used simply as a synonym for 'Sweden'.

Reþu Swiar: the Swedes who cut the runes were probably in the Byzantine emperor's service.

hiog: the usual pa. t. sg. of *hogga* 'cut', with analogical *g*; cf. Icel. *hjó*.

faren: pp. 'having travelled'.

A SHORT GRAMMAR OF
OLD NORSE

INTRODUCTORY

1. Old Norse was the language spoken by the North Germanic peoples (Scandinavians) from the time when Norse first became differentiated from the speech of the other Germanic peoples, that is, roughly, from about 100, until about 1500. It is convenient to distinguish periods in the history of Old Norse, corresponding to the phases of its development: Primitive Norse, 100–700, when the vowels and endings of Germanic were still well preserved; Viking Norse, 700–1100, the period of greatest phonetic change, when unaccented vowels were lost and the mutations carried out; Literary Old Norse, 1100–1500. The language of the first two periods is recorded mainly in runic inscriptions.

2. Dialects were developed in Old Norse in the Viking period, but the differences were slight until *c.* 1000. By that date the difference between West Norse, spoken in Norway and its colonies, and East Norse, spoken in Sweden and Denmark and their colonies, was marked, and in the following period they diverged rapidly. About the eleventh century also the first differences between Icelandic and Norwegian, and between Swedish and Danish, were developed, though the distinctions were not marked until two or three centuries later. Details of the dialectal differences are given below, § 187 ff. The relation of the Old Norse dialects may be illustrated thus:

Common Norse

West Norse	East Norse
Old Norwegian Old Icelandic	Old Swedish Old Danish

3. Old Icelandic records are much more plentiful than those of any other Norse dialect, and of greater interest: almost all Old Norse literature of any value is written in Icelandic. As Old Icelandic was also the most conservative dialect, it is convenient to take it as the basis in studying Old Norse grammar. This account is mainly concerned with Icelandic of the 'classical' period, 1150–1350, when most Old Norse literature was first written down, and the spelling adopted is a normalized form of that which was in use in Iceland about 1250. The chief differences from the spelling of the earliest Icelandic manuscripts are mentioned below, §§ 8, 9, 21, 204. Other dialects of Old Norse are described only in so far as they show important differences from Old Icelandic.

PART I. ALPHABET AND PRONUNCIATION

4. The Old Norwegian and Icelandic alphabet was founded on the Old English adaptation of the Latin alphabet; it consisted of the Latin letters with the addition of the rune þ and the modified letters ð, ǫ, and ø. Of these additional letters þ and ð were borrowed from Old English. The rune þ was known already, but its use in manuscript came from England.

The Vowels

5. Vowels can be long or short. In normalized texts, and sporadically in the manuscripts, long vowels are distinguished by an acute accent (´) except æ and œ, which are always long. A twelfth-century work, the so-called *First Grammatical Treatise*,[1] gives a guide to their pronunciation. In the following table the approximate pronunciation of the Old Icelandic vowels and diphthongs is suggested by keywords and by symbols from the International Phonetic Alphabet.

a	*as in*	mann (G.)	land (*land*)	[ɑ]
á	,,	father	láta (*let*)	[ɑ:]
e	,,	été (F.)	gekk (*went*)	[e]
é	,,	reh (G.)	lét (*let*, pa. t.)	[e:]
ę	,,	ten	męnn (*men*)	[ɛ]
æ	,,	thräne (G.)	sær (*sea*)	[æ:]
i	,,	fini (F.)	mikill (*great*)	[i]
í	,,	rire (F.)	líta (*look*)	[i:]
o	,,	repos (F.)	sofa (*sleep*)	[o]
ó	,,	bote (G.)	fló (*flew*)	[o:]
u	,,	roux (F.)	una (*be content*)	[u]
ú	,,	droop	drúpa (*droop*)	[u:]
y	,,	tu (F.)	kyn (*race*)	[y]
ý	,,	pur (F.)	kýll (*bag*)	[y:]
ǫ	,,	not	lǫnd (*lands*)	[ɔ]
ǭ	,,	broad	ǫ́ss (*god*)	[ɔ:]
ø₁	,,	creux (F.)	kømr (*comes*)	[ø]
œ	,,	creuse (F.)	rœða (*converse*)	[ø:]
ø₂	,,	peur (F.)	gøra (*make*)	[œ]
au	=	ǫ+u	lauss (*loose*)	[ɔu]
ei	=	ę+i	bein (*bone*)	[ɛi]
ey	=	ę+y	leysa (*loosen*)	[ɛy]

[1] Ed. with translation by E. Haugen, Supplement to *Language*, Baltimore, 1950.

6. It is to be noted that *æ* is the long of *ę*, and *œ* of *ø₁*. By the thirteenth century *e*, in Iceland, had become more open and was identical in sound with *ę*. No distinction is made in the texts in this book. It is probable that other short vowels, such as *i*, *o*, and *u*, also tended to be lowered in the thirteenth century. In the other Norse dialects the sound of *ę* was expressed by *æ*, and long *æ* then has to be distinguished by a diacritic.

7. During the latter part of the thirteenth century *ǫ* was fronted and became identical in sound with *ø₂* (usually the *w*-mutation of *e*). In some normalized texts they are not distinguished but are both printed *ö*, as in Modern Icelandic; *ø₁* was usually unrounded to *e*— *kømr* became *kemr*, and *œ* became identical in sound with *æ*.

8. By 1250 *đ* developed lip-rounding and was identical in sound with *ǫ́*. Later the spelling *đ* was used for both, as in this book. There is also evidence to suggest that the tendency to unround *y* and *ý* and to level them under *i* and *í* respectively had already begun by the end of the thirteenth century.

9. The quality of *i* and *u* in unaccented syllables is uncertain. In twelfth-century manuscripts *e* and *o* were normal in these positions, as *skipeno*, dat. sg. 'to the ship' = later *skipinu*. Probably in the thirteenth century this *i* and *u* were lower than *i* and *u* in accented syllables and resembled the *y* in English *pity* and *oo* in English *good* respectively.

10. As late as the last half of the twelfth century the Icelandic vowels and diphthongs also occurred nasalized, when immediately preceded or followed by a nasal consonant, or if followed immediately by a nasal consonant in Prim. Norse or even in Germanic, which had been lost. Thus *sýna*, *mér* 'to me', *í* (PrN. *in*), *fær* (Germ. **fanh*-) 'takes', had nasalized vowels. The nasal quality was lost earliest in unaccented syllables, and earlier in a vowel following a long syllable than in one following a short syllable.

The Consonants

11. Double consonants followed by a vowel were pronounced double; thus the *kk* in *drekka* was pronounced as in *book-keeping*, while *k* in *dreki* was single, as in *bookie*. When final or followed by another consonant in the same syllable double consonants were pronounced long, as in *hamarr* (nom.) distinguished from *hamar* (acc.), or in *munnr* 'mouth', distinguished from *munr* 'mind'.

12. *d*, *t*, *n*, and *l* (see § 13) were pronounced with the point of the tongue against the teeth, as in French and German, not with the point of the tongue against the gums, as in English. Voiceless *l* and *n* initially were spelled *hl*, *hn*, as in *hlaupa*, *hnipinn*. *l* and *n* were also voiceless at the end of a word when following a voiceless consonant, as in *vatn*, *hasl*, or when standing between voiceless consonants, as in *vatns* (which came to be sounded *vats* probably as early as the thirteenth century).

13. *l* was sounded like French and German *l* initially, when standing next to *d*, *n*, *l*, *r*, or when following an unaccented vowel: *land*, *falla*, *halda*, *aðal*. In other positions (except when voiceless) *l* had a back resonance, as in the most commonly used pronunciation of English *people*, when the back of the tongue is raised into the position of *u*.

14. *n* in the combination *ng*, or *nk* (rare), was pronounced as in English *single*, *sink*.

15. *f* initially, or when followed by a voiceless consonant, was voiceless, as in English *fat*; *fara*, *gaft*. In other positions *f* had the voiced sound of English *v*: *gefa*, *gaf*. Voiced *f* followed by *n* was nasalized, as in *jafn*, often spelled *jamn*.

16. *v* in the twelfth century was a voiced bilabial fricative, like German *u* in *quelle* or Spanish *b* in *saber*; during the thirteenth century *v* became labio-dental, like English *v*, the same sound as Icelandic *f* medial and final. Hence a word like *ævi* was often spelled *æfi*. In the combination *hv* the sound of *v* was voiceless, but in the fourteenth century *hv* became *kv* in some dialects.

17. *p* was pronounced as in English, except that when followed by *s* or *t* it was a voiceless bilabial fricative, identical with voiceless *f* of § 15: *lopt*, *keypta* (pa. t. of *kaupa*). The nearest sound is English *f* in *loft*.

18. *r* was always a strong point trill, as in Scottish. Final *r* in a word like *dagr* was not syllabic; the whole word was a monosyllable. Following a voiceless consonant, as in *drykkr*, *r* was voiceless. At the beginning of a word voiceless *r* was spelled *hr*, as in *hringr*.

19. R occurred only in the pre-literary period and later became identical with the *r* of § 18. It originated from Germanic *z* and its pronunciation in the pre-literary period is difficult to determine. Possibly the development was from *z* to *r*-coloured *z*, to palatalized *r*, and then to trilled *r*.

20. *s* was always voiceless, as in English *blast*: *blása* 'blow'.

21. *þ* in the oldest Icelandic manuscripts was used both for the voiceless sound of *th* in English *thin* and the voiced sound in *then*. About 1225 *ð* was introduced, and gradually *þ* came to be used only initially, and *ð* in other positions. *þ* then represented only the voiceless sound, while *ð*, except when following a voiceless consonant (rare, as *ð* then usually became *t*) was voiced, as in *faðir*, *við*.

22. *z* had the sound of *ts*: *beztr*, *Vestfirzkr*.

23. *j* was sounded like English *y* in *young*: *Jórk* 'York', *liggja*.

24. *h* was usually the aspirate, but before *j* it was a front spirant as in English *hue*: *hjarta* 'heart'. *hl*, *hn*, *hr* were voiceless *l*, *n*, *r*. In the combination *hv*, *h* had a separate sound-value (probably the back voiceless spirant heard in German *ach*), as is shown by the later development of *hv* to *kv*.

25. *g* in Icelandic had several different values:

(1) It was a voiced velar plosive, as in English *got*, initially, in the combination *ng*, and when doubled: *góðr, ganga, ungr, grjót, liggja.*

(2) When *ng.* or *gg* stood before *s* or *t*, *g* was unvoiced to *k*, as in *ungs, ungt, eggs* (pronounced *unks, unkt, ekks*).

(3) It was a voiced velar fricative, as in German *tage*, medially and finally except when immediately followed by *s* or *t*, when it was unvoiced to the *ch* sound in Scots *loch*. Voiced in *draga, dagr*, pl. *dagar, sagði, bjarg*; unvoiced in gen. sg. *dags*, pp. *sagt.*

(4) The voiced velar fricative of (3) became a palatal, and *ng* also was palatalized, medially in front of *i* and *j* already before the literary period: *degi, segja, genginn.* This palatalization is evidenced by the mutation of the root vowel in *degi* and *genginn* (§ 38).

(5) The initial velar plosive of (1) was in process of palatalization in the later half of the thirteenth century when followed by a front vowel or *j*: *gefa, gil, gjǫf, geyja.*

26. *k* was a voiceless velar plosive like the *c* in English *caught*. Medially before *i* and *j* it became a palatal in the pre-literary period (§ 38), and initially was in process of palatalization in the latter half of the thirteenth century before front vowels and *j*.

Syllables

27. Any stressed syllable which ends in a short vowel or in a long vowel immediately followed by a short weakly-stressed vowel is short. Hence the first syllable in *geta, fara, konungr, búa, róa* are short. The shortening of the long vowel in *búa* can be paralleled in modern English, where the vowel in the verb 'to do' is shortened when it immediately precedes a vowel, as in 'do it!'. All other stressed syllables are long, as in the first syllables of *kalla, kjósa, binda*, the second syllables of *konungr, elskandi, ríkastr*, the monosyllables *ungr, góðr, gott, bú.*

28. The examples given in § 27 presuppose the normal Germanic syllabic division as *ge-ta, kal-la, bin-da, seg-ja, stǫð-va*, and there can be little doubt that such syllabic division was normal in speech. In skaldic verse, however, the rhymes show a different, conventional, syllabic division, by which a single consonant, except *j* and *v*, belongs to the previous syllable and so also two consonants if they go through the whole paradigm: as *get-a, kall-a, bind-a, ey-jar, æ-vi, seg-ja, stǫð-va*, but *ham-ri* from *ham-arr* and *gat-na* from *gat-a.* This syllabic division is conventionally followed in the printing of Old Icelandic texts. In compounds the division falls between the original elements, as in *kǫgur-sveinn.*

Accent

29. Three degrees of accent may be distinguished: primary, secondary, and weak (unaccented). The primary accent was always on the first syllable, except in derivative verbs such as *fyrirbjóða*, in which the primary accent fell on the root syllable of the verbal element, and the prefix was weakly accented. The secondary accent occurred in compound words, falling on the root syllable of the second element, as in *meĩnsǎmir*, and in derivatives, falling on suffixes to which inflectional endings may be added, as in *heĩlǎgri* and *heĩlǔg*; *jǎfnǎði*. Secondary accent on short derivative syllables, however, was in many words only poetic and archaic. All endings, conjunctions, prepositions, conjunctive adverbs, and usually pronouns were weakly accented. Adjectives, adverbs, and nouns were strongly accented, while the verb had weaker stress (as in OE.), and in poetry is sometimes scanned as unaccented.

PART II. PHONOLOGY

30. The regular relation of inflectional forms and the structure of declensions and conjugations in Icelandic has often been obscured by the influence of neighbouring sounds upon one another. The dat. sg. of *heimr* is *heimi*, but the dat. sg. of *dagr* is *degi*, owing to the influence of *gi* on a preceding *a*. It seems irregular at first that the verbs *bregða*, *skjálfa*, *finna*, *søkkva* should belong to the same conjugation (see § 129), but when the influence of the sounds following the stem-vowels is allowed for, it is evident that the verbs are all of the same type, the original stem-vowel being *e* in all of them. The sounds which have caused the changes have often disappeared, as in *lǫnd*, pl. of *land*, as compared with *skip* belonging to the same declension, pl. also *skip*. The change of *a* to *ǫ* was due to the influence of a *u* which was once the ending of the nom. acc. pl. of this declension; the *i* in *skip* was not affected by a following *u*. As the explanation of sound-changes must often be sought in older forms, it is necessary to study Norse phonology historically in order to understand the grammatical structure of the language. The history of Norse sounds is given here, however, only in so far as is necessary for a good working knowledge of the inflectional forms.

31. While sound changes gave Icelandic grammatical forms an appearance of irregularity, on the other hand natural association of grammatical forms and patterns tended to get rid of apparent irregularities. The tendency to analogical formation often removed the effects of sound-change; for example, *stíga* had an apparently irregular pa. t. sg. **stáh* (§ 50). To make the vowel system of this verb agree with that of other verbs of its conjugation (§ 127), a new pa. t. **steih* was formed; by regular phonetic change **steih* became *sté*, but the pattern of the conjugation was again restored by forming another pa. t. *steig*. Analogy played a considerable part in Icelandic grammar, and notably in the *i*-declension of nouns; yet greater variation of vowel and consonant remained in the paradigms than in any other of the Germanic languages.

A. VOWELS

a-mutation

32. When followed in the next syllable by *a*, *ō* (later *a*), or *ǣ*, Germanic *u* was lowered to *o*, and *i* (in a short syllable) to *e*, unless protected by an intervening *j* or *n*+consonant. The change was often obscured by analogy with other forms in the paradigm where *a* was not present, and fluctuation between *u* and *o* was frequent in the different dialects. Examples: **hurna > horn, *truga > trog*, the pp. of strong verbs *holpinn, orðinn, borinn*, but *sumar* (EN, somar), *una, gull*, and pp. *bundinn* have no mutation. The nom. form *sonr* has been explained as a new formation from the gen. *sonar < *sunar*, but it is more probably from *-sun(r)* with the reduction of *u* to *o* when it stood as the second element in a compound; compare also the form *-olfr* in men's names with *ulfr*. Examples of *a*-mutation of *i* are few: *neðan* compare *niðr, heðan*, and *verr* 'man'.

Front Mutation

33. Front mutation is the influence exerted by certain front sounds on stressed vowels in the preceding syllables. In common with the other Germanic languages the earliest manifestation is in the raising of *e* to *i* when followed by *i* or *j* in the next syllable: **beðjan > biðja, *werðjan > virða, *weniz > vinr*. It should be noted that in the pres. sg. of strong verbs of conjugations 3, 4, and 5 this mutation has been obscured by analogy: **berir* does not appear as **birr* but *berr*, **verðir >* not **virðr* but *verðr*.

34. In the late Primitive Norse period all back vowels and diphthongs, when followed in the next syllable by *-i-* or *-j-*, were fronted to the corresponding front sounds:

a became *ę*: compare *fram* and *fremja, mann*, pl. *menn*.

á „ *æ*: *Áss*, pl. *Æsir*; *mál* and *mæla*.

o „ *ø*: *koma* and 3 sg. pres. *kømr*.

ó „ *œ*: *fór* (went) and *fœra*.

u „ *y*: *fullr* and *fylla*; *lopt < *lupta* and *lypta*.

ú „ *ý*: *brún*, pl. *brýnn*.

au „ *ey*: *lauss* and *leysa*.

jú „ *ý*: *fljúga*, 3 sg. pres. *flýgr*; *ljósta < *ljústa*, 3 sg. pres. *lýstr*.

ǫ „ *ø*: *hǫggva*, 3 sg. pres. *høggr*.

There is one important exception to the above rule: mutation was regular when *j* followed in the next syllable and also when *i* followed after a long syllable, but when *i* followed after a short syllable mutation only seems to have occurred when the *i* was in combination with the sound represented by R: cf. **gasti* > *gest* (acc. sg. of *gestr*), **staði* (acc. sg. of *staðr*) > *stað* with no mutation, **komiʀ* (2 sg. pres. of *koma*) > *kømr*. Mutation in the nom. sg. of short *i*-stem nouns such as **staðiʀ*, which becomes *staðr* and not **steðr*, as would be expected, has been removed by analogy with the oblique cases.

35. The difficulty of this absence of mutation has never been satisfactorily explained. Axel Kock suggested that there were three periods of mutation:

(*a*) of vowels in long syllables by *i* (which disappeared) and by *j*, *c*. 600–700;

(*b*) of vowels in short syllables by the combination *i*ʀ (the *i* of which disappeared) and by *j*, *c*. 700–850;

(*c*) of vowels in both long and short syllables by *i* which remained in the literary period, as in **karling-* > *kerling*; **katilʀ* > *ketill*.

The *j* which caused mutation was also lost under certain conditions, § 62.

Kock would connect front mutation with the loss of unaccented *i* (§ 56) and maintains that, except in the combination *i*ʀ, the *i* was lost without causing mutation when it followed a short syllable. This view has been strongly attacked, cf. review by A. M. Sturtevant in *Journ. of Engl. and Germ. Philol.* xlv, pp. 346–52 of B. Hesselman, *Omljud och brytning i de nordiska språken*, Stockholm, 1945.

A possible alternative explanation for the absence of mutation is that following a short-stemmed syllable unaccented *i* was lowered to *e* when it stood in an open syllable.

36. This mutation is usually dated between A.D. 600 and 900. It should be noted that an unaccented *i* of late development did not cause mutation, except in combination with *g* or *k* (see § 38); the dat. sg. of *a*-stem nouns and the nom. sg. of weak masc. nouns have no mutation: *harmi* (dat. sg. of *harmr*) and *hani*.

37. ʀ (a palatalized consonant derived from Germanic *z*) mutated an immediately preceding back vowel or diphthong: *gler* 'glass' < **glaʀ*; *kýr* < **kūʀ*; *þær* 'they' fem. pl. < *þāʀ*; *eyra* 'ear'. Cf. OE. *glæs*, *cū*, *þā*, and Gothic *ausō*.

38. Palatal Mutation: short *a* became *e* when immediately followed by *gi* or *ki*, where the *i* is a late development of earlier *e* or *æ*: *degi* dat. sg. of *dagr* (cf. *harmi* dat. sg. of *harmr*), pp. *tekinn, genginn* (cf. *farinn, haldinn*). The unmutated vowel was frequently restored analogically from those forms of the word in which there was no mutation, as in *vaki, heimdragi, baki* (dat. sg. of *bak*).

Labial Mutation

39. By the influence of *u* (sometimes assisted by a labial consonant) or *w* a preceding vowel without rounding became rounded.

u-mutation

40. These changes were caused by an original *u* in the following syllables:

a became rounded to *ǫ*: *land*, pl. *lǫnd*, from *landu; *sǫk* (cf. OE. *sacu*); *lǫndum*, dat. pl. This change was very common in OI. but less so in other Norse dialects (§ 41).

á ,, ,, *ǫ́*: but by *c.* 1250 the resulting sound and original *á* were both written *á* (§ 8).

e ,, ,, *ø*: when not subject to fracture (§ 45): *rø̨ru*, pa. t. pl. of *róa*; *tøgr* (from *teguʀ).

The *ǫ* which arose by *u*-mutation of *a* in an unaccented syllable passed into *u* before the period of *u*-mutation was over, for it caused a second *u*-mutation of a preceding *a*, as in *ǫnnur*, from *annǫru, earlier *annaru.

41. As will be seen from the above examples, *u*-mutation took place in OI. whether the *u* which caused the mutation was retained or subsequently lost. In the other Norse dialects, especially ODan., *u*-mutation by retained *u* was rare, which suggests that regionally unaccented covered *u* had ceased to be a rounded vowel.

w-mutation

42. By the influence of a following *w* (which became *v*, or was lost, before the literary period):

a became *ǫ*: *hǫggva*, *sǫngr*.

e ,, *ø*: *søkkva*, in the same conj. as *bresta*.

ę ,, *ø* (§ 7): *gøra*, from **gę̨rwa*, older *garwjan.

i ,, *y*: *slyngva*; *vi* become *vy*, and then *v* dropped (§ 63), as in *kykvan*, acc.

ei ,, *ey*: *kveykva*.

43. When *w* followed immediately upon an unrounded vowel, mutation took place if the vowel was long and the *w* belonged to the same syllable: *Týr*, from *Tīwr (cf. *Tiur*, p. 182), as compared with the pl. *tívar* 'gods'; *bý*, from *bīw, as compared with ODan. *bī* 18/26.

Combined Labial Mutation

44. By the combined influence of a preceding labial consonant and a following *u*, *á* became *ó*, as in *kómu*, pa. t. pl. of *koma*, beside *kvámu*; *i* became *y*, as in *systur* (from *swistur); *æ* became *œ* in *Sœnskr* (from **Swænsk-* when followed by *u*, as in the dat.). Similarly, by the influence of a neighbouring nasal consonant and a following *u*, *á* became *ó*, as in *nótt* (from acc. *nahtu), beside *nátt*; *hánum* became *hónum*, which was shortened in unaccented use to *honum*.

Fracture

45. The only vowel affected by fracture was *e*. When followed in the next syllable by *a* (other than nasalized *a*), *e* became *ea*, which appears as *ja* in the literary period (see § 46): e.g. *gjalda* (cf. OE. *geldan*); *jafn* (cf. OE. *efen*), from PrN. **efnaʀ*. Fracture was usual in verbs of the type *gjalda* in the third strong conj., but the *e* of verbs of the fourth and fifth conjs. remained unfractured because after a short syllable the *a* of the ending was still nasalized during the period of fracture (*c.* 750–950), e.g. *getq*, from earlier **getan*.

The fracture of *e* before *u* in the next syllable appears as *io* and *eo* (= *jo*) in the earliest Icelandic documents, and this *io* became *jǫ* by *c.* 1250. It is usually assumed that the original *u*-fracture of *e* was *ea* > *ja* > *jǫ* and *jo* by *u*-mutation; but the rival view that the original *u*-fracture was *eu* > *eo* > *jo* > *jǫ* is also possible. Examples: *skjǫldr*, from PrN. **skelduʀ*; *mjǫk*, from **meku*; *jǫtunn*, from **etunaʀ*.

When the diphthong which arose by *u*-fracture was lengthened, the result was *jó*: *mjólk* 'milk' (§ 54), *fjórir* (from **fjoðrir*, PrN. **feðurēʀ*).

Fracture did not take place if *v*, *l*, or *r* preceded the *e*, as in *verða*, *leðr* (from **leðra*), *røru* (§ 40).

The above explanation has recently been challenged (by J. Svensson, *Diftongering med palatalt förslag i de nordiska språken*, Lund, 1944, and by others). Svensson denies that unaccented *a* or *u* caused fracture at all, and suggests that a palatal glide was often developed before PrN. stressed *e* and the diphthong *ie* resulted. With the dissimilation of the elements of the diphthong and the shifting of stress (§ 46) *ie* became *ja*. The forms with *jǫ* are the result of *u*-mutation by a following unaccented *u*.

The Shifting of Stress in Diphthongs

46. Icel. combinations of *j* followed by a vowel (so-called rising diphthongs) arose by the shifting of stress from the first element to the second of original falling diphthongs.

ja is from earlier *ea*: *djarfr*, earlier **dearfr*.

jǫ   „   *jo*, earlier *eo*: *jǫfurr*, earlier **eofurr* (borrowed in OIr. as *eobur*).

já   „   *éa*, *ía*: *sjá* 'see', earlier *séa*; *fjándi* 'enemy', earlier *fíande*.

jú   „   *éu*, *íu*: *djúpr*, earlier **déupr*; *hjú*, earlier **hiwu*.

jó   „   *éo*, earlier *eu*: *bjóða*, from **béoða(n)*, earlier **beuðan*.

This shift of stress did not take place if *v* preceded the diphthong: *véa* and *véum*, gen. and dat. pl. of *vé*. In such forms as *knjám*, dat. pl. of *kné*, *já* is not the phonological development, but is due to the analogy of the gen. pl. *knjá* (from **knéa*). The regular development *knjóm* also occurs, but is less frequent. If the second of the two vowels was nasalized, no shift of stress took place, as in *níu*, *tíu* (from *niun*, *tehun*); similarly verbs such as *sjá*, *rjá* still existed at the beginning of the twelfth century in the form *séq*, *réq* iii/3, and the *éq* was not shifted to *já* until the *a* had lost its nasal quality.

47. *jú* and *jó* were of common origin, from Germanic *eu*. *eu* became *éo* before dental consonants (*d*, *t*, *ð*, *l*, *n*, *s*) and *m*; hence *bjóða*, *kjósa*, &c., belonging to the same conjugation as *fjúka*, *ljúga*, &c. *jó* instead of *jú* is also found in the pa. t. of verbs of the seventh conj. of strong verbs: *hjó*, *bjó*, &c.

48. The shifting of stress in diphthongs took place c. 850–1000 though in some instances considerably later. The shift took place earliest in diphthongs at the beginning of a word.

Influence of Nasal Consonants

49. *i* appears instead of *e*, *u* instead of *o*, before a nasal consonant followed by another consonant: compare *binda*, pp. *bundinn* with *bresta*, pp. *brostinn*, belonging to the same conjugation. This was a Germanic change.

When *p*, *t*, or *k* followed a nasal consonant, the nasal was assimilated to the following consonant (see § 77); a preceding (nasalized) *i* was then lowered to *e*, and a preceding (nasalized) *u* to *o*, as in *søkkva* (from **sekkwa*), pp. *sokkinn*; cf. OGut. *sinqua*, pp. *sunken*. Neither *i* nor *u* was lowered if *i* or *j* stood in the next syllable; thus *þykkja* has *j*-mutation of *u*, not of *o*. *u* also remained if followed by *u* in the next syllable, as in the pa. t. pl. *sukku*. The same lowering took place when a following nasal was lost, as in *Þórr*, from **Þunraʀ* (OE. *Þunor*).

Influence of *h*

50. Before *h* which disappeared before the literary period, *i* or *í* became *é*, *u* or *au* became *ó*, Germ. *ai* became *á*. Examples: *rétta* (cf. OE. *rihtan*); *sótt* (OE. *suht*); *fló* (from **flauh*) pa. t. sg. of *fljúga*, as compared with *fauk*, from *fjúka*; *á* 'owns', runic *aih*, as compared with the infin. *eiga*. OI. *ei*, the normal development of Germ. *ai*, became *é* before derived *h* (§ 73) which later disappeared, as in *sté* < **steih* < **steig*, pa. t. sg. of *stíga*; *steig* was a new analogical formation.

Influence of *w*

51. When following a consonant *wa* or *we* became *wo* (later *o*, § 63): hence *sofa*, pa. t. *svaf*, belonging to the same conj. as *nema*, pa. t. *nam*, and *koma* in the same conj. has pa. t. sg. *kom*, from **kwam*. *wē* became *vǽ* in *vǽt(t)r* 'something'; 'nothing' = OE. *wiht*.

52. The PrN. combination *aiw* became *ǽv* before a vowel, and *ǽu* before a consonant, and this *ǽu* later became *jó*. Hence **saiwʀ* became *sæuʀ, Icel. *sjór* 'sea', but the gen. was *sævar*. The alternative form of the nom., *sær*, may have been formed on the analogy of the gen., &c., or may have been another development of *sæuʀ with early syncope of *u*. From *sjór* was formed another gen. *sjóvar*, and then, on the analogy of forms like *mór* 'seagull' gen. *mávar*, another gen. *sjávar* was formed. A number of alternative forms of words containing *aiw* arose in this way, as *snjór, snær* 'snow', &c.

Lengthening

53. Final vowels in monosyllabic words were lengthened: *þú, né*, &c.

Short vowels were also lengthened when a following consonant was lost (*m, n, ð, w, h*), as in *Óláfr* (cf. OE. *Anlaf*, and note to 11/65); *Skáney* (from *skaðin-; cf. OE. *Scédenig*); *lá* (from *lah*), pa. t. sg. of *liggja*; also before *ht* which became *tt* (see § 77): *átta* 'eight' (OE. *eahta*), *nótt* (from *nahtu*).

54. At the beginning of the thirteenth century in Icel. short back vowels were lengthened before *l* + a back or labial consonant (*m, f, þ, g, k*), and sometimes also before *ls*: *hálfr, fólginn* (pp. of *fela*), *hjálpa, háls. l* before these consonants was back *l* (§ 13); lengthening did not take place before dental *l* + consonant, as in *halda, falla*, &c.

Shortening

55. Long vowels were shortened before double consonants (except *tt* from *ht*), as in *gott*, neut. of *góðr*; *minn* 'my', cf. fem. *mín*. The shortening of *ei* was *e*, as in *ekki* 'not', from *eitt*, neut. of *einn*, + *gi* 'not'; *edda* 'great-grandmother', compared with *eiða* 'mother'. Long vowels were frequently shortened before other groups of consonants also: *mestr, engi* (from *ein-gi*), *Þorsteinn* and other names consisting of *Þór-* followed by a consonant other than *h*, as compared with *Þórir, Þórhallr*, &c.

The Vowels of Unaccented Syllables

56. During the period 650–800 short unaccented vowels were dropped, and those bearing secondary accent were weakened. In words of three syllables only the weakest was lost, which in some forms of a word might be the vowel of the ultima, in others the vowel of the penult, according to the stress and length of the ending. For example, Latin, *catīnus catīllus* borrowed in Germanic became PrN. *katilaʀ, dat. sg. *katilé; by syncope of the weakest vowels these forms became *katilʀ and *katle, whence Icel. *ketill* and *katli.

57. Final *u*, and *u* from earlier *w* (before consonants), survived the syncope of § 56, but was dropped by c. 950: thus *sōmiðu became *sœmðu, later *sœmd*. Note the *u* still surviving in the early names of the runes *fĕu, ræiðu, sōlu* (p. 182), and in *sunu, garu*R in iii/12. Final *u* which survived in literary Icel. was long in PrN., as in the strong dat. sg. neut. of adjs., or else nasalized, as in the ending of the 3 pl. in verbs, *kǫlluðu*, &c.

Contraction

58. When an unaccented vowel came to stand immediately after an accented vowel they were contracted if both were front vowels, or if both were back vowels (except *úa, óa*, and sometimes *úu*). The unaccented vowel disappeared : *fé*, dat. sg. of *fé, fá* (from **fáa*). A combination of a back vowel followed by a front vowel remained uncontracted, as in *búinn, stráið*. A front vowel followed by a back vowel formed a diphthong, as in **féar*, later *fjár*, gen. of *fé*.

Vowels of Prefixes

59. When the vowels of unaccented syllables were lost (§ 56), the prefix *ga-* (= OE. *ge-*) in most positions became unpronounceable and was lost. The *g* of the prefix often remained, however, before *l, r, n*, as in *glíkr, gnógr*, beside *líkr, nógr*. The *g* might also remain before *w* or *h* (which then disappeared), as in *gista* (cf. *vista* 'lodge'), and *glam* beside *hlam* (9/183 note).

60. The negative prefix *un-* in PrN. sometimes had primary stress, sometimes secondary. When it bore primary stress the development in Icel. was *ó-* (§ 49); when it had secondary stress it became Icel. *ú-*. At first *ó-* was more general in Icel. use, but in the fourteenth century *ú-* was often used as a result of Norwegian influence. *ó-* is used in this book.

Gradation

61. By gradation is meant the variation of vowels in the same roots or suffixes in fixed series, which arose first in Indo-European. This variation is preserved in the languages descended from IE., though greatly altered and disguised in many of them. In Icel., as in other Germanic languages, there were seven gradation series, of which six (nos. 1–5 and 7 below) depend on the variation *e—o—nil* (lengthened *ē—ō—ə*) in IE. The Germanic variations in six series arose from the different combinations of the original series with *i* and *u* in diphthongs, and with the semi-vowels *l, m, n, r*, as illustrated below. The sixth series was a mixture of the IE. series *a—o—nil* (lengthened *ā—ō—ə*) with several other series. The vowel of every syllable is a grade of a series, which usually is no longer clear, as often not more than one grade of the syllable has been preserved. Gradation is clearest in the parts of the strong verbs; in them the grades have been well preserved because they have a grammatical function, indicating tense and mood.

But varying grades are also found otherwise than in the parts of strong verbs, as illustrated below. The gradation series are:

(1) Icel.	í	ei	i
Germ.	ī	ai	i
IE.	ei	oi	i

Examples: strong verbs of the first conj.; *líta* : *leita*; *heitr* 'hot' : *hiti* 'heat'.

(2) Icel.	jú (jó)	au	u (o)
Germ.	eu	au	u (o)
IE.	eu	ou	u

Examples: strong verbs of the second conj.; *rjóðr* 'red' : *rauðr*; *baugr* : *bogi*; *Gautar* : *Gotar*.

(3) Icel.	e (i, ja)+l, n, *or* r	al, an, &c.	ul, ol, &c.
Germ.	el, &c.	al, &c.	ul, ol, &c.
IE.	el, &c.	ol, &c.	l̥, n̥, r̥

Icel. *u* here (and in series 4) is due to the development of IE. vocalic *l, m, n, r* to Germ. *ul, um, un, ur*. Examples: strong verbs of the third conj.; *svartr* : *Surtr*; *bjarg* : *borg*; the suffixes *-ing-*, *-ang-*, *-ung-*, as in *helmingr* : *leiðangr* : *Skjǫldungr*.

(4) Icel.	e+l, m, n, *or* r	al, &c.	ál, &c.	ul, ol, &c.
Germ.	el, &c.	al, &c.	ǣl, &c.	ul, ol, &c.
IE.	el, &c.	ol, &c.	ēl, &c.	l̥, m̥, n̥, r̥

IE. *ē* in this series and in series 5 is a lengthened grade of *e*. Examples: strong verbs of the fourth conj.; *bera* 'to bear' : *burr* 'son'; *kona* (Germ. *kwenō) : *kván*; *samr* : *sumr*; the suffixes *-il-*, *-al-*, *-ul-*, as in *Rúmferill, þagall, heimull*.

(5) Icel.	e	a	á	(ó)
Germ.	e	a	ǣ	(ō)
IE.	e	o	ē	(ō)

Examples: strong verbs of the fifth conj.; *fjǫturr, feta* : *fótr*; *liggja* : *lǫg* : *lágr*.

(6) Icel.	a	ó
Germ.	a	ō

This Germanic alternation was based on fragments of several IE. series which coincided in part in Germanic. It is found regularly in the sixth conj. of strong verbs, but also in other forms. Germ. *a* may be from IE. *ə, a,* or *o,* Germ. *ō* from IE. *ā* or *ō*. *aka—ók* belonged originally to the series *a—o—nil*, with lengthened grades *ā* and *ō*; so also *hani* : *hœnsn*. *fara—fór* belonged to the series *e—o—nil*, with lengthened grades *ē* and *ō*; *taka—tók* represents the last two grades of the series *ē—ō—ə*.

(7)	Icel.	á	ó	a
	Germ.	ǣ	ō	a
	IE.	ē	ō	ə

This series contains the lengthened grades of the *e/o* series. Examples: *kraki* 'ladder-pole' : *krókr* 'crook'; *glæa* 'gleam' (**glāwjan*, with *ā* from IE. *ē*) : *glóa* 'glow' (**glōwan*).

B. CONSONANTS

j

62. Original *j* disappeared (*c*. 600) at the beginning of a word: *ár* 'year' = Goth. *jēr*, OE. *gēar*; *ungr* = OE. *geong*. Icel. *j* at the beginning of a word was of later origin (§ 46), as in *jarl* = OE. *eorl*; *jól*, from **éol*, earlier **jeul* = OE. *gēol*.

Medial *j* disappeared before the front vowels *i, y, e, ø, œ* (but not *ę*); before other vowels *j* remained after a short syllable, or following *g* or *k*: cf. *veljum*, 1 pl.: *veliŏ*, 2 pl.; *teygja*: *heyra* in the same class of verbs.

v (earlier w)

63. *w* disappeared initially before *l* and *r*: *líta* (= OE. *wlītan*); *reiŏr* = OE. *wrāŏ*. Older *vreiŏr* is indicated by the alliteration in 13/1.

w disappeared before the rounded vowels *u, y, o, ø, œ* (but not *ǫ*): *urŏu, orŏinn*, pa. t. and pp. of *verŏa*; *Rǫsku*, oblique of *Rǫskva*; *œpa* = OE. *wēpan*. *w* disappeared after *ó* and *ú*, as in *glóa* = OE. *glōwan*.

w also disappeared before consonants, and at the end of a word: *sær*, compared with gen. *sævar*; *ǫr*, gen. *ǫrvar*. Medial *w* remained as *v* after a short syllable, or following *g* or *k*: *bǫŏvar*, gen. of *bǫŏ*, *hǫggva*.

h

64. *h* remained only at the beginning of a word. *ht* became *tt*: *sótti* 'sought' = OE. *sōhte*. In other positions *h* disappeared: *þó* = OE. *þēah*; *lá* (from **lah*, § 73), pa. t. of *liggja*.

g

65. See §§ 71, 72, 73, 74.

The combination *ggj* arose (1) from *gj*, in which the *g* is original, and the group then = OE. *cg*, as in *liggja* = OE. *licgan*; (2) from older *-jj-* (*-ij-*), and then = *g* preceded by a long vowel in OE., as in *Frigg* (gen. *Friggjar*) = OE. *Frīg*; *egg* 'egg' = OE. *ǣg*.

The combination *ggw* arose from *-ww-* (*-u̯w-*), and = *ow* or *aw* in OE.: *tryggr* (acc. *tryggvan*) = OE. *trēowe*; cf. *trúa* (stems **trewwi-* and **trūw-*).

þ and ð

66. PrN. *lþ* and *nþ* became *ll* and *nn* in Icel., whereas *lð* and *nð* became *ld* and *nd*: hence *finna*, pa. t. pl. *fundu* (see § 71); *unna*, pa. t. (from **unþa* = OE. *ūþe*); *villr* = OE. *wilde*.

ð+ð gave *dd*: *leiða*, pa. t. *leiddi*.

ð disappeared regularly before *n* and often before *r*: *beina* 'assist', from **beiðna*, related to *beiða*; *Skáney* = OE. *Scedenig*; *fjórir* 'four', from **fjoðrir*; *norrœn*, from **norðrœnn*.

ð became *g* between *u*'s: *fjogur* (§ 107) < **feuður* (§ 45) < **feðuru*.

r

67. Icel. *r* was in some instances from Germ. *r*, more often from PrN. ʀ, Germ. *z*. In the Norse runic alphabets *r* and ʀ were represented by distinct runes; see p. 181. For the difference in sound, see §§ 18, 19. ʀ became *r* by about 1000. Before that time ʀ was readily assimilated to adjacent point or blade consonants (see § 76).

b (earlier ƀ, a bilabial like later v)

68. PrN. *mƀ* became *mb*, as in *fimbulvetr*. Cf. the development of *mf* (§ 69). Initially *ƀ* became *b*, medially and finally voiced *f*: *bera*; *gefa*, *gaf*.

m

69. PrN. *m* disappeared before *f*: *fíflmegir* (from **fimfl-*); cf. *fimbul-* § 68.

Final *m* disappeared in unaccented words, as in *frá* (§ 53) = OE. *fram*.

mn became *fn* by dissimilation: *nefna* = OE. *nemnan*; cf. *safna* with *saman*.

n

70. *n* disappeared before *l*, *r*, *v(w)*: *Áleifr* (see note to 11/65); *Þórr* = OE. *Þunor*, gen. *Þunres*; *Ívarr* (note to 4/14). *n* also disappeared finally in unaccented syllables: *í* 'in'; the infin. ending; the endings of the oblique cases of the weak decl. Final *n* remained in the acc. sg. masc. of adjs. because it was not final in that position until comparatively late; cf. Goth. *-ana*, OE. *-ne*.

nn became *ð* before *r*: cf. *maðr* with dat. *manni*, dat. *ǫðrum* with nom. *annarr*.

Voicing

71. The only voicing of consonants which is of importance in Icel. grammar took place in Germanic, and was due to the phonetic tendency known as Verner's Law: a voiceless spirant tends to become voiced when preceded by a weakly accented syllable. This tendency exists in many languages; it is found in modern English, as in *absólve* compared with *ábsolute*. The operation of the law is usually interfered with by analogy, and has never operated as regularly in any IE. language as in early Germanic. At the time when the voicing of Verner's Law took place, the accent had not yet receded in Germanic, but often fell in different positions in different grammatical forms of a word. In a strong verb, for example, the chief accent fell on the root syllable in the present and past sg., and on the ending in the past pl. and pp. In detail, the result in Germanic was that, when following a weakly accented syllable, *h* became *g*, *s* became *z*, *f* became *ƀ*, *þ* became *ð*. Of these consonants in ON. *h* disappeared; *z* became *r* (§ 67); *ƀ* became *f* (but *mƀ* became *mb*, while *mf* became *f*); *þ* medially became *ð*, except that *lþ* became *ll* and *nþ* became *nn*; *ð* remained, except that *lð* and *nð* became *ld* and *nd*. According to the original variation of accent in Germanic, therefore, Icel. stems show the following variation of consonants:

> *nil*: *g*—*slá*: *slógu*; *á* (§ 50): *eigu*; *lær* 'thigh': *leggr*.
> *nil* (from *nh*, of which *n* was lost in Germ.): *ng*—*fá*: *fenginn*; *hætta* 'risk' (< **hanhtjan*): *hanga* 'hang'.
> *s*:*r*—(nearly lost in verbs by analogical levelling of *s*) *sá*: *sera*; *vas* (later *var* by analogy): *váru*; *lasinn* 'feeble': *Gangleri* 'way-worn'; *senda*: *ørendi*.
> *f*: *mb*—*fífl*: *fimbul*-.
> *ll*: *ld*—*elli*: *aldinn*.
> *nn*: *nd*—*finna*: *fundu*; *sinn*: *senda*.

In ON. the fricatives *f* and *þ* became voiced, except at the beginning of a word, which obscured the operation of Verner's Law on these consonants; thus in *sofa*, *svaf*, *sváfu*, *sofinn* the original alternation between voiceless and voiced *f* is no longer in evidence.

Unvoicing

72. The following consonants were unvoiced in contact with voiceless consonants:

ð became *þ*, later *t*: *æpði* (pronounced *æpþi*), in the thirteenth century *æpti*; but after originally voiceless *l* (< *þl*), or *nn* (< *nþ*), *ð* became *t* in PrN.: *mælti*, *nenti*, pa. t.

g (plosive) became *k*: **eitgi* became **etki* (§ 55), later *ekki*.

g (fricative) unvoiced (§ 25) but remained in spelling.

d, *b*, voiced *f* became respectively *t*, *p*, voiceless *f*.

If the unvoicing took place only in a few of the inflexional forms, the etymological spelling was retained, as in *lands*, *langs*, *sagt*.

73. In forms in which *g* or *d* were final in the PrN. period the *g* or *d* was unvoiced. This was most frequent in the past sg. of strong verbs.

The past sg. of *ganga* was **geng* which became **genk*, and then by assimilation (§ 77) *gekk*; the past sg. of *liggja* was **lag* which became **lah* (*h* as in Scots *loch*) by unvoicing, and then *lá* (§ 64). **band*, pa. t. sg. of *binda*, became **bant* and later *batt* (§ 77).

Doubling of Consonants

74. In ON. *g* and *k* were doubled, following an originally short syllable, by a following *j*, as in *liggja*, *hyggja*, &c.; cf. pa. t. *lágu*, *hugði*, in which the single *g* of the original stem appears. Between short vowels *k* was doubled also by *w*: *nøkkviðr* = OE. *nacod*; *sløkkva*, pa. t. *sløkti*.

Inflexional *t* was doubled after a long accented vowel: *sátt*, 2 sg. pa. t. of *sjá*; *fátt*, neut. of *fár*.

Of other double consonants in Icel. some were originally double, as in *vinna*; other pairs came into contact through syncope of an intervening vowel (§ 56), or arose from assimilation of neighbouring consonants.

Simplification of Double Consonants

75. Double consonants were simplified when following another consonant: *fagr* (for **fagrr*; cf. gen. *fagrs*), *jarl* (from **jarll*). Double consonants were often simplified in unaccented syllables, especially *tt*, as in the neut. pp.: *gefit* (from **gefint*, § 77), *fylgjat* (from **fylgjaðt*). *tt* was often simplified also before *r*: *vetr*, older *vettr*; *væt(t)r*; *nætr*, pl. of *nótt*.

Assimilation

76. Assimilation of consonants was more frequent in ON. than in any other of the Germanic languages. In part this was due to the abundance of consonant groups which were difficult to pronounce, left after the eighth-century syncope of vowels.

R (which, when not assimilated, appears in Icel. as *r*) was readily assimilated to a neighbouring blade or point consonant:

Rd became *dd*: *oddr*, *rǫdd* = OE. *ord*, Goth. *razda* (cf. OE. *reord*).
Rn became *nn*: *rann* 'house' = Goth. *razn*, OE. *ærn*.

s, *l*, and *n*+R became *ss*, *ll*, *nn* respectively: *víss*, *stóll*, *steinn*, compared with *fiskr*; the ending was *-aR* in PrN. *l*R and *n*R were not assimilated after a short accented vowel, as in *stelr* 'steals', *vinr*; and there was no assimilation of *ll*R: *allr*, *fullr*.

77. A nasal consonant was assimilated to a following *p*, *t*, *k*:

mp became *pp*: *kappi* (cf. OE. *cempa*).

nt became *tt*: *batt*, pa. t. of *binda* (§ 73), *mitt*, neut. of *minn*; *vetr* (= OE. *winter*). Forms such as *vant*, *seint* have *n* restored by analogy.

nk became *kk*: *drekka* (= OE. *drincan*), *gekk* (§ 73), *ykkr* (= OE. *incer*).

Further: *ht* was assimilated, becoming *tt*: *sótti* (OE. *sōhte*), *væt(t)r* (OE. *wiht*). *dt* and *ðt* became *tt*: *gott*, neut. of *góðr*; *kalt*, neut. of *kaldr*. *ðl* became *ll*: *á milli*, earlier *á miðli*.

PrN. *þ* was assimilated to a preceding *l* or *n*: *hollr*, *annarr* (OE. *hold*, *ōþer*).

PART III. ACCIDENCE

A. NOUNS

Gender

78. There were three genders in ON.: masculine, feminine, neuter. Gender was partly natural, partly grammatical, agreeing generally with gender in OE. Compound nouns followed the gender of their final element.

Declensions

79. There were strong and weak declensions in ON. as in other Germanic languages. Most strong nouns ended in a consonant in the nom. sg.; all weak nouns ended in a vowel in the nom. sg. and most other cases as well. The declensions are named according to the vowel in which the stem ended in Germanic. This vowel still appears in Icel. in the acc. pl. of most strong masc. nouns. There were four cases, as in OE.: nominative, accusative, genitive, dative. On their uses see §§ 156–8.

Strong Declensions

80. *a*-stems

	Masculine		*Neuter*	
Sg. N.	harmr	himinn	barn	kné
A.	harm	himin	barn	kné
G.	harms	himins	barns	knés
D.	harmi	himni	barni	kné
Pl. N.	harmar	himnar	bǫrn (§ 40)	kné
A.	harma	himna	bǫrn	kné
G.	harma	himna	barna	knjá
D.	hǫrmum (§ 40)	himnum	bǫrnum	knjám, knjóm (§§ 46, 58)

Like *harmr* were declined the greater number of strong masc. nouns. Final *-n* in *himinn* took the place of *-r*, and was due to assimilation (§ 76); so also final *-s* in *íss*, final *l* in *ketill*, &c. In *hrafn*, *n* was from *nn* (§ 75) and similarly final *r* in some nouns was from earlier *rr*, as in *akr*, *aldr*, gen. *akrs*, *aldrs*, and *l* from *ll* in *jarl* and *karl*.

Disyllabic nouns were generally declined like *himinn*, dropping the vowel of the suffix before an ending beginning with a vowel, but not *Gunnar* (dat. *Gunnari*). *ketill* and *lykill* had unmutated vowels in the syncopated forms, dat. *katli*, *lukli* (§ 56); so also names in *-kell*, as *Þorkell*, dat. *Þorkatli* (and also analogical *Þorkeli*).

dagr had the dat. sg. *degi* (§ 38).

Some nouns declined otherwise as masculine *a*-stems had the gen. sg. in *-ar*, or *-s* interchanging with *-ar*, as *skógr*, *smiðr* (nom. pl. *-ir* and *-ar*), *vegr*, and many personal names, especially those ending in *-un*, *-frøðr*, *-verðr*, *-urðr*, *-(m)undr*, *-(v)aldr*. Most of these nouns were originally *u*-stem nouns. The neuter *fé*, gen. *fjár*, is of the same type.

Neuter disyllabic nouns were also syncopated, as *hǫfuð*, dat. *hǫfði*; *sumar*, dat. *sumri* (pl. *sumur*, § 40 end).

Like *kné* were declined *bú*, *tré*; for *vé* see § 46.

81. *ja*-stems

		Masculine		Neuter	
Sg. N.	niðr	hirðir	ríki	kyn	kvæði
A.	nið	hirði	ríki	kyn	kvæði
G.	niðs	hirðis	ríkis	kyns	kvæðis
D.	nið	hirði	ríki	kyni	kvæði
Pl. N.	niðjar	hirðar	ríki	kyn	kvæði
A.	niðja	hirða	ríki	kyn	kvæði
G.	niðja	hirða	ríkja	kynja	kvæða
D.	niðjum	hirðum	ríkjum	kynjum	kvæðum

niðr and *kyn* illustrate the decl. of the short stems, *hirðir*, *ríki*, and *kvæði* of the long stems. After a long stem Germ. and PrN. had *ij* instead of *j* (cf. *holtijaʀ*, iii/10), which was simplified to *j* before a back vowel; otherwise this *ij* became *ī*, appearing as *i* in Icel. *hirðir*, &c. For the loss of *j* in this declension see § 62. Masc. short *ja*-stems were rare: *herr* and *beðr* were the only others. Masc. long *ja*-stems included *hellir*, *mækir*, and many proper names, as *Skrýmir*, *Grettir*. *eyrir*, a Germ. borrowing of Latin *aureus* (PrN. **aurjaʀ*), had no mutation in the pl. (*aurar*, &c.) which was derived from Latin *aura*. *læti*, n. pl. has gen. *láta*, dat. *látum*.

Neuter *ja*-stems were more numerous. Like *kyn* were *egg*, *grey*, *skegg*, *ský*, &c. Like *kvæði*: *ørindi*, *erfiði*, &c. Like *ríki*: *merki*.

82. *wa*-stems

		Masculine			Neuter
Sg. N.	sǫngr	sær	or	sjór	hǫgg
A.	sǫng	sæ		sjó	hǫgg

		Masculine			Neuter
G.	sǫngs	sævar	*or*	sjóvar	hǫggs
D.	sǫngvi	sæ(vi)		sjó(vi)	hǫggvi
Pl. N.	sǫngvar	sævar		sjóvar	hǫgg
A.	sǫngva	sæva		sjóva	hǫgg
G.	sǫngva	sæva		sjóva	hǫggva
D.	sǫngum	sæ(v)um		sjóvum	hǫggum

The *w* of the original stem remained as *v* only before *a* or *i*, following a short syllable or *g* or *k*. *sǫngr* was the type in which *w* followed a consonant, *sær* that in which *w* followed a vowel. On *sjór* beside *sær* see § 52.

83. *ō*-stems

Feminines only

Sg. N.	grǫf	fjǫðr	á	Ingibjǫrg
A.	grǫf	fjǫðr	á	Ingibjǫrgu
G.	grafar	fjaðrar	ár	Ingibjargar
D.	grǫf	fjǫðr	á	Ingibjǫrgu
Pl. N.	grafar	fjaðrar	**ár**	
A.	grafar	fjaðrar	ár	
G.	grafa	fjaðra	á	
D.	grǫfum	fjǫðrum	ám	

ō-stem nouns had *u*-mutation or *u*-fracture in the nom. acc. dat. sg. and dat. pl., if the root vowel was subject to either of these changes. Those having *u*-fracture in these cases have *a*-fracture in the rest of the paradigm. Like *grǫf* were *brú, mǫn, rún,* &c. Like *fjǫðr* were *gjǫf,* &c. Like *á* were *spá,* &c. Some nouns of this declension were also declined as *i*-stems: *gjǫf, grǫf, nǫs, rǫð, slíðrar* (pl.), *sǫk, vél.*

Some *ō*-stem nouns had the ending *-u* in the dat. sg., including those ending in *-ing* and *-ung,* as *dróttning,* and *hlið, laug, sól.* Like *Ingibjǫrg,* having both acc. and dat. in *-u* were many proper names, including those in *-rún, -veig, -vǫr.*

84. *jō*-stems

Feminines only

	Short stems		Long stems
Sg. N.	ben	ey	heiðr
A.	ben	ey	heiði
G.	benjar	eyjar	heiðar
D.	ben	eyju	heiði
Pl. N.	benjar	eyjar	heiðar
A.	benjar	eyjar	heiðar
G.	benja	eyja	heiða
D.	benjum	eyjum	heiðum

This declension bears the same relation to *ō*-stems as *ja*-stems to *a*-stems. Like *ben* were *dys, il, nauðsyn*. Like *ey* were *egg, hel, Frigg, Sif*, and names in *-ey, -ný, -yn*. *mær* had the ending *-r* like the long stems, oblique *mey, meyjar, meyju*, &c. Like *heiðr* were *ermr, hildr, øx*, &c., and names in *-dís, -hildr*, and *-gerðr*.

85.   *wō*-**stems**

Feminines only

Sg.	N.	ǫr	Pl.	ǫrvar
	A.	ǫr		ǫrvar
	G.	ǫrvar		ǫrva
	D.	ǫr(u)		ǫrum

86.   *i*-**stems**

Short *i*-stems usually show no *i*-mutation, though they must once have had *i*R-mutation in the nom. sg. and *i*-mutation in the nom. acc. pl. Long stems must have had *i*-mutation in the acc. sg. as well, and some of them in the dat. sg. too. Either the mutated or the unmutated vowel was then levelled through the whole paradigm : mutated in *gestr, drengr, belgr*, and most masc. long stems; and in *byrr, Freyr*; unmutated in most short stems, and also in *burðr*, &c., and the fems. *brúðr, nauðr*, &c.

87.   *Masculines*

Sg.	N.	staðr	gestr	bekkr
	A.	stað	gest	bekk
	G.	staðar	gests	bekks, bekkjar
	D.	stað	gest(i)	bekk
Pl.	N.	staðir	gestir	bekkir
	A.	staði	gesti	bekki
	G.	staða	gesta	bekkja
	D.	stǫðum	gestum	bekkjum

After *g* and *k* the *i* of the original stem appears before *a* or *u* as *j*. Alternation between *-ar* and *-s* in the gen. sg. was due to partial assimilation to the *a*-stem declension, and on the same analogy some nouns might have had a dat. sg. in *-i*. Like *staðr* were *burr, burðr, feldr, fundr, hlutr, hugr, konr, kostr, matr, salr, vinr*, and nouns ending in *-skapr*. Like *gestr*: *bugr, Guð, hvalr, nár*, &c. Like *bekkr*: *belgr, berserkr, byrr, drengr, Freyr* (originally a *jan*-stem), *hryggr, leggr, kengr*, &c.

Feminines

Sg.	N.	nauð(r)	þǫkk	hǫll
	A.	nauð	þǫkk	hǫll
	G.	nauðar	þakkar	hallar
	D.	nauð	þǫkk	hǫll(u)

Pl. N.	nauðir	þakkir	hallir
A.	nauðir	þakkir	hallir
G.	nauða	þakka	halla
D.	nauðum	þǫkkum	hǫllum

nauðr represents the original type, of which few survived: *Urðr* (one of the Norns; *urðr* 'fate' was masc.), *unnr*, and *brúðr*, with acc. sg. *brúði*. *Þǫkk* and *hǫll* and many other fems. of this declension were originally ō-stems, and later adopted nom. acc. pls. in -*ir*. The sg. form of the ō-stem declension was retained, cf. § 83. Like *þǫkk* were declined: *dáð*, *sút*, &c., including those ending in -*un* (§ 40 end) or -*an*, as *skemtun*, gen. *skemtanar*, beside analogical *skemtan*; also nouns in -*kunn*. Like *hǫll* were *borg*, *jǫrð*, *vist*, &c.

88. u-stems

Masculine only. *u*-stem nouns had *u*-mutation or *u*-fracture in the nom. acc. sg., acc. dat. pl., and *i*-mutation in the dat. sg. and nom. pl. if the root-vowels were subject to these changes. All strong masculines with *u*-mutation or *u*-fracture in the nom. sg. can thus be recognized as *u*-stems.

Sg. N.	skjǫldr	vǫllr	fǫgnuðr (§ 40 end)
A.	skjǫld	vǫll	fǫgnuð
G.	skjaldar	vallar	fagnaðar
D.	skildi	velli	fagnaði
Pl. N.	skildir	vellir	fagnaðir
A.	skjǫldu	vǫllu	fǫgnuðu
G.	skjalda	valla	fagnaða
D.	skjǫldum	vǫllum	fǫgnuðum

Like *skjǫldr* were *bjǫrn* (for **bjǫrnn*; § 75), *kjǫlr*, &c. Like *vǫllr*: *kǫttr*, *lǫgr*, *mǫgr*, &c. Like *fǫgnuðr* were nouns and names in -*uðr*; this type also ended in -*aðr*, as *fagnaðr*. It had no *i*-mutation in the dat. sg. and nom. pl.

Consonant-stems

89. These nouns usually had the nom. acc. pl. in -*r* (unless assimilated to *l* or *n*) and *i*-mutation of the root-vowel in these cases.

Masculines

Sg. N.	maðr (§ 70)	nagl	mónuðr	vetr	fótr
A.	mann	nagl	mónuð	vetr	fót
G.	manns	nagls	mánaðar	vetrar	fótar
D.	manni	nagli	mónuð	vetr	fœti
Pl. N.	menn	negl	mónuðr	vetr	fœtr
A.	menn	negl	mónuðr	vetr	fœtr
G.	manna	nagla	mánaða	vetra	fóta
D.	mǫnnum	nǫglum	mónuðum	vetrum	fótum

Like *vetr* was declined *fingr*. *mónuðr* (§ 44) had also the form *mánaðr*.

Feminines

Sg. N.	bók	tǫnn	nátt,	nótt	kýr
A.	bók	tǫnn	nátt,	nótt	kú
G.	bókar	tannar	náttar		kýr
D.	bók	tǫnn	nátt,	nótt	kú
Pl. N.	bœkr	tennr	nætr		kýr
A.	bœkr	tennr	nætr		kýr
G.	bóka	tanna	nátta		kúa
D.	bókum	tǫnnum	náttum,	nóttum	kúm

Like *bók* were *bót* (also *bótir* in nom. acc. pl.), *brún* (pl. *brýnn*), *eik*, *flík*, *lús* (pl. *lýss*), *mús*, *rót*, *sæng*, *tá*. Like *tǫnn* were *rǫnd*, *strǫnd*, *stǫng*, which also had unmutated pls. nom. acc. *-ir*. The pl. *tennr* was analogical instead of *teðr* (§ 70), which also occurred; so also *kinn*. *hǫnd* was like *tǫnn*, except that the dat. sg. was *hendi*. On *nátt* beside *nótt*, see § 44. *mǫrk* was declined like *tǫnn*, except that the gen. sg. was *merkr*, formed in the same way as the gen. *kýr*; so also *mjólk* (gen. *mjólkr*). *dyrr* occurred only in the pl., and was like the pl. of *bók* (gen. *dura*, dat. *durum*).

90.　　　　　　　*r*-stems

These are nouns of family relationship, masc. and fem.

Sg. N.	faðir	bróðir	systir
A. G. D.	fǫður, feðr	bróður	systur
Pl. N. A.	feðr	brœðr	systr
G.	feðra	brœðra	systra
D.	feðrum	brœðrum	systrum

91.　　　　　　　*nd*-stems

These were originally present participles used substantively. In the sg. they were declined like weak masculines, in the pl. like *maðr* (§ 89).

Sg. N.	bóndi	gefandi	Pl.	bœndr	gefendr
A.	bónda	gefanda		bœndr	gefendr
G.	bónda	gefanda		bónda	gefanda
D.	bónda	gefanda		bóndum	gefǫndum

Like *bóndi* was *frændi*; the greater number were like *gefandi*. Compare the adjectival inflexions of the pres. participle (§ 103).

Weak Declensions
92.　　　　　　　*an-* and *jan*-stems

		Masculine		*Neuter*
Sg. N.	bogi	bryti	gumi	hjarta
A. G. D.	boga	brytja	guma	hjarta

	Masculine			*Neuter*
Pl. N.	bogar	brytjar	gum(n)ar	hjǫrtu
A.	boga	brytja	gum(n)a	hjǫrtu
G.	boga	brytja	gumna	hjartna
D.	bogum	brytjum	gum(n)um	hjǫrtum

A very large number of nouns were declined like *bogi*. A few mascs. of foreign origin had the nom. sg. in -*a*, as *herra*. *uxi*, *oxi* (§ 32) had the pl. nom. acc. *yxn*, *øxn*, gen. *yxna*, *øxna*, dat. *yxnum*, *øxnum*, as well as analogical *oxar*, &c. Nouns ending in -*ari* had the dat. pl. in -*urum* (§ 40 end).

jan-stems like *bryti* were *einheri*, *eyjarskeggi*, *steði*, *vili*, and nouns ending in -*ingi* and -*virki* (-*yrki*).

In some nouns the ending of the gen. pl. was -*na* (the original ending). From the gen. pl. the *n* was levelled into the rest of the pl., so that *gumnar* was used as well as *gumar*. So also *got(n)ar*, *flotnar*, *skat(n)ar*. A neuter with *n* from the gen. pl. was *hjón*, pl. (§ 47), beside regular *hjú*.

93. ǫn- and jōn-stems

Feminines

Sg. N.	saga	stjarna	ásjá	brynja
A. G. D.	sǫgu	stjǫrnu	ásjá (§ 58)	brynju
Pl. N. A.	sǫgur	stjǫrnur	ásjár	brynjur
G.	sagna	stjarna (§ 75)	ásjá	brynja
D.	sǫgum	stjǫrnum	ásjám	brynjum

A very large number of nouns were declined like *saga*. Contracted forms were *trú*, (*hús*)*frú*, without ending in the sg.; pl. *frúr*, &c. These nouns and those in -*sjá* might also be declined like *á* (§ 83), with gen. sg. *trúar*, *ásjár*. *kona* had the gen. pl. *kvenna* or *kvinna*. *vǫlva* had the oblique *vǫlu*, &c. (§ 63). Some *jōn*-stems had the gen. pl. in -*na* like *ōn*-stems, as *kirkja*, *bylgja*.

94. īn-stems

Sg. all cases	elli	gørsimi	*Pl N A.*	gørsimar
			G.	gørsima
			D.	gørsimum

These nouns were feminines, and mostly abstract. Like *elli* without pl. were *frœði*, *gleði*, *Kristni*, &c. Those which had pl. forms followed the declension of *ō*-stems: *gørsimi*, *lygi* (pl. *lygar*).

B. ADJECTIVES

95. Adjectives might be declined strong or weak; for the use of the different declensions see § 163.

96.   Strong Declension

	Masculine		*Feminine*		*Neuter*	
Sg. N.	langr	gamall	lǫng	gǫmul	langt	gamalt
A.	langan	gamlan	langa	gamla	langt	gamalt
G.	langs	gamals	langrar	gamallar	langs	gamals
D.	lǫngum	gǫmlum	langri	gamalli	lǫngu	gǫmlu
Pl. N.	langir	gamlir	langar	gamlar	lǫng	gǫmul
A.	langa	gamla	langar	gamlar	lǫng	gǫmul
G.	langra	gamalla	langra	gamalla	langra	gamalla
D.	lǫngum	gǫmlum	lǫngum	gǫmlum	lǫngum	gǫmlum

Some adjs. ended in the masc. nom. sg. in *-r* which belonged to the stem; the *-r* of the ending was then dropped (§ 75), as in *fagr, vitr* (fem. nom. sg. *fǫgr*, neut. *fagrt*, &c.).

-r in the endings *-r, -rar, -ri, -ra* was assimilated to a preceding *l* or single *n*, as in *gamall* above, and *vænn*, gen. pl. *vænna*; but *sannr*, gen. pl. *sannra*.

The greater number of adjs. were declined like *langr*. Like *gamall* were declined disyllabic adjs. such as *heilagr* (acc. sg. masc. *helgan*, § 55), *nøkkviðr* (acc. sg. masc. *nøkðan* and *nøktan*), all past participles in *-inn* (but see § 98) and *-iðr*; but not adjs. in *-óttr, -ligr*, and participles in *-aðr*, in which there was no syncope.

sannr had (regularly) the neuter *satt*; *blint, seint*, &c., were analogical. On the assimilations occurring in the neuter see §§ 77, 75. *margr* had the neuter *mart*.

97. Some adjectives had stems ending in a vowel in ON., as *blár, fár, grár*. In the neuter the *t* was doubled following the long vowel: *fátt*, &c. (§ 74). There was contraction when the ending began with *a* or *u*, as *fán, fám*, but masc. pl. *fáir* (§ 58).

98. Adjectives ending in *-inn*, including past participles of strong verbs, had the ending *-n* in the acc. sg. masc. instead of *-an*. A few others also had this ending; examples: acc. sg. masc. *heitinn, minn, þinn, sinn, einn, hvern, hvárn, várn, yðarn, inn* (def. art.), *nǫkkurn, mikinn* (for *mikiln), *lítinn*. Adjs. in *-inn* had the neuter nom. acc. sg. in *-it* (§ 75).

99. *a-, ō*-stems (like *langr, gamall*), *ja-, jō*-stems, and *wa-, wō*-stems are to be distinguished among adjectives, as among nouns. *ja-, jō*-stems were like *langr* and *fár* except that the vowel throughout the paradigm showed *j*-mutation and the *j* of the stem remained before *a* or *u*. Thus *miðr* and *nýr* in the acc. sg. were *miðjan, miðja, mitt* (§ 77); *nýjan, nýja, nýtt* (§ 74).

100. *wa-, wō*-stems were like *langr* and *fár* except that the vowel showed *w*-mutation throughout the paradigm, and the *w* of the stem remained as *v* before *a* or *i*. Thus the nom. pl. of *gløggr* and *hár* was *gløggvir, gløggvar, gløgg; hávir, hávar, há*. The dat. pl. was *gløggum, hám*.

101. Note the declension of *annarr*, which was always strong:

	Masculine	Feminine	Neuter
Sg. N.	annarr	ǫnnur	annat
A.	annan	aðra	annat
G.	annars	annarrar	annars
D.	ǫðrum	annarri	ǫðrum
Pl. N.	aðrir	aðrar	ǫnnur
A.	aðra	aðrar	ǫnnur
G.	annarra	annarra	annarra
D.	ǫðrum	ǫðrum	ǫðrum

annat and *annan* arose from *annart, *annarn (§ 98) by assimilation and subsequent simplification of *tt*, *nn* (§ 75). On the forms with *ð* see § 70 end.

102. <center>**Weak Declension**</center>

	Masculine	Feminine	Neuter
Sg. N.	langi	langa	langa
A. G. D.	langa	lǫngu	langa
Pl. N. A. G.	lǫngu	lǫngu	lǫngu
D.	lǫngum	lǫngum	lǫngum

So also *fagri*, *gamli*, *helgi*, &c. *ja-*, *jō-*stems had *j* before *a* and *u*, as *ríki*, *ný*, gen. *ríkja*, *nýja*. *wa-*, *wō-*stems had *v* before *a* and *i*, as *glǫggvi*, *hávi*.

103. Present participles and the comparatives of adjectives were declined as follows:

	Masculine	Feminine	Neuter
Sg. N.	hvassari	hvassari	hvassara
A. G. D.	hvassara	hvassari	hvassara
Pl. N. A. G.	hvassari	hvassari	hvassari
D.	hvǫssurum	hvǫssurum	hvǫssurum

So also *ellri*, *stœrri*, &c.; *gefandi*, *deyjandi*, &c.

Comparison of Adjectives

104. Most adjectives formed the comparative and superlative forms with the endings *-ari*, *-astr*. Disyllables in *-ligr* dropped the *-a-* of these endings. Examples:

Positive	Comparative	Superlative
hvass	hvassari	hvassastr
heilagr	helgari	helgastr
ríkr	ríkari	ríkastr
efniligr	efniligri	efniligstr

The *j* and *v* of adjectives like *ríkr* and *glǫggr* (§§ 99, 100) were usually not retained in the compar. and superl. forms.

105. Some adjectives had the compar. in *-ri* and superl. in *-str* with *i*-mutation of the root-vowel:

fagr	fegri	fegrstr
hár	hæri	hæstr
seinn	seinni (§ 76)	seinstr

So also *fár, langr, lágr, skammr, smár, ungr, vænn.* Some of these adjectives were also compared according to § 104: *djúpr, dýrr, frægr, ríkr, sterkr.*

106. The following had comparative and superlative from a different root, or had no positive, the root appearing otherwise only in an adverb:

gamall	ellri	elztr
góðr	betri	beztr, baztr
illr, vándr	verri	verstr
lítill	minni	minstr
mikill	meiri	mestr
	œðri	œztr
(aptr)	eptri	epztr, aptastr
(fyrir)	fyrri	fyrstr
(of)	øfri, efri	øfstr, efstr
(út)	ýtri	ýztr
(austr)	eystri	austastr

C. NUMERALS

107.

	Cardinal	Ordinal
1.	einn	fyrstr
2.	tveir	annarr
3.	þrír	þriði
4.	fjórir	fjórði
5.	fimm	fimmti
6.	sex	sétti
7.	sjau *sjö now*	sjaundi
8.	átta	átti, áttundi
9.	níu	níundi
10.	tíu	tíundi
11.	ellifu	ellifti
12.	tólf	tólfti
13.	þrettán	þrettándi
14.	fjórtán	fjórtándi
15.	fimmtán	fimmtándi
16.	sextán	sextándi
17.	sjaut(j)án	sjaut(j)ándi
18.	átján	átjándi
19.	nítján	nítjándi
20.	tuttugu	tuttugandi
21.	tuttugu ok einn, *or,*	tuttugandi ok fyrstr, *or,*
	einn ok tuttugu	fyrstr ok tuttugandi
30.	þrír tigir	þrítugandi

	Cardinal	Ordinal
100.	tíu tigir	[títugandi
110.	ellifu tigir	ellifutugandi
120.	hundrað	hundraðasti
200.	hundrað ok átta tigir	hundraðasti ok áttatugandi
240.	tvau hundrað	
1200.	þúsund	þúsundasti]

The ordinals for 100 and higher numbers were not recorded in ON. and are given from modern Icel. use. The ordinals from 40 to 90 were: *fertugandi, fimmtugandi, sextugandi, sjautugandi, áttatugandi, nitugandi.*

From the fourteenth century indeclinable forms of the cardinals 30–110 were used: *þrjátigi, fjórutigi, fimtigi,* &c.

Of the cardinal numerals the first four were declinable. *einn* was like the sg. of *langr,* except that the acc. sg. masc. was *einn* (§ 98); the neut. nom. acc. sg. was *eitt* (§ 77). There was a pl. *einir,* &c., in the sense 'some'. The declension of *tveir, þrír, fjórir* was as follows:

	Masculine	Feminine	Neuter
N.	tveir	tvær (§ 37)	tvau
A.	tvá	tvær	tvau
G.	tveggja (§ 65)	tveggja	tveggja
D.	tveim(r)	tveim(r)	tveim(r)
N.	þrír	þrjár	þrjú
A.	þrjá	þrjár	þrjú
G.	þriggja (§ 65)	þriggja	þriggja
D.	þrim(r)	þrim(r)	þrim(r)
N.	fjórir (§ 66)	fjórar	fjogur (§ 66)
A.	fjóra	fjórar	fjogur
G.	fjogurra	fjogurra	fjogurra
D.	fjórum	fjórum	fjórum

tigir in the cardinals from 30 to 110 was a strong *u*-stem noun: *tigir, tigu, tiga, tigum. hundrað* was a strong neuter (§ 80), pl. *hundruð,* &c. *þúsund* was declined like *þǫkk* (§ 87). Of the ordinals *fyrstr* and *annarr* (§ 101) were strong adjectives, and the others weak; *þriði* was like *ríki* (§ 102).

D. PRONOUNS

Personal

108. First and Second Persons

Sg. N.	ek	þú	Dual	vit	it, þit	Pl.	vér	ér, þér
A.	mik	þik		okkr	ykkr		oss	yðr
G.	mín	þín		okkar	ykkar		vár	yðar
D.	mér	þér		okkr	ykkr		oss	yðr

The oblique cases were also used reflexively.

ek was often suffixed to its verb, especially in poetry, as *mæli-k* 'I speak', *hykk* = *hygg ek*, *má-k-at* 'I cannot'. *þú* was suffixed to its verb in ordinary use, either as *-ðu* or, after a voiceless consonant, as *-tu*, as in *heyrðu*, *skaltu* (= *skalt þú*, cf. § 75). The forms *þér* and *þit* (originally *ér*, *it*) received their *þ* by being added enclitically to verbal forms ending in *ð*; thus *skuluð ér* became *skuluðér*, which by the usual division of syllables was pronounced *sku-lu-ðér*, and the last syllable was taken to be the pronoun.

Dat. *mér* and acc. *mik* were suffixed in poetry as *-m* (from *-mʀ) and *-mk*, as in *biðjum* 9/178 'I ask for myself'. When *-mk* was added to a 3 sg., the verb was given the form of the pl.; *-mk* was often used for the dative also: *þóttumk* 1/100 = *þótti mér*.

109.   Third Person

	Masculine	Feminine	Neuter
Sg. N.	hann	hon (§ 44)	þat
A.	hann	hana	þat
G.	hans	hennar	þess
D.	honum (§ 44)	henni	því, þí
Pl. N.	þeir	þær (§ 37)	þau
A.	þá	þær	þau
G.	þeir(r)a	þeir(r)a	þeir(r)a
D.	þeim	þeim	þeim

The pl. and neuter sg. were originally demonstrative pronouns; cf. § 111. These forms were not used reflexively. The reflexive pronoun of the third person (sg. and pl.) was: acc. *sik*, gen. *sín*, dat. *sér*.

110. The possessive adjs. formed from the genitives were declined like the strong adjs. of § 98. Observe also the shortenings and the assimilation of *-nr-*:

	Masculine	Feminine	Neuter
Sg. N.	minn	mín	mitt
A.	minn	mína	mitt
G.	míns	minnar	míns
D.	mínum	minni	mínu
Pl. N.	mínir	mínar	mín
A.	mína	mínar	mín
G.	minna	minna	minna
D.	mínum	mínum	mínum

So also *þinn*, *sinn*, *várr* (without shortening); *okkarr*, *ykkarr*, *yðarr* also had the masc. acc. sg. in *-n*, but were otherwise like *gamall* (§ 96). The genitives *hans*, *þess*, *hennar*, *þeira* were used as indeclinable adjectives.

111.   **Demonstrative**

		Masculine	Feminine	Neuter
Sg. N.		sá (*that, the*)	sú	þat
	A.	þann	þá	þat
	G.	þess	þeir(r)ar	þess
	D.	þeim	þeir(r)i	þ(v)í

The pl. is identical with the pl. of *hann* (§ 109).

hinn, hin, hitt 'that', 'the' was declined like *minn*, except that the vowel was short throughout and *hitt* has the form *hit* when it is used as a def. art. preceding an adjective.

		Masculine	Feminine	Neuter
Sg. N.		sjá, þessi (*this*)	sjá, þessi	þetta
	A.	þenna	þessa	þetta
	G.	þessa	þessar	þessa
	D.	þessum	þessi	þessu
Pl. N.		þessir	þessar	þessi
	A.	þessa	þessar	þessi
	G.	þessa	þessa	þessa
	D.	þessum	þessum	þessum

112.   **The Definite Article**

For the uses of the definite article see § 164. When not suffixed to its noun it was declined thus:

		Masculine	Feminine	Neuter
Sg. N.		inn	in	it (§§ 77, 75)
	A.	inn	ina	it
	G.	ins	innar	ins
	D.	inum	inni	inu
Pl. N.		inir	inar	in
	A.	ina	inar	in
	G.	inna	inna	inna
	D.	inum	inum	inum

When suffixed to its noun the definite article underwent various changes. It dropped its initial vowel when following a short unaccented vowel, and in the disyllabic forms also after a long vowel, as *auga-t, á-nni*. The monosyllabic forms did not drop the initial vowel following a long vowel, as in *á-in* 'the river'. The disyllabic forms with single *n* usually dropped the initial vowel even after consonants, except in the fem. acc. sg.: *fœtr-nir, dyr(r)-nar, brýn-nar*, and *nætr-nar*, but *gjof-ina* and *menn-inir* (an unusual type). The -*m* of the dat. pl. was dropped before the suffixed *-num*. Examples of nouns in all cases with the article suffixed:

		Masculine	Feminine	Neuter
Sg.	*N.*	úlfr-inn	gjǫf-in	tré-it
	A.	úlf-inn	gjǫf-ina	tré-it
	G.	úlfs-ins	gjafar-innar	trés-ins
	D.	úlfi-num	gjǫf-inni	tré-nu
Pl.	*N.*	úlfar-nir	gjafar-nar	tré-in
	A.	úlfa-na	gjafar-nar	tré-in
	G.	úlfa-nna	gjafa-nna	trjá-nna
	D.	úlfu-num	gjǫfu-num	trjá-num
Sg.	*N.*	bogi-nn	kona-n	auga-t
	A.	boga-nn	konu-na	auga-t
	G.	boga-ns	konu-nnar	auga-ns
	D.	boga-num	konu-nni	auga-nu
Pl.	*N.*	bogar-nir	konur-nar	augu-n
	A.	boga-na	konur-nar	augu-n
	G.	boga-nna	kvenna-nna	augna-nna
	D.	bogu-num	konu-num	augu-num

Relative

113. The usual relative pronoun was *er* (earlier *es*), later also *sem*. *er* was often preceded by some part of *sá*: *sú er* 'who' fem.

114.
Interrogative

	Masc. Fem.	Neuter
N.	hverr (*who*)	hvat (*what*)
A.	hvern	hvat
G.	hvess	hvess
D.	hveim	hví

The forms *hverr*, *hvern* were originally adjectival, belonging to *hverr* 'who', 'which'. *hví* was chiefly used as an adverb 'why'.

hvárr 'which (of two)' was declined like *langr* (§ 96), except for acc. masc. *hvárn* (§ 98).

hverr 'who', 'which', adj. and pronoun, was declined like *miðr* (§ 99), except for acc. masc. *hvern*.

115.
Indefinite

sumr 'some' was declined like *langr* (§ 96).

einnhverr, *einhver*, *eitthvert* 'someone' kept an invariable *ein-* in other cases, and the second element was declined like *hverr* 'who', 'which'.

nakkvarr, *nǫkkurr* 'some, any' was composed of elements which appear separately as *né veit ek hverr* 'I do not know who'. Its declension was as follows:

	Masculine	Feminine	Neuter
Sg. N.	nakkvarr, nǫkkurr	nǫkkur	nakkvat, nǫkkut
A.	nakkvarn, nǫkkurn	nakkvara, nǫkkura	nakkvat, nǫkkut
G.	nakkvars, nǫkkurs	nakkvarrar, nǫkkurrar	nakkvars, nǫkkurs
D.	nǫkkurum	nakkvarri, nǫkkurri	nǫkkuru
Pl. N.	nakkvarir, nǫkkurir	nakkvarar, nǫkkurar	nǫkkur
A.	nakkvara, nǫkkura	nakkvarar, nǫkkurar	nǫkkur
G.	nakkvarra, nǫkkurra	nakkvarra, nǫkkurra	nakkvarra, nǫkkurra
D.	nǫkkurum	nǫkkurum	nǫkkurum

116. Distributive, Negative, &c.

hverr 'each' was declined like *hverr*, adj. 'which'.

In *hvár(r)tveggja* 'each of two', 'both' the first element was declined like *hvárr* 'which of two', the second was unchanged, or had the same endings as a fem. weak adj. (§ 102).

The declension of *báðir* 'both' was as follows:

	Masculine	Feminine	Neuter
N.	báðir	báðar	bæði
A.	báða	báðar	bæði
G.	beggja	beggja	beggja
D.	báðum	báðum	báðum

engi 'none', 'no' was composed of *ein-* 'one' + the negative particle *-gi*; the neuter *ekki* was from *eit* + *gi*. The full declension was:

Sg. N.	engi *(ein + gi)*	engi	ekki *(like word for eit + gi)*
A.	engan, engi	enga	ekki
G.	engis, enskis	engrar	engis, enskis
D.	engum	engri	engu
Pl. N.	engir	engar	engi
A.	enga	engar	engi
G.	engra	engra	engra
D.	engum	engum	engum

E. VERBS

117. There were two types of verbs, strong and weak. Strong verbs were characterized by the vowel gradation (§ 61) of their principal parts, weak verbs by the suffixes, containing *ð* (*d*, *t*), of the past tense and past participle. There was an active and a middle voice; the middle voice consisted originally of the active forms with a reflexive pronoun suffixed. For the uses of the middle voice, and the means of expressing the passive, see §§ 165, 170.

Strong Verbs

118. The endings of strong verbs may be illustrated by the paradigms of *grafa* and *gefa*:

Active

		Indicative		*Subjunctive*	
Pres. Sg.	1	gref	gef	grafa	gefa
	2	grefr	gefr	grafir	gefir
	3	grefr	gefr	grafi	gefi
Pl.	1	grǫfum	gefum	grafim	gefim
	2	grafið	gefið	grafið	gefið
	3	grafa	gefa	grafi	gefi
Past Sg.	1	gróf	gaf	grœfa	gæfa
	2	gróft	gaft	grœfir	gæfir
	3	gróf	gaf	grœfi	gæfi
Pl.	1	grófum	gáfum	grœfim	gæfim
	2	grófuð	gáfuð	grœfið	gæfið
	3	grófu	gáfu	grœfi	gæfi

Imperative

Sg. 2	graf	gef	Pl. 1	ˌgrǫfum	gefum
			2	grafið	gefið

Infinitive: grafa, gefa.
Present Participle: grafandi, gefandi (§ 103).
Past Participle: grafinn (grafin, grafit), gefinn, &c. (§ 98).

Middle

		Indicative		*Subjunctive*	
Pres. Sg.	1	grǫfumk	gefumk	grǫfumk	gefumk
	2	grefsk	gefsk	grafisk	gefisk
	3	grefsk	gefsk	grafisk	gefisk
Pl.	1	grǫfumk	gefumk	grafimk	gefimk
	2	grafizk	gefizk	grafizk	gefizk
	3	grafask	gefask	grafisk	gefisk
Past Sg.	1	grófumk	gáfumk	grœfumk	gæfumk
	2	grófzk	gafzk	grœfisk	gæfisk
	3	grófsk	gafsk	grœfisk	gæfisk
Pl.	1	grófumk	gáfumk	grœfimk	gæfimk
	2	grófuzk	gáfuzk	grœfizk	gæfizk
	3	grófusk	gáfusk	grœfisk	gæfisk

Imperative

Sg. 2	grafsk	gefsk	Pl. 1	grǫfumk	gefumk
			2	grafizk	gefizk

Infinitive: grafask, gefask.
Present Participle: grafandisk, gefandisk (declined like the active, with *-sk* added).
Past Participle: grafizk, gefizk (neuter only).

For the principal parts on which the rest of the verb is formed, see § 122, 126.

119. Final δ of the 2 pl. active of both strong and weak verbs was dropped before *þit* and *þér*, as in *gefi þér*; see § 108. Sometimes also final *-m* of the 1 pl. was dropped before *vit* or *vér*.

120. Note the *i*-mutation throughout the pres. indic. sg. But *e* which had been raised to *i* (§ 33) was restored by analogy. Verbs having *a*-fracture in the infin. had *u*-fracture before endings containing *u*; in the pres. indic. sg. they had unfractured *e*: *gjalda*, 3 sg. *geldr*, 1 pl. *gjǫldum*. When *a* was lengthened in such a *verb*, *já* was found throughout the present stem, except in the indic. sg., as *hjálpa*, 3 sg. *helpr*, 1 pl. *hjálpum*, not **hjólpum*, as would be expected (§ 45).

121. The *-r* of the 2 and 3 sg. pres. indic. was assimilated to a preceding *s*, *l*, *n*, *x*, when following a long syllable, as *vex* 'grows', *skínn* 'shines'.

122. The pres. subj. had the same vowel as the infin. The past subj. had the vowel of the past indic. pl., with *i*-mutation. Some verbs, the commonest being *muna*, did not always have *i*-mutation here, e.g. past subj. *munda* beside *mynda* (§ 146).

123. Verbs having a past indic. sg. 1 and 3 ending in δ or *t* had the past 2 sg. in *-zt*, as *bauzt*, from *bjóða*; *helzt*, from *halda*. But the middle was as in other verbs, *bauzk*, *helzk*. The *-t* of the 2 sg. past indic. was doubled when following a long accented vowel, as in *sátt* 'sawest'.

124. Final *g* or *d* was unvoiced in the 1 and 3 past indic. and imper. sg., as in *helt* 'held', imper. *halt* (from *halda*). In the imper., however, *g* was sometimes restored by analogy, as in *eig* (from *eiga*). See § 73.

125. The ending of the 1 sg. pres. indic. in PrN. was *-u*, and the *i*-mutated root-vowel was from the analogy of the second and third persons. This *-u* survived when a pronoun was suffixed in poetical use (§ 108 *end*), and in the middle voice, as it then bore a secondary accent in PrN. The suffixed pronouns lost their vowels in the later period of the syncope of § 56. For example: *gefsk* was from **gefR-sik*, which gave **gefRsk*; then R was assimilated to *s*, and the resulting *ss* simplified. The 1 pl. took its ending *-mk* from the 1 sg. *gefizk* was from **gefiðsk*, *ðs* regularly becoming *z* (= *ts*). The 1 sg. middle in the pa. t. took its root-vowel from the 1 pl., as in *gáfumk*, compared with 2 sg. *gafzk*, *bundumk* compared with *bazk* (from *binda*).

As early as the twelfth century the endings *-zk* and *-sk* appeared at times as *-z*, which by the latter half of the thirteenth century was the more frequent form. The ending *-mk* then became *-mz* by analogy. The refl. *-s* in EN. is from the suffixed dat. **-sR*.

The Strong Conjugations

126. The seven conjugations of strong verbs were distinguished by the different gradations of vowels in their principal parts. The principal parts were the infin., past 3 sg., past 3 pl., and past participle; for clearness the 3 sg. present indicative is included here also, though in reality containing the same stem as the infin.

127. First Conjugation (first series, § 61)

Infin.	3 *Sg. Pres.*	*Past Sg.*	*Past Pl.*	*Past Part.*
bíta	bítr	beit	bitu	bitinn
stíga	stígr	steig, sté (§§ 50, 73)	stigu	stiginn
bíða	bíðr	beið	biðu	beðit

bíta was the normal type. Like *stíga* were *hníga* and *síga. víkja* had a weak present, like *telja* (§ 136). Its other parts were like *bíta*. The origin of *e* in the pp. *beðit* is uncertain.

128. Second Conjugation (second series, § 61)

strjúka	strýkr	strauk	struku	strokinn
fljúga	flýgr	fló (§§ 50, 73)	flugu	floginn
ljúga	lýgr	laug, ló	lugu	loginn
bjóða (§ 47)	býðr	bauð	buðu	boðinn
lúka	lýkr	lauk	luku	lokinn

strjúka and *bjóða* were the normal types. Like *ljúga* was *smjúga*; the past sg. *ló, smó* was replaced in ordinary use by analogical *laug, smaug*. Like *lúka* was *lúta*. The pp. of this conj. and of conjs. 3 and 4 had *a*-mutation of the root-vowel, due to the suffix *-*ana*- in PrN. Later -*inn* is from *-*anaʀ*; unaccented *a* before *n*+cons. became *e*, later spelled *i*; cf. *Óðinn*, OE. *Wōdan*.

129. Third Conjugation (third series, § 61)

Infin.	3 *Sg. Pres.*	*Past Sg.*	*Past Pl.*	*Past Part.*
bresta	brestr	brast	brustu	brostinn
gjalda (§ 45)	geldr	galt (§ 73)	guldu	goldinn
skjálfa (§ 54)	skelfr	skalf	skulfu	skolfinn
verða	verðr	varð	urðu (§ 63)	orðinn
drekka (§§ 49, 77)	drekkr	drakk	drukku	drukkinn
finna (§§ 49, 66)	finnr	fann	fundu (§ 71)	fundinn
vinna	vinnr	vann	unnu (§ 63)	unninn
binda	bindr	batt (§ 73)	bundu	bundinn
springa	springr	sprakk (§ 73)	sprungu	sprunginn
bregða	bregðr	brá	brugðu	brugðinn
slyngva (§ 42)	slyngr	slǫng (§ 42)	slungu	slunginn
søkkva (§ 42)	søkkr	sǫkk	sukku	sokkinn
renna	rennr	rann	runnu	runninn

bresta gives the original type of this conjugation. Like *gjalda* was *gjalla*. Like *skjálfa* was *hjálpa*; the analogy of other verbs prevented lengthening of vowels except in the present stem. A number of verbs dropped a *v* in the past pl. and pp. like *verða*: *verpa, hverfa,* &c. Like *binda* were *hrinda* and *vinda* (past pl. *undu,* pp. *undinn*). Like *springa* was *stinga*. In *bregða* the *ð* was a suffix which originally belonged only to the present stem, but already in Germ. was levelled into other parts; in the past sg. *brá* (from **brah,* § 73) the original type is preserved. Like *søkkva* were *hrøkkva* and *støkkva*. Like *renna* was *brenna*; the phonologically regular forms *rinna* and *brinna* also occurred less frequently.

130.   Fourth Conjugation (fourth series, § 61)

Infin.	3 Sg. Pres.	Past Sg.	Past Pl.	Past Part.
bera	berr	bar	báru	borinn
nema	nemr	nam	námu, nómu (§ 44)	numinn
fela	felr	fal	fálu	fólginn (§§ 71, 54)
koma	kømr	kom (§ 51)	kvámu, kómu (§ 44)	kominn
sofa (§ 51)	søfr	svaf	sváfu	sofinn

bera was the normal type. *fela* (from **felhan*) originally belonged to the third conj., and was transferred to the fourth with an analogical pa. t. pl. *koma,* unlike the others, had the same grade of vowel (§ 61) as in the pp. *sofa* originally belonged to the fifth conj.

131.   Fifth Conjugation (fifth series, § 61)

gefa	gefr	gaf	gáfu	gefinn
vega	vegr	vá (§ 73)	vágu	veginn
eta	etr	át	átu	etinn
sjá	sér	sá (§ 64)	sá, sáu	sénn
fregna	fregn	frá (§ 73)	frágu	freginn

The following had weak presents, with endings like *telja* (§ 136):

biðja	biðr	bað	báðu	beðinn
liggja	liggr	lá (§ 73)	lágu	leginn

gefa was the normal type. The present of *sjá* was: *sé, sér, sér; sjám, séð, sjá.* Subj.: *sé, sér, sé* (or *sjái, sjáir*); *sém, séð, sé.* Past: *sá, sátt, sá; sám, sáuð, sá(u).* Subj.: *sæa, sæir,* &c. The *n* of *fregna* was a suffix belonging specifically to the present stem. Like *biðja* was *sitja,* and like *liggja* was *þiggja*.

132.   Sixth Conjugation (sixth series, § 61)

Infin.	3 Sg. Pres.	Past Sg.	Past Pl.	Past Part.
fara	ferr	fór	fóru	farinn
taka	tekr	tók	tóku	tekinn (§ 38)
draga	dregr	dró (§ 73)	drógu	dreginn (§ 38)
slá (§ 71)	slær	sló	slógu (§ 71)	sleginn (§ 38)
vaxa	vex (§ 121)	óx (§ 63)	óxu	vaxinn
standa	stendr	stóð	stóðu	staðinn

The following had weak presents:

Infin.	3 Sg. Pres.	Past Sg.	Past Pl.	Past Part.
hefja	hefr	hóf	hófu	hafinn
deyja	deyr	dó	dó	dáinn
hlæja	hlær	hló	hlógu	hleginn (§ 38)

fara was the normal type. Like *taka* was *aka*. Like *slá* were *flá* and *þvá* (past sg. *þvó*, *þó*). Like *vaxa* was *vaða* (3 sg. *veðr*). Like *deyja* was *geyja*.

The *n* of *standa* was a nasal infix like the *n* of Latin *tundo*, belonging only to the present stem (cf. the perfect *tutudi*); hence *stóð*, &c., were regular.

133.   Seventh Conjugation

The verbs of this conj. in Germanic formed their pa. t. by means of reduplication, i.e. by prefixing a syllable composed of the initial consonant of the stem + *e*. Some verbs also had gradation, the seventh series (§ 61). The gradation was no longer clear in ON.: cf. Germ. **sæjan*, **sezō* with ON. *sá*, past *seri*. The original reduplication was still apparent in three verbs:

róa	rœr	røri, reri	røru, reru (§ 40)	róinn
sá	sær	søri, seri	søru, seru (§ 71)	sáinn
snúa	snýr	snøri, sneri	snøru, sneru	snúinn

and three others with analogical parts based on these: *gróa* 'grow', *gnúa* and *bnúa* 'rub'. Usually the reduplicated forms dropped the initial consonant of the original root by a kind of dissimilation; for example: **bebū*, pa. t. of *búa*, thus became **beū*, then *bjó* (§§ 46, 47). In this way, and with many analogical formations, the following types arose:

(i)	heita	heitr	hét	hétu	heitinn
	sveipa	sveipr	sveip	svipu	sveipinn
(ii)	auka	eykr	jók	jóku	aukinn
	búa	býr	bjó	bjoggu	búinn
	hǫggva	hǫggr	hjó	hjoggu	hǫgg(v)inn
(iii)	blanda	blendr	blett (§ 73)	blendu	blandinn
	fá	fær	fekk (§ 73)	fengu (§ 71)	fenginn
	falla	fellr	fell	fellu	fallinn
	ganga	gengr	gekk (§ 73)	gengu	genginn
	halda	heldr	helt (§ 73)	heldu	haldinn
(iv)	láta	lætr	lét	létu	látinn
(v)	blóta	blœtr	blét	blétu	blótinn

Like *heita* was *leika*. Like *auka* was *hlaupa* (past *hljóp*). Like *halda* was *falda*. Like *láta* were *blása*, *gráta*, *ráða*.

Weak Verbs

134. There were three conjugations of weak verbs. Those of the first conj. had *i-j*-mutation in the present stem, if the stem was a short syllable, throughout the paradigm if the stem was long; the infin. of the short stem ended in *-ja*, of the long in *-a*; the past tense and past part. were formed with the suffix *ð* (*d*, *t*). Examples are *telja*, past 3 sg. *talði* ; *heyra*, *heyrði*. The verbs of the second conj. were unmutated, and formed the past and past part. with the suffix *-að-*, as *kalla*, *kallaði*. Those of the third conj. were usually unmutated; the infin. ended in *-a*; the suffix of the past was *-ð-*, of the pp. *-(a)ð-*, as *vaka*, *vakði*, *vakat*.

First Conjugation

135. Verbs of the first conj. originally had stems ending in *j*, but in the past tense and past participle there appeared in Germanic *-i-*. This *j* remained after short syllables when followed by *a* or *u*; the *i* of the past tense and pp. disappeared after a short syllable but did not cause mutation (§§ 34, 56). For the ending of such forms as *heyrir* compared with *telr*, see § 81.

136. The endings of this conjugation may be illustrated by the paradigms of *telja* (short stem) and *heyra* (long stem):

Active

		Indicative		*Subjunctive*	
Pres. Sg.	1	tel	heyri	telja	heyra
	2	telr	heyrir	telir	heyrir
	3	telr	heyrir	teli	heyri
Pl.	1	teljum	heyrum	telim	heyrim
	2	telið	heyrið	telið	heyrið
	3	telja	heyra	teli	heyri
Past Sg.	1	talða	heyrða	telða	heyrða
	2	talðir	heyrðir	telðir	heyrðir
	3	talði	heyrði	telði	heyrði
Pl.	1	tǫlðum	heyrðum	telðim	heyrðim
	2	tǫlðuð	heyrðuð	telðið	heyrðið
	3	tǫlðu	heyrðu	telði	heyrði

Imperative

				Pl.	1	teljum	heyrum
Sg.	2	tel	heyr		2	telið	heyrið

Infinitive: telja, heyra.
Present Participle: teljandi, heyrandi (§ 103).
Past Participle: tal(i)ðr, heyrðr (§ 96).

Middle

Pres. Sg.	1	teljumk	heyrumk	teljumk	heyrumk
	2	telsk	heyrisk	telisk	heyrisk
	3	telsk	heyrisk	telisk	heyrisk

		Indicative		*Subjunctive*	
Pl.	1	teljumk	heyrumk	telimk	heyrimk
	2	telizk	heyrizk	telizk	heyrizk
	3	teljask	heyrask	telisk	heyrisk
Past Sg.	1	tǫlðumk	heyrðumk	telðumk	heyrðumk
	2	talðisk	heyrðisk	telðisk	heyrðisk
	3	talðisk	heyrðisk	telðisk	heyrðisk
Pl.	1	tǫlðumk	heyrðumk	telðimk	heyrðimk
	2	tǫlðuzk	heyrðuzk	telðizk	heyrðizk
	3	tǫlðusk	heyrðusk	telðisk	heyrðisk

Imperative

				Pl. 1	teljumk	heyrumk
Sg.	2	telsk	heyrsk	2 telizk	heyrizk

Infinitive: teljask, heyrask.
Present Participle: teljandisk, heyrandisk.
Past Participle: tal(i)zk, heyrzk (neuter only).

137. The pa. subj. of short stems had *i*-mutation of the stem-vowel which appeared unmutated in the pa. indic. In long stem verbs the mutated vowel ran through the whole paradigm.

138. In the past and pp. the *ð* of the suffix when following a voiceless consonant became unvoiced (though still written *ð*), and later *t*. After *l* and *n*, *ð* eventually became *d* or *t*; *t* developed first after voiceless *l* and *n* (§ 72) and was later extended: *talði*, later *taldi*, but *mælti*, *spenti*. After *nd* and *pt* the dental consonant of the suffix was dropped, as in *sendi*, past of *senda*; *lypti*, past of *lypta*.

139. Examples of the principal parts of typical short stem verbs of the first conjugation:

dýja	dúði	dúðr
kveðja	kvaddi (§ 66)	kvaddr
leggja (§§ 28, 74)	lagði	lag(i)ðr
vekja	vakði, vakti	vakðr, vaktr
þreyja	þráði	þráðr

The following extended the mutated vowel by analogy to the pa. t. and pp.:

selja	seldi	seldr

and *flýja*, *frýja*, *setja* (but pa. t. *satti* in EN.).

Examples of long stem verbs of this conjugation:

œpa	œpði, œpti	œpðr, œptr
byggva, byggja	bygði	bygðr

Other verbs of the type of *byggva* (from *bewwjan*) had an alternative infin. in *-ja*, as *myrkva*, *þrøngva*, *kveykva* (*kveikja*). *sløngva* and *sløkkva* are only found with *-va* in WN., but cf. EN. *slækkia* 20/48.

j remained in long stem verbs before *a* and *u* if preceded by *g* or *k*, as in *syrgja, kveikja*, &c.

An adjective *gǫrr* was used as the pp. of *gøra* (from **garwjan*, and therefore a long stem verb):

| gøra | gørði | gǫrr (*also* gørr) |

140. A few long stem verbs had no *i*-mutation in the pa. t. and pp.:

sœkja	sótti (§ 77)	sóttr (*pa. subj.* sœtta, &c.)
þykkja (§ 77)	þótti (§ 77)	þóttr (*pa. subj.* þœtta, &c.)
yrkja	orti (§ 77)	ortr (*pa. subj.* yrta, &c.)

These verbs were formed in Germ. without vowel before the suffix -*t*, and in Germanic *kt* became *ht*, giving ON. *tt*.

141. Second Conjugation

This conjugation had no *i-j*-mutation. The stem in ON. ended in -*a*. The 2 pl. was formed on the analogy of the other conjs.

		Active		*Middle*	
		Indicative	*Subjunctive*	*Indicative*	*Subjunctive*
Pres. Sg.	1	kalla	kalla	kǫllumk	kǫllumk
	2	kallar	kallir	kallask	kallisk
	3	kallar	kalli	kallask	kallisk
Pl.	1	kǫllum	kallim	kǫllumk	kallimk
	2	kallið	kallið	kallizk	kallizk
	3	kalla	kalli	kallask	kallisk
Past Sg.	1	kallaða	kallaða	kǫlluðumk	kǫlluðumk
	2	kallaðir	kallaðir	kallaðisk	kallaðisk
	3	kallaði	kallaði	kallaðisk	kallaðisk
Pl.	1	kǫlluðum	kallaðim	kǫlluðumk	kallaðimk
	2	kǫlluðuð	kallaðið	kǫlluðuzk	kallaðizk
	3	kǫlluðu	kallaði	kǫlluðusk	kallaðisk

Imperative

	Pl. 1 kǫllum		*Pl.* 1 kǫllumk
Sg. 2 kalla	2 kallið	Sg. 2 kallask	2 kallizk

Infinitive: kalla, kallask.
Present Participle: kallandi, kallandisk.
Past Participle: kallaðr, kallazk (neuter).

142. A large number of verbs were conjugated like *kalla*. The following were contracted:

| strá | stráði | stráðr |

and *fá* 'draw', 'paint', *þjá*. A few had *j* in the stem, as

| byrja | byrjaði | byrjat |

and *eggja, herja.* The *j* was dropped before *i: byrið,* &c. Some had *v* in the stem:

stǫðva   stǫðvaði   stǫðvaðr

v was dropped before *u: stǫðum,* &c.

143.   Third Conjugation

In the third conjugation were two types:

(i) without *i-j*-mutation: past *-ði,* pp. *-aðr, -at.* The majority belonged to this type. For example:

vaka   vakði   vakat

So also *duga, horfa* (pp. *horft*), *lifa, sama, spara* (pp. *spar(a)t*), *trúa, una, þola, þora. ná (náði, ná(i)t)* and *gá* were contracted. These verbs had the same endings as *heyra,* except that the imper. sg. ended in *-i: vaki,* &c. The vowel of the pa. subj. was mutated: *vekða, ynða,* &c.

(ii) with *i-j*-mutation in the present stem:

segja   sagði   sagðr
þegja   þagði   þagat
hafa   hafði   hafðr

hafa was a blend of the two types, being mutated only in part of the present tense. The presents of *segja* and *hafa* were:

Sg. 1	segi	hefi (hef)	*Pl.*	segjum	hǫfum
2	segir	hefir (hefr)		segið	hafið
3	segir	hefir (hefr)		segja	hafa

þegja was like *segja.* The other tenses of these verbs had the same endings as *heyra,* and there was *i*-mutation in the pa. subj. The imper. sg. was *seg, þeg* and *þegi, haf.*

kaupa had *i*-mutation in the pa. t. and pp. (*keypti, keyptr*).

Preterite-Present Verbs

144. In these verbs the present had the form of a past tense of a strong verb. From this preterite-present a weak past tense was formed.

First Gradation Series

Infin.	vita (*know*)	eiga (*have*)
Indic. Pr. S. 1	veit	á (§ 50)
2	veizt (§ 123)	átt
3	veit	á
Pl. 1	vitum	eigum
2	vituð	eiguð
3	vitu	eigu
Past	vissa, &c.	átta, &c.
Subj. Pres.	vita, &c.	eiga, &c.
Past	vissa, &c.	ætta, &c.

Imper. Sg.	vit	eig
Pres. Part.	vitandi	eigandi
Past Part.	vitaðr	áttr

145.   Third Gradation Series

Infin.	kunna (*know, be able*)	unna (*love*)	þurfa (*need*)
Indic. Pr. S. 1	kann	ann	þarf
2	kannt	annt	þarft
3	kann	ann	þarf
Pl. 1	kunnum	unnum	þurfum
2	kunnuð	unnið	þurfuð
3	kunnu	unna	þurfu
Past	kunna, &c. (§ 66)	unna, &c. (§ 66)	þurfta, &c.
Subj. Pres.	kunna, &c.	unna, &c.	þurfa, &c.
Past	kynna, &c.	ynna, &c.	þyrfta, &c.
Imper. Sg.	kunn	unn	
Pres. Part.	kunnandi	unnandi	þurfandi
Past Part.	kunnat	unn(a)t	þurft

146.   Fourth Gradation Series

Infin. Pres.	muna (*remember*)	munu (*will*)	skulu (*shall*)
Past		mundu	skyldu
Indic. Pr. S. 1	man	mun	skal
2	mant	munt	skalt
3	man	mun	skal
Pl. 1	munum	munum	skulum
2	munið	munuð	skuluð
3	muna	munu	skulu
Past	munda, &c.	munda, &c.	skylda, &c.
Subj. Pres.	muna, &c.	myna, muna, &c.	skyla, skula, &c.
Past	mynda, &c.	mynda, munda, &c.	skylda, &c.
Imper. Sg.	mun		
Pres. Part.	munandi		skulandi
Past Part.	munaðr		skyldr

On the past infin. see § 171. *munu* 'will' had also pres. sg. forms *man, mant, man* in Icelandic from the fourteenth century, due to Norwegian influence. Note the pres. pl. of *muna*; and *unna*, § 145.

147.   Fifth Gradation Series

Infin. Pres.	mega (*be able*)	
Past		knáttu (*know, be able*)
Indic. Pr. S. 1	má	kná
2	mátt	knátt
3	má	kná
Pl. 1	megum	knegum
2	meguð	kneguð
3	megu	knegu
Past	mátta, &c.	knátta, &c.

Subj. Pres.	mega, &c.		knega, &c.
Past	mætta, &c.		knætta, &c.
Pres. Part.	megandi		
Past Part.	mátt		

kná was cognate with OE. *cnāwan* 'know'. Its use was chiefly in poetry.

148. Anomalous Verbs

(i) *Infin.*   vilja (*will*)

Indic. Pr. S.	1	vil	*Subj. Pr. S.*	1	vilja
	2	vill, vilt		2	vilir
	3	vill		3	vili
Pl.	1	viljum	*Pl.*	1	vilim
	2	vilið		2	vilið
	3	vilja		3	vili

Past: vilda, &c.   *Pres. Part.*: viljandi.   *Past Part.*: viljat.

(ii) *Infin.*   vera (*be*)

Indic. Pr. S.	1	em	*Subj. Pr. S.*	1	sé
	2	ert		2	sér
	3	er		3	sé
Pl.	1	erum	*Pl.*	1	sém
	2	eruð		2	séð
	3	eru		3	sé
Past Sg.	1	var	*Past Sg.*	1	væra
	2	vart		2	værir
	3	var		3	væri
Pl.	1	várum	*Pl.*	1	værim
	2	váruð		2	værið
	3	váru		3	væri

Imper.: ver, verið.   *Past Part.*: verit.

Earlier forms of *vera, ert, er, var, vart* were *vesa, est, es, vas, vast.* The forms with *r* became general by about 1100.

(iii) *valda* in the present (3 sg. *veldr*) and pp. (*valdit*) was strong, but the pa. t. *olla* (from **wolþa*, §§ 63, 61 (3), 66) was weak. Later analogical forms of the pa. t. were *volla, volda.* The pa. subj. was *ylla,* later *vylda.*

F. ADVERBS

149. Adverbs were formed from adjectives in the following ways:

(i) by means of suffixes, namely, *-a,* as in *illa, gjarna,* from *illr, gjarn;* *-i,* as in *lengi,* from *langr;* *-an,* as in *jafnan, saman,* from *jafn, samr.* Adverbs of the type *harðliga, varliga* (cf. the adjs. *harðligr, varligr*) were often shortened to *harðla, varla,* &c.

(ii) from special uses of particular cases: gen. sg. *alls* (partitive, passing into degree); dat. sg. neut. *miklu* (degree); acc. sg. *alt* 'all the way'; dat. pl. *stórum, næstum.*

(iii) the neut. sg. of most adjs. could be used as an adverb: *sárt ertu leikinn* 'sorely art thou treated'.

150. Adverbs were also formed from nouns:

(i) by means of the suffix *-liga*, as in *hǫfðingliga*;

(ii) from special uses of cases: gen. *stundar*; dat. *stundum*; acc. *megin* (see note to 2/95).

151. Negation and Affirmation

The adverbs ordinarily used were *já* 'yes', *nei* 'no'. The negative particle *-gi* was frequent in compounds, as in *aldri* (from *aldrigi*), *eigi, engi, hvergi,* &c. Used with the verb like English 'not' the usual negative adverbs were *eigi* and *ekki*. In poetry the enclitic negatives *-a, -at, -gi* were used, as in *vas-k-a* 'I was not'; *hef-k-at-ek* 'I have not'. Sometimes *né* preceded the verb as well: *sofa né má-k-at* 'I cannot sleep'.

152. Local

The ending *-i* denoted position attained, *-an* movement from a place. Thus *inn* 'into', *inni* 'within', *innan* 'from within'; similarly *út—úti—útan*; *upp—uppi—ofan*; *niðr—niðri—neðan*; *fram—frammi—framan*; *norðr—norðan*; *suðr—sunnan*.

Direction or motion to a place was expressed by adverbs ending in *-gat*, as *hingat* 'hither', from *hinn veg at*. Corresponding to English *here—hither—hence* were *hér—hingat—heðan*; similarly *þar—þangat* (*þann veg at*)*—þaðan*; *hvar—hvert—hvaðan*. Direction to a place was also expressed by *hinnig, þannig, hvernig* 'hither', 'thither', 'whither'.

Motion (and sometimes position) relative to a point which was neither starting-point nor objective was expressed by *fyrir* + adverb in *-an* + accusative, as in *fyrir austan land* 'along (or "off") the east coast'. Position 'east of' was more often expressed by *austan* alone, with the genitive.

153. Comparison

Most adverbs formed their comparative in *-ar(a)* and superlative in *-ast*:

opt	optar	optast
hvast	hvassara	hvassast

Others formed their comparative in *-r(a)* and superlative in *-st*, and had *i*-mutation of the stem-vowel; cf. § 105.

langt, lengi	lengr(a)	lengst
fjarri	firr	first
	heldr	helzt
nær	nærr	næst

The following were irregular:

lítt	minnr, miðr	minst
mjǫk	meir(r)	mest
vel	betr	bezt
illa	verr	verst

PART IV. SYNTAX

154. ON. syntax resembled that of OE., but had several peculiarities of its own.

155. Concord was strictly observed in ON.: *allar vildu meyjar, þær's vaxnar váru* 'all the maidens who were grown up wished . . .'. A plural adj. or pronoun referring to two nouns of different gender was put in the neuter: *vit skulum aka tvau* 'we two (Þór and Freyja) shall drive together'.

When a plural subject followed the verb, a preceding pronoun or noun referring to the subject might be singular: *þat eru nú fjǫrur kallaðar* 1/378. The verb in such a construction was usually plural, but sometimes singular.

The Cases

156. ACCUSATIVE. In addition to the ordinary use as the direct object of a verb, the accus. was used to express extent of time or space: *alla nótt* 1/40 'all night', *alt til hafsins* 1/139 'all the way to the sea'. A compound noun or a noun with an adjective might be put in the accus. to express point of time: *hinn fyrsta sumarsdag* 1/10 'on the first day of summer'. With the noun alone a preposition was usual: *at páskum*. The accus. was used also of direction: *hamhleypa fór annan veg* 'the skin-changer went off in another direction'; also figuratively: *þetta er ekki þann veg at skilja* 'it is not to be interpreted in that way'. On the accus. with prepositions see § 159, 160.

157. GENITIVE. The partitive genitive was rare in ON. (see § 163). In addition to the ordinary possessive use, there was a commonly employed gen. of specification (of amount or identity): *þriggja vetra bjǫrg* 'subsistence for three years'; *þess konar* 'of this kind'; *Yggdrasils askr* 'the ash Yggdrasil'; *Fenrisúlfr* (note to 1/420); *fimtán vetra gamall*) 16/152 'fifteen years old'. The objective gen. was very frequent in the kennings of poetry, as *munka reynir* 'he who puts monks to the test' 5/12. Many verbs of needing, lacking took the gen., as *missa, sakna, þurfa*; repaying, revenging: *gjalda, hefna, reka*; also *bíða, freista, geta* (in sense 'guess'), *geyma, gæta, iðrask, leita, minnask, njóta*, &c. Verbs of asking and urging usually took the accus. of the person and gen. of the thing, including *biðja, beiða, eggja, fýsa, krefja*. On the gen. with prepositions see § 159; with numerals, § 163.

158. DATIVE. The frequent use of the instrumental dative was characteristic of ON. Whenever the direct object of the verb could be regarded as the instrument of the action it was put in the dative; hence verbs like *halda* 'take hold of', *skjóta*, *kasta* 'throw', *stinga* 'thrust' took the dative: *skjóta spjóti* 'throw a spear'. The dative was also used of the indirect object, the agent, point of time, degree (*hálfu meiri* 1/18), and with the comparative (§ 163). On the dat. with prepositions see §§ 159, 160; after *hvat*, § 164.

Prepositions

159. Prepositions were construed with the genitive, dative, or accusative. With the gen. only were *til* and *innan, milli, sakir*, of which the prepositional use was comparatively late.

With the dative only: *af, frá, (í) gegn, í hendr, hjá, móti, nær, ór, undan.*

With the accusative only: the many compound prepositions consisting of *fyr(ir)* + adverb ending in *-an*, as *fyr innan* 'within', 'into'; also *um fram* 'beyond', 'better than'.

With acc. or gen.: *útan.*

160. Most of the prepositions were construed with dative or accusative, according to the sense. Generally speaking, the dative was used after a preposition expressing position (without implication of motion or direction), point of time, source, cause, instrument, while the accusative was used after a preposition in expressions of motion to or through a place, duration of time, point of time within a stated period, opposition, and correspondence. The prepositions with either dative or accusative were: *á, at, eptir, í, fyrir, með, of, um, undir, við, yfir.* In prose *at* is normally followed by a dative.

161. Combinations of adverb and preposition frequently developed idiomatic senses which were equivalent to a single preposition, as *upp á* 'upon' (giving *på* in mod. Sw., Dan., and Norw.), *framan at* 'to the front side of'; note also *um þveran* (*þvera, þvert*, agreeing with the noun) 'across'.

162. The prepositions were originally adverbs in IE., and the old adverbial use survived quite commonly in ON. Later, too, prepositions might be converted into adverbs by ellipse of the noun. All the simple prepositions occurred also as adverbs, and the adverbial uses are often difficult to distinguish, especially when a noun follows that might be mistaken for an object; see notes to 1/120, 2/104, 7/66. Such adverbs often made an essential addition to the sense of the verb; cf. *liggja* 'lie' and *liggja við* 'be at stake'. The senses varied considerably in different contexts, and the general meanings of the adverbial uses can only be given vaguely. Thus *við* meant generally 'for the purpose' or 'in the circumstances'; *til* 'ready (for the purpose), at hand'; *fyrir* 'in the way'; *t* 'in the matter (situation)'. *of* and *um* were frequently used in poetry with little significance beyond adding emphasis to the verb.

Adjectives

163. The weak form of the adjective was used after the definite article or a demonstrative pronoun; also in elliptical phrases in which the article has been omitted, e.g. *Gizurr (inn) Hvíti*. The strong forms of *samr* were rare; weak *sami*, &c., was usual, whether following a demonstrative or not. *annarr* and *allr* on the other hand were always strong.

An adjective denoting part of a thing agreed with the noun (where English has 'of' in a partitive sense), e.g. *hálft dýrit* 'half of the beast', *í miðju hafinu* 'in the middle of the sea', *þeir margir* 'many of them'.

A comparative adjective might be followed by *en* 'than' with the same case as the comparative, or, if *en* was not used, by the dative: *launaði hann því fleira?* 'Did he reward you with more than this?'

Of the numerals, most were used as adjectives, but those in *tigir*, as well as *hundrað* and *þúsund*, were nouns, followed by the genitive, e.g. *sex tigir skipa*.

Pronouns

164. The definite article *inn* was normally suffixed to its noun, unless an adj. preceded the noun. The two forms of the definite article *sá* and *inn* were often used together, as in *þat it helga sæti* 'the holy seat'. The article *inn* was sometimes repeated, as in *hafit þat it djúpa*, nearly equivalent to 'the deep sea'; here the definiteness of the articles gives an effect nearly like personification = 'the sea, the deep one'. The indefinite article was usually not expressed: *maðr hét Auðun* 'there was a man named Auðun'; but *einn* or *einnhverr* was sometimes used.

hvat followed by the gen. or dat. had the sense 'what manner of', as in *hvat hrossi* 'what manner of mare' = *hvat hrossa*, and *hvat látum* 'what manner of noise'.

A noun (usually a proper name) was often put in apposition, or partial apposition, to a dual pronoun of the first or second person, or a plural pronoun of the third person, as *vit Hǫttr* 'Hǫtt and I'; *þit móðir mín* 'you (sg. or pl.) and my mother'. In the third person it is not always clear whether the apposition is partial or complete; thus *þeir Grímr ok Helgi* might mean 'Grím and Helgi' or 'Grím and Helgi and their men'. Complete apposition was the more frequent in such expressions. When one name is given with a pl. pronoun the apposition is of course partial, as in *þeir Gizurr* 'Gizurr and his party'.

Sometimes when a pronoun was used in an ambiguous position the noun to which it referred was added to make the reference clear, as in

Auðun starfaði fyrir honum Þóri 'Auðun worked for him (i.e. for) Þórir'.

The plurals *vér*, *þér* were often used instead of *ek*, *þú*, especially when a king was speaking or being spoken to, but also by or to other persons of dignity.

sín, sik, sér were used only reflexively, referring to the subject of the sentence. Only in indirect speech put in the form of an accus. and infin. could these pronouns be used of the object (= subject in the original speech), as in *Þorvaldr bað Gretti hafa sik* (i.e. Grettir) *spakan*. Even in the accus. and infin., however, the reference was often to the subject, as in *goðin kváðu hann hafa vélt sik* (i.e. *goðin*).

Verbs

165. The chief auxiliary verbs were *vera* 'be', *hafa* 'have', *munu* 'will', *skulu* 'shall'. With *vera* and the pp. was formed the passive, and the perfect and pluperfect of verbs of motion, e.g. *ek em kominn* 'I have come'. With *hafa* and the pp. were formed the perfect and pluperfect of other verbs; the pp. was neuter sg. With *munu* + infinitive was formed a future, and with the past *munda* (varying with the pa. subj. *mynda*) a future conditional. *skulu* + infinitive also expressed futurity, but included a notion of necessity, duty, or intention. The infin. was sometimes omitted after *skulu* and *vilja*, especially of the verbs 'be' and 'go', as in *þá skyldi hann af kaupi* 'then he should be out of the bargain'.

166. There was no future tense in ON., and the future was expressed either by the present tense or by means of auxiliaries (§ 165).

167. The historic present was very frequent, and often alternated abruptly with the past tense; see, for example, 6/214–17, 7/347–9.

168. The subjunctive was used in principal clauses expressing doubt, a wish, or a command. It was used in nearly all subordinate clauses in which the statement was not regarded as a definite fact. The subj. and indicative often alternated inconsistently in indirect discourse. After most verbs of saying, declaring, &c., the accus. and infin. was usual.

169. The present participle, in addition to its ordinary uses, might have a gerundive function: *er nú gott beranda borð á horninu* 'there is now a good carrying margin on the horn'; *þetta sverð er ekki beranda, nema . . .* 'this sword is not carryable, except by . . .'. The participle is here adjectival.

170. The middle voice was used:

(i) in a purely reflexive sense: *verjask* 'defend oneself';

(ii) as the equivalent of an intransitive verb: *sýnask* 'seem' (cf. *sýna* 'show');

(iii) reciprocally: *brœðr munu berjask ok at bǫnum verðask* 'brothers will fight with brothers, and become each other's slayers';

(iv) passive: *at sættask við yðr* 'to be reconciled with you'; *landit eyddisk af* 'the land was depopulated';

(v) active (the reflexive suffixed pronoun being indirect): *eignask* 'possess (for oneself)';

(vi) in an accus. and infin. construction; when the subject of the infin. was identical with the subject of the sentence, it was often expressed as a reflexive pronoun suffixed to the verb: *Skírnir lézk ganga mundu* 'Skírnir said he would go'; *kváðusk komnar at langt* (with infin. *vera* omitted) 'said they had come a long way'.

The pp. middle was of necessity always neuter, as the only construction in which it could be used was in the compound tenses with *hafa*.

171. In ordinary prose use occurred two past infinitives; *mundu* and *skyldu*. In poetry occurred other past infins., but with the exception of *knáttu*, they were not frequent. The past infin. took its ending from the past indic. pl., and arose from syntactic misinterpretation of that form in such sentences as *hygg ek konur skyldu*, where the conjunction *at* is omitted after *ek*; the construction was then taken to be accus. and infin. There were also mixed constructions, as *Þórir kvað Gretti skyldi*, which must have assisted in the process of evolving the past infin. Though originally past in sense, it later came to be used also after verbs in the present tense.

172. Impersonal constructions were very frequent in ON.: *hingat leggr allan reykinn* 'the smoke lies all in this direction'; *uxa einum hafði slátrat verit* 'an ox had been slaughtered'. The indefinite 'one' was expressed in the same way: *þik skal út bera* 'you shall be carried out'. The impersonal construction was used sometimes even when the subject was quite definite: *ok freista skal þessar íþróttar* 'and this feat shall be tried (by you)'.

173. Abrupt change from indirect to direct narration was very frequent: *Hann vekr Sám ok bað hann upp standa — 'ok má ek eigi sofa'.* 'He woke Sám and told him to get up, "and I cannot sleep" (he said).'

PART V. METRE

174. The metres of the older Norse poems, such as *Þrymskviða* and *Hávamál*, continued in later popular poetry, are to be distinguished from the metres of the skalds, the court poets. The older metres (which may be called Edda metres) were sometimes used by the skalds, in stricter form than in popular use, but usually their poems were composed in the more intricate metres which were developed in their own poetic tradition. A good example of popular use of an old metre is in 16 B; an example of skaldic use of old metre is *Eiríksmál*.

175. ON. poetry, unlike most OE. verse, was strophic. The normal stanza consisted of four long lines; there were variants of the normal stanza-forms in which there were more than four long lines (see, for example, § 181 *end*), but usually the apparently varying stanzas of old poems were due to faulty preservation. In ON. tradition the unit verse was not the long line, but the half-line, which was called a *vísuorð* or line. Nevertheless it has been found more convenient to take the long line as the unit in this book, with the exception of the longer *vísuorð* of skaldic verse, which are treated as lines in the old manner.

176. The rhythms of ON. poetry resembled those of OE., being descended from the same Germanic verse-forms. Three degrees of accent are distinguished (§ 29), and length of syllables (§ 28) is observed. The rhythm consists of regular alternation of strong and weak metrical elements, known as lift and sinking respectively. A lift (´) was normally a syllable both long and accented; a sinking (×) consisted of an unaccented syllable, or of two consecutive unaccented syllables (rarely, and never in skaldic poetry, of three); the syllables of the sinking might be long or short, except that in skaldic poetry in sinkings of two syllables both were short (cf. note to 5/320). In some types, namely D and E below, a syllable of secondary accent regularly took the place of one sinking, and in other types also was often substituted for a sinking. In one type (§ 181) a syllable of secondary accent might be substituted for a lift. In type C below, the second lift was often so light as to be counted secondary when the word stood in any other position.

177. A lift might also consist of a short accented syllable with which was counted metrically a following unaccented syllable (‿‿́). Thus *fara* was taken to be metrically equivalent to *fór*. Two syllables taken as the equivalent of one long are said to be resolved. But when one lift followed immediately upon another, the second of them might consist of a single short accented syllable; a short lift also occurred in *ljóðaháttr*; see § 181.

178. After the syncope of unaccented vowels in the eighth century (§ 56), lines originally containing the metrical minimum of syllables were reduced below that minimum, and the reduced lines then came to be regarded as permissible variants and were imitated in later poems. For examples see § 180.

179. Half-lines were bound in pairs by alliteration of accented words. In vowel alliteration any vowel alliterated with any other, as in *Hefk erfiði ok ørindi*.

j also alliterated with any vowel, a convention going back to the period before the shifting of stress in falling diphthongs (§ 46); for example: *Œxtu undir jǫfra fundir*. *sk*, *sp*, and *st* usually alliterated with *sk*, *sp*, and *st* respectively, seldom with *s* + any other consonant. The alliterating letters were called staves (*stafir*, *hljóðstafir*). In the first half-line were one or two (*stuðill*, pl. *stuðlar*), and in the second one (*hǫfuðstafr*), regularly on the first lift.

The Edda Metres

180.   Fornyrðislag

This metre, used for most of the old narrative poems, consisted of lines closely resembling in rhythm those of OE. verse. The same metrical types of lines occurred, namely:

A *brœðr munu berjask*

B *es Óðinn ferr*

C *es vaknaði* (§ 176 end; § 177); *í jǫtunmóði*

D *mǫgr Hlǫðynjar* (§ 177); *hló Hlórriða*

   Extended D: *megir at meinsamir*

   D with inversion: *men bjóðum þér*

E *Laufeyjar sonr*

   Extended E: *áss's stolinn hamri*

   E with inversion: *Freyju at kván.*

Short types (§ 178) were three of the four half-lines in:

Ek bar einn   af ellifu

banaorð   Blástu meirr!

These lines were based on original A or B types.

A secondary accent might be found in the position of a sinking in type A, and sometimes secondary accents occur for both sinkings, as in *skeggǫld, skálmǫld.*

181.   Ljóðaháttr

In *ljóðaháttr* the stanza consisted of two long lines with caesura, alternating with two lines containing three stresses and no caesura. For example:

Deyr fé,   deyja frœndr,

deyr sjálfr it sama;

ek veit einn   es aldri deyr:

dómr of dauðan hvern.

The first and third lines were like *fornyrðislag*, except that the shortened types were more frequent. The two three-stress lines had each alliterating staves, which did not alliterate with any other line. The final word of a three-stress line had the metrical form ⌣́ × or ⌣́, less frequently, ⌣́ ⌣̀ (×). There might be three sinkings, but usually there were two, and sometimes only one. Instead of a lift following immediately on another lift, a secondary accent was often substituted, as in

×   ́   ́ ̀
en sjá hálf hýnótt.
×   ́ ⌣̀ × ⌣̀ ×
at fǫgnuði fǫður.

A form of the *ljóðaháttr* stanza, lengthened by adding another three-stress line, was called *galdralag.*

182.   Málaháttr

This metre was used in stanzas of four long lines. The normal types of line had five (or sometimes six) metrical elements, extended varieties of the five types of § 180. Examples:

     ×   ́ × ́ ×
A *þeir's ekki flýja* (frequent in the second half-line)
    ̀   × ́ × ́
B *þar's þú blæjan sátt*
    ̀ × ́ ́ ×
C *vilkat goð geyja*
    ́ × ́ ̀ ×
D *Hár inn Harðgreipi*
    ́ ̀ ×   ́ ×   ́ × ̀   × ́ ×
E *grey þykkjumk Freyja*; *vekka yðr at víni.*
                        × ́ × ́⌣̀ ×

Examples of six-element types: *at vinna erfiði*, and the last above.

183.   *Skaldic Metres*

The favourite metre of the skalds was *dróttkvætt* (also called *dróttkvæðr háttr*). The stanza consisted of eight three-stress lines, and the last word of each line always had the metrical form ́ ×. The rest of the line fell under one of the five types of § 180, though B and C were less frequent than the others. Examples:

            ́ ×   ́ ×   ́ ×
A *Emka rjóðr, né* ‖ *rauðum*
         ×   ́ × ́   ́ ×
B *hafa kváðu mik* ‖ *meiðar*
         ×   ́ ́ ×   ́ ×
C *meðan bilstyggvir* ‖ *byggva*
         ́ ́ ̀ ×   ́ ×
D *ørgrandari* ‖ *landi*
         ́ ̀   × ́   ́ ×
E *hvítings ok frið* ‖ *lítinn.*

When a secondary accent stood in the place of a sinking in type A, the lift of the other of the first two feet was usually short, as in

$$\acute{/}\quad \grave{\backslash}\quad \cup\times\quad \acute{/}\times$$
ræðr grǫnn, Skǫgul manni.

Dróttkvætt lines had internal rhyme (*hending*), of consonants with unlike vowels (*skothending*) in the odd lines, and full syllabic rhyme (*aðalhending*) in the even lines; the rhyme was between the first foot and the third, or the second and the third (never between first and second). Only accented and strong secondary syllables rhymed, not the unaccented endings. The rhyming syllables and alliterating staves are indicated by italics in the following stanza:

> Emka *rjóð*r, né *rauð*um
> *ræð*r *grǫnn* Skǫgul *mann*i;
> *járn* stendr *f*ast it *f*orna
> *f*enstigi mér b*enj*a;
> þat veldr *mér* in *mær*a
> margl*óð*ar, nú, tr*óð*a,
> *djúp* ok *D*anskra v*áp*na
> *D*ags hr*íð*ar spor sv*íð*a.

At the beginning of every second line there was a tendency to distribute the stress equally over the first two syllables. Thus the second line would be conventionally scanned $\acute{/}\,\grave{\backslash}\,\cup\times\,\acute{/}\,\times$; but *grǫnn* must have been given prominence by the *aðalhending* with *manni*, and in ordinary sentence-stress also would be as strong as *ræðr*. Probably the first two words were recited with nearly equal stress. The rhyme of *ǫ* with *a* in *aðalhendingar*, as in this example, was frequent.

184. Another variety of skaldic metre was *hrynhent* (*hrynjandi háttr*), which was composed in eight-line stanzas with *hendingar* as in *dróttkvætt*; but the lines were lengthened by the addition of $\acute{/}\times$. For example:

$$\acute{/}\times\quad \acute{/}\quad\times\quad \acute{/}\times\quad \acute{/}\times$$
Mínar biðk at munka reyni
$$\acute{/}\times\quad \acute{/}\times\quad \cup\times\quad \acute{/}\times$$
meinalausan farar beina;
$$\acute{/}\times\quad \acute{/}\times\quad \acute{/}\times\quad \acute{/}\times$$
heiðis haldi hárar foldar
$$\acute{/}\times\quad \acute{/}\times\quad \acute{/}\quad\times\quad \acute{/}\times$$
hallar dróttinn of mér stalli.

185. End-rhyme was called *runhending*, and the verse in which it was used *runhenda* or *runhendr háttr*. The earliest poem in *runhenda* which has been preserved is Egil's *Hǫfuðlausn*. The metre of *runhenda* was various; *Hǫfuðlausn* was based on the *fornyrðislag* line, but end-rhyme was also added to other types.

186. *Dróttkvætt* and other skaldic stanzas were used in occasional verses and epigrams (*lausavísur*), the short lay (*flokkr*), and the long lay (*drápa*). The *drápa* had a refrain of two or four lines every two, three, or four stanzas, and usually there were several refrains; see the complete though short specimen of the *drápa*, Egil's *Hǫfuðlausn*, p. 112. The *flokkr* had no refrain.

PART VI. OLD NORWEGIAN

187. Icelandic and Norwegian remained very similar until the thirteenth century, when important differences began to appear. There were dialects within Norwegian itself, which may be divided into two groups, East and West Norwegian. The dialectal boundary was roughly a line drawn from Grenland to Raumsdal. East Norwegian differed from Icel. more than West Norwegian, agreeing with Old Swedish in most of the additional differences. The most important differences between ONorw. and OI. in the thirteenth century may be classified as follows:

Spelling

188. æ was used in ONorw. instead of *ę*, and *æi* instead of *ei*, as in *bætri, ræið, þæim* = Icel. *betri, reið, þeim. ǫu* was used in ONorw. where OI. has *au: ǫuðit* 17/106 = OI. *auðit*.

Spirant *g* was usually written *gh*, as in *faghre, sæghir* = OI. *fagri, segir*.

Phonology

189. æ (= Icel. *ę*) remained distinct from *e* in ONorw., except in unaccented syllables; cf. ONorw. *bætri* and *fell* 17/4.

The front mutation of *ǫu* in ONorw. was *øy* (also written *œy*): *løyna* 17/16 = Icel. *leyna*.

o by *a*-mutation of *u* was not levelled by analogy as freely as in OI. (see § 32), especially in East Norw.: *sun* (from *sunr*) 17/1, 85, *skurð* 17/63 (where rhyme indicates original *skorð*) = Icel. *son(r), skorð*.

u-mutation of *a* by retained *u* was often absent (especially in East Norw.): *takum* 17/24, *sannum* 17/42; cf. *brǫkon* 17/59.

The lengthening of back vowels before back *l* + consonant (§ 54) did not take place in ONorw. or EN.

When a bilabial consonant preceded *i* which was followed in the next syllable by *u*, *i* might be rounded to *y* both in OI. and ONorw., but *y* from *i* was more frequent in Norw., in which it was extended by analogy: *myckla* 17/7 from the analogy of parts like *myklum*.

Where Icel. had the prefix *ó-* Norw. had *ú*: *úfriðr* 17/21. See § 60.

ONorw. had vowel harmony in unaccented syllables. *e* and *o* stood in unaccented syllables following accented *a, á, e, é, o, ó, ø, ǫ, ǽ*;

otherwise *i* and *u* respectively. Examples: *kononge, skipaðe, váro, undir, kriúpum, scipum.* Cf. OI. *konungi, skipaði, váru, undir, krjúpum, skipum.*

æ and sometimes *a* and *i* in an unaccented syllable became *e*, as in *enn* 'still', *þet* (Icel. *þat*), *mek* (Icel. *mik*).

Weakly accented *y* became *i* before *i* in the next syllable in PrN., but in Icel. the *y* was often restored by analogy; in Norw. *i* more frequently remained: *firir* 17/2 (also occurring in Icel., but usually *fyrir*).

hl and *hr* were voiced to *l* and *r* in ONorw.: *lackar, ringhabryniom* = Icel. *hlakkar, hringabrynjum.*

r was assimilated to a following *l*: *iall* = Icel. *jarl*; but the traditional spelling *rl* was often retained.

Initial *w* before *r* remained longer in Norw. than in OI., and in the south-west has survived as *v* at the present day: *vrœiðr* (modern *vreid*) = OI. *reiðr.*

190.   Accidence

Inflexional endings in ONorw. differed from those of OI. in accordance with the rules of vowel harmony (§ 189).

ONorw. had the following unaccented forms of the pronouns: *mek, þek, vet, sek* (in addition to accented *mik*, &c.). *mit* (*met*) and *mér* for *vit* and *vér* were peculiar to Norwegian. Note also ONorw. *þet* for *þat, þænn* (*þenn*) for *þann.* The dat. *hanom* was more frequent than *honom.*

In the second pl. of verbs ONorw. had the ending *-ir* (*-er*) beside *-ið* (*-eð*), *-it* (*-et*): *þér skulur* 17/18, *vilir þér* 17/24, *farit* 17/29.

The forms *meðr, viðr* were more frequent in ONorw., *með, við* in OI.

PART VII. EAST NORSE

191. Until about 1000 East and West Norse did not differ greatly. The chief differences which existed before the eleventh century were:

Vowels

192. In EN. *i-*, R-, *w-*, and *u*-mutation were obliterated by the operation of analogy in some forms in which these changes are apparent in WN.: *wōrœ* (subj.) 18/49, *þā*R iii/12, *nafnum* iii/12 = OI. *væri, þær, nǫfnum.* Similarly by analogy EN. often had *ia* and *io* as the fracture of *e*, in positions where WN. had the phonological developments *jǫ* and *ja*: *iatun* iii/12, *iorthæs* 18/13 = OI. *jǫtunn, jarðask.*

193. *o* from *a*-mutation of *u* was not levelled into unmutated forms as extensively as in WN.: *sun* 19/15, *guth* 18/72 = OI. *sonr, goð.*

194. The diphthongs consisting of *ē, ī,* or *y* followed by *a, o,* or *u* which arose by the loss of a consonant or by the addition of an ending, remained unchanged in EN., whereas in WN. the stress was shifted to the second element as in other diphthongs (§ 46). Thus EN. *sēa*; *þrēa*, *þrīa* (acc.) 21/18 = OI. *sjá*, *þrjá*.

195. The diphthong *iū* remained unchanged before dentals (cf. § 47): *fiūrir* 19/5 = OI. *fjórir*.

196. At the end of a syllable (and sometimes in other positions) EN. had *ō* = WN. *ū*: *troo* 20/55, *bōland* 21/12 = OI. *trú*, *búland*.

Consonants

197. EN. did not carry out the assimilation of *mp*, *nk*, *nt* as regularly as WN.: *enkia* 20/103, *sanc* 21/2 = OI. *ekkja*, *sǫkk*.

Accidence

198. EN. had the nom. acc. pl. of some masc. *i*-stem nouns in *-iar*, *-ia*, where WN. had *-ir*, *-i*: *drængiar* iii/16 = OI. *drengir*.

199. EN. had dat. pl. forms with the suffixed article ending in *-umin* (*-omen*) as well as *-unum*: *laghomen* 20/14.

200. EN. had the pronominal forms *iak* 'I', *wī(r)* 'we', *ī(r)* 'you' = WN. *ek*, *vér*, *ér*. EN. also had *sum* and *um* = WN. *sem*, *ef*. The use of *sum* as a relative pronoun was more frequent in EN. than the corresponding use of *sem* in WN.

201. Instead of the ending *-sk* of the middle voice EN. had *-s(s)*: *rēuus* 18/21, *sighs* 20/30.

202. The use of the middle voice in a passive sense was much more frequent in EN.

203. The following changes also took place before 1000, but not in all the EN. area:

  (i) *o* (from *u-w*-mutation of *a*) became *u* before *ggw* or *k(k)w*: *hugg(w)a*, *huggin* 20/93.

  (ii) *e* became *æ*, except in OGut.: *æn* 'but', *vægh* 20/23 = OI. *en*, *veg*.

  (iii) *æi* (from Germ. *ai*) became *ē*, except in OGut., in which the Germ. form of the diphthong survived: *stin* (i.e. *stēn*) iii/13, *ēn* 18/3 = OI. *steinn*, *einn*.

  (iv) *hl*, *hn*, *hr* were voiced to *l*, *n*, *r* respectively in ODan., and in OSwed. not long after 1000: *ruulfʀ* (i.e. *Rōulfʀ*) in a ninth-century Dan. inscription; *Læ* 18/47.

204. From 1000 to the end of the ON. period differences of EN. from WN. were multiplied. The differences of EN. spelling from that of thirteenth-century Icel. should be noticed first. As in ONorw. *æ* was used instead of *ę*, *gh* for spirant *g*. *v* (*u*) or *w* or (in Swedish) *fv*, *fw*

was used for voiced *f*. As in the older Icel. and Norw. manuscripts *i*
was used for *j* and often *c* for *k*, and (in Swedish) *þ* for *ð*. In Danish
both *þ* and *ð* were rare, *th* and *dh* being usual; these graphs were also
used in Swedish as well as *þ*. Front *g* (§ 222) was often spelled *gi*, and
front *k* often *ki*. *ǫ* was not distinguished in spelling from *o*. *ø* was
used for *œ*, so that there was short and long *ø*, and short and long *æ*;
in Icel. as normalized here *ø* was always short and *æ* always long.
Accents were not used, and length of vowel in EN. is here indicated
by a macron. The chief phonological differences from WN. which
arose in this period (1000–1500) and were common to Swedish and
Danish were:

Vowels

205. *ǫu* (from PrN. *au*) became *ø* in Dan. by *c.* 1050, in Swed. by
c. 1150, but in OGut. *au*, as in *dødh* 20/77, *Røth* 18/43 = Icel. *dauðr*,
Rauðr; but cf. OGut. *draumbr* = OI. *draumr*. The front mutation
of *ǫu* was *øy*, which became *ø* a little later than did *ǫu*; in OGut. this
mutation appeared as *oy*. Examples: *Læsø* 18/24, *u* iii/14 (= *ø*, or *øy?*
ø was a more normal value in runic spelling).

206. *ē* in most dialects was slackened and lowered to *ǣ* when
standing before a consonant or at the end of a word. Some examples
appear in Dan. in the tenth century, as *sǣr* iii/13; also *Lǣ* 18/24, *hǣr*
20/1 = OI. *sér*, *Hlér*, *hér*.

207. *iū* was simplified as *ȳ* after post-consonantal *r* in EN., in
ODan. as early as the tenth century; also after initial *r* and post-
consonantal *l* in both Dan. and Swed. about 1250–1300; *þrȳ* 21/55,
brȳtæ 19/10 = OI. *þrjú*, *brjóta*.

208. Consonantal *i* (*j*) caused 'progressive' mutation of a following
ā or *ǒ*. *ia* became *iæ*, *ie* in some dialects of Swed. in the eleventh cen-
tury, in Dan. in the thirteenth: *biærgh* 20/79, *iæten* 18/24, *ierl* 21/67.
iā became *iǣ* *c.* 1300: *thiǣnist* 20/39, *Siǣland* 18/60. *iǒ* became *iø* in
the fourteenth century, but this was not regularly carried out: cf.
iǒrthæthæs 18/13, *Sniō* 18/24.

209. *æ* became *i* before spirant *g* followed by *i*: *sighiæ* 19/8. Also
in syllables of weak or secondary accent as in *gifwa*, from unaccented
use, beside rarer *gæua* (WN. *gefa*).

210. *ā* became rounded to [*ǭ*] (written *a*, *aa*, *o*) in Dan. by *c.* 1300,
in Swed. by *c.* 1400: *wōræ* 18/72.

211. *ǫ* became *ø* before *r* or back *l* by *c.* 1300, except when leng-
thened (§ 213): *børn* 18/37.

212. *y* was unrounded to *i* in unaccented syllables, and also in
accented syllables if *i* followed in the next syllable: *iwirmannom* 20/25.
y was lowered to *ø* in a closed syllable before *r*, *l*, *n* in Dan. by *c.* 1300,
in Swed. by *c.* 1350: *spøriæ* 18/45, *følgdhe* 20/13 = OI. *spyrja*, *fylgði*.

213. Short accented vowels were regularly lengthened before *ng* and *rth*; often also before *ld*, *mb*, *nd*, *rt*, in Dan. by *c.* 1300, in Swed. by *c.* 1350; also before *r(r)*, which ended a word: *iōrthæthæs* 18/13, *wrōngær* 18/41, *fōr* 18/103.

214. Long vowels were shortened before other consonant groups (especially double consonants) if in the same syllable; the shortening of *ō* was *u* and of *ē*, *i*: *gut(t)*, neut. of *gōþer*. There was shortening also in weakly accented syllables: *Ārus* 20/78, *fātika* 20/103 = OI. *dróss, fátœku.*

215. Unaccented vowels were weakened: *a* became *æ* (then *e*), *i* became *e*, *u(o)* became *e*, *æ*: *thæt* 18/8, *thet* 20/85, *drikkæ* 18/30; *sek* 18/17; *ære*, *æræ* beside accented *æru*.

216. A glide vowel was developed between *r*, *l*, *n* and a preceding consonant, usually *æ*, but other vowels were also found: *lagmaþær* 19/11, *dōthær* 18/20.

217. Some dialects (especially in Skåne, Seeland, and West Gautland) had vowel harmony: *i* became *e*, and *u* became *o* after *ē*, *ō*, *ō̆*: thus, in selection xix, *ēgho*, but *skulu*; *mōte*, but *þingi*. But *hētir* occurred often as well as harmonized *hēter*.

218. ON. had a pitch accent as well as a stress accent. In syllabic pitch three heights may be distinguished: high, medium, low. There were compound accents in long syllables, as low-h́igh, by which is meant a pronunciation beginning at a low pitch and rising to a high pitch while uttering a single vowel or diphthong. In words in which the root-syllable was followed by a syllable originally long (remaining usually with shortened vowel in the literary period), if the root-syllable was long, it was medium-low, and the second syllable high, as in *brinna* 'burn'; if the root-syllable was short, as in OSwed. *livā* 'live' it was medium, and the second low-high. So also in trisyllabic words, the pitch of the last syllable being indeterminate. In words in which the root-syllable was originally followed by a short syllable, which was lost by syncope (§ 56), the root-syllable, if long, was probably low-high, and a second syllable low, as in *hundr* 'dog', *dœmði* 'judged'; if short, the root-syllable was probably low, as in *dagr*. In WN. the pitch accent survived only in East Norwegian. In EN. the pitch accent survived in Swedish; in Danish it was lost in words of the type *brinna* and *livā*, but in those like *hundr* it was transmuted into a glottal stop, known as the *stød*, with which the pronunciation of the vowel ends. The *stød* probably came into existence towards the end of the ON. period, but there is no certain evidence of it before the sixteenth century, when a Swedish author observed of the Danes: *the tryckia ordhen fram lika som the willia hosta* 'they press out the words as if they wish to cough'.

Consonants

219. *w* remained in EN. in positions where it became bilabial *v* in WN. Initially before *r*, *w* was not lost, but survived in some dialects as bilabial *v* (*vrækæ* 19/1), in others as *w* (*wrōngær* 18/41). In OGut. *w* was dropped in this position, as in Icel., as in *rācu* 21/26. Medially between vowels *w* became *gh*, as in *hūsfrūghæ* 18/91 (from MLG. *vrūwe*).

220. *f* before *n* (cf. § 69) was nasalized, and became *m* in most dialects *c.* 1275–1300: *næmnæ* 19/8, *iæmblinge* 18/86, *iemlica* 21/50 = OI. *nefna, jafnlengd, jafnliga.* As often in WN. also, medial *ƀ* followed by *u* was vocalized as *w* or *u*; when not so vocalized *ƀ* became voiced *f* (*u*): ODan. had *awnd* 18/44 = OI. *ǫfund*, but on the other hand *biæuær* 18/33 = OI. *bjórr.*

221. Initial *þ* became *t* in Dan. by *c.* 1350, in Swed. by *c.* 1400. The traditional spelling *th* was retained, but original *t* was not always distinguished from the *t* from *th*: hence such spellings as *thwa, thok* for *twā, tōk* in selections xviii and xx.

222. *g* and *k* were fronted before front vowels, and spelled *gi, ki* before *æ* or *ø*, as in *egiæt* 18/9 = OI. *eigit*; *kiǣr* 20/5 = OI. *kærr.*

Accidence

223. Final *-r* of the masc. nom. sg. and pl. was lost in EN. In Danish it began to disappear about 1150, in Swedish about 1300: thus *Haldan* 18/1 = OI. *Hálfdanr.* In ODan. *-r* of the gen. sg. was often dropped also, especially in combinations pronounced as compounds, as *Hodbrodæ søn* 18/68.

224. The demonstrative for 'this', 'the' (Icel. *sá*) was reformed in EN.

Usual forms were:

	Masculine	Feminine	Neuter		M. F. N.
Sg. N.	þæn	þē	þæt	Pl.	þē
A.	þæn	þā	þæt		þē
G.	þæs	þē, þēra	þæs		þēra
D.	þĕm, þŏm	þēre	þē, þe		þĕm, þŏm

Of the forms with *æ* variants with *e* were also found; see § 215. The dat. forms were also used as accus. and finally replaced the accus. entirely.

Specifically Old Danish

225. It is evident from the changes described above that EN. was less conservative than WN., and of the EN. dialects Danish was the least conservative. In the thirteenth century Danish was already farther morphologically from viking Norse than is Icelandic of the present day. Most of the changes common to EN. dialects began earliest in Danish. Further, in Danish:

(1) Intervocalic *k, p, t* became *g, b, d* during the period 1200–1350: *lægedōm* 18/30 (cf. OI. *læknisdómr*).

(2) Spirant *g* (*gh*) became *u* (*w*) when following *a, o, u* by *c.* 1200: *sauthe* 18/19 = OI. *sagði*. Following a front vowel spirantal *g* became *i*, 1250–1300; when next to *i, i* from *g* was dropped, especially in unaccented syllables, as in *æi* 18/36 = OI. *eigi*. In unaccented syllables the same loss of *g* is found in Swedish: *ey* 20/10, *ai* 21/30.

(3) In Dan. the 2 pl. of verbs, like the 3 pl., ended in -*æ*; in OSwed. the 2 pl. ended in -*in*.

The three chief dialects of ODan. were those of Skåne, Seeland, and Jutland. The *Gesta Danorum* is in the dialect of Seeland. Though the copy was written in the fifteenth century, the language is mainly that of the beginning of the fourteenth.

Old Swedish

226. Characteristic of OSwed. was its careful distinction of degrees of length and stress in syllables of secondary and weak accent. Thus the infin. ending of a verb with a short root-syllable was stronger than that of a verb with a long root-syllable, and in the earliest OSwed. was long: *komā, livā*. In many texts the vowel of the ending varied according to its stress and length, which depended on the length of the preceding syllable. By this 'vowel balance' *a, i, u* became *æ, e, o* when pronounced with slightly weaker accent: *gangæ, gialdæs*, but *fara, bæra*; *mōþer*, but *faþir*.

227. Dialects developed early in OSwed., being traceable from *c.* 1050. The most distinct and, in most respects, most conservative of them was Gutnish, illustrated in selection 21. The island of Gotland, it is believed, was once occupied by the Goths, and it is interesting to note that several of the features in which Gutnish differed from other forms of OSwed. agree with the phonology of Gothic. These are:

(1) Germ. *ai* was still *ai* (see § 203, iii): *haiþin* 21/43, *aiga* 21/13.

(2) OGut., like Gothic, had *i* and *u* where other Norse dialects had *e* and *o*: *mīr, sīr* (Icel. *mér, sér* from *meʀ, seʀ*), *hult* 21/42.

(3) As in Gothic *u* appeared as *o* before *r*: *ormar* 21/7.

(4) Germ. *au* was still *au* (see § 205): *draumbr* 21/6.

(5) A coincidence of word-sense is that *lamb* in OGut. and Gothic meant 'sheep'; in other Germanic languages only 'lamb'. The early Germ. borrowing of Latin *lucerna* is recorded only in Gothic *lukarn* and OGut. *lukarr*. MHG. *lucerne* was a later borrowing.

Yet at the period when the Goths were in Gotland, the Swedes also had the diphthongs *ai* and *au*, and the similarities (2), (3), and (5) may be accidental.

Other characteristics of Gutnish, as compared with other dialects of OSwed., were:

(6) The front mutation of *au* was *oy*: *droyma* 21/6, *hoystu* 21/45.

(7) EN. *iū* became *iau*: *þiauþ* 21/23.

(8) EN. *ǣ* became *ě*: *elzti* 21/19, *iec* 21/55; *smēri* 21/46.

(9) EN. *ø* became *ȳ*: *þȳtti* 21/8, *dȳdrum* 21/44.

(10) *u*- and *w*-mutation were absent: *hafþu* 21/46, *gart* 21/51.

(11) Initial *w* before *r* was dropped: *rācu* 21/26.

(12) The shortening of *ai* was *a*: *ann* 21/4, *att* 21/55 = OI. *einn, eitt*.

(13) The shortened forms *al* pl. *ulu* beside the full *scal, sculu*.

Other OSwed. dialects were less distinct. West Gautish resembled ENorw. in some characteristics: *i-j*-mutation, assimilation of nasal consonants, and *o* for *u* (§ 193) often agreed with ENorw. rather than Uppsala Swedish. The changes of *i* to *e* and *u* to *o* by vowel balance took place only after a syllable containing *ē*, *ō*, *ø*, by vowel harmony (§ 217). Other dialectal differences were too slight to be noticed here.

APPENDIX

THE OLD NORSE TONGUE IN ENGLAND

228. The earliest Scandinavian settlement in England was in 876, when an army of Danish vikings took land in Yorkshire. Most of the Scandinavian settlements in the east midlands too were made before the end of the ninth century, and they also were almost entirely Danish. Norwegian settlements were a little later, accomplished mainly in the first half of the tenth century, in the north-western counties and in Yorkshire. Most of the Norwegian settlers came from Ireland, which had been infested with vikings since the middle of the ninth century. Under the Danish kings who ruled England in the eleventh century few settlements were made; Knút sent most of his army back to Denmark when he had won England. Some of the Danish leaders, however, got lands in Worcestershire, and a Danish trading-colony grew up in London. The distribution of Scandinavian place-names indicates that Scandinavian settlement was thickest in Yorkshire and Lincolnshire, and the proportion of Scandinavian population in Cumberland and Westmorland was also high.

229. Only fragmentary specimens of the Norse spoken by these settlers have survived. Most of the Norse runic inscriptions in England are obscure or illegible. Besides the late inscription given on p. 186, there are only three that can be read. One of these is on a bone comb found at Lincoln, now in the British Museum; the runes, which belong to the eleventh century, form this sentence: *kamb koþankiari þorfastr*, that is, *kamb góðan giori Þorfastr* '(I), Þorfast, make a good comb'. If this comb was really inscribed in England, it gives evidence of a linguistic development in Anglo-Norse parallel to continental Norse, the fronting of *g* before a front vowel; see §§ 25 (5), 222. The Anglo-Norse form borrowed in English (ME. *gere* and *gare*) shows no trace of the fronting of *g*. The inscription also shows that the Norse inflexional endings were well preserved at a comparatively late date in Anglo-Norse. Another inscription was found on a stone in St. Paul's churchyard, London (and is now in the Guildhall Library), and is read: (*fi*)*na let lekia stin þensi auk toki*, that is, *Finna lǣt lǣggia stēn þænnsi auk Tōki* 'Finna and Toki had this stone set up'. The form *stin* shows that the language is EN., and would naturally be Danish rather than Swedish. *þænnsi* and *auk* are early forms, *þænnsi* being replaced by *penna* in literary Norse, while *auk* was shortened to *ok*; but it is possible also that *au* in this word is a runic graph for *o*. This inscription also belongs to the eleventh century; Wimmer dates it *c.* 1030. A twelfth-century inscription at Carlisle is read: *tolfihn uraita þæsi runr a þisi stain*, that is, *Dolfinn wrǣita þæssi rún(a)r á þessi stæin* '(I), Dolfinn, wrote these runes on this stone'. The demonstratives are not corrupt forms of *þessi* (§ 111), but are archaic; similar forms occur on continental stones. *wrǣita* is notable as preserving *w* before *r*; it also illustrates the tendency to regard past tenses ending in a dental as weak; *blóta*, &c., were similarly treated in Icel. Norse linguistic tradition is better preserved on this stone than on that of Pennington, p. 186, which cannot be much later. Other Norse runic inscriptions in England are: eleventh century, Harrogate (fragment: *-suna s-*), Bingley, Yorks. (illegible), Skelton-in-Cleveland (only the conj. *ok* clear), and from *c.* 1100 Thornaby-in-Tees (lost since 1904).

230. Much more can be made out concerning the language of the Scandinavian settlers from their personal names, the names they gave to places, and the Norse loanwords in Old and Middle English. OE. documents[1] and inscriptions[2] from the Scandinavian areas show that there was not much blending of Norse and English during the OE. period. Norse loanwords first became numerous in English in the twelfth century. The Norse inscriptions also prove that Norse was still used in some districts as a distinct language as late as the twelfth century. Comparisons of the Norse loanwords in English with literary Old Norse shows, however, that the forms adopted in English were

---

[1] Namely, the glosses on the Lindisfarne and Rushworth Gospels and on the Durham Ritual, a few northern charters (ed. Stevenson, *Eng. Hist. Rev.*, 1912), and the three late Northumbrian documents printed in *Herrigs Archiv*, vol. 111, pp. 275 f.

[2] For example, the dial at Kirkdale, Yorks., *c.* 1060: *Orm Gamalsuna bohte Scs Gregorius minster ðonne hit wes æl tobrocan & tofalan & he hit let macan newan from grunde Chr[ist]e & Scs Gregorius in Eadward dagum c[y]ng in Tosti dagum eorl. Þis is dæges solmer[c]æ æt ilcum tide. & Hawarð me wrohte & Brand prs.*

nearly the same as those of the viking period, such as appear in inscriptions 11 and 12. Evidently the phonology of Norse changed very little in England from the time of its introduction, *c* 875–950, until the adoption of loanwords in English (chiefly 1050–1200). The Norse forms that lie behind the loanwords are much more archaic than those of the thirteenth-century Icelandic of selections 1–16. It is clear that the following changes had not taken place:

(1) Loss of final *u*, § 57: OE. *lagu* = OI. *lǫg*.

(2) *u*-mutation by retained *u*, § 41: ME. *axeltre* = OI. *ǫxultré*. But *u*-mutation was usually absent in all types, as in ME. *addle* = OI. *ǫðlask*.

(3) Except initially, the stress had not been shifted in diphthongs (§ 46), as in ME. *derue*, which presupposes ON. *dearfr > OI. *djarfr*; but cf. ME. *ʒoten* (*Wars of Alexander*) = OI. *jǫtunn*; *York* = OI. *Jórk*; ME. *ʒarme* = OI. *jarma*.

(4) *w*-mutation of a preceding long vowel, § 43: ME. has: *skew*, *skiw* from the nom. *skīw, beside *sky* from the oblique cases with *j*-mutation (stem *skiuj-).

(5) Loss of *w* in certain positions, § 63: ME. *wrang* = OI. *rangr*. Loss of *w* after *ō* was not complete, the *w* surviving in some words as a bilabial *v*, giving *v* in ME. Thus ME. has *grove* = OI. *gróa*, *rove* (beside *ro*) = OI. *ró* 'rest' and *ró* 'rivet-plate'. Except in this position the change of Norse *w* to bilabial *v* had not taken place in Anglo-Norse: ME. *wand* = OI. *vǫndr*.

(6) Assimilation of *ht*, *mp*, *nk*, *nt* (§ 77) is found only in a few words, which were probably introduced later than the others (by the Norwegians in the tenth century): ME. *aghtle* = OI. *ætla*, ME. *banke* = Icel. *bakki*; cf. ME. *attle*, *ettle* from ONorw. *ǽtla*; ME. *slakke*, from ONorw. *slakke 'hollow'.

(7) Final *h* was not lost, § 64: ME. *þoh* = Icel. *þó*.

(8) Loss of *n* before *l* and *w* (§ 70): OE. *Anlaf* (but also *Olafar*) and *Inwær* = OI. *Óláfr*, *Ívarr*.

(9) Loss of *ð* before *n* (§ 66) not complete: OE. *Scōneg* = Icel. *Skáney*, ME. *bayne* = OI. *beina*, but also ME. *bayþene*, from *beiðna.

231. As it is known when the Scandinavians came to England, the reconstruction of the forms borrowed from them in English gives valuable evidence of the quality of Norse sounds of that time and so of the chronology of Norse sound-changes in the viking period. Thus loss of *ð* before *n* and of *w* after *ō* can be dated ninth century; loss of final *h* and final *u* are later than *c*. 900; assimilation of *ht*, *nt*, *nk* belongs to the first half of the tenth century; loss of *n* before *l* and *w* is later than before *r*, and probably later than 950.

232. The loanwords occasionally indicate forms that were peculiar to Anglo-Norse. Thus ME. has *syte* 'sorrow' presupposing Norse **sýt* = Icel. *sút*. Either the levelling of the varying vowel of the *i*-stem nouns (§ 86) had not taken place, or had taken place in the opposite direction from the recorded forms in ON. ME. also has *haʒer* 'skilful' = OI. *hagr*, gen. *hags*. The English form presupposes a Norse *hagr*, gen. **hagrs*, and it is likely that such a declension of the word was developed in Anglo-Norse on the analogy of *fagr*, gen. *fagrs*. No doubt phonological changes also took place in Anglo-Norse, but they are difficult to trace with certainty, and may have been parallel with OE. changes rather than with continental Norse. In its latest stage Anglo-Norse evidently fell into the same state as the latest Anglo-Norman, corrupt and Anglicized; this is illustrated by the Pennington inscription, p. 186.

233. The composite origin of Anglo-Norse (Danish and Norwegian) is illustrated by the loanwords in English. Though Danish and Norwegian were not very different at the time of the settlements, a certain number of the loanwords can be distinguished as belonging definitely to one or the other. Words of Norwegian origin are: *busk* (WN. *búask*), *boun* (WN. *búinn*), *bú* 'cattle', *bú* 'inhabitant' (WN. *bú*), *bouþ* (WN. *búð*), § 196; words with *i-j*-mutation where it was absent in EN. (§ 192): *lire* (WN. *hlýr*) 'face', *þreue* 'thrave' (WN. *þrefi*); words containing assimilation of *ht*, *nk*, *nt* (§ 230, 6): *stütte* (WN. *stytta*) 'to stint', *rukke* (cf. WN. *hrukka* 'wrinkle') 'to clean armour by rolling it', and *slakke*, *attle*, *ettle* (see § 230); three words of Celtic origin, brought by the settlers from Ireland: *caple* (WN. *kapall*) 'horse', *cross* (WN. *kross*), *erg* (WN. *erg*) 'hill-pasture'. Probably also some words which are recorded only in WN.: *addle* (WN. *ǫðlask*), *greiðe*, *hold* (WN. *hǫldr*) 'large landholder', *glaum*, *gill*, *scale* 'shieling', &c. Of Danish origin were: *tro* 'faith', *boþ* 'booth', *bone* 'ready', § 196; *bule*, *kunung*, *hul* 'hollow', *hulm* 'low-lying land', *lune* 'peace' (ODan. *lugn*), § 193; *sum* 'as', § 200; *þraue*, § 192; *keling* 'codfish' (ODan. *kēla*), *leʒhe* 'pay' (ODan. *lēgha*), § 203, iii. Probably also some words recorded only in EN., as *busk* 'bush', *harsk* 'harsh', *kay* 'left', &c. It is uncertain whether ME. *deʒen* 'to die' is from ODan. *dēja*, or from unrecorded OE. **dēgan*; WN. *deyja* would have given ME. *deʒʒenn* in the *Orrmulum* the only ME. text which gives definite evidence of the quality of the diphthong. So far as the chronology of the change *ey* to *ø* can be ascertained (§ 205), Danish origin is possible, but not probable, as few Norse loanwords, if any, came to England from the continent after *c.* 950.

GLOSSARY

ALL the words which occur in the texts for reading are glossed, but onl
selection of references to their occurrence in the texts is given. The referen
give first the number of the reading selection, and then the number of the ▮
in the selection, except that iii stands for 'Part III' (Runic Inscriptions), a
the arabic numeral which follows it gives the number of the inscription t▮
the word occurs in.

Loanwords. The origin of a loanword is given at the end of the entry of ▮
word, enclosed in [ ]. Early Germanic borrowings and words which pass
into Norse through the medium of another Germanic language are dist
guished by 'From' prefixed to the etymon.

Arrangement. The usual Scandinavian order of letters in the alphabe▮
adopted here, so that *ð* follows *d*, and *þ, æ, ǫ, ø, œ* follow *z* at the end of ▮
alphabet in the order given. Pre-literary R (which does not occur initia▮
follows *r*.

Index to Grammar. The glossary includes an index to the gramm▮
References are given to the numbered sections of the grammar, and ▮
placed at the end of the entry. Sometimes these references are intended o▮
to show how a word is inflected, and the section of the grammar cited ▮
then contain a description of the type of word in question, and may not d▮
with the word itself. The commoner and more easily recognized grammati
types are not indexed, namely: strong nouns of the *a-* and *ō-*declensio▮
§§ 80, 83; most nouns of the *u-*declension, § 88; most weak nouns; adjectiv▮
(unless *ja-, jō-*stems); weak verbs of conjugations 1 and 2. Most other nou▮
and verbs are referred individually to representative paradigms, and phon▮
logical peculiarities are also indexed.

The following indications of inflexion are given in the glossary itself: **(r**
or **(rar)** placed after a noun, or **(ran)** after an adjective, means that the fi▮
-*r* of the nominative is kept in inflexion. Similarly **(van)** placed after ▮
adjective means that it is declined like *hár* or *glǫggr*, § 100. The conjugati▮
of weak verbs of classes 1 and 2 is indicated by placing in brackets after ea▮
of them the form of the dental suffix of the past tense, as **gøra (ð)**, of t▮
first weak conjugation, § 136, or **kalla (að)**, of the second conjugation, § 14▮
When a verb of the first weak conjugation has a root-syllable ending in▮
dental consonant, the form of the whole dental group in the past tense ▮
given, as **leiða (dd)**, indicating a past 3 sg. *leiddi.* In verbs of the first we▮
conjugation which have short stems the vowel of the root-syllable is n▮
mutated in the past tense, which is given in full, as **flytja (flutti)**.

Small variations of normalization resulting from the inclusion of new tex▮
material, e.g. *orrosta, orrusta* and *mannfjǫldi, mannfjǫlði* are not always not▮
in the glossary.

Signs and abbreviations. A general list of abbreviations is given on p. xvi.
The following, however, are used only in the glossary:

‡ indicates that the following form or phrase is East Norse.

† indicates that the following form or phrase is Old Norwegian.

= placed between forms indicates equivalence of sense, and is used especially of variant forms of the same word or name.

n. after a reference number means 'See note'.

The following indicate cases used in constructions cited:

e-n (einhvern) = accusative of the person.

e-t (eitthvat) = accusative of the thing.

e-m (einhverjum) = dative of the person.

e-u (einhverju) = dative of the thing.

e-s (einhvers) = genitive of the person or thing.

A

á, *prep.* (1) *w. dat.* on, upon; at, in; to, towards; by (means of), 1/17, 103; (of time) in the course of, in, during, by, 1/3, 9, 4/8; *á þýzku*, in German, 5/189; (2) *w. acc.* to, towards, on to; (of manner) in; (3) *adv.* on(ward), 1/22, &c.

á, *f.* river, 5/157, 426, 9/185; § 83.

á. *See* EIGA.

-a, *enclitic adv.* not; § 151.

á-brandr, *m.* 'river-fire', gold.

á-byrgð, *f.* liability; *vera til ábyrgðar*, be risked, 6/628 *n.*

ábyrgðar-hlutr, *m.* deed or matter involving responsibility.

áðr, *adv.* before, first; **áðr (en),** *conj.* before, until, 1/337, 2/28.

af, ‡**aff**, *prep. w. dat.* out of, from, of; with, 1/199; concerning, 20/2; because of, through, 6/439, 7/97; *adv.* off, 17/119; ‡*waræ aff*, be made of, 18/38; *(vera) af*, be past, 6/780, 8/45; **af því at**, *conj.* because, for, 4/25.

af-hús, *n.* room at the side.

af-klæða (dd), to undress.

afl, *n.* strength, 1/199.

afli, *m.* power, aid, 6/364.

afl-raun, *f.* trial of strength.

‡**aflæ (æth)**, to beget, 18/11.

af-roð, *n.* loss; *gjalda a.*, suffer loss.

af-skipta, *indecl. adj.* cut off from inheritance.

afskræmi-liga, hideously.

‡**aft** = EPTIR.

á-girni, *f.* greed.

á-gæti, *n.* glory; celebration, 16/8; *pl.* glorious deeds, 5/100; *gøra at ágætum*, give great praise to, 11/46.

ágæt-liga, honourably.

á-gætr, famous splendid, excellent.

á-hyggja, *f.* care, anxiety.

‡**ai**, 21/25 = EIGI; § 225 (2).

‡**aig(h)a** = EIGA; § 227 (1).

‡**aina**, 21/28. *See* EINN.

á-k, 9/175, 13/94 = *á ek*, I have.

aka, to drive, 13/55; §§ 61 (6), 132.

á-kafi, *m.* vehemence, heat, 9/247.

ákaf-liga, vehemently, exceedingly.

á-kafr, vehement; **ákaft,** *as adv.* greatly, 3/108.

akarn, *n.* acorn.

akkeri, *n.* anchor. [From Lat. *ancora*.]

akr (rs), *m.* field; arable land.

al-, *prefix,* completely, thoroughly. Distinguish ALL-.

‡**al**, 21/15 = *skal*; § 227 (13).

ala, to give birth to, bear; feed; § 132.

álar-endi, *m.* strap-end.

al-brynjaðr, all clad in mail, 17/14.

al-búinn, quite prepared.

al-byggðr, completely settled.

‡**ald**, *f.* age, generation, iii/12.

aldinn, old, aged, 1/475, 13/130; § 71.

‡**aldir**, 20/28 = *allir*. *See* ALLR.

aldr (rs), *m.* age; *allan a.*, through all time; *vera við aldr*, be well on in years, 5/216.

aldre-gi, aldri, ‡aldr-igh, never; § 151.

aldr-nari, *m.* the nourisher of life, fire.

‡aldræ-gǫtæ, -gǫtø, *indecl.* of all the West Gautar, 19/3, 8. [Orig. gen.]

‡aldør-dǫm, *m.* old age, 18/98.

á-lengðar, for the future.

álfr, *m.* elf, 1/476 *n.*, 13/26.

al-grár, all grey.

á-liðinn, *pp.* far-spent; *at dliðnum degi*, at the end of the day, 5/508.

á-lit, *n.* feature, aspect.

all-, *prefix*, very. Cf. AL-.

all-djarfliga, very boldly.

all-frægr, very famous.

all-frœkn, very courageous.

all-fúss, very eager.

all-glǫggsær, clearly visible.

all-góðr, very good.

all-harðr, severe, violent.

all-lítill, very little; *ekki a. fyrir sér*, no weakling, 3/59.

all-mikill, very great.

all-nærri, very near.

all-ógurligr, most terrible.

allr, all; *alt*, all the way, 1/139 *n.*; *alt t*, right into, 7/20; *alls engi*, none at all, 5/355; *alls*, of all, 13/5; *með ǫllu(m)*, wholly, completely; § 76.

all-reiðr, very angry.

all-sannr, quite true.

all-sterkr, very strong.

all-stórum, enormously.

all-valdr, *m.* sovereign ruler.

all-vegliga, splendidly.

all-vel, very well.

‡allær. *See* ELLAR.

almannavegr, *m.* main road, route normally followed.

al-menniligr, universal.

al-menningr, *m.* full levy of men.

‡al-mǫg(h)e, *m.* the people, the commons.

‡almosa, *f.* alms-giving, 20/41. [Pop. Lat. *alimos(i)na*.]

almr, *m.* elm; bow, 9/218.

al-mæltr, said by all.

al-sekr, *m.* full outlaw, 6/503 *n.*

al-snotr (ran), very wise.

al-svartr, pure black.

al-vápnaðr, fully armed.

al-væpni, *n.* complete equipment of arms; *með a.*, fully armed.

al-þýða, *f.* the whole people.

á-máttr, terrible, loathsome.

ambótt, ambátt, *f.* bondwoman, handmaid. [From Celt. *ambakt-.*]

amma, *f.* grandmother.

á-mæli, *n.* blame, reproach.

ámælis-samr, bringing reproach, shameful.

an, iii/12, archaic = Á, *prep.*; § 70.

án, *prep. w. gen.* without.

andask (að), to die.

and-dyri, *n.* vestibule of hall; *see* p. 229.

andi, *m.* spirit.

and-lát, *n.* death.

and-lit, *n.* face.

‡andræ, ‡andra, ‡androm. *See* ANNARR.

and-skoti, *m.* enemy, adversary.

and-varða (að), to commit, 20/87.

angan, *f.* joy; beloved one.

angra (að), to distress.

ann. *See* UNNA.

‡ann, ‡ain- = EINN; § 227 (12).

annarr, *adj. and pron.* other, another; second, next, 1/81, 96, 260; one (of two), 1/123, 181; *sem . . . aðrir*, (see note 13/61); *annarr . . . annarr*, one . . . the other, 1/241, 5/73, 258 *n.*; *hverr . . . annan*, each . . . other; *hvert at ǫðru*, *annarr at ǫðrum*, one after another, 4/96, 6/432, 10/121; *‡andræ*, *pl.* = *aðrir*; §§ 70 77, 101.

annarr hvárr, one or other, either.

annask (að), to take care of, provide for.

annt, *neut. adj.* eager, anxious, 5/276 *n.*

‡anzuara (aþ), to answer.

aptann, *m.* evening.

aptr, †aftr, ‡atir, back; aft, 10/112; *‡vara atir*, remain behind, 20/101, 102; § 106.

aptrgǫngu-maðr, *m.* one who walks after death.

ár, *n.* year; (good) season, 16/133 *n.*

ár-angr (rs), *m.* season.

á-reið, *f.* cavalry charge, 17/66.

‡arf, *n.* inheritance.

arfa-sáta, *f.* heap of chickweed (*arfi*).

ár-ferð, *f.* (fortune of the) season.

arfr, *m.* inheritance.

argr, cowardly, womanish.

ari, *m.* eagle.

ár-maðr, *m.* steward.

armr, poor; wretched, hateful, 13/117.

ár-óss, *m.* mouth of a river.

‡arwæ, *m.* heir.

á-ræði, *n.* daring, courage.

á-samt, together; *koma á.,* be agreed.

á-sauðr, *m.* ewe; *fimm tigu ásauðar* (*gen. sg.* used collectively), fifty ewes.

á-sjá, *f.* help, protection; § 93.

aska, *f.* ashes.

askr, *m.* ash, ash-tree; spear.

ás-megin, *n.* divine strength.

áss, *m.* god. *See* Index of Names, *s.* ÆSIR.

áss, *m.* beam, pole.

áss-endi, *m.* end of roof-beam.

ást, *f.* and ástir, *f. pl.* affection, love.

ást-leysi, *n.* lack of affection.

at, *n.* thrusting, 9/201.

at, *rel.* who, that, 14/107.

at, *prep.* (1) *w. dat.* to, towards, against, 3/42, 16/45; close up to, 7/69; at, in, 1/10, 96; by, 1/90, 2/105, 20/23; from, 5/28, 116; according to, 2/6, 4/15; as regards, 12/1; concerning, 1/161, 7/310; for, as, 13/32; after, 6/432; (of time) at, in, 12/95; *vera at,* to be busy at, 12/134; *at því er,* how, 4/131; (2) *w. infin.* to, in order to, 1/88; (3) *adv.* 2/9, 6/314, 7/162, &c.; in this, 6/441; (4) *w. compar.* the, 2/15, 7/106, 9/154.

at, *conj.* that; so that, 17/99; redundant in 3/83, 5/34, 11/56. *See* Þó, Því.

át, *n.* eating.

át, *pa. t. sg.* of ETA.

-at, *enclitic adv.* not; § 151.

atall, fierce, terrible.

at-burðr, *m.* event, occurrence.

at-dráttr, *m.* provisions, supplies, 6/625 *n.*

at-ferð, *f.* behaviour; energy, 9/152.

at-ferli, *n.* proceeding.

at-ganga, *f.* assault, violence.

at-geirr, *m.* thrusting-spear, 7/32 *n.*

at-gǫrvi, *f.* ability, prowess; § 94.

atgǫrvi-maðr, *m.* man of great physical accomplishments.

átján, eighteen.

at-laga, *f.* laying of ships alongside for attack; attack.

atmæla-samr, fault-finding.

at-rið, *n.* movement; *hafa alt eitt a.,* do two things in one swift movement, all at once, 8/78.

á-trunaðr, *m.* belief.

at-seta, *f.* residence.

at-sókn, *f.* attack.

‡att, 21/55 = *eitt. See* ‡ANN, EINN.

átt, átti. *See* EIGA.

átta, eight; § 53.

átt-rœðr, eighty years old.

‡ātæ, *pa. t.* of *ætæ* = ETA.

‡atær, ‡ater, ‡atir = APTR.

auðigr, rich, wealthy.

auðit, *neut. pp.* fated, 7/193, 17/106 (*w. gen.*).

auð-kenniligr, easily recognizable.

auðna (að), *impers.* to fall out by fate; *sem auðnar,* as fate decides.

auð-sénn, easily seen, evident.

auð-sýnn, clear, evident.

auð-œfi, *f.* wealth, possessions.

auga, *n.* eye; *at augum,* open-eyed, 14/115.

aug-sýn, *f.* sight.

auk, iii/11, archaic = OK.

auka, *w. dat.* to increase, add, 1/425, 4/5; *þar viðr a.,* add to it, 4/3; *jók nú miklu á,* his reluctance was now increased, 12/105; *aukask,* to be increased; ‡*aucapis,* multiplied, 21/21; § 133 (ii).

auki, *m.* increase; *fœrask í aukana,* to exert the utmost of one's strength, 8/76.

aura. *See* EYRIR.

austan, *adv.* from the east; **fyr(ir) austan,** *prep. w. acc.* east of; *adv.* so that, 5/302.

aust-maðr, *m.* Easterner, Norwegian.

austr, *n.* the east; *adv.* eastwards, 1/138; in Norway, 4/66; § 106.

austr-vegr, *m.* the east; the Baltic lands.

auvirði, *n.* worthless wretch.

auvirðis-maðr, *m.* worthless wretch.

áv-alt, always.

á-vant, *adj. n.* lacking; *þykkir mér d.*, I think I lack, 13/95.

á-vǫxtr, *m.* increase, growth.

‡**awnd,** *f.* hatred, envy; § 220.

áæggja (að), to urge on, 17/84.

B

‡**baddus,** 21/32. *See* BIÐJA.

‡**bādhe,** 20/3 = BÆÐI, conj.

bað, báðu. *See* BIÐJA.

báðir, both; § 116.

bagall, *m.* episcopal staff, crozier. [OIr. *bachall*, from Lat. *baculus*.]

baggi, *m.* bag.

bak, *n.* back; *af baki*, from his horse, 5/124; *á bak aptr*, behind their backs (6/572).

baka (að), to bake.

bak-borði, *m.* port side of ship, 5/43 *n.*

bakki, *m.* bank.

bál, *n.* fire, 14/74.

bálkr, *m.* partition, wall, 11/130.

‡**bamba,** *f.* drum.

bana (að), to kill (*w. dat.*).

bana-hǫgg, *n.* death-blow.

bana-maðr, *m.* slayer.

bana-orð, *n.* tidings of death; *bera b. af e-m*, slay one in fight, 1/459, 16/52.

bana-sár, *n.* mortal wound.

band, *n.* bond, fetter, 1/420.

bani, *m.* death; cause of death, slayer.

banna (að), to prohibit, forbid.

bardagi, *m.* fight, battle.

barðir, barðisk, ‡**barþær.** *See* BERJA.

‡**barmr,** *m.* bosom, 21/7.

barn, *n.* child.

barn-œska, *f.* childhood.

bar-smíð, *f.* assault, fight.

bati, *m.* advantage.

batna (að), *intr.* to improve; impers. *e-m batnar e-s*, one gets better of a sickness, 16/71.

bátr, *m.* boat. [OFris. *bāt.*]

batt, bauð. *See* BINDA, BJÓÐA.

baugr, *m.* ring; coil, 21/11.

baug-set, *n.* 'ring-seat', arm, 9/231.

baug-skati, *m.* ring-giving prince.

baztr, ‡**bedæs.** *See* BEZTR, BEIÐA.

beðr, *m.* bed; § 81.

beiða (dd), to ask, request (*b. e-n e-s*); *refl.* ask for oneself, 1/13, 18/100.

beiði-Týr, *m.* 'Týr who requests', 5/313 *n.*

bein, ‡**bæin,** ‡**bēn,** *n.* bone; *hafa b. í hendi*, to be big-boned in the fist, i.e. powerful, 6/222.

beina (d), to further, assist, 5/13 *n.*; *b. at með e-m*, give help to one, 7/328; §§ 66, 230.

beina-bót, *f.* improvement of hospitality, 16/8.

beina-hrúga, *f.* heap of bones.

beini, *m.* help, benefit.

beita (tt), to sail near the wind, beat, 5/237.

beizl, *n.* bridle.

bekkr, *m.* bench; § 87.

bekk-þili, *n.* boards of the benches, the benches.

belgr, *m.* skin (of animals), 5/365; bag, 2/36; §§ 86, 87.

bella (d), to dare; deal with or in; *belt við*, committed against, 9/62; *lygi of b.*, deal in falsehood, 13/41; **bellendr,** *pres. p. pl.* those who take part in, 5/323 *n.*

ben, *f.* wound, 11/124; § 84.

‡**bēn** = BEIN.

ben-grefill, *m.* wound-engraver.

ben-már, *m.* 'wound-mew', raven.

ben-þiðurr, *m.* 'wound-grouse', raven.

bera, ‡**bæræ,** to bear: (1) to bring, carry, 1/114, 3/95; *b. af skipi*, unload the cargo, 5/26; *b. eld at* (or *i*), set fire to, 7/222, 239; *b. eptir*, bear with one, have, 8/107; *b. mat fyrir e-n*, set food before one, 7/130; (2) wear, 8/127; (3) give birth to, 1/52; (4) overcome, bear down, 2/85, 5/401; *b. e-n ráðum*, overrule, 7/183; (5) *b. sik*, comport oneself, 7/144; *b. sik vel upp*, be of good heart, 6/475; (6) endure, 9/41; (7) bear (witness), 19/7; *b. upp* (or *fram*), set forth, state, 4/94, 6/490; (8) *b. frá*, be wondrous, 4/95; (9) *b. til*, happen, come to pass, 5/369; *b. til tíðenda*, come to pass, 5/178; *berask at*, happen, 6/510, 12/186, 17/116; (10) impers. *berr fyrir vestan fram*, they bear to the west, 5/424; *e-n b. við e-u*, one passes in front of something, 7/32, *e-n b.* (*yfir*), advance 6/116, 556, 777; (11) of cause, *bar* (impers.) *honum enga nauðsyn*, he had no obligation, 9/46; (12) *berask e-t fyrir*, plan; *hvat er hann bærisk fyrir*, what he was going to do, 5/27; **beranda**, 1/293, 3/140, see § 169; §§ 61 (4), 130.

berg-risi, *m.* hill-giant.
berja (barði, *pp.* bar(i)ðr), to smite, beat; *refl.* fight, 1/86, 17/19.
berr, bare, 5/256.
berserkr, *m.* berserk, 16/16 *n.*; § 87.
betri, *adj.* better.
beygja, *f.* affliction, 16/129.
beygja (ð), to bend, arch.
bezt, bezta, *adv.* best; § 153.
beztr, baztr, *adj.* best.
bíða (að), to await, 17/45.
bíða, to await (*w. gen.*), 6/400, 7/322, 8/28; *b. elli*, live to old age, 1/388; *b. bana*, suffer death, 16/77; *b. ró*, have peace, 9/108; § 127.
biðja, to ask, 2/99; beg, 12/45; pray, 11/2; bid, 1/63, 18/24; *b. e-n e-s*, ask one for a thing, 1/132, 6/375, 10/120; *b. e-m e-ar*, ask for a woman in marriage on behalf of another, 1/71, 77; *biðjum*, I ask for myself, 9/178; *biðjanda*, 9/137, see § 169; §§ 108, 131, 157.

bifask (ð, að), to tremble, 13/52; be moved, 8/60; be marching, 15/9.
bikkja, *f.* bitch, dog, 3/98 *n.*
bil, *n.* moment (of time).
bil-styggr, quickly moved, energetic.
bilt, *adj. n.* startled, 1/160 *n.*
‡**bín**. See BÝ.
binda, to bind; dress; §§ 49, 77, 125, 129.
birgðir, *f. pl.* provisions.
birgja (ð), to supply, provide.
birta (t), to display; *refl.* be illumined, 1/58.
biskup, *m.* bishop. [OE. *biscop*.]
biskups-stóll, *m.* episcopal seat.
bíta, to bite, cut; § 127.
bitr (ran), biting, keen; fierce, brave.
bittu = imper. of BINDA + ÞÚ.
‡**biúdha** = BJÓÐA.
‡**biærgh** = BJARG; § 208.
‡**biæuær**, *m.* beaver, 18/34; § 220.
‡**biæuær-þræl**, *m.* beaver that is thrall.
bjalla, *f.* bell. [OE. *belle*.]
bjarg, ‡**biærgh**, *n.* rock, stone, 1/18; crag, cliff, 1/419, 5/294; §§ 45, 61 (3).
bjarkan, *n.* birch, 16/136.
bjarn-báss, *m.* pit for catching bears.
bjarn-dýr, -dýri, *n.* bear.
bjartr, bright.
bjó, pa. t. sg. of BÚA.
bjóða, ‡**biúdha**, to offer, 1/3, 89, 6/242, 12/174, 17/86, 20/31; provide, 9/212; invite, 1/115, 5/476; challenge, 1/339; bid, command, 3/91, 17/60; threaten, 9/247; call upon, summon, 6/488; *b. e-m heim*, invite to one's house, 5/473, 476; *b. upp*, give up, 1/304; *pp.* bidden (by nature), 7/337; *refl.* offer oneself, 9/175; §§ 46, 47, 123, 128.
bjóðr, *m.* giver, 9/227.
bjoggu. See BÚA.
bjór-ker, *n.* beer-goblet. Cf. KAR.
bjórr, *m.* beer, 11/83.
bjórr, *m.* piece of leather, 1/465.
bjǫð, *n. pl.* fields, land, 9/176.

bjǫrg, *f.* means of subsistence.

bjǫrg, pl. of BJARG.

bjǫrn, *m.* bear; § 88.

blakkr, black; dark, 11/82.

‡bland, in ‡í bland, *prep. w. acc.* among.

blanda, to mix, 5/413; § 133 (iii).

blandask (að), to have dealings with, 5/219.

blár, blue; black; § 97.

blása, to blow, 1/431, 445; *blásinn*, bare, stripped by the wind, 6/785; § 133 (iv).

blautr, wet.

bleikr, white fair.

blesóttr, having a white mark on the forehead, 17/1.

bleyta, *f.* soft, swampy patch of ground.

blíða, *f.* friendliness.

blíðr, gracious, pleasant.

blindr, blind; § 96.

blóð, *n.* blood.

blóð-refill, *m.* point of sword.

blóðugr, bloody.

blót, *n.* sacrifice.

blóta (‡að), to sacrifice (*w. dat.*); §§ 133 (v), 229.

blótan, *f.* sacrifice, 21/45.

boð, *n.* offer; feast, festival, 16/3; summons, 10/44.

boða (að), to preach.

boðs-maðr, *m.* guest.

boga-strengr, *m.* bow-string.

bogi, *m.* bow; §§ 61 (2), 92.

bógr, *m.* shoulder; § 88.

bóg-viti, *m.* 'arm-fire', gold.

bók, *f.* book; § 89.

bokki, *m.* buck, fellow; *b. sæll*, good sir, 3/10.

‡bó-land, *n.* inhabited land, 21/12; § 196.

bónda-lið, *n.* yeoman army, 11/62 *n.*

bónda-son, *m.* son of a *bóndi*.

bóndi, *m.* yeoman, franklin; husband, 21/9; ‡bónde, 19/19; § 91.

borð, ‡bórth, *n.* board; rim, margin between rim and liquid, 1/293; table, 1/345, 18/22; side of ship; *fyrir b.*, overboard, 10/117.

borð-meiri, rising higher above the sea.

borg, *f.* stronghold; town, 9/1.

borgar-gørð, *f.* building of a stronghold.

borg-hlið, *n.* gateway of a stronghold.

*bor-móðr, bored with a gimlet, iii/2.

bort, borto. *See* BRAUT.

bót, *f.* compensation, atonement; § 89.

brá, pa. t. sg. of BREGÐA.

bráðr, sudden, hasty; brátt, *n. as adv.* soon.

bragð, *n.* sudden movement; *leita til bragða*, try tricks (in wrestling), 1/336; *at bragði*, for the time, 6/456.

bragða (að), to move, stir.

brag-þáttr, *m.* poetry.

braka (að), to crack, creak.

brandar, *m. pl.* the parts of a ship's beak; a ship's beak, 16/165.

brandr, *m.* brand, blade; firebrand.

brátt. *See* BRÁÐR.

bratt-leitr, having a prominent forehead.

brattr, steep.

brauð, *n.* bread.

brauð-gørð, *f.* bread-making.

braut, *f.* road; (í) braut, (á) braut, í brott(u), brott, ‡bort(h), *adv.* away, 1/216, 3/35, 70, 5/277, 12/81, 14/143, 21/27, 35.

braut, 1/120, brauzk, 8/75. *See* BRJÓTA.

bréf, *n.* letter. [MLG. *bréf*, from Lat. *breve*.]

bregða, *w. dat.* (1) to move quickly; throw, 1/367; draw (sword), 2/78, 3/102, 8/92, 17/110; move, stir, 3/103; *b. e-u í*, thrust into, 5/149; *b. e-u upp*, lift up, 1/122, 5/360; raise (to strike), 1/395; (2) *b. til*, start off on, 5/9; (3) change, 8/15 *n.*; (4) give up; *b. búi*, give up one's farm, 5/9; (5) *b. sér, bregðask*, flinch, 2/30, 7/83; (6) *bregðask e-m*, fail, disappoint, 5/293; (7) *impers.*

e-m bregðr við, one is afraid, 8/90;
brá mǫnnum mjǫk við þat, they
were greatly startled at this, 7/146;
§ 129.

breiða (dd), to spread.

Breiðfirzkr, from Broadfirth.

breiðr, broad; *breiðir steinar*,
brooches, 13/66; *bíta breiðara*, take
bigger bites, 13/103.

breið-øx, *f.* axe with a long blade.

brekka, *f.* slope, hillside.

brenna, *intr.* to burn; § 129.

brenna(d), *trans.* to burn, light,
14/74; *b. inni*, burn (a person) in
his house, 7/59.

brenna, *f.* burning.

bresta, *intr.* to break, burst; twang,
10/160; *b. up*, burst forth, 20/99;
§ 129.

breyta (tt), to act, do.

brimill, *m.* (a variety of) seal;
brimils vǫllr, the seal's field, the sea.

brim-sker, *n.* rock on which waves
break, 16/114; § 81.

brjóst, *n.* breast.

brjóta, to break, break into, 1/120,
5/501, 16/42; destroy, 1/397; vio-
late, 9/81; deal out, distribute,
9/227; *b. (skip)*, be wrecked,
12/144, 148; *b. upp grjót*, pull up
stones, 6/789; *refl.* exert oneself,
struggle, 8/75; § 128.

brodd-flǫtr, *m.* 'field of spear-
points', shield, 9/231.

broddr, *m.* point of spear.

bróðir, ‡**brōthær**, *m.* brother; § 90.

brotna (að), *intr.* to break.

brott, brottu. *See* BRAUT.

brott-hlaup, *n.* running away.

brottkvaðning, *f.* dismissal, sen-
ding away.

brú, *f.* bridge; § 83.

brúð-fé, *n.* bridal gift.

brúðr, *f.* bride; § 87.

brullaup, brúð-laup, *n.* wedding,
wedding feast; *See* BRAUT. *ganga at b-i með
e-m*, marry, 1/79.

brún, *f.* eye-brow; § 89.

brún-áss, *m.* ridge-beam; see
p. 229.

bruni, *m.* heat, fire.

brúnmóálóttr, brownish-grey with
a dark stripe down the back.

‡**brut-pæningar**, *m. pl.* toll paid on
departure, 20/29.

bryggja, *f.* landing-stage, quay.

brynja, *f.* coat of mail, 20/43;
§ 93.

brynju-lauss, without mail, unpro-
tected, 17/51.

brýnn, clear, urgent.

brýnn, nom. acc. pl. of BRÚN.

bryti, *m.* bailiff, steward; § 92.

‡**brýtæ**, to break, violate, 19/10 =
BRJÓTA; § 207.

brǫkun, *f.* clashing, 17/59.

brœðr, pl. of BRÓÐIR.

bú, *n.* farming; farm, dwelling; live-
stock, 10/51.

búa, (1) to prepare, 10/37, 12/134;
b. til, prepare for, 1/175, 3/128; *b.
um*, arrange, set up, 3/117, 8/41; *b.
um sik*, make one's bed, 7/300,
315; *b. um skip*, prepare a ship (for
the winter); (2) array, dress, 5/253,
478, 481, 12/99; (3) dwell, 5/3,
16/25; *w. acc.* inhabit, dwell in,
13/73; *búið heilir*, dwell in peace,
farewell, 14/143; (4) have a house-
hold, keep house, 6/200; (5) be; *b.
í skapi*, be on one's mind, 6/419;
(6) *pp.* ready, 1/344; ready to sail,
5/32; adorn, mount, 5/485, 6/325;
búit, equipped, 6/797; *búinn til*,
ready for, 1/184; prepared, able,
7/283; *b. við*, prepared to, ready
for, 1/232; *b. of*, provided with,
1/250; *svá búit*, in such cir-
cumstances, as matters stand,
3/69; *er búit við*, the situation will
be, 12/54; *við svá búit*, without
more ado; (7) *refl.* prepare (one-
self), 5/395; prepare for a journey,
prepare to go, 5/202, 6/272, 12/131;
prepare to go, 5/304, 410, 6/314;
b-sk til, make ready for, prepare
for, 1/168, 17/29; *b-sk til ferðar*,
set out, 5/182; *b-sk um*, make one-
self secure, 3/16; encamp, take
quarters, 5/161, 267; *b-sk við*, be
prepared for, expect, 8/80, 9/102;
§ 133 (ii).

búð, *f.* booth, temporary dwelling, 4/103 *n.*; § 87.
buðlungr, *m.* king, prince, 14/121.
buðu, pa. t. pl. of BJÓÐA.
bú-fé, *n.* farm-cattle.
†**bughr**, *m.* curve; *í bugh skialdar*, behind the curved shield, 17/61.
búi, *m.* neighbour, 6/271.
búit, *pp. as adv.* may be, 7/23.
búnaðr, *m.* equipment, 17/102.
búnir, pp. m. pl. of BÚA.
burðr, *m.* birth; § 87.
‡**burg**, 21/29 = BORG.
burr, *m.* son; §§ 61 (4), 87.
‡**burin(n)**, *pp.* born, 21/56, iii/12. *See* BERA.
bús-hlutir, *m. pl.* farm implements.
bús-hœgindi, *n. pl.* help in running a household.
bú-staðr, *m.* dwelling-place.
bý, ‡**bí**, *n.* bee, 18/26; *unda bý*, 'wound-bees', arrows, 9/221; § 43.
bygð, *f.* dwelling, settlement; § 87.
bygg-hlaða, *f.* barley-barn.
byggilegri, *compar. adj.* more habitable.
byggja, byggva, to dwell, 1/107; settle, 4/19, 48; build, 20/19, 50; inhabit, 4/46, 7/103; *refl.* be settled, 4/8; ‡*byggias firir*, settle in, 21/25; § 139.
‡**byggu**, iii/16 = bjoggu. *See* BÚA.
bylgja, *f.* billow, 16/165; § 93.
‡**byrdh**, *f.* birth.
byrja (að), to enter upon, begin, 1/138, 20/18; § 142.
byrr, *m.* favourable wind; *gaf þeim vel byri*, they got a good breeze; §§ 86, 87.
bytta, *f.* pail, bucket.
bæði, n. of BÁÐIR; *as conj.* both, in *bæði . . . ok*, both . . . and; *adv.* also, as well, 1/435.
bæði, p. subj. of BIÐJA.
†**bæriz** = *berizk. See* BERJA.
‡**bæsingær**, *m.* small hill.
bǫð, *f.* battle; §§ 63, 85.
bǫð-reifr, rejoicing in battle.
bǫl, *n.* grief, sorrow; § 82.
†**bǫuð**. *See* BJÓÐA.
‡**bǫrn** = *bǫrn*, pl. of BARN; § 211.

bœgi, bœkr. *See* BÓGR, BÓK.
bœn, ‡**bøn**, *f.* prayer; § 87.
bœr, *m.* farmstead, house.
bœta (tt), to compensate, make amends for.
bœtr, pl. of BÓT.

C

c-. *See* K-.
‡**corn-band**, *n.* prohibition of corn trade, 21/65.
‡**cristin-dömer**, *m.* Christianity.
‡**cristna (adh)**, to baptize. [OE. *cristnian*.]
‡**cuna**, *f.* wife, 21/5 = KONA.
†**cvæld**, 17/108 = KVELD.

D

dáð, ‡**dæð**, *f.* energy, courage; § 87.
daga (að), to dawn.
dagan, *f.* daybreak.
dag-leið, *f.* a day's journey.
dag-mál, *n. pl.* breakfast time (about 9 a.m.).
dagmála-staðr, *m.* position of the sun at *dagmál*; see 5/54 *n.*
dagr, *m.* day; daylight, dawn, 1/121, 11/4, 10; *pl.* days, time, 4/8; *í dag*, ‡*í dagh*, today, at the present day, 6/467, 11/45, 20/44, 63; ‡*daghum*, by day, 21/2; §§ 80, 218.
dag-verðr, *m.* day-meal, the chief meal, eaten about 9 a.m., 1/169.
dálkr, *m.* pin.
dalr, *m.* dale, valley.
Dana-konungr, *m.* king of the Danes.
Danskr, Danish.
danz-leikr, *m.* dance, dancing-song, 16/2 *n.* [MLG. *danz*, OFr. *danse*.]
‡**dáræ**, *m.* fool, buffoon, 18/81. [MLG. *dōre*.]
darraðr, *m.* spear.
‡**dáttær**, ‡**döttær** = DÓTTIR.
dauða-dagr, *m.* death-day.
dauða-maðr, *m.* a man doomed to death; *vilja hafa e-n at dauðamanni*, seek one's life, 9/82.
dauði, *m.* death; *lifs né dauða*, neither in life nor in death, 11/25.

dauðr, dead.
deila, *f.* disagreement, contention.
deila (d), to divide; distinguish, 5/36; quarrel, contend, 14/132; *d. við e-n, d. (af) kappi við e-n*, contend with, 6/220, 248, 317.
deild, *f.* litigation, quarrel.
‡dēl, *m.* part.
detta, to drop, fall; § 129.
deyja, to die; pass away, 16/102; †dœya, 17/34; §§ 132, 233.
djarf-liga, boldly.
djarfr, bold, daring; § 46.
djúpr, deep; §§ 46, 105.
dó, pa. t. *sg.* of DEYJA.
dólg, dolg, *n.* battle; *Þrúðr dolga*, the valkyrja Hild = battle, iii/14.
dómari, *m.* judge.
dómr, *m.* judgement; reputation, fame, 16/105; court, 6/471; *heilagr d.*, sacred relic, 16/134.
dóm-stóll, *m.* judgement-seat.
dóttir, *f.* daughter; § 90.
dóttur-son, *m.* daughter's son, grandson, 2/127, 18/69.
draga, to draw, haul, 1/17, 18/34; *d. segl upp*, hoist sail, 5/317; *d. at sér*, collect, 10/40; *d. e-n til*, induce, compel, 6/440; *impers. d. frá*, clear away, 8/87 *n.*; *e-n d. undan*, escape, 7/180, 7/210 *n.*; *d. á vetur*, feed through the winter, 6/627; § 132.
drakk, drap. *See* DREKKA, DREPA.
dráp, *n.* killing.
drápa, *f.* long lay; § 186.
draugr, *m.* tree-trunk, iii/14.
draugr, *m.* 'undead' man, ghost.
draumr, ‡draumbr, *m.* dream, 21/6; §§ 205, 227 (4).
dreifa (ð), to sprinkle.
drekka, to drink; *d. af*, drink off, empty, 1/286; *d. af horninu inn þriðja drykkinn*, empty the horn at the third draught, 1/296; §§ 77, 129.
drengi-liga, manfully.
drengr, *m.* (gallant) fellow, warrior; §§ 86, 87, 198.
dreng-skapr, *m.* nobility, courage.
drepa, to smite, strike; knock, 6/228; kill, slay, 1/86, 2/17; *d. fœti*, stum-

ble, 5/123; *recip.* slay each other, 1/407; § 131.
dreyma (ð), to dream, *impers. w. acc.*
dreyri, *m.* blood.
dreyrugr, blood-stained, 9/204.
drífa, *intr.* to drive, 1/404; crowd, throng, 3/30; rush, 5/383; § 127.
‡drikkæ = DREKKA.
drjúgr, lasting; *verða drjúgari*, be of more avail, 5/290; *drjúgum, dat. pl.* as *adv.*, greatly; *drúgt manna*, a good number of men.
drjúpa, to drip; § 128.
dró. *See* DRAGA; *drók = dró ek*.
dróttinn, *m.* lord.
dróttning, *f.* queen, 18/66; § 83.
‡droyma (d), to appear in a dream, 21/6 *n.*; § 227 (6).
drukkinn, having taken drink (not necessarily 'drunk'), merry with drink.
drúpa (ð), to droop.
drykkja, *f.* drinking.
drykkju-maðr, *m.* drinker.
drykkr, *m.* draught, drink.
‡drytning = DRÓTTNING.
duga, to help, aid, be of avail (*w. dat.*), 1/452, 14/92; be safe for, 5/61; show prowess, 3/126; *gott at duga*, good (easy) to help, 6/469; *intrans.* suffice; § 143 (1).
dugr, *m.* doughtiness, prowess.
dulinn, *pp.* of DYLJA.
duna, *f.* thunderous noise.
duna (að), to resound.
duttu. *See* DETTA.
dveljask (dvalðisk), to stay, 1/121; be delayed, 1/40.
dvergr, *m.* dwarf.
dvǫl, *f.* delay.
‡dydrum. *See* DÓTTIR. § 227 (9).
dyja (dúði), to shake, toss; § 139.
dylja (dulði, *pp.* duliðr, dulinn), to keep one in ignorance of (*d. e-n e-s*); *vera dulinn e-s*, be unaware of, 5/528; *ganga duliðr*, be mistaken, 16/12; *refl.* deceive oneself, 9/150.
dynja (dunði), to resound; whir, whistle (of wings), 11/10, 13/16.

dýr, *n.* animal, beast.
dýra-mergr, *m.* marrow of animals.
dyra-umbúningr, *m.* door-frame and fastenings.
dýrð, *f.* glory.
dýrk, *f.* glory, 20/15.
dyrr, *f. pl.* doorway, door; *n. pl.* 7/198; § 89.
dýrr, dear, expensive; precious, 14/53.
dýrs-hjarta, *n.* beast's heart.
dyr-vǫrðr, *m.* door-keeper.
dys, *f.* grave; § 84.
‡**dǽðir**, iii/14. *See* DÁÐ.
dǽll, gentle, easy, 14/18.
dǫgg, *f.* dew; § 85.
dǫglingr, *m.* prince, 11/83.
†**dǫuðar-orð**, *n.* tidings of death; *sǽghia d. e-s*, slay one in fight, 17/40.
‡**dǿðher**, ‡**dǿthær**, dead; §§ 205, 216.
‡**dǿth(æ)**, †**dǿther**, *m.* death.
dǿgr, *n.* day, 5/37 *n.*
dǿma (ð, d), ‡**dǿmæ**, to judge; proclaim, 19/11; § 218.
†**dǿya**, 17/34 = DEYJA.

E

‡**ē**, always; ‡*ē oc ē*, forever, 21/36.
eða, or; and; but, 1/192.
eðr = EÐA.
eðr, still, 11/32 = ENN.
ef, if; whether; (to see) if, 13/12; lest, 7/203.
efja, *f.* mud, mire.
efla (d), to make, perform; support, aid, 6/201; *e. blót*, do sacrifice; *e. tafl*, play at tables, 16/144; ‡**elpti**, was able, 21/21.
efna (d), to perform, fulfil.
efna-leysi, *n.* lack of means, poverty.
efni, *n.* material, 1/426; state, condition, 4/109; reason, 6/620.
efni-ligr, promising; § 104.
efri, *compar.* (*to* OF) upper, 16/31; *hit efra*, in the upper (inland) part, 5/134; (*to* AF) later; †*ǿfre lut*

dagsins, towards the end of the day, 17/104; § 106.
efst, *adv.* highest.
egg, *n.* egg; §§ 65, 81.
egg, *f.* edge; †**ægg**, 17/51; § 84.
eggja (að), to urge, whet, 2/54, 3/102 *n.*; *láta at eggjask*, yield to urging, 9/69; § 142.
egg-tog, *n.* drawing of the sword; battle.
egg-ver, *n.* egg-field, sea-birds' breeding-ground.
egg-þrima, *f.* clash of edges, battle.
‡**ēgha**, ‡**ēgi**. *See* EIGA, EIGI.
‡**ēgiæn**, ‡**ēghin**, *adj.* own, 18/9, 20/32; § 222.
†**ei**, 17/117 = EIGI.
eiðr, *m.* oath.
eiga, *f.* possession; *leggja sína eigu á*, take possession of, 4/22.
eiga, to own, have, possess; marry, have in marriage, 2/131, 6/360; *w. infin.* have the power to, 19/1; have a right or claim to, 20/74 *n.*, 21/64; have the duty to, 21/69; *eiga vaka*, have to be awake, 16/109; *eiga við*, deal with, have to deal with, 6/218, 443, 8/73; *verða eigandi*, become the owner of, 14/61; *eigask við*, wrestle, fight, 3/112; § 144.
eigi, †**ei**, ‡**ēigh**, †**æi**, ‡**ai**, ‡**ey**, not; § 151.
eign, *f.* possessions.
eignask (að), to get, possess.
eigu-t, (they) have not, 16/112.
eik, *f.* oak, 1/173 *n.*; tree; *fig.* ship, 9/173; § 89.
eiki, *n.* oak timber; *Óðins e.*, warriors, 9/200.
eimi, *m.* smoke, reek.
Ein-fœtingr, *m.* uniped, 5/431 *n.*
einga, *indecl. adj.* only, 14/39.
ein-hendr, one-handed, 16/135.
ein-hleypingr, *m.* unmarried man of no fixed abode, landloper.
einn, †**æinn**, ‡**ēn**, ‡**ann**, *adj. and num.* (1) one; (2) only, 1/99, 17/109; *e. saman*, *e. samt*, only, alone, 1/130, 16/90; *einir sér*, by themselves, separately, 1/441; *at eins*, only; *því at eins*, only on this

condition, 5/87; (3) same; *at einu*, in the same way, 8/22; (4) a (certain), 10/53, 11/58, 59; †*æinn*, some one, 17/105 *n.*; *einn hverr*, any one (of several), 9/55; (5) *einna*, of all, 3/83; §§ 98, 107, 164.

einn-hverr, *adj. and pron.* a certain, some, any; §§ 115, 164.

ein-ráðinn, resolved, 9/141.

ein-vígi, *n.* duel, single combat.

eir, *n.* bronze, copper, 5/501.

eitr, *n.* poison.

eitr-ormr, *m.* poisonous serpent.

ek, ‡iak, ‡iec, I; §§ 108, 200, 208.

ekki, *n. pron.* nothing; *as adv.* not, by no means; §§ 55, 72.

ekkja, †ækkia, ‡enkia, *f.* widow, iii/3, 20/103; § 197.

ek, 13/55, ekr. *See* AKA.

él, *n.* shower, passing storm; hailstorm, 10/95.

eldask (ld), to grow old.

elding, *f.* dawn.

eldi-stokkr, *m.* blazing brand.

eldi-viðr, *m.* firewood.

eldr, *m.* fire.

elgr, *m.* elk; *branda e.*, beaked ship.

eljun, *f.* endurance.

ella, *adv. and conj.* else; or, or else.

ellar, ‡ællær, or; or else, otherwise.

elli, *f.* old age; §§ 71, 94.

ellifu, eleven.

elligar, *adv.* otherwise, 3/70.

ellri, elder, older; § 106.

‡elpti, 21/21. *See* EFLA.

elska, *f.* love, affection.

elska (að), to love, be fond of.

elta (t), ‡æltæ, to chase, pursue, 5/439, 18/71; cast down, iii/11.

‡elviscr, *n.* ‡elvist, bewitched, enchanted, 21/2.

elztr, eldest; § 106.

él-þollr, *m.* 'storm-tree'; *Jalfaðs é.*, tree of Óðin's storm, warrior, 11/90.

em, am; em-k-a, I am not.

en, *conj.* but, and.

en, *conj.* than: = *en at*, than that, 9/57, 162, 167.

††en, *conj.* when, if, 17/21, 21/55, 66; ‡*þá en*, when, 21/53.

‡ēn, one = EINN.

enda (að), ‡ænda (ad), to bring to an end, end, 20/12; *endask til*, suffice (for) 1/364, 9/55.

enda, *conj.* and indeed, moreover, 6/246.

enda-mjór, thin at the end, *gera endamjótt við*, leave in the lurch.

endi, endir, *m.* end.

end-langr, *adj.* along the whole length of, 13/110.

endr, again, 13/134.

eng *f.* meadow, pasture land, § 84.

‡enga-lund, in no way, 20/56.

engi, *adj. and pron.* no, none, no one; *at engu því*, with no such things 5/51; §§ 55, 116, 151.

Engla-konungr, *m.* king of the English.

‡enkia = EKKJA.

enn, †ænn, ‡æn, still, again, further; moreover, iii/12.

Enskr, †Æinskr, English, 17/96.

‡ēn-wígh, *n.* single combat.

eptir, ‡æfter, ‡öft, ‡aft, *prep.* (1) *w. dat.* after, behind, 1/435; for, to obtain, 1/35, 5/543; along, 1/253, 2/66, 6/214; according to, 3/89, 12/140; (2) *w. acc.* after (of time), 4/15, 5/35; in succession to, 18/94; after the death of, 6/427; in memory of, iii/4, 11, 12; *þar eptir*, after it, 2/67; (3) *adv.* afterwards, 7/336; behind, 1/138, 4/26; back, 15/13; *vera eptir*, remain behind, 4/78, 5/419; *honum varð eptir*, he left behind (unintentionally); eptir (þat) er, *conj.* after, 5/507, 6/280.

eptir-bátr, *m.* a small boat towed behind a ship.

eptri, hind, 1/124; § 106.

er, *conj.* when; *þá er*, when; that, 1/15 *n.*; since, as, 2/105, 7/223.

er, *rel.* who, which; redundant in 5/191, 9/37 *n.*; § 113.

er, is; § 148.

ér, *pron.* you; § 108.

erfa (ð), to commemorate with a funeral feast,

erfi, *n.* funeral feast.
erfiði, *n.* toil, trouble, 13/38 *n.*
erfiðr, difficult, troublesome; *n. as sb.* trouble, difficulty, 7/102.
erfingi, *m.* heir.
ergjask (ð), to become cowardly.
ermr, *f.* sleeve; § 84.
ertinga-maðr, *m.* one who will endure insult.
erum, erumk = *eru mér*.
es, archaic = ER, is.
eski-askr, *m.* 'spear-ash', ⟶warrior.
est, archaic = *ert*. See VERA.
et, ‡-æt, *n. art.* = *it*. See INN.
‡eta, *f.* food, iii/12.
eta, to eat; § 131.
etja (atti), to incite; *e. vandræðum við mik,* set yourself in defiance against me, 9/247.
ey, *f.* island; § 84.
ey, not = EIGI; § 225 (2).
ey, ever = Æ.
ey-barmr, *m.* surface of the island, 14/70.
eyða (dd), to lay waste; *refl.* be made desolate, 4/113.
eyði-dalr, *m.* desolate (unpopulated) valley.
eyði-mǫrk, *f.* desolate forest land.
eygðr, *pp.* having eyes; *e. mjǫk,* having big eyes.
eyjar-skeggi, *m.* inhabitant of an island, 14/8; § 92.
eykr. See AUKA.
eyktar-staðr, *m.* position of the sun at *eykt* (about 3.30 p.m.); see p. 211.
ey-land, *n.* island.
eyrir, · *m.* ounce of silver, eighth part of a MǪRK; § 81. [From Lat. *aureum, aura*.]
eyrr, *f.* sand or gravel bank; shoal, spit; § 84.

F

fá, ‡faa, to get, take, 1/112, 18/24; catch, 5/468; have, make use of, 3/21; put, 1/274, 2/36; give, 1/74; inflict on (*e-m*), 2/88; receive, 11/82; suffer, 2/129, 11/69; *f. e-ar,* marry (a woman); *f. t,* take part in;

impers. move, affect, 6/322; *with pp.* be able to, get accomplished, as *fengu sét,* (they) could see, 1/220 *n.,* and so 1/178, 222, &c.; ‡*fáum aiga,* we shall get, 21/13; *fekk,* I got, 11/66 = *fekk ek; fá til,* bring forward, provide (for), 1/248, 5/249, 519, 12/51; *refl.* take place, 1/303; wrestle, struggle, 1/326, 387, 8/74; §§ 10, 58, 71, 133 (iii).
ˈfá (ð), to colour, fashion (runes), iii/1, 12; § 142.
‡faar, *f.* sheep, 18/28 (*pl.*).
faðir, *m.* father; § 90.
fagna (að), to be glad; *w. dat.* rejoice at, welcome.
fagnaðr = FǪGNUÐR.
fagna-fundr, *m.* joyful meeting.
fagr (ran), fair, beautiful; §§ 75, 96, 102, 105.
fagr-liga, beautifully.
‡faigr, 21/54 = FEIGR.
falda, to put on a woman's hood, 7/266; § 133 (iii).
‡faldr (fallan), near to death, 21/54.
fall, *n.* fall, 17/5.
falla, to fall; flow, 5/156, 157; be slain, 4/133, 5/399; *f. til e-s,* fall to one's lot, 8/103; *f. niðr,* fall to the ground, 6/304; *pp.* suited, 5/86; worthy, 18/100; *refl.* fail, 13/40; § 133 (iii).
falr, for sale; spent, 9/229.
fá-máligr, -málugr, of few words.
fang, *n.* grasp, hold; breast, 8/78; wrestling, contest, 1/334, 335; catch, 5/468; provisions, 5/296; *hafa fult fang,* have all one can do, 1/453; *taka fang,* wrestle, 1/333.
fangi, *m.* prisoner, 20/96.
far, *n.* track; subject, 4/4 *n.*; conduct, deeds, 9/234; condition, 9/172.
‡far, 19/26 = *ferr*. See FARA.
fár, few, 20/1, 90; *n. as sb.* little, a small number, 1/92, 3/4; *as adv.* a little, 16/117; §§ 74, 97, 105.
fara, (1) to go, move, travel; *f. at,* attack, 7/6; *f. í klæði,* dress, 6/311;

f. af klæðum, undress, 8/35; *f. í
rekkju*, go to bed, 7/315; *f. til
svefns*, go to sleep, 8/13; (2) with
complementary noun in acc. or
gen., as *f. sína leið, f. leiðar* (or
ferðar) *sinnar*, go his or their own
way, 1/398, 5/261, 7/341, 12/89; *f.
sendiferð*, go an errand, 1/74; *f.
grímur*, fare through the shadows
of night, 14/22; (3) behave, act in a
specified way; *f. með e-u*, deal
with, 1/125; *f. at* or *til*, set to work,
go about the business, 7/7, 8/116;
f. lítillátliga at við e-n, approach
one humbly, 6/243; *f. við e-n*, treat,
deal with, 6/436; impers. *ferr e-m
illa*, one behaves shamefully, 7/93;
ferr e-m vel, one behaves well,
6/244; *ferr þér at illu, er þér illa
saman farit*, you do wrong, 11/111,
14/56; *þér farið óhermannliga*, you
behave in unsoldierly fashion,
10/54; (4) fare, have fortune; *f. vel.
f. heill*, farewell, 2/133, 12/159; *f.
heill ok vel*, farewell and prosper,
5/539; (5) go (well, badly, &c.),
turn out, happen, 1/322, 334;
impers. *kvað þat fjarri fara*, said it
was far from being the case, 6/341;
(*w. dat.*), 6/253, 300, 441, 8/20, 22;
fór yðr betr, things went better
with you, 7/185; *hversu farit hafði
með þeim*, how matters had gone
between them, 6/239, 12/67; (6) im-
pers. continue, 5/365; *f. fram*, con-
tinue, go on, 7/42; proceed, be
accomplished, 9/242; (7) receive,
suffer, 1/351, 6/511; (8) *refl.* impers.
(*w. dat.*) one's journey goes (well,
badly, &c.); *fersk þeim vel*, their
journey goes well, 12/8; *fórsk
honum seinna*, his journey took
longer, 6/289; *hafði alt farizk vel
at*, all had gone well with their
journey, 4/72; (9) *pp.* used up;
vera farinn at e-u, come to the end
of, 17/11; §§ 61 (6), 132.
farar-leyfi, *n.* leave to depart.
farar-skjóti, *m.* means of convey-
ance, horse.
fár-bjóðr, *m.* destroyer.

far-maðr, *m.* trader, sailor.
farmr, *m.* cargo.
fáskiptinn, not meddlesome, re-
served.
fast, *adv.* fast, strongly, hard; cer-
tainly, 20/4.
fasta, *f.* fast day, 20/45.
fastr, firm, fast; hard, severe; con-
tinuous, 16/3.
fat, *n.* bag; *pl.* clothes; bed-clothes,
6/389.
‡**fata-būr,** *n.* wardrobe, treasury.
‡**fathær-banæ,** *m.* slayer of one's
father.
‡**fatlaþR,** strapped, iii/12.
fátt, *n. of* FÁR.
fá-tœkð, *f.* poverty.
fá-tœkr, ‡**fā-tiker,** poor; § 214.
†**fauc,** 17/119. *See* FJÚKA.
fé, *n.* cattle; sheep; money; posses-
sions, 16/102; § 80.
feðgar, *m. pl.* father and son(s).
feðr. *See* FAÐIR.
feginn, glad.
fegri, compar. of FAGR.
fé-hirðir, *m.* herdsman.
feigr, about to die, doomed, fey;
dead, iii/12.
feikn-stafir, *m. pl.* curses.
feilask, to be faint-hearted.
feitr, *adj.* fat.
fekk, pa. t. sg. of FÁ.
fela, to hide, 13/27, 14/53, iii/14;
make over, commend, 7/307; § 130.
fé-lagi, *m.* partner; companion,
comrade, fellow.
fé-lauss, penniless.
feldr, *m.* cloak; § 87.
fé-lítill, poor.
fell, *n.* hill, mountain.
fell, fellr. *See* FALLA.
fella (d), to fell, 1/331; slay, 3/139;
f. heitstrengingar á sik, draw down
on one a curse for the breaking of
an oath, 6/178.
‡**fēm,** five = FIMM.
fé-munir, *m. pl.* money, valu-
ables.
fen, *n.* bog, fen; § 81.
fénaðr, *m.* cattle.
fenginn, fengu. *See* FÁ.

fen-stigi, *m.* one who goes in the fen, 11/124 *n.*

féráns-dómr, *m.* court of confiscation, 6/521.

ferð, *f.* journey; dealings, 1/51; § 87.

ferr. *See* FARA.

fer-skeyttr, four-cornered.

festa (t), to fasten; strengthen, 7/63; learn by heart, 9/115; *f. á e-u,* bite, take effect on, 17/55; †**fæstiz viðr,** withstood (the strokes), 17/74.

festr, *f.* rope, (?) trap, 6/768; § 84.

fet, †**fæt,** *n.* pace, step; (as measure), foot, 17/27.

feta, to step; *w. infin.* proceed in, 9/180, 235; §§ 61 (5), 131.

fetill, *m.* band, girdle, 9/199.

‡**fiaghura,** ‡**fiaru.** *See* FJÓRIR, FJQR.

‡**fiaura-tighi,** *indecl.* forty.

fiðri, *n.* feathers.

‡**fiel-kunnugr** = FJQLKUNNIGR.

‡**fierri,** far, 21/32 = FJARRI.

fifl-megir, *m. pl.* monstrous kindred; §§ 69, 71, 88.

‡**fik,** ‡**fic** = *fekk.* *See* FÁ.

‡**fí-lêþi,** *n.* cattle, 21/44.

fimbul-vetr, *m.* monstrous winter; §§ 68, 71.

fimm, five.

fimtán, fifteen.

fingr (rar), *m.* finger; § 89.

finna, to find, discover, 1/362; meet, meet with, visit, 6/296, 8/95, 10/48, 12/109, 16/85; perceive, notice, 1/124, 5/185, 12/106, 17/16; devise, compose, 9/178; *vel til fundit,* well chosen, 11/20; *recip.* meet (each other), 1/509, 2/15, 7/5, 10/70; *refl.* be found, be discovered, 4/39, 5/511; ‡*finz,* is found, 20/34; *finnask* (impers.) *e-m mikit um,* be greatly disturbed or moved, 7/141, 11/19; *láta sér fátt um finnask,* concern oneself little with, have little to say about; §§ 66, 129.

firar, *m. pl.* men, people.

firir, ‡**firi** = FYRIR.

fiskr, *m.* fish.

fit, *f.* land, shore, 9/191; § 84.

†**fiþla,** *f.* fiddle.

‡**fiûræ,** four = FJÓRIR.

fjaðr-hamr, *m.* feather-coat, 13/11 *n.*

fjall, *n.* mountain, fell.

fjánd-maðr, *m.* enemy, 17/33.

fjár, gen. sg. of FÉ.

fjara, *f.* ebb-tide, fore-shore, beach, 1/378, 4/23; *at fjǫru sjávar,* at low tide, 5/153.

fjarð-skorinn, indented with firths.

fjár-hagi, *m.* cattle pasture.

fjarri, ‡**fierri,** far, far off; by no means, 3/55 *n.*; *f. fór þat,* far from it, 7/352; § 153.

fjár-skipti, *n.* division or share of property.

fjogur. *See* FJÓRIR.

fjórði, fourth.

fjórir, four; §§ 45, 66, 107.

fjórtán, fourteen.

fjúka, to fly off; §§ 47, 128.

fjǫðr (rar), *f.* feather, wing; § 83.

fjǫl, *n.* host, 9/230.

fjǫlð, *f.* great number, store.

fjǫlði, *m.* multitude.

fjǫl-kunnigr, ‡**fiel-kunnugr,** very wise, 21/57; skilled in magic, 5/513.

fjǫll, fjǫllum. *See* FJALL.

fjǫllóttr, mountainous.

fjǫl-menni, *n.* crowd, force of men.

fjǫl-mennr, with many people, crowded.

fjǫr, *n.* life; ‡*werþa an fiaru,* be born, iii/12; § 82.

fjǫrbaugs-garðr, *m.* lesser outlawry.

fjǫrbaugs-maðr, *m.* lesser outlaw, 4/79 *n.*

fjǫrðr, *m.* firth, inlet; 6/666 *n.*

fjǫr-lag, *n.* loss of life, death, 9/219.

fjǫturr, *m.* fetter, shackle.

flá, to skin, flay, 1/113, 2/30; § 132.

flagð, *n.* giantess, 9/205.

flár, false, treacherous, 16/88.

flá-ráðr, false, deceitful.

flatr, flat; prostrate.

flaugun, *f.* flying, flight; *alt er á fǫr ok f.,* all is in commotion, 7/123.

fleginn, 1/113, pp. of FLÁ.

flein-drífa, *f.* throwing of spears.

fleinn, *m.* spear (for throwing).

fleiri, *compar. adj.* more.

flekkr, *m.* spot, speck.

flesk, *n.* bacon.

flestr, ‡**flæstr**, *adj.* most.

fletta (tt), to strip.

flík, *f.* rag; flag, 5/463 ; § 89.

fljót, *n.* river = *Lagarfljót*, 6/717.

fljóta, to float; § 128.

fljót-liga, speedily, soon.

fljótr, swift, fleeing; *n. as adv.* readily, 14/138 ; *sem fljótast*, at once, 5/144.

fljúga, to fly; **floginn**, *pp.* flying, 9/217 ; §§ 50, 128.

fló, pa. t. sg. of FLJÚGA ; 2/30, of FLÁ.

flóð, *n.* flood, tide.

flokkr, *m.* body of men, 6/275, 17/32 ; short lay, 16/21 ; § 186.

flot, *n.* in *á flot*, afloat.

floti, *m.* fleet.

flotnar, *m. pl.* seafarers, vikings, 9/230, iii/12 ; § 92.

flótti, *m.* flight.

flutningr, *m.* pleading.

flýja (ð), †**flý(i)a**, to flee; § 139.

flytja (flutti), to remove, bring; speak, 6/458 ; plead (a case), 9/246 ; *f. (fram)*, recite, 5/527, 9/245 ; *f. upp*, unload, 12/160.

flærð, *f.* deceit, 16/136.

fnasa (að), to snort with rage.

fnøsun, *f.* snorting, blowing out.

fóðr, *n.* fodder, foddering.

fold, *f.* earth, world.

fólginn, pp. of FELA ; § 54.

fólk, *n.* people, crowd of people; ‡*mið fulki*, with human victims, 21/46.

fólk-hagi, *m.* leader, prince.

‡**for** = FYRIR.

forað, *n.* monster, 1/458.

‡**for-biūdha**, to forbid, 20/75.

‡**for-buþ**, *n.* prohibition, 21/65.

forða (að), to save (*w. dat.*).

forðum, ‡**fordum**, formerly, some time ago.

‡**for-eldra**, *m. pl.* ancestors, 20/18,

‡**for-faras**, to be lost, perish.

‡**for-hardher**, hard of heart, 20/56.

fór-k = *fór ek*. See FARA.

for-kunnar, exceedingly, 1/91.

for-lǫg, *n. pl.* fate, destiny.

for-máli, *m.* formula, charm.

‡**for-man**, *m.* ruler, 18/76, 20/5.

forn, old, ancient.

forn-kveðit, *n. part.* said of old, in days gone by.

‡**for-órth**, *n.* warning.

for-sjá, *f.* patronage, care, aid.

for-stofa, *f.* entrance hall.

‡**for thÿ** = FYRIR ÞVÍ AT.

for-tǫlur, *f. pl.* exhortations.

for-virki, *n.* labour, hired help.

forvitnask, to inquire, find out.

for-vitni, *f.* curiosity.

forvitnis-bót, *f.* satisfaction of curiosity.

foss, *m.* waterfall, force.

fóst-bróðir, *m.* foster-brother.

fóstr, *n.* fostering of a child, 16/61.

fóstra, *f.* foster-mother, nurse.

fóstra (að), to foster.

fóstri, *m.* foster-father, 5/185 ; foster-brother, 4/10 ; foster-son, fosterling, 7/23, 10/109.

fóta-fjǫl, *f.* foot-board.

fót-hvatr, swift of foot.

fótr, *m.* foot; leg, 1/124, 338, 5/255 ; §§ 61 (5), 89.

frá, *prep. w. dat.* from concerning; *upp frá þessu*, from now on; § 69.

frá, 9/181, iii/12. See FREGNA.

frá-liga, swiftly.

fram, *adv.* forward, on, 1/181, 212, 316, 17/4 ; on, away, 2/23 ; *f. ór*, out of, 8/71 ; *í dalnum f.*, in the upper part of the valley, 6/93 ; *f. í Hrafnkelsdal*, to the upper part of H., 6/104 ; **um fram**, *prep. w. acc.* better than, surpassing, 1/233, 6/454 ; **framar**, *compar.* ahead, 1/255 ; further forward, 17/3.

framan, *adv.* from the front side; forward, 7/204 ; **fyrir framan**, in front, 8/42 ; *prep. w. acc.* in front of, 8/39, 17/2 ; *f. til miðs dags*, up to midday, 1/218 ; § 152.

fram-ganga, *f.* advance, attack.

frami, *m.* courage; fame, 9/194.

fram-kvæmd, *f.* progress, success.

frammi, *adv. hafa e-t f.,* make use of, produce, 6/489.

framr, *adj.* forward; *fremri,* further forward, in front.

fram-stafn, *m.* prow.

‡**frān,** *prep. w. dat.* from.

frásagnar-verðr, worth relating.

frá-skila, *indecl.* separated.

frá-sǫgn, *f.* narration; information, 5/541.

fregn, *f.* news, information.

fregna, to learn, hear of; ask (*e-n e-s*), 15/36; ‡*f. æftiʀ æ-u,* learn by inquiry, *iii/12; § 131.

freista (að), *w. gen.* to try, test; *f. at renna,* make trial in running, 1/247.

freki, *m.* wolf.

frekr, greedy, 11/37.

‡**frels,** free, unhindered, 21/63.

frelsa (t, ‡adh), to save, rescue, 18/50, 20/24.

†**frem,** 17/9 = FRAM.

fremja (framdi, *pp.* **framiðr),** to perform, accomplish, 1/321, 5/509.

fremr, *adv.* more, further, 9/193.

fremri, compar. of FRAMR.

frerinn, 8/83, pp. of FRJÓSA.

frest, *n.* respite, 9/142.

frétta (tt), to ask, inquire (*f. e-n e-s*); hear of, 7/147.

freys, *a nickname,* of Freyr.

friðar-tákn, *n.* token of peace.

friðr, *m.* peace, 1/132, 18/95; § 88.

fríðr, handsome, 10/133, 14/19.

‡**frīr,** free, 21/63.

frjáls, free; *með frjálsu,* in peace.

frjósa, to freeze; § 128.

fróð-leikr, *m.* knowledge, lore; magic, 5/488.

fróðr, wise, well-informed (especially in history).

frost, *n.* frost.

frum-vaxta, *indecl. adj.* (just) grown up, 6/733.

frýja (ð), to taunt; *f. e-m hugar,* question one's courage, 6/318; § 139.

frægi-ligr, honourable, magnificent.

frægr, famous, well-known; § 105.

frændi, *m.* relative, kinsman; § 91.

frænd-rœkinn, attached to one's kin.

frænd-semi, *f.* kinship.

frœði, *f. and n.* lore; history.

frœkn, valiant, brave.

frœkn-liga, manfully, bravely.

fugl, fogl, *m.* bird; § 32.

fúinn, rotten, decayed, 14/90.

‡**fulc,** ‡**fulk** = FÓLK.

‡**ful-komlīka,** completely.

‡**ful-kompna (adh),** to perfect, fulfil, 20/12.

fúll, foul, unpleasant.

full-kominn, complete; established, 19/18.

full-mælt, *pp. n.* spoken too much.

fullr, full; in full swing, 16/3; *f. e-s, f. af e-u,* filled with; *fullu,* in full; *til fullra laga,* to the full extent of the law; § 76.

fullting, *n.* help, aid.

fulltings-maðr, *m.* one who gives help.

full-trúi, *m.* patron (deity).

fundr, *m.* meeting; battle, 9/195; *á fund e-s, til fundar við e-n,* to meet, to find, 1/360, 2/20, 5/108, 6/375; §§ 80, 87.

fúss, willing, eager.

fyl, *n.* foal; § 81.

fylgð, *f.* following, party; followers; support; *til fylgðar við,* to accompany, 5/249.

fylgja (ð), *w. dat.* to follow; accompany, 1/347, 5/316, 9/38; give help to, 6/461; be attached to, 2/31, 3/45 *n.*; belong to, 4/100, 5/100; be a quality of, iii/14; *recip.* hold together, 7/191.

fylking, *f.* battle array, host.

fylkingar-armr, *m.* wing of army or fleet.

fylkir, *m.* king, 9/181.

fylla (d), to fill, 1/241; complete, 11/131; increase, 17/32; § 34.

fyrir, fyr, firir, ‡**firi,** ‡**for,** ‡**før,** *prep.* (1) *w. dat.* before, in front of, 1/57, 435, 2/61; lying before one, in one's way, 1/142, 5/232; against, 1/4; because of, for, 1/104, 9/78; *f. því,* for this reason, 1/424; for (benefit of), 12/116, 15/3; *hyggr f. sér*, bethinks himself, 2/88; *f. sér*, of oneself, 1/315 *n.*; (of disadvantage) for, 12/66; for, 5/48; *f. þér*, on your hands, 12/54; (of time) ago, 9/151; (2) *w. acc.* in front of, 1/128; into the presence of, 3/62; around, 5/153, 300; along, 5/250, 330; over; *f. borð*, overboard, 10/117; for, as, 1/165, 8/8, 139; in exchange or compensation for, 3/65, 5/364; *þar fyrir*, for it, 9/99; instead of, 13/132; on behalf of, for, 6/502; before (of time), 1/197, 7/150, 15/2; during, 21/42; (3) joined with advs. in *-an* (§ 152) to form preps., see the advs.; (4) *adv.* first, in front, 1/172; ahead, 6/382; present, to be found, 12/17; in return, 12/49; in retaliation, 4/65; in the way, 6/498; along the coast, 5/411; beforehand (redundant), 1/397.

fyrir því at, fyrir þat er, because.

fyrr, ‡før, *adv.* before; first, 1/315; **fyrr en, ‡fyr þan**, *conj.* before, 4/49; until, 2/109, 21/51.

fyrri, *adj.* former; *inn f. dagr*, the day before; *í fyrra vetur*, the winter before, 6/345; § 106.

fyrri, *adv.* before; first, 6/331.

fyrst, *adv.* first, 2/40.

fyrsta, *f.* beginning; *í fyrstu*, ‡*í førstænnæ*, at first, 10/90, 18/98.

‡fyrsti, *adv.* first, 21/1, 5.

fyrstr, first, foremost; *ganga f.*, walk in front, 6/325; §§ 106, 107.

fýsa (t), to urge, encourage, 4/43; *impers.* desire, 5/382; *braut fýsir mik*, I desire to depart, 12/81; I am in haste to depart, 14/143; *refl.* desire (*e-s*), 5/218; *f-sk útan*, take to journeying abroad, 5/5; *f-sk í braut*, be eager to go away, 12/85.

fýst, *f.* desire.

‡fýþa, 21/22 = FŒÐA.

fægir, *m.* artist; *jǫru fægir*, warrior, 9/238.

fæla (d), to frighten; *refl.* be frightened.

fær, færri, fæstr. See FÁ; FÁR.

†fæt, fǫður. See FET, FAÐIR.

fǫður-broðir, *m.* father's brother, uncle.

fǫður-hefndir, *f. pl.* revenge for one's father.

fǫgnuðr, *m.* entertainment; delight; § 88.

fǫlr (van), pale.

fǫr, *f.* journey, journeying, 4/28, 43, 5/13, 7/161, 16/115; expedition, 5/118; movement, 3/129, 7/123; *í fǫr e-m*, in company with, 1/487; *eiga skip í fǫrum*, own a trading ship, 5/8.

fǫru-nautr, *m.* companion on journey.

fǫru-neyti, *n.* company.

fǫt. See FAT.

‡fǫlgdhe. See FYLGJA; § 212.

‡før, 20/88 = FYRIR.

‡för, formerly, previously = FYRR.

‡førra, *adv.* first, 20/37.

‡først, ‡førster = FYRST, FYRSTR.

‡førstæ, 18/98 = FYRSTA.

fœða (dd), ‡fýþa, to give birth to, 2/23; feed, support, 5/195, 21/22; *refl.* grow up, 16/124.

fœra (ð), to bring, send, 9/73, 10/51; hurl, smite, 10/106; move, 8/44; present, 12/51; *f. e-m hǫfuð sitt*, give oneself up to another, 9/34; *f. fram*, bring forward, 6/501; *f. upp*, raise up, 5/378; *f. fœtr við*, brace one's feet against a pull, 8/70; *fœrask í*, fall into, 1/43.

fœri, *n.* opportunity, 1/195 *n.*

fœri, *pa.* subj. of FARA.

fœrr, able to go; *f. til*, capable of.

fœti, fœtr. See FÓTR.

G

gá (ð), *w. gen.* to heed, 5/269.

‡gã, to go = GANGA.

gaf, *pa. t. sg.* of GEFA.

gafl-veggr, *m.* gable-wall.

‡gafs, was given. See GEFA.

gagn, *n.* advantage; *koma at gagni*, be of service, 11/43.

gagn-dagr, *m.* minor rogation day, iii/8. [OE. *gangdæg*.]

gagn-samr, helpful.

gagn-semð, *f.* helpfulness.
gagns-munir, *m. pl.* useful things.
gagn-vart, *prep. w. dat.* opposite.
gakk, imper. sg. of GANGA.
gala, to scream, iii/2; § 132.
gall, pa. t. sg. of GJALLA.
gamall (‡gambl-), old, 1/333, 20/14; §§ 96, 102, 106.
gaman, *n.* pleasure; delight, 13/93; *þykkjag. at,* take pleasure in, 6/205.
ganga, (1) to go, walk, 7/155; advance, go on, 1/142; *w. gen.* go to, 13/9 *n.*; *g. fyrstr* (or *fyrir*), walk in front, 1/172, 6/325; (2) move, 1/148; *gekk því hvergi,* did not give way at all, 8/59; (3) pass, take place, 1/406, 21/35; (4) go about grazing, graze, 5/356, 13/92; (5) extend, project, 5/152; (6) go on, last; impers. *gekk því,* this went on, 7/318, 8/48; *láta g. tǫlu,* utter speech, 8/112; (7) turn out, go in a specified way; *e-m g. vel,* turn out well for one, 11/99; (8) *impers.* succeed, 7/334; (9) idiomatically with preps. and advs.; *g. á,* enter into, 21/58; *g. af,* pass off, 1/134; be consumed, 1/275; be current concerning, 21/57; *g. at,* go up to; attack, 7/164, 219; accept, take up, 6/261; *g. eptir,* be proved true, 7/136; *g. frá,* depart, 7/254; start from its place, 8/69; *g. fram,* proceed, 20/23; go forth, advance, 17/50, 72; bear oneself in battle, 11/84; *g. bezt fram,* be foremost in battle, 11/74; *g. í,* enter into, 6/298; *g. í sundr,* be rent, shattered, 8/83; *í gegn gangask,* attack each other, 4/120; *g. saman,* come together, close, 5/376; *g. til,* go (up) to, go forward, 1/317, 325; *þér gangi gott til,* your intentions are good, 6/740; *g. undan e-u,* draw back from, 6/428; *g. undi(r),* submit, 20/56, 21/62; accept, 5/101; *g. upp,* go ashore, 1/140, 5/147; be used up, 12/92; *g. við,* confess; *g. yfir e-n,* befall, happen to, 4/63, 6/447, 7/288; reflex. *g-sk við um,* improve in, 6/696; §§ 73, 77, 133 (iii).

gapa (ð), to gape.
‡**gar,** 21/51; ‡garuʀ, iii/12 = GǪRR.
garðr, *m.* fence; enclosure, court, farmyard; dwelling-place.
Garðs-konungr, *m.* the Byzantine emperor.
garpr, *m.* dauntless man, gallant fellow (term of endearment), 6/152.
gata, *f.* path, road.
gáta, *f.* riddle, 16/118.
gaumr, *m.* heed, attention; *gefa gaum at e-u,* give heed to, 3/24, 58.
gaut, pa. t. sg. of GJÓTA.
geð, *n.* mind; liking, affection, 16/84.
geðjaðr, to one's mind, agreeable.
gefa, ‡gífwa, ‡giuæ, to give; give in marriage, 5/22 *n.*, 7/287; *g. frið,* give quarter, 16/80; · *impers.* be obtainable, 5/273; *gefr e-m,* one is enabled, 5/295; *e-m er gefit,* one is disposed, 6/448; *e-m gefr byri,* one gets a favourable wind, 5/204; §§ 68, 118, 125, 131.
gegn, í gegn, í gǫgn, ‡í gæn, ‡í gēn, *prep. w. dat.* against, towards, to; to meet, 15/20, 19/8; *adv.* in opposition, 4/59; back, again, 18/90.
gegna (d), to be suitable for (e-m); mean, bode, 6/153.
gegnt, *prep. w. dat.* opposite.
gegnum, í gegnum, ‡ginum, ‡í gǫmen, *prep. w. acc.* through.
geigr, *m.* serious injury.
geil, *f.* lane.
geirr, *m.* spear; point of anvil.
geir-vangr, *m.* 'spear-field', shield, 9/188.
geisa (að), to rage.
geisl, ‡gēsl, *m.* beam of light; staff, goad.
geit, *f.* she-goat.
gekk, genginn, gengu. *See* GANGA.
†**gerðe** = gørði. *See* GØRA.
‡**gerning,** *f.* deed, 20/28.
‡**gernæ,** willingly = GJARNA.
‡**gēsl.** *See* GEISL.
gestr, *m.* guest; §§ 86, 87.
geta, (1) to get, obtain; *g. gott af e-m,* get good from one, 16/83; (2) *g. at e-m,* get agreement from,

persuade, 4/78; (3) engender, get, 14/83; (4) *with pp.* be able to, get done, 6/321, 7/40, 8/71; *sem fastast gat hann*, as mightily as he could, 8/66; (5) *w. infin.*: *geta þeir at líta*, it happens that they see, 5/357; (6) *impers.* be obtainable; *ef korn gæti at kaupa*, if corn could be bought, 16/4; (7) guess, 7/302; think, suppose, 2/42, 5/82, 6/248; (8) *w. gen.* relate, tell of, 1/216, 401, 12/12; §§ 45, 131, 157.

geyja, to scoff at, revile; § 132.

geyma (d), ‡**gǿma**, to heed, guard, watch; keep, 20/44; *geymðr*, *part. as adj.* safe; § 157.

geysa (t), to rush forth with violence; *pp.* rushing furiously, 3/125; *refl.* dash furiously, 1/421.

-gi, *enclitic adv.* not.

‡**giefa**, ‡**giera** = GEFA, GØRA.

gífr, *n.* troll, troll-kind.

‡**gifwa**, ‡**gik**. See GEFA, GANGA.

‡**gígha**, *f.* fiddle. [MHG. *gíge*.]

gil, *n.* gorge, ravine.

gildi, *n.* feast; guild, 16/4 *n.*

gildis-brǿðr, *m. pl.* guild-brethren.

gildr, worthy, fine.

gin, *n.* mouth (of animal).

gingu, iii/13, *pa. t. pl.* of GANGA.

‡**ginstan**, at once, forthwith.

‡**ginum**, ‡**giorthe**. See GEGNUM, GØRA.

‡**gin-værda**, *f.* difficulty, 20/41.

gipta, *f.* good luck.

gipta (t), to give in marriage.

giptu-maðr, *m.* lucky man.

‡**girnas**, to desire for oneself, 20/35.

gísl, *m.* hostage, 19/2.

gista (t), to pass the night, lodge; § 59.

gisting, *f.* night-lodgings.

‡**gitær**. See GETA.

‡**giuæ**, 19/12 = GEFA.

gjaf-orð, *n.* marriage arrangement; *fá g.*, make a match, 5/534.

gjald, *n.* payment; tax.

gjalda, to pay, repay; redeem, iii/12; *g. e-s*, pay for, 6/424; *refl.* be paid, 4/34; §§ 45, 120, 129, 157.

gjalfr-marr, *m.* steed of the sea, ship.

gjalla, to bellow; twang (of bowstring), 9/220; § 129.

gjarn, eager.

gjarna, willingly; § 149.

gjarnan, willingly.

gjóta, to cast; *g. sjónum*, cast looks, roll the eyes, 8/91; § 128.

gjǫf, *f.* gift; § 83.

gjǫr, *n.* food, 9/203.

glaða (að), to gladden.

glað-liga, gladly, heartily.

glaðr, glad, merry.

Glám-sýni, *n.* 'Glám-sight', illusion, 8/140 *n.*

glaumr, *m.* a merry noise.

gleði, *f.* gladness, merriment; § 94.

gler-tǫlur, *f. pl.* glass beads; § 37.

glettask (tt), to meddle with, 8/22.

gleypa (t), to swallow.

glík-lígr, likely, 9/151; § 59.

glíma, *f.* wrestling.

glita (að), to glitter.

glotta (tt), to grin; *g. við tǫnn*, grin contemptuously (showing the teeth), 1/228.

glugga-þykkn, *f.* dense clouds with openings in them.

gluggr, *m.* window.

glymja (glumði), to roar, resound, 9/190, 15/17.

‡**glædhias**, to rejoice, 20/61, 62.

glǫggr (van), clear-sighted; clear; §§ 100, 102, 104.

gnat, *n.* clashing, 9/201.

gnata (að), to crash.

gnegg (= *hnegg*), *n.* neigh(ing).

gnógr, enough; plenty of; **gnógt**, *as sb.* plenty, 7/58.

gnótt, *f.* abundance, plenty.

gnýja (gnúði), to roar; splash against (*á e-u*), 9/210.

gnýr, *m.* clash, din; *g. malma*, clash of metal (weapons), battle, 17/65.

gnæfa (ð), to rise high, tower.

goð, ‡**guth**, *n.* (heathen) god; § 193.

goða-hús, *n.* temple; *n. pl.* 6/660.

goð-gá, *f.* blasphemy.

goði, *m.* chief (and priest).

góði, *m.* profit, 16/133.

goð-orð, *n.* rank and authority of *goði*.

goðorðs-maðr, *m.* possessor of a *goðorð*.

góðr, good, fine, noble; brave, 7/263; liberal, 5/541; *g. fjárins*, generous with money; *g. af sér*, willing, powerful, 6/129; *e-m vera gott til*, be well off for, have plenty of, 1/144 *n.*, 8/10 *n.*; *e-m verður gott til*, one gets plenty of; **gott**, *n. as sb.* good, benefit; good behaviour, 3/91; § 55, 77, 106, 214.

góð-vili, *m.* goodwill, 9/46, 20/7.

gólf, ‡**gulv**, *n.* floor; §§ 32, 54.

gómr, *m.* gum (of mouth).

‡**gönga**, to go = GANGA.

gotar, *m. pl.* men, iii/2; § 92.

goti, *m.* steed, 9/205 *n.*, iii/12.

gott, *n.* of GÓÐR.

góz, *n.* goods, 18/42, 20/32.

gráðr, *m.* hunger, 9/211.

grafa, to dig; engrave, inlay, 14/96; *g. niðr*, bury, 8/117, 14/59; *grafinn niðr*, rooted to the ground, 6/120; §§ 118, 132.

‡**gramer**, fierce; *as sb.* fiend, 20/92.

gramr, *m.* king, 9/184.

grannr, slender, 11/122.

grár, grey; § 97.

gras, *n.* grass; pasture, 5/166.

gras-geilar, *f. pl.* grass-covered clefts (in the hillside), 6/551.

gráta, to weep; ‡**græt**, pa. t. 20/60; § 133 (iv).

grautr, *m.* porridge.

greið-liga, quickly, promptly.

greip, *f.* space between fingers or talons, 16/137.

gren, *n.* lair of fox, fox-hole.

gres-járn, *n.* iron wire.

grét, pa. t. sg. of GRÁTA.

gretta (tt) sik, to grimace.

‡**grêue**, *m.* count, earl. [MLG. *grêve*.]

grey, *n.* bitch, 4/82; dog, 13/20; § 81.

grið, *n. pl.* peace, protection.

griða-lauss, without truce.

grið-kona, *f.* serving-woman.

griðungr, *m.* bull.

gríma, *f.* mask; shadow of night, 14/23.

grimm-ligr, fierce-looking.

grimmr, fierce, grim; ‡**grym**, 18/42.

grind, *f.* gate of bars, 1/221; pen, fold, 3/122.

grípa, to grip; *g. til*, take up, lay hold of, 1/394; § 127.

‡**grípær**, *m.* draught-cattle.

gripr, *m.* valuable thing, animal.

grjót, *n.* stones.

grjót-bjǫrg, *n. pl.* rocks.

grjót-hóll, *m.* rocky mound.

gróf, *f.* pit.

gruna (að), to suspect, 2/72, 7/354; impers. *mik grunar*, I suspect, I fancy, 1/203, 12/109.

grun-lauss, unsuspecting; *eigi er mér grunlaust*, I suspect, 2/39.

grunnr, *m.* ground, bottom, 9/237.

grunn-sævi, *n.* shallow water.

grýttr, stony, rocky.

‡**græs**, *n.* grass = GRAS.

grǫf, *f.* pit, hole, ditch; § 83.

grǫn, *f.* beard; lip; *bregða grǫnum*, draw back the lips (to smile), 7/212; *pl.* beak, 9/208.

grǫsugr, grassy.

Grœnlands-ferð, *f.* journey to Greenland.

Grœnlenzkr, belonging to Greenland.

Guð, *m.* God; ‡**Guss**, *gen.*; §§ 32, 87.

guðr, *f.* battle; § 84.

gufa, *f.* vapour, smoke.

‡**guldinn**. See GJALDA.

gull, *n.* gold.

gull-band, *n.* golden collar.

‡**gull-fingrini**, *n.* gold ring, 19/16.

gull-hjálmr, *m.* golden helmet.

gull-hringr, *m.* gold ring.

gull-hyrndr, golden-horned, 13/92.

gullin-hjalti, *m.* sword with golden hilt.

‡**gulue**, 18/21. See GÓLF.

gumi, *m.* man; § 92.

‡**guth**, *god* = GOÐ.

gæfa, *f.* luck; *bera gæfu til við e-n*, have good fortune in dealings with one, 9/100.

gæfr, mild, reasonable.

gæfu-leysi, *n.* lucklessness.

gæfu-maðr, *m.* lucky man.

gægjask (ð), to bend forward to see, gaze, glare.

‡gǽn = GEGN.

gær, in *i gær*, yesterday.

†gæra, ‡gæræ = GØRA.

gæta (tt), to watch, take care of, hold; *fá allsgætt*, take care of everything, 6/413; § 157.

gǫfugr, worshipful, distinguished.

gǫrr (van), ‡gar, *adj.* (used as pp. of GØRA), made, built, 1/2, 423; done, 1/426; ready, iii/12; sent, 5/413; made, caused to be, 11/71; *til g.* treated, 6/155; *ekki at gǫrt*, nothing accomplished; *svá gǫrt*, thus, in that condition, 6/190.

gǫgn, ‡gǫmpt. - *See* GEGN, GEYMA.

‡gǫmæn, 18/63 = GEGNUM.

gøra, gera, †gæra, ‡gøræ, ‡giøræ, (1) to make, 3/12; build, 1/3; (2) compose, write, 4/1, 17/56; make a story of, 1/334; (3) give, offer, 7/12; (4) act, do, 3/15, 9/133; *g. af (e-u)*, do with a thing, 6/455, 12/30; *g. meira af sér*, give a better account of onself, 1/299; *g. e-t til*, prepare, 2/7; *g. til e-s*, earn, 3/66; *g. til saka við e-n*, commit offences against one, 9/77; *g. við e-u*, prevent, 7/194; (5) send, 4/84, 19/3; (6) cause (to be), 12/91, 16/129, 131; *g. sik djarfan*, display boldness, 3/31; (7) *refl.* become, 1/135, 2/137; turn out, happen, 4/117; set in, 5/271; arise, 4/113; *g-sk á*, arise, 17/108; *g-sk af*, result from, 4/95; *g-sk til*, take trouble, 12/71; ‡*g. sek til*, resort to, 18/81; §§ 5, 25, 42, 139.

gørð, *f.* making, building; arbitration; *taka menn til gørðar*, choose arbitrators, 6/210.

gørr, *compar. adv.* more fully, 4/5; *gørst*, superl. 6/418.

gør-simi, *f.* treasure; § 94.

gørvi-ligr, capable, enterprising.

gœða-lauss, barren, useless.

H

‡haad, *n.* scorn, 20/95.

haddr, *m.* hair (of head).

haf, *n.* the sea; *af hafi*, from abroad, 6/694.

hafa, ‡hafwa, ‡hauæ, to have; possess, 1/6; keep, 14/135, 20/47; hold, celebrate, 21/45; have intercourse with, 18/16; bring, take, 1/72, 5/223, 457, 9/73, 21/23; get, 6/305, 471,10/9; accept, 6/190, 397; wear, carry, 5/253, 9/2, 13/63; hold to be true, believe, 4/7; *pp.* current, 16/11; *uppi haft*, noised abroad, often mentioned, 6/710; *hafa sik spakan, h. kyrt um sik*, remain quiet, 3/118, 8/132; *h. e-n nær e-u*, expose one to (peril), 1/358; *h. nær e-u*, come near to, 4/91; *h. hátt*, make an outcry, 3/22; *h. ilt af*, get ill-treatment from, 3/33; *h. e-t fram(mi)*, carry on, perform, 5/103, 198; bring forward, 6/489; *h. til* (or *fyrir*), use for, 1/165, 5/488, 509, 7/63, 8/139, 16/8; *vera haft til*, be the ground for (an accusation), 4/81; *h. fyrir*, hold to be, 16/22; ‡*hauæs for*, to be considered to be, 18/72; *hafask at*, do, be occupied with, 10/49; *hafask lind fyrir*, hold shield before one, 1/480; as auxiliary, see § 165; § 143.

há-flœðr, *f.* full flood, high tide; § 84.

hafr (rs), *m.* goat.

hafr-staka, *f.* goat-skin, 1/117.

‡haftæ = *hafði. See* HAFA.

haga (að), to arrange; *h. til*, contrive, 1/33; *impers.* it is fitting, iii/3.

hagall, *m.* hail.

hagi, *m.* pasture land.

hag-leikr, *m.* skill in handicraft.

hag-liga, neatly.

hagl-korn, *n.* hail-stone.

hagr, *m.* condition, affairs, character, 3/143, 4/109; advantage; *þér mun h. á vera*, will be well for you, 1/295.

‡haiman, ‡haita, ‡haiþin = HEIMAN, HEITA, HEIÐINN; § 227 (1).

halda, to hold; (1) *w. dat.* hold fast, grip, 1/152, 3/35, 7/274; keep, 8/8, 9/226 *n.*, 12/148; steer, direct, 5/29, 242, 10/47; *h. (hendi) of e-m*, protect, 5/14; (2) with ellipse of the dat.; *h. at* (or *til*), go to, sail to, 2/135, 3/125, 5/65, 16/153; *h. fram*, hold a course, 5/58; *h. í haf*, put out to (open) sea, 5/32, 59; *h. inn með*, make one's way into, 5/265; *h. saman*, fasten together, 5/255; (3) *w. acc.* hold to, 6/244; *h. tal af e-m*, value the counsel of, 5/221; ‡*gieta sic uppi haldit*, succeed in maintaining oneself, 21/28; (4) *absol.* last, hold good, 4/118; (5) *with preps. and advs.*: *h. á e-u*, hold (in hand), 1/119; wield, carry, 3/138; *h. á brottu*, make off, 5/398; ‡*h. medh e-n*, take the side of, 20/91; *h. undan*, run away, 5/382; *h. við flótta*, be on the point of fleeing, 10/88; (6) *refl.* last, 5/530; §§ 123, 124, 133 (iii), 158.

hald-orðr, true of word, 17/61.

‡**haldær.** *See* HELDR.

hálfr, half; *hálfu*, by half; *w. compar.* by far, twice as much; §§ 54, 158.

hallar-gólf, *n.* hall-floor.

hallr, *m.* slope (of a hill), hill-side.

hall-æri, *n.* bad season.

hálmr, *m.* straw.

hálm-þúst, *n.* flail. [OIr. *súist.*]

halr, *m.* man, hero.

háls, *m.* neck; ridge, hill-crest; § 54.

haltr, lame.

hamar-gnípa, *f.* peak of a crag.

hamarr, *m.* hammer; crag, cliff.

hamar-skapt, *n.* handle of hammer.

hamars-muðr, *m.* end of hammer-head.

hamar-spor, *n.* mark of hammer's blow.

ham-hleypa, *f.* skin-changing witch, 9/112 *n.*

hamingja, *f.* luck.

hamingju-leysi, *n.* want of luck, 8/104 *n.*

hamla, *f.* oar-thong; *láta síga á hǫmlu*, to back oars, back out of the line of battle, 10/87.

hamla (að), to back oars, fall back.

hamr, *m.* skin; abode, 9/241.

handa, handar. *See* HǪND.

hand-genginn, having become a retainer.

hand-leggr, *m.* arm; *pl.* upper arm and forearm, 7/79.

hand-sal, *n.* (usually in *pl.*), shaking hands in conclusion of an agreement.

hand-taka, to seize, capture.

‡**hangæs**, to be hanged, 18/83; § 71.

hani, *m.* cock, 11/10; § 61 (6).

hann, ‡**han**, he; § 109.

‡**hānum**, †**hǎnum** = HONUM.

hanzki, *m.* glove. [MLG. *hantzke.*]

happ, *n.* good luck, fortune.

happ-fróðr, wise in season.

hár, *n.* hair.

hár, high, lofty; tall, 6/324; *hátt*, *n. as adv.* aloud, loudly; §§ 100, 102, 105.

harðfengi-liga, stoutly, in warlike fashion.

harð-greipr, hard of grip.

harð-hugaðr, stern of heart or mood.

harðla, very; § 149.

harð-liga, fiercely, terribly.

harðr, hard, severe, sharp; *hart's með*, it goes hard with, 1/412; *hart*, *as adv.* hard, sharply; *harðara*, more swiftly, 14/25; **harðaz**, *adj.* fiercest, 17/95.

harð-ræði, *n.* hardihood, experience of hardship.

harð-snúinn, well-knit, staunch.

‡**hār-klædhe**, *n.* hair-shirt, 20/42.

harma (að), *impers.* to grieve, vex.

harm-fullr, filled with sorrow.

harmr, *m.* sorrow, grief.

harp-sláttr, *m.* playing the harp.

há-seti, *m.* oarsman; *pl.* crew.

há-sin, hough sinew, tendon.

háski, *m.* danger, harm.

há-sæti, *n.* high seat.

hata (að), to damage, destroy.

‡**hath**, *n.* hate, 20/22.

hátt, *n.* of HÁR.

hátta (að), to arrange (*e-u*), 9/250; - *háttaðr*, fashioned; *e-m er svá* *háttat*, one is of that nature or dis-position, 3/142.

hattr, *m.* hood, 9/2 *n.* = HǪTTR.

háttr, *m.* custom, manner, 5/472, 504; manner, kind, 5/477; *einskis háttar*, of no importance; § 88.

hauga-brot, *n.* breaking open of grave-mound.

hauga-eldr, *m.* fire from graves.

haug-búi, *m.* ghost, 'undead' man.

haugr, *m.* mound; grave-mound.

haukr, *m.* hawk, 16/137.

hauk-strǫnd,*f.* 'hawk-strand', arm, 9/229.

hauss, *m.* skull.

haust, *n.* autumn.

‡**hauæ**, ‡**hauæs**. *See* HAFA.

hávaða-mikill, noisy, self-asser-tive, 6/256.

‡**hēdher-līcer**, glorious, 20/13; **-līca**, worthily, meritoriously, 20/8.

‡**hēdhra (adh)**, to honour, 20/9.

heðan, from here, hence; *h. af*, henceforward, 6/203; § 32.

heðra, here, hither.

hefja, to lift, raise, 1/313; *h. upp*, begin, 4/108, 6/482, 9/170; *refl.* begin, 17/89; § 132.

hefna (d), to avenge; *h. e-s (á) e-m*, take vengeance for a person or thing on one, 1/88, 499 *n.*, 6/156, 7/195; *impers. h. e-t e-m*, one suffers for a thing, 1/59; *w. acc.* 18/90; *w. dat.* 6/422, 423; § 157.

hefnd, *f.* vengeance.

‡**hegnan**, *f.* aid, 21/66.

hégómi, *m.* folly.

heiðar-brún, *f.* edge of the heath.

heiðinn, heathen.

heiðir, *m.* hawk, 5/14 *n.*

heiðni, *f.* heathendom.

heiðr, *f.* heath (on high ground); § 84.

heiðr, bright, clear.

heilagr (helgan), holy, sacred; *helg-ir fiskar*, halibuts, 5/339 *n.*; ‡**hēlagher** ‡**(hælghan)**, 20/2; §§ 96, 102, 104.

heili, *m.* brain.

heill, sound, safe; in health; hail! 15/34; *bæði heila hittask*, bade god-

speed to meet again, 1/217; *eigi heil*, pregnant, 5/392.

heill, ‡**hæill**, *n. and f.* good luck, 5/120; good omen, 17/5.

heil-ráðr, giving wholesome coun-sel.

heil-ræði, *n.* wholesome counsel, 1/209 *n.*

heilsa (að), to greet.

heim, *adv.* home; to(wards) the house, 2/115, 3/123, 7/203.

heima, *n.* home; *adv.* at home.

heima-maðr, *m.* man of the house-hold.

heiman, from home; from the dwel-ling, 21/62.

heim-dragi, *m.* a stay-at-home, 16/179.

heimili, *n.* home, homestead.

heimr, *m.* region; world, 1/471, 7/246 *n.*; *heima í millim, í milli heims ok heljar*, between life and death, 8/92, 14/145.

heimskr, foolish.

heim-stǫð, *f.* homestead.

heimta (t), to draw, summon; get back, recover, 13/31.

heimull, *e-m er heimult*, one has a right; *var þat heimult gǫrt*, per-mission was granted, 9/122; § 61 (4).

hein-sǫðull, *m.* 'saddle of the whet-stone', sword.

heit, *n.* promise vow; *strengja h.*, make a solemn vow.

heita, (1) to call, name, 14/85; *h. á e-n*, call upon or to, 1/149, 2/81 *n.*; pray to, 5/274; (2) promise; *h. e-m e-u*, promise a thing to a person, 3/90, 4/67, 7/288, 295, 12/41 *n.*; (3) be named, be called; *h. eptir*, be named after, 3/156; § 133 (i).

heitr, hot; § 61 (1).

heit-strenging, *f.* solemn vow, 6/178. *See* FELLA.

hel, *f.* hell; death, 8/92; ‡*í hæl*, to death, 18/23; § 84.

heldr, *adv.* rather, any the more; *at h.*, all the more, 7/106; *h. en*, rather than, more than; *after neg.*, on the contrary; nay, rather, 1/47; § 153.

helga. See HEILAGR.
hel-grind, f. gate of hell.
hella, f. flat stone.
hellir, m. cave, 5/461.
hellu-steinn, m. flat stone.
helmingr, m. half; § 61 (3).
hel-vegr, m. the road to hell.
helzt, most willingly; most of all;
exceedingly, 3/113.
helzti, all too, very.
hēm = HEIM.
henni. See § 109.
hendr, ‡hændir. See HǪND.
heppinn, lucky, fortunate.
hepta (t), to hinder, make difficulty.
hér, ‡hǣr, here; *hér af*, from this,
1/307.
herað, n. district.
her-bergi, n. quarters, lodgings.
herða (ð), to harden, clench; *h. á
e-m*, urge, press, 5/520.
herðar, f. pl. shoulders.
her-fang, n. booty.
herfi-ligr, wretched; shameful, bit-
ter, harsh.
herja (að), to harry, plunder; § 142.
her-klæða (dd), *h. sik*, to put ar-
mour on.
her-klæði, n. pl. armour.
her-lið, n. war-force, army.
herr, m. great number, host, army;
§ 81.
herra, m. lord; § 92. [OS. *herro*.]
her-vápn, n. pl. (military) weapons.
her-ǫr, f. war-arrow, 10/43 n.
hestr, m. stallion, horse.
‡hētir, ‡hētæ, 18/6, 19/21. See
HEITA.
heygja (ð), to bury.
heyja (háði), to perform; *h.
férándsdóm*, hold a court of confisca-
tion.
heyja-annir, f. pl. the haymaking
season.
heyra (ð), ‡hȫra, to hear; hear of,
12/33; *h. til e-s*, hear a sound from,
2/97, 7/325; *ekki lét h. til sín*, did
not let a sound be heard from him,
8/55; § 136.
hey-verk, n. hay-making.
hey-virki, n. hay-making.

*hí, here, iii/2 n.
‡hieldu, 21/50, pa. t. pl. of HALDA.
‡hielp, f. help, 21/66.
hildr, f. battle; § 84.
hilmir, m. chief, king, 9/175.
‡hime-rike, n. heaven, 20/23.
himinn, m. heaven; § 80.
hindr-vitni, f. superstition, heathen-
ism.
hingat, ‡hingæt, hither; § 152.
hinn, adj. and pron. this (one), that,
1/385, 3/73, 15/36; it, iii/2; *as art.*
the, 1/10, 5/8; § 111.
‡hioldo, pa. t. pl. of HALDA.
hirð, f. court. [OE. *hīr(e)d*.]
hirða (ð), to keep, 14/109; mind,
care, 7/90; *hirðumat fælask*, let us
not be frightened, 14/27.
hirðir, ‡hirthæ, m. herdsman.
hirð-maðr, m. retainer.
hirzla, f. keeping, possession.
hít, f. skin-bag.
‡hīt, 21/1 = hét. See HEITA.
hiti, m. heat; flame, 1/507; § 61 (1).
hitta (tt), to hit upon; come to,
1/391, 2/62, 9/24, 21/1; go to see,
6/215,9/117; come upon, meet with,
1/350, 14/1; find, 13/12; *h. á e-t*,
come upon, find, 5/88; *h. ráð*, de-
vise a plan, 1/31; *recip.* meet each
other, 1/217.
‡hiærta, 20/59 = HJARTA.
hjá, prep. w. dat. beside; at the side
of, 2/94; compared with, 1/101; *í
hjá*, close by, 4/83.
hjala (að), to chatter.
hjaldr (rs), m. battle, 17/60.
hjaldr-trani, m. 'battle-crane',
raven.
hjallr, m. platform.
hjálmr, m. helmet.
hjálm-rǫðull, m. sword.
hjalm-stallr, m. the support of the
helmet, head, 17/65.
hjálpa, to help; §§ 54, 120, 129.
hjalt, n. (1) the pommel of the
sword (*efra hjaltit*); (2) the guard
(*fremra hjaltit*); hjǫlt, pl. the hilt.
hjarn, n. hard snow, 16/125.
hjarta, n. heart; § 92.
hjartar-horn, n. hart's horn.

hjó, pa. t. sg. of HǪGGVA.

hjón, *n. pl* = HJÚ; § 92.

hjú, *n. pl.* household; §§ 46, 92.

hjǫrð, *f.* herd, flock; herding, 14/2.

hjǫr-leikr, *m.* sword-play, battle.

hjǫrr, *m.* sword; § 82.

hlað, *n.* pavement (in front of homestead), 7/157.

hlaða, *f.* barn.

hlaða, to load, 9/174; pile, iii/8; § 132.

hlakka (að), to scream, cry.

hlam (pa. t. of *hlimma*), clashed, clanged, 9/197.

hlátr (rs), *m.* laughter.

hlaup, *n.* run, running; *taka h.*, run.

hlaupa, to leap, spring, climb, 6/406, 7/18, 40; mount, 17/120; run, 2/67, 5/251, 6/492; fall down on, 6/17; *h. undan*, run away, flee, 5/398; *h. á e-t*, trample on, 6/407; §§ 122, 133 (ii).

hleypa (ð, t), †lœypa, to make run; gallop, 17/121; break up (the court), 6/497.

hlið, *f.* side, 1/433; § 83.

hlíð, *f.* slope, mountain or hill-side.

hlíf, *f.* cover, shelter; shield.

hlífa (ð), to shelter, protect (*w. dat.*).

hlíta (tt), to trust, rely on.

hljóð, *n.* silence, hearing, 9/170.

hljóð-lyndr, taciturn.

hljóðr, silent, quiet.

hljóp, pa. t. sg. of HLAUPA.

hljóta, to get (as one's lot); *w. infin.* be obliged to, must; *reflex.* to result, 6/653; § 128.

hló, pa. t. sg. of HLÆJA.

hluta (að), (1) to get (as one's lot); *hlutask til*, interfere in, take part in, 6/456; (2) cast lots; ‡*lutaþi bort*, decided by lot who was to depart, 21/22; *hlutaðr til*, selected by lot, 16/42.

hluti, *m.* lot, fate, 9/127; *mestr h.*, most of, 12/6.

hlutr, *m.* part, portion, 1/10, 9/174, 17/104; thing, 1/448, 2/128, 9/128; condition, 12/130; purpose, 12/173; *meiri h.*, the majority, 10/29; *eiga hlut í*, take part in,

6/216; *um alla hluti*, in all respects, 5/177; †*hafa bætra lut*, have the best of it, 17/101; § 87.

hlut-skipti, *n.* sharing of booty.

hlýða (dd), to listen to, hear, 14/79; *impers.* be allowable; succeed, prosper, 4/70; *e-m hlýðir*, one endures, 2/46 *n.*

hlýðni, *f.* obedience; assistance.

hlæja, to laugh, smile; § 132.

hlǫkk, *f.* clash; battle.

*hlǫm, *f.* crashing sound, 9/183 *n.*

hlœgi-ligr, laughable.

hlœgja (ð), to gladden.

hnakki, *m.* the back of the head.

hné, pa. t. sg. of HNÍGA.

hnegg, *n.* neigh(ing).

hneggja (að), to neigh.

hneppr, scant, 16/131.

hneykja, *f.* shame.

hníga, to sink; *pp.* open, 14/69; *hniginn í aldr*, elderly, advanced in years, 5/119; § 127.

hnipinn, downcast, drooping.

hnit, *n.* clash, 9/191.

hnjóða, to rivet, clench rivets; § 128.

hnjósku-lindi, *m.* belt of tinder or amadou.

hnoss, *f.* costly thing, ornament.

hnykkja (ð, t), to pull violently.

hodd-dofi, *m.* stinginess.

hof, *n.* heathen temple.

hóf, *n.* proportion; *at hófi*, tolerably, 2/6.

hófs-maðr, *m.* a just man.

‡hofwed, ‡hogga. *See* HǪFUÐ, HǪGGVA.

hol, *n.* hollow, hole.

hold, *n.* flesh.

hollr, loyal, 9/147; § 77.

Hólmgarðs-fari, *m.* voyager to Novgorod.

holr, *adj.* hollow.

hol-sár, *n.* wound in a vital part.

holt, *n.* woodland, 5/337; ‡*hult*, sacred grove, 21/42.

hon, honum. *See* HANN; § 44, 109.

‡hopas til, to put hope in.

hór-dómr, *m.* whoredom, adultery.

horfa (ð), to be turned in a certain direction, 2/92; gaze, 5/280; come

to, 6/256; *h. á*, turn towards, 5/43;
look at, 3/129; impers. *hversu
horfir*, what turn things have taken,
6/460.
horfinn, pp. of HVERFA.
horn, *n.* horn; drinking-horn, 1/275;
corner, 3/6.
horn-klofi. See note to 9/226.
horskr, wise.
‡**hõs**, *prep. w. acc.* near, by.
hósti, *m.* cough.
hót, *n.* whit, bit; **hóti**, *as adv.* a little,
6/323.
‡**houæth** = HǪFUÐ.
‡**hoystr**, highest, 21/45, superl. of
‡*haur* = HÁR; § 227 (6).
hrað-liga, quickly.
hraðr, swift, fresh, 6/808.
hrafn, *m.* raven; § 80.
hrakning, *f.* insult, humiliation.
hramm-þviti, *m.* 'arm-stone', gold.
hrapa (að), to rush.
hrapal-liga, *adv.* headlong.
hrata (að), to tumble, fall.
hratt, pa. t. sg. of HRINDA.
hraun, *n.* lava; boulder-strewn
rocky ground, 6/753.
hraust-liga, bravely.
hraust-ligr, dauntless, strong of
heart, 7/247 (*compar.*).
hraustr, brave, stout-hearted.
hraut, pa. t. sg. of HRJÓTA.
hreinn, *m.* reindeer, 16/125.
**hrekja (hrakti, hrakiðr,
hraktr)**, to drive away; *h. e-n af
máli*, force one to abandon a law-
suit, 6/497; *hrekjask fyrir e-m*, be
confounded by, 6/444.
hrelling, *f.* affliction.
hreppa (t), to catch, obtain.
hreyfa (ð), to move, stir.
hreysti, *f.* courage, valour.
hríð, *f.* while, time; *um h.*, for a time,
2/102; storm, 11/69; onset, attack,
7/46, 11/128.
hrím-þurs, *m.* frost-giant.
hrína, to neigh; *h. við*, neigh to a
horse; § 127.
hrinda, to push, shove; *impers.*
drive, drift, 8/86; †*ratt af sér*,
threw off, 17/111; § 129.

hringa-brynja, *f.* coat of ring mail.
hring-brjótr, *m.* distributor of
rings.
hringr, *m.* ring; circle.
hrís-kjǫrr, *n. pl.* brushwood
thicket.
hrista (t), *trans.* to shake, 13/3.
hrjóða, to strip, clear (of defenders);
§ 128.
hrjóta, to fly, spring; roll, 2/67;
snore, 1/157; § 128.
hróðr (rs), *m.* praise; encomium.
hross, *n.* mare, horse.
hrossa-kjǫt, *n.* horse-flesh.
hrúga, *f.* heap.
hrukku, pa. t. pl. of HRØKKVA.
hryggr, *m.* back; § 87.
hrymjask (d), to become aged;
hrymðr, stricken with age, 6/391.
hrynja (hrunði, pp. hruninn), to
fall in ruins, 1/419; rattle down,
13/77.
hrýtr. See HRJÓTA.
hræ, *n.* corpse (of the slain in battle),
9/207; § 82.
hræddr, afraid, frightened.
hræða (dd), to frighten; *refl.* be
afraid of, be frightened, 1/380,
7/190.
hræzla, *f.* fear, terror.
hrøkkva, to fall back; *h. frá*, draw
back, retreat; § 129.
hrœra (ð), to move, stir.
húð, *f.* hide.
húð-fat, *n.* leather hammock.
húð-keipr, *m.* skin-covered canoe.
huga (að), to excogitate, think out.
hugaðr, supplied with courage; *vel
h.*, courageous, 2/14.
hugall, thoughtful.
hugar-bót, *f.* consolation.
huggan, *f.* comfort, consolation.
‡**huggho**, ‡**huggin**, ‡**huggæ.** See
HǪGGVA.
hugr, ‡**hugh**, *m.* (1) mind, 18/55;
thought, 1/372; *koma e-m í hug*,
occur to one, 7/235; *hafa í hug*,
intend, 6/496; (2) heart, spirit,
13/126, 14/33, 20/38; *í hugum
góðum*, glad at heart, 14/130; (3)
courage, 3/127, 6/319; *hugar eig-*

andi, courageous, 14/114; (4) desire; *i hug*, to one's mind, 6/246; *leggja allan hug d*, set one's whole heart on, 9/93; § 87.

hug-ró, *f.* clinch on a sword's hilt.

hugsa (að), to consider.

hulða, *f.* cover, sheath.

‡hult. *See* HOLT.

hundr, *m.* hound, dog; § 218.

hundrað, ‡hundrada, *n.* a hundred and twenty, 5/225 *n.*; hundred, 20/109.

húnn, *m.* piece of wood, iii/2.

hurð, *f.* door, 8/17 *n.*; § 87.

hurðar-flaki, *m.* hurdle.

hurfu, pa. t. pl. of HVERFA.

‡huræ, how?

hús, *n.* house; room of house; *pl.* farm.

hús-freyja, ‡hūs-trō, *f.* lady of the house, housewife.

‡hūs-frūghæ, *f.* (house)wife; § 219. [MLG. *hūsfrūwe*.]

hús-gørð, *f.* house-building.

hús-karl, *m.* servant; retainer.

‡hūs-konæ, *f.* bondwoman.

húsl, *n.* sacrifice.

‡hūs-trō. *See* HÚSFREYJA.

‡hūþ-strȳkæ (*pp.* -strukin), to beat, flog; §§ 128, 207.

hvaðan, whence, from everywhere.

hváll, *m.* hill(ock), knoll.

hvalr, *m.* whale; § 87.

hvar, where; everywhere, 9/233; *hvar sem*, wherever, 10/49.

‡hvar, who?, 19/15; each, 20/27; hwaR, who, iii/2, 12.

hvarfa (að), to walk, go, 11/35, 14/95.

hvár-gi, *pron.* neither, 7/221; *n.* as adv. *hvár(t)ki ... né*, neither ... nor.

hvárr, *pron. and adj.* which (of two), each (of two), both; *at hváru*, yet, however, 11/66; §§ 98, 114.

hvárr-tveggja, hvárr-tveggi, *pron.* each of two, both; § 116.

hvárt, whether, 1/183; introducing direct question, 1/163, 204, &c.; *h. er*, can it be?, 12/32; *h. er ... eða*, whether ... or, 1/72; *h. sem ... eða*, whether ... or, 7/301, 11/28.

hvártki, hvárki. *See* HVÁRGI.

hvass, sharp; prickly, 20/42; hvass-ara, *adv.* more keenly, 13/102.

hvat (n. of HVERR), what; indef. *vel hvat*, everything, 15/16; *h. sem*, whatever, 1/34.

hvata (að), to hasten, go.

hvati, *m.* one who incites; *h. hjǫrleiks*, bold warrior.

hvat-ki, whatsoever.

hvat-vetna, *pron.* anything whatever; everything.

hvé, how?

hveðrungr, *m.* monster.

hveiti-akr (rs), *m.* wheat-field.

hveiti-ax, *n.* ear of wheat.

hverfa, to turn; *h. á brottu*, disappear, 5/277; *h. af*, vanish from, 1/417; *h. aptr*, turn back, return, 1/211, 5/437; *h. frá*, turn away, give up, 7/52, 221; *h. saman*, assemble, 4/90; *vinsældum horfinn*, popular, 5/220; § 129.

hverfr, changeable; *n. as adv.* quickly.

hver-gi, *adv.* nowhere; not at all, 7/301, 8/56, 60; *w. gen.* nowhere on, 13/7, 14/106; § 151.

hvernig, in what way, how = *hvern veg.*

hverr, *adj. and pron.* who, which, what; *indef.* each, every; *einn hverr*, any one (of several), 9/55; §§ 98, 114, 116.

hvers-dagliga, commonly, usually.

hversu, how, however.

hvert, whither, where.

hvessa (t), to sharpen; *h. augun á e-n*, look keenly at, glare at.

hvet-vetna = HVATVETNA.

hví, why?

hvíla, *f.* bed.

hvíla (ð, d), to rest, lie, sleep.

hvílð, *f.* rest, pause.

hvirfill, *m.* crown of the head.

hvít-faldinn, with white headdress.

hvítingr, *m.* drinking-horn, 11/67 *n.*

hvítna (að), to become white.

hvítr, white, shining.

†hværr-tveggja, *pron.* each of two, both.

‡**hwalf**, *n.* vault, iii/15.

‡**hwar**. *See* ‡HVAR.

‡**hwilkæn**, *pron.* whoever; he who, 18/19.

‡**hwæim**, to whom, iii/12.

hý-býli, *n. pl.* homestead, home.

hyggja (hugði, *pp.* hug(a)ðr), to think, believe, 1/229, 16/176; intend, purpose, mean, 1/153, 16/88; *h. at* (*e-u*), take thought, consider, 2/88, 12/73; give heed to, be desirous of, 1/467; observe, see, 7/158; attend, hearken, 9/179; *h. at gátu*, guess the riddle, 16/118; *kunna h.*, understand (the art of), 16/150; *hugat mæla*, speak sincerely, 9/233 *n.*; *refl.* containing subject of infin., as *hugðisk falla*, he thought he would fall, 1/129, and so in 15/2, 16/78.

hykk, 16/176 = *hygg ek.*

hylli, *f.* favour, grace.

hylr, *m.* hole, pool.

hý-nótt, *f.* bridal night.

hyrna, *f.* point of axe-blade.

hyrr, *m.* fire; § 87.

hæð, *f.* height, hill.

‡**hælðrs-minni**, *n.* memorial of honour.

‡**hæið-werðr**, revered.

‡**hæl**, *f.* death = HEL.

‡**hældr**, ‡**hældir**, ‡**hællir** = HELDR.

‡**hælfningr**, *m.* division of an army, iii/15.

hæll, *m.* heel.

‡**hændir**, †**hændr**. *See* HǪND.

‡**hængæs**, to be hanged, 18/85.

‡**hænnæ**, *pron. dat.* = HENNI.

‡**hær**; ‡**hær** = HERR, army; HÉR, here.

hærðr, haired; *mjǫk h.*, having abundant hair.

†**hǽrre**, taller, 17/28. *See* HÁR.

hætta (tt), to cease, 1/339, 5/69, 7/320, 9/134.

hætta (tt), *w. dat.* to risk, venture, 5/444, 6/299, 447; § 71.

hættir, nom. pl. of HÁTTR.

hættr, dangerous; 12/144; *hlífum h.*, destructive to shields, 14/102.

†**hǫfðingh-legr**, *adj.* princely.

hǫfðingi, ‡**hǫfdinge**, *m.* chief, ruler; § 92.

hǫfðingja-sonr, *m.* son of a chief.

hǫfðing-liga, in princely fashion, generously.

hǫfgi, *m.* sleep, drowsiness.

hǫfn, *f.* harbour; § 87.

hǫfuð, *n.* head; person, 11/12 *n.*; § 80.

hǫfuð-dúkr, *m.* headkerchief or hood. [MLG. *dōk.*]

hǫfuð-smátt, *f.* the opening for the head (in a garment).

hǫfuð-stafn, *m.* prow, beak, 9/210.

hǫgg, *n.* stroke, blow; *hǫggva í millum*, between strokes, 10/103; § 82.

hǫgg-fœri,· *n.* striking distance, reach of the sword.

hǫgg-orrosta, *f.* close hand-to-hand fight.

hǫggva, ‡**hugga**, ‡**hogga**, to hew, cut; 7/74, 10/92; carve, iii/16; behead, slaughter, 9/67, 10/128; strike; *h. til*, strike (at), 3/146, 7/206, 19/29; *h. í e-t*, smite against or into, cleave, 5/405, 7/19; §§ 42, 47, 63, 133 (ii), 203.

hǫldr, **hǫlðr**, *m.* man, hero.

hǫlkn, *n.* flat, hard rock.

hǫll, *f.* hall; *há foldar hǫll*, the high hall of the world, the heavens, 5/15; § 87 and § 83 (2/116).

hǫnd, *f.* (1) hand, the arm and hand; *taka í hǫnd e-m*, take one by the hand, 5/494, 12/112; *selja* (or *fá*) *e-t í hǫnd e-m*, put into one's hand, hand over to, 1/274, 2/8, 36; *e-m til handa*, for one to possess or marry, 1/72; *e-m í hendr*, into one's possession, 6/372, 449; *Guði á hendi*, into God's keeping, 7/307; *báðum hǫndum*, with open arms, 8/12; *í hǫnd*, at once, 5/532; continuously, 5/60; *undir hendi sér*, (hidden) under his arm-pit, 7/276; (2) side, part, 1/150; †*á báðar hændr*, til beggja handa, right and left, 10/109, 17/74; *þinnar handar*, on your part, 12/74; *hvárratveggju handar*, for both parties, 1/390; (3) **á hendr**, **í hendr**, *prep. w. dat.* against, 5/181, 450, 6/266; § 89.

hǫndla (að), to lay hands on, seize.
hǫrfa (að), to recoil, give way.
hǫrr, *m.* linen; bow-string, 9/216; § 82.
hǫss (van), grey, 15/32.
hǫttr, *m.* hood; § 88.
†hǫuss, *m.* skull, 17/64 = HAUSS.
‡høfdinge. *See* HOFÐINGI.
‡høgh-tiið, *f.* holy day, 20/85.
‡hø̄ra. *See* HEYRA.
hœfa (ð), *w. dat.* to befall, 3/101.
hœgindi, *n.* pillow, cushion.
hœgr, gentle, reasonable; *n. sg.* easy, possible.
hœgri, *compar. adj.* right.
hœnsn, *n. pl.* hens; § 61 (6).

I

í, *prep.* (1) *w. dat.* in, within, 1/187, 409, 16/162; among, 16/114; in (a state of), 14/70, 130; in the form of, 12/23; in respect of, 3/57, 5/216; (of time), during, in, at, 1/275, 16/119; *í því*, at this, thereupon, 7/17; (2) *w. acc.* in, into, to, 1/54, 138, 190, 195; on, on to, 1/182, 183; into (a state of), 1/422; during, 4/9, 9/126, 17/21; *í annat sinn*, (for) a second time, 4/19; *inn í*, into, 1/271.
‡ī, *pron.* you, 20/32; = ÉR.
‡iak, I = EK.
‡idhar, ‡idher = YÐARR, YÐR.
‡idhe-līker, diligent, 20/41 *n.*
ið-gjǫld, *n. pl.* compensation, iii/12.
iðja (að), to do, perform.
iðja, *f.* work, task.
iðn, *f.* occupation, work.
iðrask (að), *w. gen.* to repent of.
‡iec, I, 21/55 = EK; §§ 208, 227 (8).
‡iem-līca, constantly; § 220.
‡ier, ‡ir, is = ER.
‡ierl, *m.* earl = JARL; § 208.
í-huga (að), to consider, try to decide, 12/61.
í-hugi, *m.* resentment.
il, *f.* sole of the foot; § 84.
illa, *adv.* ill, badly; §§ 149, 153.
illi-ligr, ugly, hideous.
ill-mæli, *n.* calumny, slander.
illr, *adj.* bad, evil; ugly, unpleasing,

1/100, 5/350; difficult, 8/73; *e-m gørask ilt til*, become badly off for, 5/271; *varð þeim ǫllum ilt af*, it made them all sick, 5/289; *ilt, n. as sb.* evil (counsel, treatment, &c.), 1/30, 3/33.
illska, *f.* cruelty, evil disposition.
ill-viðri, *n.* foul weather.
‡in-lændær, *m.* a native.
inn, *def. art.* the; §§ 112, 164.
inn, *adv.* in, within.
inna (t), to accomplish; pay, repay.
innan, *adv.* from within; *fyr innan*, *prep. w. acc.* into, 13/18; *innan*, *prep. w. gen.* within, 14/50; *w. acc.* into, 21/25; ‡innæn, ‡innen, *w. acc.* within, in, 18/89, 102; § 152.
innar, farther in.
inn-ganga, *f.* entrance.
inni, *adv.* within; within the house; § 152.
inni-liga, exactly, minutely.
‡iord-rīke, *n.* this world.
‡iörthæs (æth), to be buried; §§ 192, 208.
‡iorþar = jarðar. *See* JQRÐ.
‡ir, is = ER.
‡īr, *pron.* you, 21/55 = ÉR.
Īrskr, Irish.
ísa-brot, *n.* the breaking of the ice; *við í.*, when the ice broke up (in spring), 9/173.
Íslenzkr, Icelandic.
íss, *m.* ice; †lakkar ís (for *íss*), the icicle of battle, the gleaming sword, 17/64.
ístra, *f.* paunch-fat, paunch.
it, *dual pron.* you two, 12/52; § 108.
‡iwir-mænn, *m. pl.* superiors, lords, 20/25; § 212.
í-þrótt, *f.* accomplishment, feat.
íþrótta-maðr, *m.* a skilled man.
‡iæmbling, *f.* the return of the same time in a year, anniversary; § 220.
‡iæten, *m.* giant = JQTUNN; § 208.

J

já, yes.
já (ð), to say 'yes', agree to (*e-u*).
jaðarr, *m.* edge.
jafn, *adj.* even, equal; §§ 15, 45.

jafna (að), to cut even, trim, 13/21 ; *j. e-u til e-s*, compare, liken, 5/379.
jafnaðr, *m.* justice, equality, 6/38.
jafnan, ever, always; § 149.
jafn-berr, equally exposed.
jafn-breiðr, equally broad.
jafn-dœgri, *n.* equal length of day and night.
jafn-fagr (ran), equally fair.
jafningi, *m.* equal.
jafn-langr, of equal length.
jafn-mannvænn, equally promising.
jafn-menni, *n.* equal, match.
jafn-mentr, of equal rank.
jafn-mikill, equally great, just as much.
jafn-nær, equally near, midway between.
jafn-skjótt, at once; *j. sem,* as soon as.
jafn-skǫruliga, so notably, so manfully.
jafn-snimma, at the same time, 9/159.
jafn-sœtr, equally sweet.
jafn-vel, *adv.* even, 6/308; as well, 6/413.
‡**jak,** I = EK.
jara, *f.* battle, 9/238.
jarð-fastr, fixed in the earth.
jarð-hús, *n.* underground room.
jarl, *m.* earl; free-born man, gentleman, 16/121; §§ 46, 62, 75, 80.
jarmr, *m.* screaming.
‡**jarmun-grund,** *f.* expanse of the earth; ‡*Ondils j.,* the sea, iii/14.
jarn, járn, *n.* iron; weapon. [From Celt. *isarno-.*]
járn-leikr, *m.* play of iron, battle.
járn-smiðr, *m.* iron-smith.
játa (að, tt), to say 'yes', agree to (*e-u*)., *reflex.* 6/636.
jók, pa. t. sg. of AUKA.
jól, *n. pl.* Yule, midwinter heathen feast, later applied to Christmas; § 62.
jóla-aptann, *m.* Christmas eve.
Jórsala-farar, *m. pl.* crusaders, iii/5.
jǫfnuðr, *m.* equality, equal share.

jǫfurr, *m.* prince, king; § 46.
jǫkull, *m.* glacier.
jǫrð, *f.* earth; § 87.
jǫtun-móðr, *m.* giant's rage.
jǫtunn, *m.* giant; §§ 45, 192, 230.

K

kala, *impers.* to freeze, 16/131 ; § 132.
kaldr, cold, 11/69, 17/109; § 77.
kálfr, *m.* calf.
kálfskinn-skór, *m.* calf-skin shoe.
kalla (að), to call, cry out; name, 18/8; say, declare, 1/249, 5/506, 7/122; § 141.
*****kam,** came, iii/2 = *kom.*
kann. *See* KUNNA.
kanna (að), to explore; search, 10/169.
kapp, *n.* contest, competition, 1/254, 6/220; spirit, ardour, courage, 2/52, 5/399, 6/738. [From Lat. *campus.*]
kappi, *m.* champion, hero; § 77.
‡**kar,** *n.* vessel, tub.
karl, *m.* man; common man, churl; old man; § 80.
karl-maðr, *m.* man.
kasta (að), to cast, throw; § 158.
kastali, *m.* castle. [OFr. *castel.*]
katli, dat. sg. of KETILL.
kátr, merry, cheerful.
katt-skinn, *n.* cat-skin and fur.
kattskinn-glófi, *m.* glove of cat-skin. [OE. *glóf.*]
kaun, *n.* sore, boil, 16/129.
kaup, *n.* bargain; wages; *vera af kaupi,* forfeit the reward, 1/34.
kaupa, to buy; make a bargain; *dýrt k.,* pay dearly for, 9/160; *k. at e-m,* pay, hire, 4/101; §§ 17, 143. [From Lat. *caupo.*]
kaup-eyrir, *m.* article of trade, wares, 16/153.
kaup-maðr, *m.* trader, merchant.
kaup-staðr, ‡**kǫp-stath,** *m.* market town, 16/154, 18/6.
kaup-stefna, *f.* market.
keipla-brot, *n.* wreckage or pieces of (Greenland) canoes, 4/45.
keipr, *m.* small boat; canoe, 5/371 ; sledge-runner, iii/2.
kelda, ‡**kiælda,** *f.* fountain, spring.

kemr = **kømr.** *See* KOMA.
kengr, *m.* bend, arch; *beygði kenginn,* arched its back, 1/319; § 87.
kenna (d), (1) to know, 1/163; (2) perceive, 1/126, 190; (3) taste, 5/150; (4) feel, 2/89, 6/415; (5) recognize, 3/144, 9/25, 17/7, 114; *k. at,* recognize by, 2/105; (6) *þar sem holta kendi,* wherever there was woodland, 5/337; *hvar ru kendir,* where are, 14/10; (7) name, tell, 15/39; (8) teach, 4/54, 5/457, 513.
kenningar-son, *m.* alleged son.
kenni-Valr, *m.* adventurous steed, 5/320 *n.*
kerling, *f.* old woman.
ketill, *m.* cauldron; §§ 56, 80. [From Lat. *catillus, catīnus.*]
keypti, pa. t. of KAUPA.
kið, *n.* kid, young goat.
kiðja-mjólk, *f.* goat's beestings; §§ 45, 89.
kikna (að), to give way at the knees.
kinn, *f.* cheek; § 89.
kinn-hestr, *m.* blow in the face.
kippa (ð, t), *w. dat.* to pull, jerk, 10/137; snatch, pick up, 3/73; rend, 8/62.
kirkja, *f.* church; § 93. [OE. *cirice.*]
kirkju-skot, *n.* wing of a church.
kista, *f.* chest, box. [From Lat. *cista.*]
‡**kiælda,** ‡**kiǽr** = KELDA, KÆRR.
**kjafal, 5/254. *See* note.
kjóll, *m.* ship.
kjósa, to choose; *k. sik hér,* prefer to be here, 11/41; § 128.
kjǫlr, *m.* keel; § 88.
kjǫptr, *m.* jaw.
klaka (að), to chatter.
klakk-laust, *adv.* without injury.
klappa (að), to knock.
kljúfa, to cleave, split (up); § 128.
klofna (að), to be cloven, split.
klóra (að), to scratch.
klyfja (að), to load (a horse) with pack-saddles.
klýpa (ð), to pinch.
klæða (dd), to clothe; *refl.* get dressed, 1/122.

klæði, *n.* garment, clothing. [OE. *clāð, clǽð.*]
kná, *pres. t.* can; §§ 147, 171.
knappr, *m.* knob.
kné, *n.* knee; §§ 46, 80.
kneppa (t), to fasten, button, 5/255; pull, 8/76.
knifr, *m.* knife.
‡**knóa,** to overcome, iii/12.
knoða (að), to knead.
knúði, pa. t. of KNÝJA.
knúi, *m.* knuckle.
knúta, *f.* knuckle-bone.
knútr, *m.* knot.
knýja (knúði, *pp.* **knúinn),** to beat, drive up, 1/482; *refl.* struggle, exert oneself, 1/335.
knǫrr (knarrar), *m.* ship; § 88.
knǫttr, *m.* ball, sphere.
kol, *n. pl.* coals, charcoal, cinders.
kólf-skot, *n.* (distance of an) arrow-shot.
kollóttr, bald.
koma, ‡**kuma** (‡**kombær,** *pres.* 3 *sg.,* 19/9), (1) to come, 1/111, 155 (*impers.*), 19/9; arrive, 6/288; *vel kominn,* welcome, 12/112, 15/34; *k. at,* come to, reach, 1/25, 5/237; come up, 7/277; get at, obtain, 9/211; recover, 13/134; *mjǫk komit at degi,* nearly dawn, 8/119; *k. fram,* be set up, 5/497; *k. fyrir e-n,* come to the ears of, 3/49, 21/37; *k. i,* come into, 1/208; *k. i føri,* get an opportunity, 1/195; *k. saman,* assemble, 10/10; *k. til,* be born, 5/450 *n.*; arrive, 17/92; (2) come about, occur, 1/403 *n.*; *kom þar at . . . ,* it came about that . . . , 7/99; *hvar k. skal,* what shall be done, 9/246; *hvar var komit,* what had occurred, 8/27; *k. fram,* come to pass, 1/492, 7/194; *k. upp,* result, 9/92; *fyrir ván komit,* past all hope, 6/320; (3) *k. til e-s,* to concern one, be one's business, 5/475 *n.*; (4) *k. fyrir,* be an equivalent, be given in compensation, 1/133 *n.*; (5) impers. *k. á* (or *i*), the blow or missile comes upon, strikes, penetrates, 1/364, 7/20, 53, 276; *k. fyrir,* strike,

hit, 11/55; (6) *w. dat.* make to
come, bring, send, 5/24, 7/78,
9/100, 21/3; *k. fœti,* set foot, 5/265;
k. Kristni á (or *í*), Christianize,
4/53, 5/94; *k. at þeim ǫrunum,* get
at them with arrows, 7/41; *k.
boganum við,* make use of the bow
against them, 7/88; *k. e-m til falls,*
bring one to a fall, 1/389; *ef váttum
kvæmi við,* if one produces wit-
nesses, 4/130; (7) *pp.* bestowed,
6/453; *kominn vel á sik,* accom-
plished, 16/140; (8) *refl.* make one's
way, 1/223, 2/94, 5/333, 7/333,
12/35; *k-sk at e-m,* come to close
quarters with, 7/69; *fram k-sk,* be
brought about, 2/129; *k-sk fyrir
e-n,* become known to, 3/53; *k-sk
e-m ór hǫndum,* escape from, 7/98;
k-sk til leiðar, be brought to pass,
12/50; *k-sk at bak þeim,* attack
them in the rear, 17/71; *k-sk undan*
(or *í braut*), escape, survive, 5/456,
7/201, 329, 11/36, 17/106; †*komaz
viðr,* come against, take effect on,
17/67; §§ 34, 35, 44, 130.
kom-at, 5/315, has not come.
kom-k, 5/309 = *kom ek.*
‡**kompān,** *m.* companion. [OFr.
cumpaign.]
kona, *f.* woman; wife, 1/116;
§§ 61 (4), 93.
konar, *gen. sg.* of obsolete word
'*konr*', kind; *alls konar,* of every
kind.
konunga-ævi, *n. pl.* lives of the
kings.
‡**konunge-dōmæ,** *n.* kingdom.
‡**konunghs-leker,** kingly, 20/
20.
konung-maðr, *m.* man of royal
rank.
konungr, ‡**kunung(h)r,** *m.* king.
konungs-garðr, *m.* king's hall and
court.
konungs-maðr, *m.* king's man.
korn, *n.* corn, grain.
‡**kors,** *n.* cross, 20/88 = KROSS.
kosta (að), *w. gen.* put forth effort;
k. rásar, run at great speed, 5/441;
impers. w. acc. cost, 1/34.

kostnaðr, *m.* cost, expense.
kostr, *m.* choice, alternative, 7/12,
221, 17/44; offer, 17/24; chance,
opportunity, 6/498, 7/338, 11/29,
12/190; money available, 6/616;
match, marriage, 6/201; condition,
quality, 5/142; terms, 6/208, *pl.*
6/223; *at ǫðrum kosti,* as another
course, 1/211; *hneppir kostir,* dis-
tress, 16/131; § 87.
kraki, ‡**kragæ,** *m.* pole-ladder.
kraptr, *m.* strength.
krás, *f.* dainty; § 87.
krefja (krafði), to crave, ask; *k. e-n
máls,* ask speech of one, 1/62; § 157.
krellr, *m.* spirit, hardihood.
krikta (t), to complain, cry out.
Kristinn, Christian. [OE. *Crīsten.*]
Kristni, *f.* Christianity; § 94.
krjúpa, to creep, crouch, 5/314,
17/58; § 128.
krókr, *m.* hook.
kross, *m.* cross, iii/4. [MIr. *cross,*
from Lat. *crucem.*]
krýpk = *krýp ek.* See KRJÚPA.
krǫptugr, strong.
†**kuīgha,** *f.* heifeı.
kumbl, *n.* sepulchral monument.
kunna, to know, 1/232, 9/240 *n.,*
16/145; know how to, 16/148; be
able, 5/529, 10/56, 16/18; *vera
kann,* it is possible, 5/346; *kunna
sik,* know oneself, 6/221; *k. e-m
þǫkk,* be grateful to, give thanks
to, 8/4, 12/77; *kunna e-u illa,* be
greatly displeased or distressed by,
5/179, 6/185; *k. e-n e-s,* blame a
person for a thing, 6/421; § 145.
kunnandi, *f.* knowledge, accom-
plishments.
kunnigr, known; *honum var kunnigt
í,* he had knowledge of, 5/222.
kunningi, *m.* acquaintance.
kunnr, known; *compar.* better
known, 4/5.
kunnusta, *f.* knowledge, ability.
kurteis-liga, courteously, with dig-
nity. [OFr. *curte(i)sie.*]
kvað, kváðu. *See* KVEÐA.
kváma, *f.* arrival.
kván, *f.* wife; § 61 (4).

kvángask (að), to marry; *kvángaðr*, married.

kván-lauss, unmarried.

kveða, (1) to say, declare; *kveðkat þik mǫnnum líka*, I declare you inhuman, 14/94; *kváðu mik hafa*, said that I should have, 5/308; (2) utter (verse), say in verse, 1/80, 2/110, 5/307; recite, 9/96; (3) utter a cry, 7/20; (4) *k. á*, fix, agree on, 12/7; give orders, 7/108; (5) *k. e-t at e-m*, inflict on one; *mikill harmr er at oss kveðinn*, great grief is sent to us, 7/312; (6) *refl.* containing subject of infin., as in *allir kváðusk fylgja vilja*, all said they were willing to follow, 5/30; § 131.

kveðja, *f.* greeting, salute.

kveðja (kvaddi), to greet, salute, 1/227, 3/62; *k.* (*upp*), call up, summon, 6/271,273; § 139.

kveisa, *f.* boil.

kveisu-nagli, *m.* (the matter in) the core of a boil.

kveld, *n.* evening; *í k.*, this evening, 7/129, 11/53; *um kveldit*, the evening before.

kveld-sǫngr, *m.* evensong, vespers.

kvelda (að), *impers.* kveldar, evening draws in.

kvenna, gen. pl. of KONA.

kvenna-lið, *n.* the women.

kven-skikkja, *f.* woman's cloak.

kven-váðir, *f. pl.* women's skirts.

kveykva (kveikti), to light, kindle; §§ 42, 139.

kví, *f.* sheepfold.

kvía-garðr, *m.* wall of a sheepfold.

kviðlingr, *m.* short verse, ditty.

kviðr, *m.* belly.

kvikindi, *n.* creature.

kvikr, alive. *See* KYKR.

kvilla, *f.* sickness, 16/126.

kvisa (að), to whisper.

kvistr, *m.* twig, branch.

kvæði, *n.* poem.

kvæmi = *kœmi*, pa. subj. of KOMA.

kvǫð, *f.* duty; *ák hróðrs of kvǫð*, a song of praise is due from me, 9/175.

kykr, living, alive; § 42.

kykvendi, *n.* living creature; *pl.* animals, beasts.

kýll, *m.* bag, knapsack. [From Lat. *cūleus*].

kyn, *n.* kin, kindred; origin; kind, 8/138; § 81.

kyn-kvísl, *f.* lineage, descendants.

kyn-ligr, strange, wondrous.

kýr, *f.* cow; §§ 37, 89.

kyrr, quiet; *hafa kyrt um sik, sitja um kyrt*, remain quiet, 3/118, 6/272.

kyrtill, *m.* kirtle, tunic.

kýs, pres. 1 sg. of KJÓSA.

kyssa (t), to kiss.

‡kæmpe, *m.* champion. [OE. *cempa*.]

kæra (ð), to lay a charge against, accuse.

kærr, ‡kiær, dear, close, beloved, 10/179, 20/5. [OFr. *kēr*.]

†kæsia, *f.* a kind of halberd, long spear, 17/67.

kǫgur-sveinn, *m.* infant.

kǫngull, *m.* cluster, bunch.

kǫpp. *See* KAPP.

kǫpur-yrði, *n. pl.* boasting.

kǫssungr, *m.* sleeveless jacket.

kǫttr, *m.* cat; § 88. [From Lat. *cattus*.]

‡kǫpstath = KAUPSTAÐR.

køri. *See* KJÓSA.

‡køt, *n.* flesh, 20/42.

‡køuærne, *n.* little dog.

kœmi, pa. subj. of KOMA.

L

lá, ‡laat. *See* LIGGJA.

†lackar = *hlakkar*. *See* HLǪKK.

lag, *n.* stratum, layer, position; *í verra lagi*, among the worst, 6/191.

lág, *f.* log.

lagði, ‡lagthæs. *See* LEGGJA.

‡lagh, ‡laghomen = LǪG, *lǫgunum*.

‡lag-maþær, *m.* lawman, 19/3; § 216.

lágr, low, small, 1/323; §§ 61 (5), 105.

lags-maðr, *m.* companion.

lama-sess, *m.* helpless state.

lambskinns-kofri, *m.* hood of lamb-skin. [OFr. *covre*(*chief*).]

land, *n.* land , country; *fyrir landi,* 6/495 *n.*; § 40.
landa-leitan, *f.* exploration.
land-auðn, *f.* depopulation.
land-aurar, *m. pl.* land-dues, a tax paid by Icelanders to the king on their arrival in Norway, 4/34.
landi, *m.* fellow-countryman, 4/65, 5/319.
land-kostr, *m.* quality of the land.
land-nám, *n.* taking of land, settlement.
landnáma-maðr, *m.* settler.
land-nyrðingr, *m.* north-east wind.
land-skjálpti, *m.* earthquake.
lands-kostr, *m.* (good) quality or resources of a country.
lands-lǫg, *n. pl.* law of the land.
lands-maðr, inhabitant of a country.
lands-nytjar, *f. pl.* produce of the land; § 84.
land-suðr, *n.* south-east.
lang-lífr, long-lived.
langr, long; *(at) langt,* a long way; *lǫngum,* in long stretches; § 96.
lang-skip, *n.* warship.
lang-æð, *f.* long duration.
lasta (að), to blame, speak ill of.
láta, lata (5/320 *n.*), (1) to put, place; *l. af,* take off, 13/119; *l. á land,* put ashore, 5/250; *l. upp,* open, 9/30; (2) intr. *l. í haf, l. út,* put to sea, 5/88, 316, 12/160; *l. at landi,* put in to land, 5/56; (3) let, allow, 7/181, 12/191, 14/29, 63, 20/83; *skyldi eigi l. verða,* (they) should not allow it to happen, 4/111; *l. laust,* let go, 10/60; *lét sér ekki feilask,* did not falter, 2/78; (4) concede, yield; *l. e-t eptir e-m,* concede a thing to one's wish, 5/121; *l. við,* answer (prayer), 5/276; *l. eptir,* give way to a pull, 10/137; (5) leave, 5/42, 101, 9/130; *l. eptir,* leave behind, 1/138, 4/26; *l. af,* leave off, give up, 6/320; (6) lose, 1/245, 5/329; (7) *w. infin.* cause to be done, have done, command to be done, 1/63, 128, 251, 498 *n.*, 5/43, 320, 7/224, 9/213, 13/64, 20/66;

l. e-n+infin., cause or make one to do a thing; *lætr Hǫtt fara,* he makes H. go, 3/92, and so 3/110, &c.; (8) behave, *látið eigi stórliga yfir yðr,* do not behave arrogantly, 1/209; (9) *l. sem,* behave as if, pretend that, 3/39, 6/508; (10) say, declare, 1/251, 7/220; *l. ørvænt,* declare it unlikely, 4/63; *létu sér eigi annars ván,* said they expected nothing else, 4/69; *l. sem,* allege that, confess that, 3/133, 6/190; *refl.* containing subject of infin., as in *látask eigi vitat hafa,* they say they have not proved it, 16/12, and so in, 1/66, 12/48, 17/87, &c.; (11) sound, 5/344, 380; impers. *l. hátt,* make a loud noise, 11/95; *l. látum,* make sounds, 7/142; § 133 (iv).
látum. See LÆTI.
lauf-grœnn, leaf-green, verdant.
laufs-blað, *n.* leaf.
laug, *f.* bath; § 83.
lauga (að), *trans.* to bathe.
laugar-dagr, *m.* Saturday, iii/8.
lauk, pa. t. sg. of LÚKA.
laun, *f.* secrecy; *á l.,* secretly.
laun, *n. pl.* reward.
launa (að), to reward; *l. e-m e-t e-u,* reward one with a thing for a service or gift, 12/167.
laun-dyrr, *f. pl.* secret door.
laus-eygr, with roving eyes.
lauss, loose, free, 1/421, 10/60; free of obligation, 12/183; unsteady, 1/336; unhindered (by packhorses), 6/777.
laust, pa. t. sg. of LJÓSTA.
lausung, *f.* falseness.
laut, pa. t. sg. of LÚTA.
‡**laut,** 21/19, pa. t. of ‡*liauta* = HLJÓTA.
lax, *m.* salmon.
‡**lēdha** = LEIDA.
leðr-hosa, *f.* leather bag; § 45.
leggja (lagði, *pp.* **lag(i)ðr),** (1) to lay, place, put, 1/117, 7/270, 8/53; *l. skip á borð,* lay a ship alongside, 10/102; *l. eld í,* set fire to, 2/116; *l. við,* add, 11/132; *í hús váru lǫgð,* were used for house-building, 5/92;

figuratively, *l. eigu á*, take posses-
sion of, 4/22; *l. kapp á e-t*, take
trouble about, be ardent in, 8/95,
9/164; *l. við*, risk, 6/881; *l. sik fram*,
put forth effort, 1/257; (2) put or
lay down; cast down, iii/2; *l. segl*,
lower sail, 5/57; *l. at velli*, *l. at
jǫrðu*, lay low, slay, 7/101, 9/161,
162; (3) lay as a spell; *l. e-t á við
e-n*, lay as a spell on one, 8/106;
(4) move, bring; *l. skipunum inn á
fjǫrð*, bring the ships into the firth,
5/262; *l. e-t í móti*, oppose with,
10/75; *l. saman*, bring together,
10/79; ‡*leghde medh sik*, joined to
himself, 20/76; absol. *l. til*, lay a
course to, sail or row to, 10/47, 88;
l. inn í, sail or row into, 5/427; *l.
at*, attack (in naval battle), 10/94,
122; *l. fram* (*at e-m*), come into
battle, make an attack (on), 10/76,
86; (5) thrust, 3/104, 7/32; hurl,
throw, 7/213; *l. at*, push against,
8/67; *l. til*, thrust at, 7/77; (6)
make; *l. lykkju*, tie a knot, 16/172;
(7) give; *l. fram*, give up, lay down,
9/166; *l. virðing á e-n*, bestow
honour on one, 5/78; *l. e-t fyrir
e-n*, give to, settle on, 12/6; *l. til*,
grant, 1/15; give to, settle on,
12/121; provide, make available,
12/127; give (advice), direct, 6/398,
7/61; (8) impers. *hingat leggr
reykinn*, the smoke is blown in this
direction, 7/330; *l. e-t á*, come
upon one, arise, 5/34; (9) refl. *l-sk
í*, appear in, enter, 6/630; *l-sk á*,
be acquired; *l-sk niðr*, lie down,
1/174, 4/103, 7/148; *l-sk yfir*, swim
across, 16/170; ‡*lagthæs mæth*, lay
with, 18/10; §§ 28, 74, 139.

leggr, *m.* hollow bone (of arms and
legs); leg; § 87.

leið, *f.* way, journey; road, path,
16/173; manner, fashion, 8/94.

leið, pa. t. sg. of LÍÐA.

leiða (dd), to lead; § 66.

leiða (dd), to make tired of, 6/496;
refl. become tired of, 6/205 (*impers*).

leiði-tamr, easily led, genial, com-
. pliant.

leiðr, hateful, 1/98.

leifa (ð), to leave after death, iii/4;
leifðu at sik, left in themselves, lost
in death, 14/141.

leiga (ð), to hire, rent.

leika, to move to and fro; play, sport,
16/117; be current, 5/206; *l. sér*,
play, 2/66; *l. við*, play against,
1/507; *l. sárt*, deal hardly with,
7/23; § 133 (i).

leikr, *m.* game, sport, contest; *á nýja
leik*, anew, in a fresh attempt, 4/68;
Hildar l., battle, 11/17; *hvat leika
er*, what is going on, 6/795.

leira, *f.* mud-flat, 16/159.

leir-stokkinn, mud-bespattered.

leit, pa. t. sg. of LÍTA.

leita (að), *w. gen.* (1) to seek, search
for, 1/147, 5/207; *l. sér lífs*, seek to
save one's life, 7/337; *l. ráða til*,
ask for advice from, 6/398; *l. at*,
make inquiry, 5/512; *l. til*, look
for, 1/145; *l. eptir e-u við e-n*, ask
for a thing from a person, 6/238;
(2) seek out, find, 1/173, 5/252; (3)
try to go, go; *l. undan*, get away,
escape, 5/436; *l. út*, get outside,
8/70; *l. á*, attack, assault, 1/24,
3/60; find fault with, sneer at,
11/112; (4) *l. til e-s*, try, attempt,
1/336, 2/58, 9/126; *l. við*, try, 2/4;
(5) *l-sk fyrir*, make a search before
one, 1/150; §§ 61, 157.

‡**lēkare**, ‡**lǣkari**, *m.* minstrel,
buffoon.

lemja (lamði, *pp.* lamiðr), to
smite, beat; *l. í sundr*, break.

lendr, landed; *l. maðr*, nobleman,
9/131 *n.*

lengð, *f.* length.

lengi, *adv.* long; a long time; **lengr**,
longer; **lengst**, longest; *sem lengst*,
as long (*or* far) as he could, 1/302,
320.

lengja (ð), to prolong, lengthen.

‡**lē-nu**, for ‡**lēo-nu**, (on) the lion
iii/16. [From Lat. *leō*.]

leppr, *m.* lock of hair.

lérept, *n.* linen, clothes.

lesa, to gather; § 131.

lesta (t), to injure.

lét, pa. t. of LÁTA.

letja (latti), to hinder, dissuade.

létta (tt), to lift (*e-u*), 1/320; cease, stop, 2/109, 5/384, 6/507; impers. *e-u léttir,* a thing ceases or abates, 5/475; *áðr létti,* before the end, 9/91.

leyðra (að), to wash.

leyfa (ð), to allow; praise.

leyna, †lœyna (d), to conceal; *l. e-n e-u,* conceal a thing from one, 2/99, 17/16, 38; *refl.* hide oneself, 2/61, 82; *l-sk í brott,* steal away, 3/92.

leysa (t), to loosen, untie, 1/177; tear, 8/126; redeem, purchase, 7/13; send (from one's house), 8/125; *l. í brott,* find places for, 6/200; *l. flotann,* weigh anchor, 10/64; *refl.* depart, 9/51; *l-sk undan við e-t,* draw back from, 4/101.

lézk, ‡lēþæ. *See* LÁTA, LEIÐA.

lið, *n.* people; band, host, 5/170, 17/15; troops, 10/40; herd (of mares), 6/93, = STÓÐ; help, aid, 1/12, 2/3; *koma* (or *verða) e-m at liði,* come to one's aid, be of help to, 1/467, 5/518.

líða, (1) to go, pass, 14/9; *impers.* progress, go, 1/282 *n.,* 374, 9/106; *pp.* dead, 14/29; (2) of time, pass away, 1/340, 2/19; *l. fram* (or *af*), pass away, 2/23, 8/13; impers. *leið á vetrinn* (or *várit*), the winter (spring), was far spent, drew to a close, 1/22, 6/269, 12/133; *sem leið at jólum,* as it drew near to Yule, 3/78; § 127.

liði, *m.* follower, 10/117, iii/14.

liðr, *m.* joint; *leggr ok l.,* every limb, 3/28.

lið-sinni, *n.* help.

liðs-munr, *m.* difference in numbers of men, 17/69.

lið-veizla, *f.* help, support.

líf, *n.* life; *lífs,* alive, 9/56, 11/25; *á lífi,* alive, 5/471.

lifa, ‡lifwa, to live; §§ 143, 218, 226.

líf-dagar, *m. pl.* life, 17/106.

líf-látinn, dead.

lift, *n. adj.* allowable to live.

‡lifwerne, *n.* conduct of life.

liggja, to lie (down), 1/155, 182, 196; lie ill, 16/63; be situated, be in a certain place, 5/147, 17/53; lie low, be slain, 9/182, 11/39; iii/12; lodge, sleep, 5/461, 18/27; lie at anchor, 5/257, 427, 10/66; lead, go (of road), 5/536; *sú's mest of lá,* which flowed mightily on, 9/186; *l. á,* oppress, be troublesome, 5/409, 531; *l. eptir,* remain behind, 10/101, iii/5; *l. í,* sink in, 6/776 *n.*; *l. til,* be fitting, 12/70; be due to, belong to, 20/30; *l. um,* lie coiled around, 1/383; *l. við,* be at stake, depend on, 6/226, 7/61, 86; impers. *e-m liggr við,* one is on the verge of, 7/96; §§ 53, 61 (5), 64, 65, 73, 74, 131.

lík, *n.* corpse, 20/102.

líka (að), *impers. w. dat.* to please; *láta sér l.,* allow oneself to be satisfied, 6/850.

líkami, ‡líkæme, *m.* body.

líki, ‡līke, *m.* like, equal.

líki, *n.* form, shape.

líkindi, *n. pl.* likelihood; trace, 3/123.

lík-ligr, likely, probable.

líkr, like (*w. dat.*); likely, 10/126.

limaðr, having limbs; *l. manna bezt,* most shapely of limbs.

lími, *m.* besom; branch, bough.

lín, *n.* linen; bride's veil. [From Lat. *līnum.*]

lína, *f.* linen headdress, 13/109.

lind, *f.* lime-tree; shield, 1/480.

linr, kindly.

lióp = *hljóp.* *See* HLAUPA.

list, *f.* art.

líta, to look, 1/55; see, 14/67; *l. á e-t, l. við e-m,* look at, regard, 1/278; take into consideration, 9/77, 12/53; *l. til,* turn to, acknowledge greeting, 1/227 *n.*; *l. yfir,* gaze upon, 14/112; *refl.* seem, appear, 1/231, 331; *l-sk á,* be pleased with, like, 12/137; §§ 61 (1), 127.

lítask (að), *l. um,* to look about, 1/327, 5/269, 503, 14/71.

lítill, little, short; *l. fyrir sér*, weak, of no account; *litlu*, a little, 1/197; n. sg. as adv. *litit*, little, 6/387; §§ 98, 106.

lítil-látliga, humbly.

lítil-menni, *n.* a mean fellow, one of little manhood.

lítil-ræði, *n.* trifle.

lit-klæði, *n. pl.* coloured, dyed clothes.

lit-lauss, colourless, pale.

litr, *m.* colour, complexion; § 88.

lítt, *n.* little; *l. til*, little of, 5/274; *adv.* 5/166.

ljá (léði), *w. gen.* to lend, give, 8/139, 13/11.

ljóma (að), to shine.

ljómi, *m.* radiance, 16/134.

ljós, *n.* (burning) light.

ljós-jarpr, *adj.* light chestnut.

ljóss, bright, clear; light-coloured, fair, 6/328; adv. *it ljósasta*, most clearly, 9/21.

ljósta, to strike; § 128.

ljótr, ugly, 1/92 *n.*

ljúga, to tell a lie; belie, 9/217; *pp.* false, 16/14; § 128.

loðinn, hairy, furry.

lof, *n.* praise.

lofa (að), ‡lofwa, ‡lufa, to praise, 5/399, 20/62; allow, permit, 1/13, 21/34.

lofðungr, *m.* prince, king.

lófi, *m.* palm of the hand.

lof-kvæði, *n.* poem of praise, encomium, 9/94.

lofs-orð, *n.* word of praise.

loga (að), to blaze.

lóga (að), to part with, 12/188.

logi, *m.* flame; *brenna loga*, burn strongly, be ablaze, 13/86.

loginn, pp. of LJÚGA.

logn, *n.* calm, 16/117; § 233.

lokinn, pp. of LÚKA.

lok-rekkja, *f.* bed-closet, 8/36 *n.*

lopt, *n.* the sky, 1/27; upper room, 7/27, 236, 9/89; *í lopt*, into the heavens, 1/58; *á lopt(i)*, up, in(to) the air, aloft, 1/46, 395, 472, 13/39; *taka spjót á lopti*, catch a spear as it flies, 7/320; § 34.

losna (að), to become loose, be broken, be torn up.

‡loste. *See* LUSTE.

lostigr, willing.

lúðr (rs), *m.* trumpet.

‡lufa (aþ), to allow, 21/34 = LOFA.

lúka, to finish, end (*e-u*), 2/37, 109, 4/123; use up, 12/127; *l. aptr*, close, 1/221, 2/100; *l. fyrir sér*, *l. upp*, open, 1/57, 222, 362; impers. *skal yfir lúka með oss*, our dealings shall now be ended, 7/254; *áðr lúki*, before the case is ended, 6/438; *lauk*, it has been ended, 11/134; § 128.

lukla. *See* LYKILL.

lund, *f.* mood, nature, character, 6/685; manner, way, 20/9.

lús, *f.* louse; § 89.

‡luste, ‡loste, *m.* desire, 20/47, 49.

†lut, 17/101. *See* HLUTR.

lúta, to bow, bend; pay reverence to (*e-u*), 16/134; *l. í*, bend to, 1/280; *l. ór horni*, raise the head from the horn, 1/281; *l. til*, show deference to, 5/18; § 128.

‡luta = HLUTA.

lýðr, *m.* people; *pl.* men; § 87.

lygi, *f.* lie, falsehood; § 94.

lygi-saga, *f.* fictitious tale.

lykð, *f.* end; *at lykðum*, at last.

lykill, *m.* key; § 80.

lykkja, *f.* loop, knot.

lyndis-bragð, *n.* temper.

lypta (t), *w. dat.* to lift; §§ 34, 138.

lypting, *f.* poop-deck.

‡lȳs = *lýss*. *See* LÚS.

lýsa (t), (1) to illuminate; *impers.* to dawn, 9/114; *lýsti af hǫndum hennar*, her hands shone, 1/57; (2) make known, proclaim, 6/266, 19/22, 21/69.

lysta (t), *impers.* to desire, wish.

læ, *n.* bane; *sviga læ*, bane of switches, fire, 1/488; *gráðar læ*, hunger's bane, food, 9/211; § 82.

lægð, *f.* low place, low ground.

‡lægh, *f. pl.* law, 19/7 = LǪG.

læging, *f.* disgrace, humiliation.

lægja (ð), to lower; *impers.* sink, 14/112.

lægri, compar. of LÁGR.
‡lægæ-dōm, *m.* medicine; § 225 (1).
‡længæ (d), to desire, 18/49.
lær-leggr, *m.* thigh-bone.
læsa (t), to lock, shut up.
‡lǣt, 20/66 = lét. *See* LÁTA.
læti, *n. pl.* noise, 1/157 *n.*; § 81.
lǫð, *f.* invitation; hospitality, 9/175.
lǫg, ‡lægh, ‡lagh, *n. pl.* law, laws, constitution; *brjóta lǫg á e-m,* break the law in the treatment of one, 9/81; §§ 61 (5), 230 (1).
lǫg-berg, *n.* law-rock.
lǫg-kœnn, skilled in the law.
lǫg-mál, *n.* legal procedure.
lǫgr, *m.* sea, 1/58, 485; water, 16/138.
lǫgsǫgu-maðr, *m.* law-speaker of the assembly.
lǫg-vǫrn, *f.* defence at law.
lǫn, *f.* row; *hræs lanar,* the rows of the slain, 9/207.
lǫtum, 5/320. *See* LÁTA.
‡lōn-līca, secretly, 20/77.
‡lōp, ‡lōpæ. *See* HLAUPA.
lœkr, *m.* brook, stream; § 87.
†lœyna, †lœypa = LEYNA, HLEYPA.

M

má (ð), to rub, shape by rubbing, iii/2.
má, mátt. *See* MEGA.
maðr, ‡man, ‡maþær, *m.* man, person; husband, 1/89; henchman, 3/67.
magni, dat. sg. of MEGIN.
magr (ran), thin.
mágr, *m.* relative by marriage; brother-in-law, 7/191; father-in-law, 7/311; son-in-law, 5/212; § 61 (5).
má-k-at, I cannot.
mak-ligr, fitting, deserved.
‡makt, *f.* power, force. [MLG. *macht.*]
mál, *n.* speech, talk, 1/62, 4/123, 6/490; language, dialect, 5/457, 17/114; conversation, 5/79; discussion, 13/57; tale, story, 1/110; suit, cause, case, 4/121, 5/294, 6/217; proposition, 5/101; informa-

tion, 14/17; *hitta e-n at máli,* obtain speech with one, 9/6.
mál, *n.* time, 1/194, 11/11.
mála-ferli, *n. pl.* lawsuits.
mála-flutningr, *m.* pleading of suits.
mála-lykðir, *f. pl.* conclusion of a lawsuit.
máligr, talkative, free of speech.
malm-hríð, *f.* storm of metal, battle, 9/186.
málmr, malmr, *m.* metal, 14/96 *n.,* 17/65.
malm-þing, *n.* meeting of weapons, battle, 5/309.
mál-nyta, *f.* milch cows.
mál-stefna, *f.* conference.
man, *n.* house-folk, thralls, 10/51.
mánaðr, *m.* month; § 89.
‡man-dōm, *m.* homage.
‡mang, ‡mangher, many.
máni, *m.* moon.
mann. *See* MAÐR.
mannaðr, well educated, accomplished = MENNTR.
manna-forráð, *n.* authority; = GOÐORÐ, 6/372.
manna-mót, *n.* meeting.
manna-vegr, *m.* way where men pass, road.
manna-vist, *f.* human habitation.
mann-boð, *n.* feast.
mann-dráp, *n.* manslaughter.
mann-fall, *n.* slaughter, loss of life.
mann-fjǫldi, *m.* large crowd of men.
mann-fólk, *n.* men.
mann-liga, ‡manne-līka, in manly wise, valiantly.
mann-ligr, human.
manns-hǫnd, *f.* a man's hand.
mann-skaði, *m.* manslaughter.
mann-virðing, *f.* credit, honour.
mann-vænn, promising.
mantu. *See* MUNA.
már, mór, *m.* mew, seagull, 1/106; § 52.
‡marc (*pl.* ‡marcr) = MǪRK.
mar-glóð, *f.* gold, 11/126 *n.*
marg-mennr, with many men.
margr, many; § 96.
marg-spakr, wise in many ways.

Glossary

mark, *n.* token, sign, 7/134; *lítit m. at*, of little account, 1/313.
marr, *m.* horse, 1?/21.
marr, *m.* sea, 1/504, 9/172 *n.*; § 87.
martirium, *n.* martyrdom, 20/13. [Med. Lat.]
matar-illr, niggardly with food.
matask (að), to eat a meal.
mat-borð, *n.* table laid with food.
mat-búa, to prepare food, cook.
mat-fǫng, *n. pl.* supply of food.
mat-sveinn, *m.* cook.
matr, *m.* food; meal; § 87.
mátt, **mátti**. *See* MEGA.
máttr, *m.* might, ability; § 88.
maurr, *m.* ant; *maura haugr*, anthill, 14/51.
með, **meðr**, ‡**mæth**, ‡**mēR**, *prep.* (1) *w. dat.* with, along with, 1/440; with, using, by (means of), 1/86, 161; among, 1/29, iii/12; along, 5/58, 237; *þar meðr*, as well, also, 17/18; *vera með e-m*, stay with, 1/232, 12/78; *vera ilt* (or *hart*, &c.) *með e-m*, it goes ill (hard, &c.) with one, 1/412, 13/26; *hvat's með e-m*, how goes it with, 13/23; (2) *w. acc.* with, bringing, carrying, 1/35, 110, 4/91; (3) *adv.* along, 5/241; with it, as well, 1/244, 16/17, 18/59; (4) *með því at*, inasmuch as, because, 4/2, 6/381.
meðal, **á meðal**, **í meðal**, *prep. w. gen.* between; *okkar í meðal*, between us (our deaths), 7/24.
meðal-maðr, *m.* average man; *m. á vǫxt*, middle-sized man, 16/140.
meðal-snotr (ran), middling wise.
meðan, ‡**mæthæn**, ‡**mædhan**, *adv.* in the meantime; (á) **meðan**, *conj.* while, when.
meðr. *See* MEÐ.
mega, to be able to, can; may, 1/271; *má mér þat*, that may happen to me, 6/446; *vera má*, it is possible, 11/43; *m. við e-u*, be able to withstand, 5/119; § 147.
megin, *n.* might, power, ability.
megin, side(s), 2/95 *n.*, 5/384.
megin-gjarðar, *f. pl.* Thor's girdle of strength.

megin-grimmr, terrible.
megin-kátliga, most joyfully.
megin-land, *n.* mainland.
megir, **megi**. *See* MQGR.
‡**megæt** = *mikit*. *See* MIKILL.
meiða (dd), to maim, injure.
meiðmar, *f. pl.* treasures.
meiðr, *m.* pole, tree-trunk, 5/308 *n.*
mein, *n.* harm, hurt, injury, pain; disease, plague, 14/137; *koma e-m at meini*, do harm to, 16/112.
meina-lauss, sinless.
mein-gefit, *p. part.* in *e-m er m.* one is maliciously inclined.
mein-samr, harmful, violent.
meir, **meirr**, *adv.* more, further; harder, 16/52; § 153.
meiri, *adj.* more, bigger; § 106.
meizl, *n.* injury, mutilation.
‡**mekæl** = MIKILL.
mel-rakki, *m.* white (arctic) fox.
mel-torfa, *f.* turf knoll in the middle of barren ground.
men, *n.* necklace; jewel, treasure; § 81.
‡**men**, *conj.* but, 21/25. [MLG. *men*.]
mengi, *n.* multitude, host.
†**menn-skurð**, *f.* wearer of necklace, lady, 17/63; § 189.
mennt, *f.* art, accomplishment; *hafa hluti til menntar*, have good parts, possess talents, 6/454.
menntr, well-bred, accomplished.
menskr, human.
mér, ‡**mīr**, to me; §§ 10, 108.
‡**mēR**, iii/12 = *meðr*. *See* MEÐ.
mergr, *m.* marrow; § 87.
merki, ‡**mærke**, *n.* boundary; *mikit merkjum*, extensive, of wide expanse; token, sign, 8/17; sample, 5/91; banner, 10/72.
merkis-stǫng, *f.* standard-pole.
merr, *f.* mare; § 84.
mersing, *f.* brass.
mersingar-spónn, *m.* brass spoon.
messa, *f.* mass; feast-day. [OE. *mæsse*, from Lat. *missa*.] [tance.
mest-háttar, of the greatest impor-
mestr, *adj.* most, greatest; § 55.
meta, to estimate, value; *m. við e-n + infin.*, look to another to do a thing, 5/519; § 131.

metnaðar-gjarn, eager for fame, ambitious.

met-orð, *n*. esteem.

mettr, having finished a meal, 7/135.

mey, meyjar. *See* MÆR.

miðla (að), to mediate; *m. mál*, make a compromise, 4/120.

miðli, in á **miðli**, *adv*. between, 4/92 *n*.; í **miðli**, á **miðli**, í **milli**, *prep. w. gen.* between, 4/23, 113; among, 1/207, iii/16.

miðr, middle, the middle of; *mið nótt*, midnight; § 99.

mið-sumar, *n*. midsummer.

mikill, ‡**mekæl**, ‡**mykyl**, great, large, big; severe, 5/271; *mikill fyrir sér*, strong, powerful; *þykkja e-m m.*, affect one greatly, 5/26 (*see* FINNA); **mikit**, *n*. as *adv*. greatly, much; *miklu*, much, by far; §§ 98, 106, 149.

mikil-læti, *n*. pride, presumption.

mikil-úðligr, imposing, of distinguished appearance.

mikla (að), to make great; *refl*. acquire fame, 9/156.

mildr, ‡**milder**, merciful, 20/59; generous, 20/41.

milli, millum, in *á m.*, *í m.*, *adv*. and *prep*. = MIÐLI; § 77.

‡**mindri**, smaller = MINNI, adj.

minka (að), to lessen; impers. *minka tók skrúðit* (acc.), the cloth began to run short, 5/366; *refl*. be diminished, 6/445.

minn, my, mine; §§ 55, 77, 98, 110.

minna (t), to remind; *m. e-n á e-t*, remind one of, 2/54; *minnask e-s*, remember, call to mind, 6/511, 16/174; § 157.

minni, *n*. memorial cup, toast (usually in honour of the dead), 10/12.

minni, *adj*. less; *m. fyrir sér*, of less prowess, 1/315; **minstr**, least.

‡**mír** = MÉR; § 227 (2).

misjafnt, unequally; *hyggja m. til*, have doubts about.

miski, *m*. offence; *gera e-m til miska*, offend, harm.

mis-kunn, *f*. mercy, grace.

miskunn-samr, merciful.

miskviða-laust, without flaw in procedure.

mis-líka (að), *impers. w. dat.* to displease.

missa (t), *w. gen.* to be without, 1/455; lose, 7/108, 8/8; *w. acc.* lose, 3/90.

mis-segja, to relate incorrectly.

misseri, *n*. season (of six months).

‡**mistæ (t)**, to lose.

*****mis-yrki**, *m*. avenger.

‡**miþal**, middle, 21/19.

‡**miþal-þriðiungr**, *m*. county between two others.

mjólka (að), to milk.

mjǫðr, *m*. mead; *óðins m.*, poetry, 9/176; § 88.

mjǫk, *adv*. much; very; *mjǫk frá*, far from, 14/32; §§ 45, 153.

mjǫl, *n*. meal, flour; *Fróða m.*, gold, 9/230; § 82.

mjǫl-belgr, *m*. meal-bag.

mjǫl-sáld, *n*. a measure of meal. *See* SÁLD.

mjǫt, *f*. the right measure, 9/240.

mjǫtuðr, *m*. dispenser of fate.

móðr, *m*. fury, wrath.

móðr, weary, exhausted.

móðir, *f*. mother; § 90.

mold, *f*. mould, earth.

moli, *m*. piece; *collect*. bits, fragments.

morð-víg, *n*. murder, 9/71 *n*.

morgin(n), morgun(n), *m*. morning; following day, 5/508.

morna (að), to waste away, 14/51.

morni, dat. sg. of MORGINN.

‡**moræn**, 18/65 = MORGINN.

mosi, *m*. moss.

mót, *n*. meeting; *til móts við e-n*, to meet one, 2/3, 6/320; í **mót(i)**, á **mót(i)**, ‡**ā mōt(h)**, *adv. and prep. w. dat.* against, 1/239, 18/58, 20/75; towards, to meet, 1/256, 4/85, 89, 5/184; *þar í móti*, opposing him, 10/77; in return, 12/52; í *móti at fara út*, against going out, 8/75.

mót, *n*. manner; *með ǫllu móti*, of every sort, 5/340.

mót-gørð, *f*. offence, annoyance.

móti, ‡mōte, *prep. w. dat.* against, towards; to meet or escort, 5/480; (of time), towards, 11/3; *adv.* in exchange, 5/361; to meet (them), 19/6.

múli, *m.* projecting ridge (between two valleys).

muna, to remember, 9/60; *m. e-m e-t*, remember a thing against another, 2/123, 7/89; *m. langt fram*, remember a long time back, 4/12; § 146.

mun-a, mun-at, will not. *See* MUNU.

mund, *f.* hand, 1/498 *n.*

mun-gát, *n.* drink, ale, 21/44.

mun-knǫrr, *m.* the ship of the mind, 9/174 *n.*

munkr, *m.* monk. [OE. *munuc.*]

munnr, muðr, *m.* mouth.

munr, *m.* mind, heart, 9/237; § 87.

munr, *m.* difference, 1/283, 8/136; *fyrir engan mun*, for no consideration, 7/286; § 87.

mun-strǫnd, *f.* the shore of the mind, the breast or heart, 9/172 *n.*

muntu = *munt þú. See* MUNU.

mun-tún, *n.* 'mind-enclosure'; *m. hugar*, breast, 14/76.

munu, *auxil. verb*, shall, will; be sure to, must; can be, 1/92; §§ 146, 165, 171.

mús, *f.* mouse; § 89.

myki-skán, *f.* cake of dung.

mýkjask (t), to be softened.

mynd, *f.* shape, form; § 87.

mynda-k, myndi. *See* MUNU.

myrk-fælinn, afraid of the dark.

myrkr, *n.* darkness.

myrkr (van), *adj.* dark, 1/144.

myrkva (t), to grow dark; § 139.

mýrr, *f.* bog, swamp, moor; *más m.*, the mew's moor, the sea.

‡mýs = *mýss. See* MÚS.

mækir, *m.* sword; *mækis á*, stream of swords, advance of those carrying swords, *or* blood, 9/185.

mæla (t), to speak; *m. i gegn*, oppose, 4/59; *m. eptir e-n*, take up the prosecution for the slaying of, 6/381, 427; *m. i lǫgum*, declare as law,

4/74, 126; *m. þat til kaups*, stipulate for this as reward, 1/5; *m. til*, express wish for, ask for, 1/9; *m. við e-n*, speak to; *reflex. m-sk undan e-u*, beg to be spared, 6/566; §§ 72, 138.

‡mællæn = MILLUM.

mær, *f.* maiden; § 84.

mæra (ð), to praise.

mærð, *f.* praise; encomium, 9/224.

mærr, noble, glorious; famous.

mætta-k, 13/12. *See* MEGA.

mǫgr, *m.* son; *pl.* kindred, 14/47; § 88.

mǫl, *f.* gravel; *haukstrandar mǫl*, gold rings, 9/229.

mǫn, *f.* mane, 13/21.

mǫrk, *f.* forest; § 89.

mǫrk, *f.* mark (of silver, unless gold is specified), 4/36 *n.*; §§ 86, 89.

mǫsurr, *m.* maple, 5/90 *n.*

mǫtu-neyti, *n.* community of food; *leggja m. sitt*, make common store of provisions.

‡mœdherne, *n.* mother's side (of descent), 20/74.

†mœyiu = *meyju*, dat. sg. of MÆR.

mœði, *f.* exhaustion, weariness.

mœta (tt), ‡mōta, to meet; deal with, 9/159; *refl.* join, meet; *sem landit mœttisk ok flóðit gekk efst*, where the land and high tide met, 5/338; *recip.* meet (each other), 1/242, 17/62.

N

ná (ð), to get, obtain (*e-u*), 1/71, 11/33, 14/122; *n. at*, be able to, be allowed to, 3/35, 6/500; § 143

ná-búi, *m.* neighbour.

‡nádhir, *f. pl.* grace, 20/1; peace, quiet, 20/84. *See* NATHÆ.

naðr (rs), *m.* serpent.

nafn, *n.* name; § 192, 220.

nagl, *m.* nail; § 89.

náinn, near; nearly related.

nakkvarr, nǫkkurr, *adj.* a, a certain; any, 1/10, 8/32; nǫkkut, nǫkkuru, *as adv.* somewhat, in any way, 1/51, 2/4, 9/91; §§ 98, 115.

nálgask (að), to approach, come up to, 5/47.

ná-liga, nearly, almost.

ná-lægr, near, close; *mun nálægt verða*, it will be a near thing, 6/808.

‡namn, *n.* name, 21/14 = NAFN.

nánastr, superl. of NÁINN.

nánd, *f.* proximity; *i n.*, near; *i n. við e-t*, close to, 5/40.

nár, *m.* corpse, 1/483; § 87.

nári, *m.* the groin.

ná-skyldr, nearly related.

*ná-sær, *m.* 'sea of the body', blood.

‡nát = NÓTT.

‡náthæ, *f.* peace, 18/95. [OS. *náða*.] See NADHIR.

nátta (að), to become night.

nátt-ból, *n.* quarters for the night.

nátt-langt, *adv.* the whole night long.

nátt-mál, *n.* about 9 p.m., *see* 5/54 *n.*

nátt-staðr, *m.* lodging for the night.

náttúra, *f.* nature; *pl.* spirits. [Lat. *nātūra.*]

nátt-verðr, *m.* supper; *n. ara*, the eagle's supper, the slain.

nátt-víg, *n.* killing by night.

‡nátūr-liker, natural, 20/46.

nauðigr, nauðugr, against one's will, unwilling; ‡*wilia nauþugr*, be unwilling, 21/24.

nauð(r), *f.* distress, harm; poverty, 16/131; §§ 86, 87.

nauð-syn, *f.* need, necessity, 9/46, 12/36 *n.*; § 84.

náungi, *m.* kinsman.

*ná-vimr, *m.* 'stream of the body', blood, iii/2.

né, *adv.* not; nor, 2/46; § 53.

neðan, *adv.* from below; neðar, lower, 6/323; fyr(ir) neðan, *prep. w. acc.* below, 6/312, 13/30; §§ 32, 152.

neðri, *adj.* lower.

nef, *n.* nose; § 81.

nef-bjǫrg, *f.* nose-piece (of armour).

nef-fǫlr, yellow-beaked, 1/483.

nefna (d), ‡næmnæ, to name; ‡*n. ī gēn*, give formal welcome to, 19/8; *refl.* give one's name, 1/161.

nef-steði, *m.* anvil with a sharp point.

neinn, no, none; *in negative sentence,* any.

neiss, shamed, 16/97 *n.*

neita (tt), to refuse, deny.

nema, (1) to take; *n. land*, take possession of land as a settler, 4/41, 16/39; (2) *n. stað* (or *staðar*), halt, 7/15, 158, 169, 10/138; (3) *n. e-n e-u*, deprive one of a thing, 15/29; (4) catch, strike against, 8/82; (5) amount to, 4/30; (6) hear, 9/242; (7) as auxiliary of pa. t., 13/3 *n.*; (8) with preps.: *n. af*, abolish, 4/131; *n. frá*, except, exempt, 4/38; § 130.

nema, *adv. and conj.* unless, except, 3/140, 4/37, 5/269.

nenna (t), to be minded, be willing.

neppr, slight, faint; dying.

nes, *n.* headland, ness; § 81.

nest, *n.* provisions.

†nest, 17/77, 79 = *næst.* See NÆR.

nest-baggi, *m.* provision bag.

nezla, *f.* button-hole or loop.

‡nidher-slā, to strike down, fell.

nið, *n.* hostility, contumely, 1/501.

níða (dd), to slander; erect *níðstǫng*, 9/61 *n.*

níðings-verk, *n.* shameful deed(s), 9/70, 19/13.

niðr, *m.* kinsman; son, scion, iii/12; § 81.

niðr, *adv.* down; § 32.

niðri, *adv.* down, 7/2, 17/53; below; § 152.

nið-stǫng, *f.* stake of scorn; *see note to* 9/61.

nipt, *f.* sister; *n. Nara*, Hel, 9/206.

nítt, pp. n. of NÍÐA.

‡niþ, *f.* waning of the moon, 21/33.

níu, nine; § 46.

njósn, *f.* news.

njóta, ‡niūtæ, *w. gen.* to enjoy, have the use of, 3/145, 6/306, 19/30; derive benefit from, 12/150; *njótum vér*, let us make the most of it, 10/61; *n. e-s við*, have help from, 5/87 *n.*; *impers.* 1/405 *n.*; §§ 128, 157.

nógr, enough; abundant; nógu, as
adv. sufficiently.
‡nogær = NQKKURR.
norðan-lands, in the north country.
norðan-veðr, n. wind from the
north.
norðan-verðr, northern; í norðan-
verðum dalnum, in the northern
part of the valley.
norðr, northwards.
norðr-ætt, f. the north.
Norrœna, f. the Norse tongue;
§ 66.
norrœna, f. breeze from the north.
Norrœnn, Norwegian, 4/17.
‡norþastr, adj. farthest north.
‡norþæn, from the north, 19/4.
nótt, f. night; í nótt, to-night, 9/71;
§§ 44, 53, 75, 89.
nú, now.
ný, n. new moon, 21/33.
ný-kominn, newly arrived.
ný-lunda, f. strange thing, news.
ný-næmi, n. something new.
nýr, new, 16/8; §§ 99, 102.
ný-rekinn, newly driven.
‡ný-smurþær, freshly greased.
nýta (tt), to use; eat, 5/293; derive
benefit from, 1/307; impers. svát
nýtir, as will serve, well enough,
16/149; refl. avail, profit, 1/180.
nýtr, useful; engu nýtt, of no use,
5/406.
nýtr. See NJÓTA.
ný-vaknaðr, just awakened.
‡næmd, f. committee, council,
19/20.
‡næmnæ = NEFNA; § 220.
nær, adv. near, 4/91 (see HAFA);
nearly, closely, 1/358, 7/157, 302,
11/70; nær, compar. nearer, 1/95,
3/69, 6/257; manni at nær, any
nearer to the help of a man, 2/15;
prep. w. dat. near, 5/354, 6/290;
næst, superl. nearest, next, 2/84;
því næst, thereupon, next; þessu
næst, after this, 6/484; þat er nú
þessu næst, at . . ., the next event to
be told is that . . ., 5/107; § 153.
nær, conj. (for hvé nær), how soon,
when, 5/475, 11/34; until, 9/117.

næsta, adv. nearly; því var n., very
nearly so, 3/53; very, 3/131.
næstr, adj. next, 18/69; it næsta
sumar áðr, the summer before,
4/80; it næsta sumar eptir, the fol-
lowing summer, 4/70; næstum,
as adv. the last time, 9/51.
nætr-elding, f. dawn.
nǫkkurr, nǫkkuru, nǫkkut. See
NAKKVARR.
nǫs, f. nostril; § 83.
‡nøghia, to satisfy; ‡láta n. sik at,
content oneself with, 20/35.
nøkkviðr, naked, ill-clad; setja
nøkðan, erase, iii/2; §§ 74, 96.
nøktan, 16/131. See preceding.

O

ó-áran, n. bad season, dearth.
ó-birgr, unprovided.
ó-bygð, f. wilderness.
‡oc = OK.
odd-breki, m. 'point-wave', blood,
9/209 n.
oddr, m. point; § 76.
ó-drengskapr, m. meanness.
ó-drukkinn, not drunk.
ó-dæll, overbearing; þykkja e-m
ódælt við e-n, think one difficult to
deal with, 3/76.
ó-dœmi, n. pl. unexampled thing.
óð, pa. t. of VAÐA.
óð-fúss, madly eager.
óðr, furious; frantic.
of, n. pride, iii/12.
of, prep. (1) w. dat. over, 5/15; (2)
w. acc. over, across, through,
1/55, 485, 9/171, 16/163; around,
about, 9/184; because of, for,
4/80; as regards, concerning, in,
1/368, 4/128, 9/172, 16/105; dur-
ing, 1/16; of veg, on his way, 1/497;
(3) adv. round (about), iii/12; ex-
pletive, 9/175, 13/5, iii/2, &c.
of, adv. too.
ófagnaðar-kraptr, m. power for
evil.
ofan, ‡ouæn, ‡owan, ‡ufan, adv.
from above, down, 1/128, 5/440;
southwards, 19/2; ofan um knapp-
inn, around the staff just below

the knob, 5/485; ‡*saar owan ā saar*,
wound upon wound, 20/93; *þar á
ofan*, in addition; **fyrir ofan**, *prep.
w. acc.* over, above, 2/107, 5/429,
9/48; ‡**ufan**, *prep. w. gen.* on,
above, 21/24; § 152.

ofar-líga, *adv.* high up.

‡**of-haarth**, excessively severe.

ó-fjǫllóttr, not mountainous.

‡**of-længi**, too long.

ó-forvitinn, having no curiosity.

ó-framlíga, timidly.

ofreflis-maðr, *m.* one's superior in
power, 9/150.

ofr-hiti, *m.* excessive heat.

ó-friðr, *m.* hostility, war.

of-ríki, *n.* overbearing, tyranny.

ofr-lið, *n.* overwhelming force.

ó-frær (van), barren, unproduc-
tive.

ofsa (að), to exaggerate; *o. sér til
vansa*, puff oneself up to one's own
undoing.

ofsi, *m.* pride.

ofstopi, *m.* arrogant fellow, 5/442.

ó-fúss, unwilling, 6/261.

‡**ó-fýdr**, (while yet) unborn, 21/14.

ó-fǫlr (van), dark; without light-
coloured defective spots (of furs).

ó-fœra, *f.* dangerous situation, peril.

ó-fœrr, unable to move; impassable.

ó-gagn, *n.* hurt, harm.

ógagn-vænlígr, unprofitable, good
for nothing.

ó-glaðr, glum, depressed.

ó-gleði, *f.* depression, sadness.

ógur-lígr, terrible.

ó-gæfa, *f.* bad luck, misfortune.

ó-gǫrr, undone.

ó-happ, *n.* misfortune.

ó-hermannlíga, in unsoldierly
fashion.

óhóf, *n.* lack of moderation, pride.

ó-hreinn, impure.

ó-hræddr, unafraid, without fear.

óhægindi, *n.* discomfort.

ó-hœgr, difficult.

ójafnaðar-maðr, *m.* an unjust man.

ó-jafnaðr, *m.* injustice, unfairness.

ok, and; also; (adversative), but,
though, 1/47, 66, 284; *ok þó*, al-

though, 1/278; (with ellipse of pro-
noun) who, 5/4; which, 11/22;
thus, accordingly, 17/106; then,
1/282; *ok þá*, then, 5/245; = *at*,
that, 7/104, 17/67 (2nd).

ók, pa. t. of AKA.

ó-kátr, depressed, gloomy.

okkar, *gen.*, **okkr**, *acc. dat. dual*;
see § 108.

okkarr, *adj.* our, of us two.

ókræsi-legr, filthy, dirty.

ó-kunnigr, unknown.

ó-kviðinn, undismayed.

ól, pa. t. of ALA.

ó-líkligr, unlikely.

ó-líkr, unlike.

óljúg-fróðr, well-informed in good
traditions.

‡**om** = UM.

ó-makligr, undeserving.

‡**ó-manlícer**, inhuman, 20/91.

ó-megð, *f.* dependent person need-
ing maintenance (i.e. children and
old people); *used collectively*,
6/65.

ó-megin, *n.* faintness.

ó-nýtr, useless; *ónýtt efni*, evil
plight, 4/109; *til ónýts*, so that it
was useless, 10/84.

‡**op** = UPP.

opinn, open; on one's back, 8/
84.

opnask (að), to be opened.

opt, often; **optar(r)**, oftener, again.

‡**opta**, often, 20/55.

ór, *prep. w. dat.* out of, from; of,
4/114; using (as material), 2/35;
vera ór, be made of, 13/14, 15; *þar
ór*, out of it, 16/43.

ó-ráðinn, undecided, unsettled.

orð, ‡**ordh**, *n.* word; speech; mes-
sage; *gøra orð til e-s*, send a mes-
sage to, 4/84; *gøra orð á e-u*, make
a tale of, 7/143; *varð þeim ekki at
orði*, they had nothing to say,
6/409.

orðinn, pp. of VERÐA; § 63.

orð-sending, *f.* message.

orðs-kviðr, *m.* proverb; § 88.

orðs-tírr, *m.* fame, renown.

orð-tœki, *n.* expression, phrase.

ó-reyndr, untried; *at ǫllu óreyndu*,
without looking into the matter at
all.

orka, *f.* strength, might.

orka (að), to work, do, perform.

ór-lausn, *f.* help in difficulty; *góðr
ó-a*, ready to help.

or-lof, *n.* permission.

ormr, *m.* serpent; § 227 (3).

órr, our, 5/318 = VÁRR.

orrosta, *f.* battle.

orti, pa. t. of YRKJA.

ór-val, *n.* dregs, what is left.

‡ō-rǣtter, unrighteous, unjust.

ó-sakaðr, unhurt.

ó-sárari, less sore, less painful.

ó-sárr, unhurt.

‡ō-sāter, unreconciled, hostile.

ó-sjálfráðr, beyond one's own con-
trol.

ó-skírōr, unbaptized.

ó-skorinn, unshorn.

óskyggn-leiki, *m.* dim-sightedness.

ó-skylt, *n. adj.* not one's duty; *com-
par.* farther from one's duty, 7/233.

ó-snjallr, unwise, foolish.

ó-sómi, *m.* dishonour, ignominy.

oss, *acc. dat.* us; § 108.

óss, *m.* estuary.

‡ost, *m.* cheese.

óst, *f.* throat.

ó-sterkligr, weak.

ó-sæbrattr, having low-lying
shores, not steep by the sea.

ó-sælligr, wretched, ill-favoured.

ó-sætti, *n.* disturbance of the peace.

ó-sœmd, *f.* dishonour.

‡ō-tambær (*f.* ō-tam), untamed,
wild.

ó-trúligr, unbelievable.

ótta, *f.* last part of the night, about
3 a.m.

ótta-lauss, without fear.

ótti, *m.* fear, dread.

óvand-leikit, *pp. as n. adj.*, in *er ó.
við hann*, it is easy to deal with him.

ó-varliga, incautiously.

ó-varr, unaware; unwary; *koma e-m
á óvart*, take by surprise, 7/7.

ó-vendiliga, carelessly.

ó-verk, *n.* wicked deed.

ó-virðing, *f.* disgrace.

ó-vinr, ‡ō-winer, *m.* enemy.

ó-víss, uncertain.

ó-vistuligr, desolate.

‡ō-vitande, not knowing; ‡*hānom
ō.*, without his knowledge.

ó-vitr (ran), ignorant, uninformed.

ó-vitrligr, unwise, rash.

ó-vænligr, unlikely.

ó-vættr, *m.* monster, 3/127 *n.*

‡owan, óx, oxa. *See* OFAN, VAXA,
UXI.

‡oy, *f.* island = EY.

óþokku-ligr, dirty, nasty.

ó-œpandi, without crying out.

P

papi, *m.* Irish monk, Culdee. [OIr.
papa, from Lat.]

páskar, *m. pl.* or páskir, *f. pl.*
Easter. [Lat. *pāscha*.]

‡pāue, *m.* pope. [Lat. *pāpa*.]

penningr, *m.* coin, money; penny,
$\frac{1}{10}$ eyrir; *penningar miklir*, a good
sum of money, 6/219.

pína (d), to mortify, 20/39. [MLG.
pīne, from Lat. *poena*, late Lat.
pēna.]

‡prēdica (adh), to preach. [Lat.
praedicāre.]

prestr, *m.* priest. [OE. *prēost*.]

‡prīm-tīmæ, *m.* prime-time, 9 a.m.
[Lat. *prīma* (*hōra*).]

prúðr, proud, splendid; prútt, *as
adv.* gallantly, 11/81. [OFr. *prúd*.]

‡pæningha-vild, *f.* favour given
for a bribe, 20/22.

Q

‡quam, ‡quāmu. *See* KOMA.

‡quāþu. *See* KVEÐA.

‡quæthiæ = KVEÐJA, *f.*

R

ráð, *n.* (1) advice, counsel, 1/7, 447,
6/313; (2) expedient, means, 1/26,
31, 9/101; (3) plan, intention,
policy, 2/63, 4/117, 5/40, 284,
9/22; *taka (til) ráðs, taka ráð*,
adopt a plan, 5/161, 200, 7/159,
290; resolve, 17/34; (4) agreement,

wish, 2/22; *sjá at ráði*, think advisable, 12/73; (5) authority, 7/184 (see BERA); (6) good counsel, what is advisable, 7/333, iii/16; *þykkja ráð*, seem advisable, 4/119, 5/49.

ráða, ‡**rādha**, (1) to advise, counsel, 2/76; *r. e-m e-t*, 12/156; *r. e-m heilræði*, give one wholesome counsel, 1/209; (2) *r.* (*um e-t*), consult about, discuss, 7/6, 13/58; *r.* (*sínum*) *ráðum*, hold a conference, 1/7, 10/36; (3) plot; ‡*rēddo sik saman til hans dēdh*, they conspired against his life, 20/76; (4) set, arrange, iii/16; *r. e-n af*, do away with, kill, 3/127; *r. til*, hire, engage, 5/116; (5) resolve; *r. e-t af*, decide, 10/36; (6) rule, govern (*w. dat.*) 20/75, iii/12, 14; (7) have one's way, prevail, 1/355, 4/119, 5/84; settle a policy, prevail in (*w. dat.*), 1/14, 27, 8/100; *r. fyrir*, have power, 11/26; (8) *r. á*, progress, 17/68; (9) have to deal with, 11/122; (10) interpret, 21/9; (11) go, take one's way; *r. aptr*, return, 10/91; (12) hire, engage, 6/85; *r. sér vist*, get a place for oneself; (13) periphrastically with infin. = pa. t., as *réð um at þreifask*, groped about him, 13/4, *and so* 4/125, 11/80, 14/100; (14) *refl.* take one's way, 8/57; *r-sk til skips*, go on board ship, 5/127; *r-sk til e-s*, undertake, 3/135, 5/210; ‡**raiþ**, ‡**ræiþ**, pa. t. sg. 21/9, iii/12; *pl.* ‡**rēddo**, 20/76, ‡**rēþu**, iii/16; § 133 (iv).

ráð-ligr, ‡**rādhe-līker**, advisable.

ragna-røkr, *n.* twilight of the gods, 1/401 *n.*

‡**raiþ**. See RÁÐA.

raka (að), to rake.

rakki, *m.* dog.

‡**rakæ** (aþ), to rake, shave.

ramm-ligr, strong.

rang-sœlis, *adv.* against the course of the sun.

rás, *f.* race; hurry.

rasa (að), to rush, stumble.

rata (að), to fall down.

†**ratt**, 17/111 = *hratt*. See HRINDA.

rauð, 9/203, pa. t. of RJÓÐA.

rauð-litaðr, ruddy-complexioned.

rauðr, red; § 61 (2).

rauð-skeggjaðr, red-bearded; *hinn Rauðskeggjaði*, Þór.

rauf, *f.* hole.

raun, *f.* trial, test.

raunar-lítit, very little.

réa, to vex, iii/3; § 46.

‡**rēddo**. See RÁÐA.

refsinga-laust, *adv.* without punishment.

reið, *f.* chariot, 1/111 *n.*; riding, 6/281, 16/128, 17/3.

reiða, *f.* service; *skulu* (sc. *vera*) *þér til reiðu*, will be at your service, 6/98.

reiða (dd), to swing, 10/136; swing up, raise, 10/151; *r. fram*, swing down, strike a blow, 1/395; *reiddi sik*, threw himself, 10/151.

reiðfara, *indecl. adj.* in *verða vel r.*, have a good passage, 12/14.

reiði, *f.* wrath, anger.

reiði, *m. and n.* trappings, harness, 14/45; rigging, tackle, 5/61.

reiðr, **vreiðr**, angry; §§ 63, 189.

reifr, cheerful.

reip, *n.* rope, trace.

reisa (t), to raise.

reisiligr, magnificent, fine.

reka, ‡**vrækæ**, (1) to drive, 5/328, 21/26; *r. af þér*, clear yourself of, 3/132; *r. ór* (or *af*) *landi*, drive from the land, send into exile, 9/84, 10/14; *r. at*, *r. heim*, drive in, 6/313, 13/84; *r. flótta*, pursue a fleeing force, 10/93; impers. *r. frá*, clear away, 8/87; (2) depose, 19/1; (3) thrust, 2/86, 7/75; (4) *w. gen.* avenge; *r. réttar*, take due vengeance, 9/256; (5) perform, do (an errand), 9/10; (6) *pp.* covered with; *rekinn blóði*, blood-stained, 11/88; §§ 131, 157, 219.

reki, *m.* thing drifted ashore, jetsam.

rekkja, *f.* bed, 1/184.

rekkr, *m.* warrior, man.

réna (að), to dwindle, diminish.

renna, to run, 1/247; *r. í kǫpp við*, to

run a race with, 1/254; *hǫfgi rann á hann*, he fell asleep, 11/3; *r. af e-m*, pass away from one, 8/109; *dagr rann upp*, it dawned, 11/4; *r. upp (á)*, to make raids on, 10/50, 16/34; § 129.

renna (d), to make run, roll, 2/66; *r. augum*, direct the eyes, look, 5/496; *atgeirrinn rendi í gegnum skjǫldinn*, the spear was run through the shield, 7/78.

rétta (tt), to reach, stretch up or out, 1/319, 6/388, 8/50; raise, 8/61; put right, atone for, iii/11 *n.*; *r. fram*, stretch out, 6/264, 10/134; *réttisk upp*, stood up to his full height, 8/52; § 50.

rétt-leitr, having regular features.

rétt-ligr, correct, without flaw.

réttr, ‡**rǣtær**, *m.* right, lawful claim; cause, condition; law, 19/23, 21/50; treaty, 21/58.

réttr, ‡**rǣtter**, right, correct; just, fair, 12/27; unswerving, direct, 6/277, 20/20; *rétt framan í hann*, straight at him, 3/46.

‡**rēuus**, were fighting, 18/21; **rēwo**, tore, 18/22. *See* RÍFA.

reykr, *m.* smoke.

reyna (d), to try, prove; *r. ilt af e-m*, meet with evil at the hands of, 3/34; *reyndr vas flestr*, most were put to the test, 11/92; *impers.* be proved, 1/263; *reynt er*, trial has been made, 1/266; *refl.* be proved, 4/7.

reynir, *m.* one who tests; *munka r.*, God, 5/12 *n.*; § 157.

rézk. *See* RÁÐA.

riddari, *m.* horseman. [MHG. *ridder*.]

‡**ríð**, 17/98 = HRÍÐ.

ríða, to ride; ride over, 1/437, 6/506; *r. ofan*, descend, 10/137; § 127.

ríða, to twist, wind; *r. knút*, tie a knot, 16/171; § 127.

rif, *n.* rib; § 81.

rífa, to tear, rip, 1/468; § 127. *See* REUUS.

ríki, *n.* kingdom; power, authority. [From Celt. *ríg*.]

ríkr, great, powerful, magnificent; §§ 102, 104, 105.

‡**ringhabrynia**. *See* HRINGA-BRYNJA.

rinna, to run, 13/85; flow, 20/99; § 129.

ript, *f.* clothes.

rísa, to rise, get up; § 127.

ris-mál, *n. pl.* time to rise (about 6 a.m.).

risna, *f.* hospitality, liberality.

rísta, to cut (runes); saw; § 127.

ríta, to cut runes; write; § 127.

rjóða, to make red, redden; § 128.

rjóðr, *n.* open space in a forest, clearing.

rjóðr, red, ruddy; § 61 (2).

rjúka, to reek, smoke; go flying, tumble, 8/82; § 128.

ró, *f.* rest; *bíða ró*, have quiet, 9/109.

róa, to row; *r. fyrir (landi)*, row along (the shore), 5/228; *geta vík róit á Hr.*, get a pull over Hr., 6/445 *n.*; § 133.

roðinn, reddened, blood-stained. [*pp.* of RJÓÐA.]

rof, *n.* breaking, 9/239 *n.*; break, opening, 17/72.

róg, *n.* slander; contention.

‡**róg-starkr**, strong in battle, iii/14.

rómr, *m.* applause; *alþýðu r.*, common opinion.

‡**roppa**, *f.* tail.

rót, *f.* root, 14/43; § 89.

róta (að), to throw into disorder, upset.

ru = *eru*, are.

rúm, *n.* room, space; seat, 3/26; bed, 7/306.

Rúm-ferill, *m.* pilgrim to Rome, 12/86 *n.*; § 61 (4).

rún, *f.* runic letter; *pl.* mysteries, charms, 11/16; § 83.

ryðja (ruddi), to clear, empty, 1/502; prepare, 15/2; pile up (or clear away?), iii/8.

‡**rȳni-maþr**, *m.* one skilled in runes, iii/12.

*r**ȳnstr**, *superl.* most skilled in rune-craft, iii/5.

‡**rǣddoghe**, *m.* fear, 20/22.

‡rǽddæs. *See* HRǼÐA.
ræfr, *n.* roof.
†ræið = *reið*. *See* RÍÐA.
‡ræið-Wiðurr, *m.* 'Oðin of the chariot (of the sea)', sea-captain, iii/14.
‡ræist, iii/11. *See* RÍSTA.
‡ræiþ, iii/12. *See* RÁÐA.
ræna (t), to plunder; rob, deprive of.
‡rætter. *See* RÉTTR.
‡rǣt-vís, righteous, 20/25.
‡rǣt-visa, *f.* righteousness, 20/43.
‡rǣtzl, *f.* government, 20/16.
rǫdd, *f.* voice; § 76.
rǫð, *f.* rank; § 83.
rǫðull, *m.* sun, 14/86.
rǫggvar-feldr, *m.* shaggy cloak.
rǫnd, *f.* rim; shield, 9/196; §§ 87, 89.
rǫsk-liga, gallantly.
rǫst, *f.* originally the distance between resting stages, later used as a measure of distance; it varied according to the nature of the ground covered, but was usually between four and five English miles; league, 1/442, 13/30.
rǿri, pa. t. of RÓA; §§ 40, 45.
rǿða, *f.* talk, conversation.
rǿða (dd) to speak; *r. um*, speak about, discuss, 3/58, 5/37, 9/89.
rǿ-k, 16/149. *See* RÓA.

S

sá, *pron. and art.* that, the; *sá er*, he, who; § 111.
sá, to sow, 5/359; §§ 71, 133.
sá, pa. t. of SJÁ.
†sact = *sagt*. *See* SEGJA.
safna (að), to collect, gather; § 69.
saga, *f.* story; history; § 93.
sagði, pa. t. of SEGJA.
saka (að), *impers.* to do harm, 6/412.
sá-k-a-k, I have not seen, 13/103.
sakar, sakir. *See* SǪK.
sak-lauss, innocent, guiltless.
sakna (að), *w. gen.* to miss, 13/2.
sakt, pp. n. of ‡*sighia* = SEGJA,
sál, *f.* soul. [OE. *sāwol*.]

sáld, *n.* a measure (cask containing about 150 lb. of wheat).
salr, *m.* hall; § 87.
sama, to beseem, befit; § 143.
saman, *adv.* together; § 149.
sam-eign, *f.* dealings; conflict.
sam-gangr, *m.* conflict.
samka (að), to gather, collect.
samna (að), ‡sampna, to gather, collect.
samnaðr, *m.* gathering, host.
samr, *adj.* same; *i samt*, together; *sem samt sé*, in the same way, 2/21; §§ 61 (4), 163.
sam-rǽði, *n.* life together; *vildi ekki s. við Eirík*, would not live with E., 5/104.
‡samu-laiþ, likewise.
sanc, pa. t. of ‡*sinqua* = SØKKVA.
sand-himinn, *m.* the sea, 5/319 *n.*
sandr, *m.* sand.
sanna (að), to affirm, 17/42; *sannaz*, be affirmed, prove to be true, 17/30.
‡sanne-líka, in truth.
sannindi, *n. pl.* truth.
sann-liga, truly.
sann-ligr, just, fair, proper.
sannr, saðr, true, 1/380 *n.*; *it sanna*, the truth; *at sǫnnu*, in truth; *til sanns*, of a truth, 9/255; § 96.
‡san-saghæ, *f.* true saying.
sár, ‡saar, *n.* wound.
sāʀ, *dem. pron.* = SÁ; *as rel.* who, iii/13.
‡sārga (aþ), to wound.
sárr, sore, painful; wounded; § 149.
sá-si, this, iii/13, 14.
satt, sátt(u). *See* SANNR, SJÁ, *v.*
‡satte, ‡satti = *setti*. *See* SETJA.
sáttr, reconciled, at peace.
sauða-jarmr, *m.* bleating of sheep.
sauða-maðr, *m.* shepherd.
sauðar-vǫmb, *f.* sheep's stomach.
sauð-vant, *neut. adj.* 'sheep-lacking'; *er s.*, sheep are missing.
sauma (að), to sew.
saurr, *m.* mud, filth.
‡sa(u)the, pa. t. of *sigh(i)æ* = SEGJA.
sax, *n.* short sword, 8/92 *n.*; knife, iii/2.

‡scattr, ‡skat, *m.* tax, tribute.
‡scrifwaz, ‡sculd. *See* SKRIFA, SKYLD.
sé, (1) pres. subj. of ˙VERA; (2) pres. 1 sg. or pres. subj. of SJÁ.
sefask (að), to be pacified.
seggr, *m.* man, hero.
segja, ‡sigh(i)æ, †sæghia, to say, tell; stipulate, 19/8; *s. frá,* tell of, relate, 1/285, 400; *s. til,* inform on, 2/75; give information of, 6/203, 10/56; *s. til sín,* tell one's name, 6/333; *s. upp,* declare, pronounce, 4/102; *recip.* 4/96 *n.*; refl. *segisk þar vilja vera,* he says he wishes to stay there, 8/2; §§ 72, 143.
segl, *n.* sail.
seiðr, *m.* spell, enchantment.
seilask (d), to stretch out one's hand.
seiling, *f.* graspingness.
seinn, slow; tedious; late; seint, *as adv.* slowly, coldly; *compar.* 1/371; §§ 77, 96, 105.
‡sek = SIK; as dat. (replacing ‡sÆR), 18/24, 80, 91, 99.
sekr, outlawed.
sekt, *f.* penalty, outlawry.
sel, *n,* shieling.
selja, ‡sæliæ, to give, 2/7, 14/91, 19/16; sell, 12/24, 48; § 139.
sem, ‡som, ‡sum, *conj.* as; as if, that, 1/245; while, 1/289; when, 3/5; where, 5/21, 20/80; *jafn . . . sem,* equal to, 5/75; with superl. *sem skjótast, sem lengst,* as soon (long) as possible; added to prons. to give indefinite sense, as *hvat sem,* whatever; after advs., as *þar sem,* where, whereas (see under the adv.); *as rel. pron.* who, 3/46, 6/331; which, 8/107, 20/79.
senda (d), ‡sændæ, to send.
‡sendi-buþi, *m.* messenger.
sendi-ferð, *f.* mission, errand.
sendi-maðr, ‡sændi-maþær, *m.* messenger.
senn, at the same time; at once, straightway, 13/56, 84.
sér, ‡sÆr, *pron.*; *see* §§ 109, 164.
sér, pres. 2 and 3 sg. of SJÁ.

serkr, *m.* shirt. [From Lat. *sarcia.*]
sét, *past part. of* SJÁ; *er nú s.,* it is now obvious, 6/314.
set, *n.* raised floor along the sides of a hall, 8/35, 57; the planking between adjacent *setstokkar* regarded as a separate *set,*8/69*n.*(cf.*Sturlunga saga,* ed. Vigfusson, i. 164²⁰).
set-berg, *n.* seat-shaped rock or hill.
setja, ‡sætiæ, to set, place, put, 1/288, 2/86, 8/39, 17/67; seat, 3/31; set up, 1/345 *n.*; make, establish, 1/2, 12/70; endow, iii/7; set (in a course), direct, 5/53; raise (monument), iii/11, 13; hurl, drive, 3/46; adorn, set, 5/482, 485; *s. dóm,* set a court, 6/481; *s. saman,* compose, 16/20; *s. bú saman,* establish a farm; *s. upp skip,* beach a ship; *s. lófa við,* receive in the palm of the hand, 3/44; *refl.* seat oneself, sit down, 1/25, 59, 9/111, 12/165; establish oneself, 2/137, 6/508; *s-sk upp,* sit up, 1/201; ‡*sattis,* was enthroned, 20/8; § 139.
set-stokkr, *m.* wooden plank dividing up or marking the edge of the *set.*
sétti, sixth.
sex, six.
sex-tán, sixteen.
‡sex-tighi, *indecl.* sixty.
seyðir, *m.* cooking-fire; *búa til seyðis,* prepare for cooking, 7/228.
sezk. *See* SETJA.
sí-byrða (ð), to lay (a ship) alongside (in a sea-fight).
síð, *adv.* late, 2/5; síðar, later; síðast, latest, last.
síða, *f.* side.
síðan, afterwards, since then; *at s.,* in future, 9/250; síðan (er), *conj.* since, because, as, 20/5.
síðastr, *adj.* last, 5/8.
síðir, *f. pl.* in *um* (or *of*) *síðir,* at last.
síðr, *m.* custom; religion; § 88.
síðr, *adj.* long, hanging, overhanging.
síðr, *compar. adv.* less, 6/226.
sið-venja, *f.* custom.
‡sielfr, ‡siextighi = SJÁLFR, ‡SEXTIGHI.

sifjar, *f. pl.* affinity; *spilla s.*, commit incest, 1/411.

sifja-slit, *n.* incest.

siga (að), to sink; *impers.* 8/90 *n.*

síga, to sink, yield; § 127.

‡**sighiæ**, ‡**sighæ**. *See* SEGJA.

sigla (d), to sail; carry sail, 5/61; *s. með e-u*, sail along, sail past.

sigling, *f.* sailing.

signa (d), to mark with the sign of the cross. [From Lat. *signāre*.]

sigr (rs), †**sighr**, *m.* victory.

sigra (að), to overcome; *refl.* gain the victory.

silfr (‡*gen.* **silfs**), *n.* silver.

sín, *pron. See* §§ 109, 164.

sinn, ‡**sin**, *refl. poss. adj.* his, her, its, their; (with *hvárr*), alternate, 5/6 *n.*, 198; §§ 98, 110.

sinn(i), *n.* time, occasion; *einu sinni*, for once, 1/160; *at sinni*, for the present, 6/458, 9/253; *eigi optar at sinni*, not more than once, 1/280; § 71.

sinni, *m.* companion; *pl.* company, host, 1/441.

sinn-sakar, *see under* UM.

‡**sír** = SÉR; § 227 (2).

‡**sithæ(n)** = SÍÐAN.

sitja, to sit; stay, remain, 6/272, 480, 8/141, 16/3 (*impers.*); reside, 18/61; *s. fyrir*, sit by, be at hand, 13/113; *á sér s.*, control oneself, be quiet, 8/19; *s. við e-t*, sit beside or at, 9/107; *s. yfir matborði* (or *borðum*), sit at table, sit at a meal, 9/6, 32, 121; § 131.

sízt, *superl. adv.* least, 8/117; last.

‡**siæl**, 20/38 = SÁL.

‡**siældhan**, ‡**siæl(f)uer** = SJALDAN, SJÁLFR.

sjá, (1) to see, 1/69, 365, 3/6, 9/182; *at sjá*, in appearance, 5/415; *sjá sik síðan*, survive, 1/196; (2) look, gaze, 1/54, 6/323, 15/32; *sjá í*, look into, 1/292; take into consideration, 6/621; (3) know of, 5/85; (4) perceive, understand, 1/165, 5/408, 6/256; (5) take care; *sjá eptir e-n*, exact compensation for the death of, 6/318; *sjá fyrir*, provide for,

12/116; direct, decide, 9/22; *sjá við e-m*, be on one's guard against, 18/81; (6) impers. *sér (á)*, it can be seen, 11/64, 12/145, 154; *sjá á miðli*, 4/92 *n.*; (7) *pp.* evident, 7/218; (8) *recip.* see one another, 7/339, 12/113; *refl. s-sk um*, look about, 5/147; §§ 46, 74, 123, 131, 194.

sjá, this; § 111. *See* ÞESSI.

sjái = SÉ, pres. subj. of SJÁ.

sjaldan, ‡**siældhan**, seldom; *compar.* **sjaldnar**, more seldom.

sjálf-ala, *indecl. adj.* finding their own food.

sjálf-dœmi, *n.* 'self-judgement'.

sjálfr, ‡**siæl(f)uer**, ‡**sæluer**, *adj.* self, 1/75 *n.*, 18/17.

sjálf-ráðr, free; *er þér sjálfrátt*, you are free to, 7/61.

sjálf-sáinn, self-sown, growing wild.

sjálf-vili, *m.* free-will.

sjálf-viljandi, ‡**sielfs-wiliandi**, of one's own accord.

sjau, seven.

sjau-tján, seventeen.

sjóða, to boil, cook, 1/114; § 128.

sjón, *f.* gaze, look, 1/130.

sjón-hverfing, *f.* ocular delusion (produced by magic).

sjór, *m.* sea = SÆR.

sjǫt, *n. pl.* abode, 15/32; company, host, 9/240.

skaða (að), *impers.* to do harm to.

skaði, *m.* damage, loss.

skafa, to scrape; allot (lit. scrape off for you), 6/597; § 132.

skal. *See* SKULU.

skála-endi, *m.* end of a hall.

skála-veggr, *m.* wall of the hall.

skáld, **skald**, *n.* poet, scald.

skáld-skapr, *m.* poetry, poetic art.

skalf, *pa. t. sg.* of SKJÁLFA.

skáli, *m.* shed; hall, sleeping-hall.

skálm-ǫld, *f.* an age of the sword.

skálpr, *m.* scabbard.

‡**skam**, *f.* shame = SKǪMM.

‡**skami**, *m.* shame, disgrace.

skamm-degi, *n.* the short winter days.

Glossary

skammr, short; *skamt*, a short distance or time; *fyrir skǫmmu*, a short time ago, 9/151 *n.*; § 105.

skap, *n.* temper, disposition; *hafa s. til*, be disposed to, 7/340; *honum var þetta mjǫk móti skapi*, he took this greatly to heart, 5/106; *lítill í skapi*, mean-spirited; *vera e-m í skapi*, be on one's mind, 6/414; be one's desire, 12/123; *búa í skapi*, be on one's mind, 6/419; *gøra e-t til skaps e-s*, do a thing to please one, 7/189.

skapa, to create, 16/130; § 132.

skapa (að), to appoint; *skera ok s.*, fix the terms, 6/834.

skap-feldr, to one's mind, agreeable.

skap-góðr, good-tempered; *e-m er skapgott*, one is in good spirits.

skap-leikr, *m.* disposition, character.

skap-lyndi, *n.* disposition, mood.

skap-raun, *f.* vexation, annoyance.

skapraunar-minna, *n. adj. compar.* less vexatious.

skap-skipti, *n.* change of mood.

skaps-munir, *m. pl.* disposition.

skapt, *n.* handle; shaft of cart, 18/38.

skarðr, diminished; *sitja fyrir skart um e-t*, live in want of, 6/203.

skarts-maðr, *m.* dandy, lover of finery.

‡skat, *m.* tribute = ‡SCATTR.

‡skat-gildær, *m.* one who pays tribute.

skati, *m.* leader, ruler, 9/224, iii/12; § 92.

skaut, *n.* corner of the sail; *láta skaut horfa á land*, sail along the coast, 5/43; hem, border, 5/482; end of cloak, 8/37.

skegg, *n.* beard; § 81.

skeggjaðr, bearded, 5/455 *n.*

skegg-ǫld, *f.* an age of the battle-axe.

skeið, *n.* course, running-ground, race; *knarrar s.*, the sea, 5/321.

skelfa (ð), to make tremble, frighten, 14/30.

skelfr. *See* SKJÁLFA.

skellr, *m.* blow, stroke.

skemmr, *compar. adv.* shorter; *lengr eða skemmr*, for a long or short while, 7/90.

skemta (t), *w. dat.* to amuse, entertain.

skemti-lígr, amusing, entertaining.

skemtun, *f.* amusement, pastime; § 87.

skenkja (t), to serve with drink (*e-t e-m*). [MLG. *schenken*.]

sker, *n.* rock; *s. Haka*, the sea, 9/214 *n.*

skera, to cut, cut up; slaughter, 1/113; *s. upp*, dispatch, 10/43 *n.*; *skerask undan e-u*, draw back from, 6/307; § 130.

skíð, *n.* snow-skate, ski.

skíð-garðr, *m.* 'enclosure of the snow-skate (of the sea)', row of shields on the bulwarks of a ship, 9/214 *n.*

skikkja, *f.* cloak.

skilja (ð, d; *pp.* skiliðr), (1) to divide, separate; disband, 10/171; part company, be separated, 5/326, 7/296, 8/127; *s. á*, stipulate; *s. við e-n*, part from, 7/192; *s. frá*, exempt from, 4/31; (2) understand, perceive, 1/157, 3/29, 4/27, 5/190, 7/175; (3) *s. fyr e-m*, make known to, proclaim to, 9/223; (4) refl. *skiljask við e-n*, part from, forsake, 5/527, 9/132, 11/27, 17/31; *recip.* part company, separate, 3/68, 5/173, 10/179, 11/25, 12/194.

skillingr, *m.* shilling; *pl.* money.

skilnaðr, *m.* parting.

skína, to shine; *impers.* 1/436, 11/68; §§ 121, 127.

skinn, *n.* skin; fur.

skinna-vara, *f.* fur-ware, furs.

skinn-hjúpr, *m.* fur doublet, 5/411, 17/120. [MLG. *jope*, OFr. *jupe*.]

skip, *n.* ship, boat.

skipa (að), *w. dat.* to array, draw up, 10/71, 17/3; assign (a seat), 3/75; *w. acc.* put in order, 20/51; provide, equip, 3/84; set, place, 20/69; occupy, 3/67, 73; *sk. thiænistomæn*, appoint servants (of God), 20/17;

sk. til, make arrangements, 12/86; prepare for, 10/72; *refl.* undergo a change, change, 3/137, 149, 12/113; be arranged, drawn up, 7/157, 198; crowd, throng, 7/200; *skipask á betri leið*, change for the better, 9/76; *skipask umhverfis húsin*, surround the house, 7/203.

skipan, *f.* crew; change, 6/685.

skip-flak, *n.* wreck.

skips-brot, *n.* shipwreck.

skipta (t), ‡**skiftæ**, *w. dat.* (1) divide, share, 5/170, 18/4 (*w. acc.*), 21/18; (2) exchange, 16/84; (3) have dealings in; *eiga at sk. málum við e-n*, have an action to bring against one, 6/365, 437; (4) decide (course of events), 9/92; depend, 10/145; *engu þá skipta*, was no business of theirs, 5/283 *n.*; (5) amount to; *þat skipti morgum dægrum*, this lasted many days, 5/35; (6) happen; *ef því er at skipta*, if it comes to that, 9/166; (7) *sk. sér af e-u*, concern oneself with, 6/224; (8) assign, 19/4 (*w. acc.*); (9) *refl.* undergo a change, change, 3/143.

skipti, *n. pl.* dealings.

skíra (ð), to baptize.

skírn, *f.* baptism.

†**skirta**, 17/109 = SKYRTA.

‡**skiǽr**, clear.

skjald-borg, *f.* wall of shields; protection.

skjálfa, to shake, tremble, 1/148, 418, 447; § 129.

skjarr, shy.

skjóðu-pungr, *m.* skin-purse.

skjóta, to shoot, throw (*e-u*); *var skotit váðási*, a pole was set up; thrust, 2/106; launch (boat), 5/132, 140; roll (the eyes), 5/190; *sk. sér*, fall, 17/8; *refl.* hop, 5/431; §§ 128, 158.

skjót-fœri, *n.* swiftness, speed.

skjótla, quickly.

skjót-leikr, *m.* fleetness.

skjótr, swift, quick; **skjótt**, *as adv.* quickly; *compar.* 1/236; *sem skjótast*, as soon as possible, straightway.

skjǫldr, *m.* shield; §§ 45, 88.

skóð, *n.* weapon.

skógar-maðr, *m.* outlaw.

skóg-land, *n.* forest land, well-wooded land.

skógr, *m.* wood, forest; § 80.

skokkr, *m.* box, receptacle.

skór, *m.* shoe.

skorta (t), to be lacking; impers. *e-n skortir e-t*, one is in want of, one lacks; § 143.

skó-sveinn, *m.* page, servant.

skot-hríð, *f.* shower of missiles.

Skozkr, Scottish.

‡**skrapæ** (ath), to scrape; *sk. af*, erase.

‡**skréf**, pa. t. *See* SKRÍUÆ.

skreppa, *f.* scrip, wallet. [OF-*escreppe*.]

skreppa, to slip; § 129.

skriða, *f.* landslide.

skríða, ‡**scrīþa**, to glide, slide (on skis), 16/148; crawl, 21/8; § 127.

skrifa (að), to write; ‡*scrifwaz*, it is written, 20/38. [From Lat. *scríbere*.]

skrípi, *n.* phantom, horror.

skríuæ, to write, 18/84. [From Lat. *scríbere*.]

skrúð, *n.* cloth, stuff, 5/361; mail-coat, 17/53.

skruppu. *See* SKREPPA.

skrǫkva (að), to falsify a story.

skuld, *f.* debt; *i s.*, on credit, 6/616.

skulda-lið, *n.* family, dependants.

skulu, shall, must, ought; †**skula**, 17/88; §§ 146, 165, 171.

skutil-sveinn, *m.* trencherman; cup-bearer, 1/272; officer of high rank, 12/121.

skutr, *m.* back cabin; *sk. munknarrar*, memory, 9/174 *n.*

ský, *n.* cloud; §§ 81, 230.

skykkjum, *dat. pl. as adv.* in *ganga sk.*, go rocking, shake, 1/148.

skyld, ‡**sculd**, *f.* reason, sake, 18/15, 20/23.

skyldi, **skyldu**. *See* SKULU.

skyldr, obliged, obligatory, 5/492; related to, 6/708; right, 4/7; *skyldir þjónustumenn*, bond-servants, 1/136;

‡**skyldæstær**, nearest (related), 19/33.

skyn, *f.* knowledge; *kunna skyn á e-u*, have knowledge of, 5/287; § 84.

skynda (d), cause to hasten, hurry, 13/85; *intr.* hasten, 14/72.

skyndi-liga, hastily, quickly.

skynsam-liga, intelligently, carefully.

skýrr, clear, manifest; *gøra skýrt*, make definite, 4/35.

skyrta, *f.* kirtle, coat.

skær, *m.* steed; *Gjalpar skær*, wolf, 9/211 *n.*

skǫkull, *m.* trace (of harness), 13/85.

skǫmm, *f.* shame.

skǫr, *f.* locks, hair.

skǫru-ligr, bold, manly; of distinguished appearance; magnificent.

skǫrungr, *m.* notable or outstanding person, paragon.

slá, to smite, strike, 1/160; forge, 14/41, 16/128; mow, cut grass, 7 *introd.*; *slá hring*, form a ring, 5/522; *s. beizli við* (*hest*), to bridle a horse, 6/123; impers. *sló ótta* (*dat.*) *yfir e-n*, fear fell upon him, 3/47, 5/381; §§ 71, 132.

slátr, *n.* flesh, meat.

slátra (að), *w. dat.* to slaughter.

sleita, *f.* quarrel; *ganga sleitum*, to quarrel, 5/449.

sletta (tt), to slap.

sléttr, level, smooth.

slíðrar or **-ir**, *f. pl.* sheath, scabbard; § 83.

slíkr, such.

slíta, to snap, break, 1/38; tear, rend, 1/483, 10/84, iii/2; impers. *slitit er þinginu*, the assembly is ended, 6/513; *þar til er ór slítr*, until it is quite finished; § 127.

slitna (að), *intr.* break, snap.

slitri, *n.* rag, torn piece.

slungnir. *See next.*

slyngva, to throw, fling, 1/470; wind about, 21/7; §§ 42, 129.

slys-gjarnt, *n. adj.* in *e-m verðr s.*, one has bad luck, 8/133.

‡**slækt**, *f.* kind, order. [MLG. *slechte*.]

sløkkva, ‡**slækkia**, to extinguish, put out, 7/234, 20/48; §§ 74, 139.

sløngva, to hurl, 7/346; § 139.

slœgr, *m.* profit, 8/5.

slœgr, *adj.* clever, crafty.

smala-ferð, *f.* herding the sheep.

smala-maðr, *m.* shepherd, herdsman.

smali, *m. collective noun*, sheep; *g. sg.*, 6/181.

smá-menn, *m. pl.* men of little power, insignificant men.

smár, small, little; § 105.

smá-sakir, *f. pl.* petty suits.

smá-skitligr, undersized, insignificant.

smá-þarmar, *m. pl.* small-guts, intestines.

‡**smēri** = *smæri*. *See* SMÁR.

smíð, *f.* work, building.

smíða (að), to make, build.

smíðar-kaup, *n.* payment for building.

smiði, *n.* made object, *dverga s.* sword; *t. s.* under construction.

smiðja, *f.* smithy, 16/50.

smiðr, *m.* artificer, builder; § 80.

smjúga, to creep (through an opening), 1/223; § 128.

‡**smyriæ (smurþe)**, to grease.

snara (að), to twist, 7/79, 8/37; step quickly, 6/410.

snar-liga, in haste.

snarp-liga, sharply, with energy.

snarpr, severe, hard.

snarr, bold, iii/2.

sneiða (dd), to taunt, sneer at.

snemma, later form of SNIMMA.

snemt, *n. adj.* early.

sneypa, *f.* disgrace, shameful rebuff.

sníða, to cut; § 127.

‡**snieldr**, 21/57 = SNJALLR.

snim-hendis, early, soon.

snimma, snemma, *adv.* early.

snjallr, clever in speech, eloquent, 17/36, 21/57; brave, 15/29.

snjár, *m.* snow = SNÆR; § 52.

snót, *f.* lady, 16/106; *snót saka*, Hildr, battle, 9/213 *n.*; § 87.

snotr (ran), wise.

snúa, to turn, 1/215, 10/175 (*impers. w. dat.*); go, 1/218, 6/283, 8/53; twist, twine, tie, 7/65, 85, 10/129; plait, 13/20; *s. e-u til*, commit to, 5/294; *s. undan skipi*, turn one's ship to flee, 10/97; *snúin þar fyrir speld*, protected with shutters, 7/26; *refl.* turn oneself; *s-sk aptr*, turn back, 1/256, 396; *s-sk at e-m*, turn on one, 7/75; *s-sk fram*, go forth, 1/463; *s-sk í*, fall into (a fury), 1/421; *s-sk til*, turn to, 8/104; *s-sk til ferðar*, set out on a journey, 1/346; § 133.

snær, *m.* snow; § 52.

‡**sö**, so, thus, 21/7 = svá.

soðit, 1/114. *See* sjóða.

sofa, to sleep; *s. af nótt*, sleep through the night, 5/197; §§ 51, 130.

sofna (að), to fall asleep.

sókn, *f.* fight, attack.

sól, *f.* sun; § 83.

sólar-setr, *n.* sunset.

sólar-sinnis, *adv.* following the course of the sun.

sól-bjǫrg, *f.* sunset.

soltinn (pp. of *svelta*, starve), hungry.

‡**som** = sem.

sóma (d), to beseem, become; § 143.

‡**somar**, 20/48 = sumar.

sómi, *m.* honour, compensation.

sonar-dauði, *m.* death of a son.

sonar-son, *m.* son's son, grandson.

sonr, ‡**sun(r)**, ‡**søn**, *m.* son; -son in compounds; §§ 32, 88.

sópa (að), to sweep.

sopi, *m.* draught, mouthful.

sortna (að), to grow black or dark.

sótt, *f.* illness, sickness.

sóttar-far, *n.* sickness, 5/531.

sótt-dauðr, dead of sickness; *hann varð s.* he died of illness (i.e. in his bed), 6/892.

sótti, pa. t. of sœkja.

‡**søwæ**, pa. t. pl. *See* sofa.

spá, *f.* prophecy, song of fate, 9/186.

spá-kona, *f.* prophetess, sibyl.

spakr, quiet; wise, learned.

spannar-langr, of a span's length.

spara (ð, að), to spare; *s. við e-n*, grudge, deny, 3/71; *sparask til e-s*, spare oneself for, 1/295 *n.*

speld, *n.* shutter.

spenna (t), to span, clasp; *s. sik e-u*, gird oneself with, 1/158.

spilla (t), *w. dat.* to destroy, spoil.

spjót, *n.* spear.

spjǫr, *n. pl.* spears.

spor, *n.* track footprint; *spor Dags hríðar*, wound, 11/128.

sporðr, *m.* tail; lower pointed end of shield.

sporna (að), to spurn; *s. við*, resist, 8/77.

sprakk, pa. t. sg. of springa.

spretta (tt), to make spring apart, split, 1/120 *n.*

springa, to burst, 6/387; spring, 18/21; § 129.

‡**sprǫng**, pa. t. = *sprakk*. *See* springa.

spyrja (spurði), ‡**spøriæ** (spurthe, spörthe), to trace, find out (about), 10/68, 18/45 *n.*; hear, be informed, 4/86, 6/185, 7/4; ask, 1/67, 2/10; *s. e-n e-s, s. e-n e-u, s. e-n um e-t*, ask one concerning, 1/161, 229, 6/232, 334, 8/128, 18/25; *spyrr engan at*, asks no one about it, asks leave of none, 3/3; *s. til*, hear of, 10/59, 11/30; *spyrjat*, do not ask, 14/12; *spyrjask eptir*, make inquiry, 3/52.

spyrna (d), to kick; *s. í*, put the feet against, 8/39 *n.*; *spyrnask í iljar*, touch one another with the soles of the feet (of two men lying on their backs), 5/230.

spǫlr, *m.* short piece; rail, bar, 1/223.

‡**spøriæ**. *See* spyrja; § 212.

‡**staa**, to stand; ‡*staa atir*, remain, 20/86; pa. t. as for standa.

staddr (pp. of *stedja*), placed, present, staying, 11/29, 12/96; *við s.*, present, 6/488.

stað-festa, *f.* homestead, farm.

staðinn, pp. of standa.

staðr, *m.* place, spot, dwelling; part, 5/170; way, respect, 6/370; *nema staθ* (or *staðar*), halt; *annars staðar*, ‡*annar stadh*, elsewhere, 5/256, 20/108; § 87.

staf-ġarðr, *m.* holy enclosure.

staf-karl, *m.* beggar, tramp.

stafn, *m.* the stem of a ship, usually the prow; the stern, 5/59; *með stǫfnum*, from stem to stern, 10/120.

stafn-búi, *m.* forecastle guard.

stafr, ‡**stafær**, *m.* staff; crozier, 19/16.

‡**staggaþan**, 21/58. *See* STAÞGA.

stakk, ‡**stak**, pa. t. *See* STINGA.

stál, *n.* steel, steeled weapon.

stallari, *m.* marshal. [OE. *stallere*.]

stallr, *m.* stall; perch (for hawks), 5/15 *n.*

standa, (1) to stand, 10/163; *s. fast*, stand firm, 1/335; *s. upp*, stand up (from seat), 1/251; get up from bed, 1/121, 205, 6/310; *s. við e-t*, stand leaning against, 11/116, 129; (2) take up a position, 7/54, 17/79; stand in ranks, 17/2; *s. í stigreip*, sit a horse, ride, 17/48; (3) be in a place, stand, 1/219, 7/237, 16/122; *s. uppi*, be aground, 5/154; (4) remain valid, 4/128; *s. yfir*, last, continue, 5/277; (5) be in a specified condition, 14/68; ‡*æighi verr s.*, be none the worse for it, 17/23; (6) *s. í* (or *til*) be fixed in, stick (in), 1/498, 3/105, 5/394, 10/107; to be engaged in, 6/38; (7) trend, flow; *svá sem straumr stœði*, like a rushing torrent, 5/374; *s. af*, be derived from, 5/533; (8) *s. við e-u*, ‡*s. í gǽn*, withstand, resist, 1/386, 5/406, 18/43; (9) *s. yfir*, exist, 5/476; (10) weigh, 11/22; (11) refl. *s-sk við*, defy, 9/219; *s-sk á*, stand opposite; *þat stœðisk mjǫk svá á*, (they believed that) they thus were directly opposite each other, 5/446; § 132.

starf, *n.* work, trouble.

starfa (að), to work.

starfa-minna, less arduous.

‡**stark**, ‡**starkir**, strong, 18/105, 20/40.

‡**staþga**, to establish; ‡**staggaþr**, *pp.* lasting, secure.

‡**staþgi**, *m.* agreement, 21/61.

steði, *m.* stithy, anvil.

stef, *n.* refrain.

stefna (d), to go in a certain direction, turn to, advance, 1/212, 451; summon, 6/270, 10/1.

stefnu-dagar, *m. pl.* summoning-days, days assigned by law on which summoning was to be done.

stein-dyrr, *f. pl.* doorway of stone.

steinn, *m.* stone.

stein-smíði, *n.* stone implements.

stela, to steal from, rob; *s. e-n e-u*, rob one of, 13/8; § 130.

‡**stēn** = STEINN; § 203 (iii).

‡**stēna** (t), to stain, colour, iii/16.

sterk-liga, strongly.

sterkr, strong; § 105.

steypa (t), to throw down, 7/349; *refl.* totter, fall in ruin, 1/414; *s-sk útan borðs*, leap overboard, 10/117; †*stœyptuz ór brynium*, they threw off their mail-coats, 17/100.

‡**steþi**, 21/69. *See* STADR.

stíga, to step, walk, 1/460; *s. stórum*, take long steps, 1/172; *s. fram*, step forward, 1/181; *s. í*, step on or into, 1/463, 10/11; *s. upp á stokk ǫðrum fœti*, set one foot up on the planking-beam, *note to* 10/11; *s. á skip*, go on board ship, 12/7; *s. af hesti, af baki*, dismount, 9/5; §§ 31, 50, 127.

stígr, *m.* path, way.

†**stíg-ræip**, *n.* stirrup, 17/48.

stikill, *m.* point.

‡**stikkæ**, *f.* stick of wood.

stikla (að), to leap, run.

stilla (t), to arrange; *s. til um e-t*, make arrangements for, 10/36.

stillir, *m.* ruler, iii/12.

stiltr, controlled.

stinga, to thrust, stab; §§ 129, 158.

stirð-lyndr, harsh.

stirðr, stiff.

stjarna, *f.* star; § 93.

stjórna (að), *w. dat.* to rule over.

stjórn-borði, *m.* starboard side.

stóð, *n.* stud (of horses).

stóð-hross, *n.* stud-horse, mare.

stofa, *f*. sitting-room. [MLG. *stove*.]

stokkr, *m*. log, piece of wood; plank, 8/58.

‡stól, *m*. throne, 20/8.

‡stolther, proud, magnificent. [MLG. *stolt*.]

stór-illa, very ill, very badly.

stór-mannligr, magnificent.

stór-menni, *n*. *collect*. big men, 1/323; men of rank, 17/103.

stór-menska, *f*. generosity.

stórr, great, huge; stórum, *adv*. hugely, 1/172; §§ 103, 149.

stór-ráðr, ambitious, daring, haughty.

stór-skorinn, of huge proportions.

stór-vel, right well.

stór-viðir, *m*. *pl*. big beams.

stór-virki, *n*. great deed.

stótt. *See* STANDA.

strá, stráa, to strew; § 142.

‡strá-döiæ, to die a natural death, 18/2 *n*.

‡strand, *f*. shore = STRQND.

strauk, pa. t. sg. of STRJÚKA.

straumr, *m*. stream; current, 5/263.

strengja (ð, d), to fasten; *s. heit*, make a solemn vow, 10/12.

strengr, *m*. rope; scroll, iii/16; bow-string, 10/160.

‡stríðha (dd), to make war, 20/53.

stríðr, severe.

‡stríth, ‡striith, *n*. war, battle.

strjúka, to stroke, rub, 1/201; § 128.

strqnd, *f*. strand, beach; § 89.

stund, *f*. length of time, while; *af stundu*, in a (short) while; *stundum*, sometimes, 4/34; *fyrir stundu*, a short time ago; § 87.

stundar, *adv*. very, quite; § 150.

styðja (studdi), to rest; *styðjask við*, lean upon, 11/61.

styggr, shy.

stynja (stundi), to groan, moan, 1/478, 11/109.

stynr, *m*. moaning, groan.

stýra (ð), *w*. *dat*. to steer, direct, 1/428, 20/38; wield, swing, 5/313; own, possess, 5/120, 6/219; rule, 20/37; impers. *sér stýrt til bana*, it would be his death, 3/93.

styri, *n*. helm, rudder.

styri-maðr, *m*. captain of a ship.

‡styrkilse, *f*. strengthening, 20/16.

styrkr, *m*. strength; assistance.

styrktar-maðr, *m*. supporter, benefactor.

‡stýrls, *f*. guidance, government.

stæinn = STEINN.

stqðva (að), to stop, 17/86.

stqkk. *See* STQKKVA.

stqng, *f*. staff, pole; standard-pole; § 89.

‡*støðr, standing firm, iii/13.

støkkva, to spring; *s. útan*, spring back, 13/110; spring asunder, snap, 13/53; § 129.

støkkva (ð, t), drive, 6/135.

‡størkia (t), to strengthen, 20/25.

stœrri, stœrstr. *See* STÓRR.

‡stœyptuz. *See* STEYPA.

suðr, southwards.

Suðreyskr, from the Hebrides.

suðr-ganga, *f*. journey south (to Rome).

suðr-maðr, *m*. southerner.

suðr-ætt, *f*. the south.

suðrœnn, *adj*. from the south.

suðu, pa. t. pl. of SJÓÐA.

súð-þakiðr, roofed with overlapping boards, 7/25 *n*.

sukku, pa. t. pl. of SØKKVA.

‡sum = SEM; §§ 200, 233.

sumar, ‡somar, *n*. summer; §§ 32, 80.

sumars-dagr, *m*. day of summer, 1/10 *n*.

sumar-viðr, *m*. summer wood (i.e. wood collected in summer for charcoal as opposed to wood for heating purposes in winter).

sumr, some; ‡summæ, ‡sommæ, *pl*. = *sumir*; §§ 61 (4), 115.

sun(r) = SONR; §§ 189, 193.

sund, *n*. sound, strait.

sundr, í sundr, asunder.

sunnan, from the south; *fyrir s. land*, in the south of the land, iii/5; *s. af landi*, from the south of the land, 19/4.

sunnan-þoka, *f*. mist from the south.

‡sunnarstr, *adj*. farthest south.

sút, *f.* sorrow; *sút leiðar þvengs,* 'serpent's sorrow', winter, 16/175; §§ 87, 232.

‡**suþ-nautar,** *m. pl.* 'brethren of the boiling', those who eat together at the sacrificial feast, 21/47.

‡**suþu,** pa. t. of ‡*siauþa* = SJÓÐA.

svá, *adv.* so, thus, in this way, 1/74, 339, &c.; thus, this, 1/259; (of degree) so, 1/70, &c.; also, as well, 1/244, 5/496; *svá . . . at,* so . . . that, 1/23, 179; in such wise that, 14/88; in such wise as to, 1/28; *svát,* such that, 14/75; *svá . . . sem,* as . . . as, so (such) . . . as, 1/268, 291, 320, &c.; *svá sem,* as if, 1/282, 14/50; now that, 3/15; as (far) as, 1/319; ‡**swáþ,** *as rel.* which, iii/12.

svaf, pa. t. sg. of SOFA.

svala, *f.* swallow.

svanni, *m.* lady.

svanr, *m.* sea-bird.

svar, *n.* answer.

svara (að), to answer.

svarð-lauss, grassless.

svarði, pa. t. of SVERJA.

svarri, *m.* a haughty woman.

svartr, black; § 61 (3).

sváss, sweet; beloved, 1/510.

svá-t, ‡**swá-þ** = *svá at.*

svefn, *m.* sleep.

svefn-hús, *n.* sleeping-room.

sveigja (ð), to bend, 9/221.

sveimun, *f.* a soaring, flitting.

svein-barn, *n.* boy.

sveinn, *m.* boy, lad; servant.

svein-stauli, *m.* boy, urchin.

sveipa (ð, að), to sweep, swing.

sveipa, to wrap, encircle; § 133 (1).

sveit, *f.* body of men; *pl.* community, district, 16/25.

sveitar-rækr, driven out of the district.

sveiti, *m.* sweat.

sveitungr, *m.* follower, retainer.

svelga, to swallow; take a deep draught, 1/279; § 129.

svell, *n.* ice; *fetils svell,* the gleaming sword, 9/199.

svella, to swell, rise high; § 129.

sverð, ‡**swærth,** *n.* sword.

sverð-Freyr, *m.* 'sword-Frey', warrior, 9/213.

sverja (svarði), ‡**sværiæ,** to swear.

Svía-konungr, *m.* king of the Swedes.

svíða, to singe, burn, 16/139; smart, cause pain, 11/132; § 127.

svigi, *m.* switch, 1/488.

svik, *n. pl.* treason.

svíkja, to betray, 17/31; § 127.

svima (að), to swim, iii/2.

svinnr, swift; wise.

svipan *f.* swing, sweep, blow.

svipta (t), to reef (sails).

svipting, *f.* pull, struggle.

sví-virðing, *f.* disgrace.

svæla (d), to suffocate with smoke.

svǫr, *n. pl.* replies, answers.

‡**swáþ,** iii/12 = *svá at.* *See* SVÁ.

‡**swēn,** ‡**swǣn** = SVEINN.

‡**swǣr,** *m.* father-in-law.

syðri, *compar. adj.* (more) southern.

‡**sȳkia,** 21/63 = SŒKJA.

sýn, *f.* sight, vision.

sýna (d), to show; *refl.* appear to be, seem; exist, 21/30; § 10.

syni, synir. *See* SONR.

synja (að), to refuse, deny.

sýra, *f.* sour whey.

syrgja (ð), to sorrow, be disheartened; weep, 16/106; § 139.

sýsla, *f.* business, work.

systir, *f.* sister; *jǫtna s.,* giantess; § 90.

systkin, *n. pl.* brother and sister.

systrungr, *m.* cousin.

systur-son, *m.* son of one's sister.

‡**sæghia,** 17/40 = SEGJA.

sæi, pa. subj. of SJÁ.

sæll, fortunate, happy.

sæng, *f.* bed; § 89.

sær, *m.* sea; §§ 52, 63, 82.

‡**sǣR,** iii/13 = SÉR, pron., § 206.

særa (ð), to wound.

sæta (tt), to amount to, signify (*w. dat.*); *hverju þetta sætti,* what was the cause of this, 3/79.

sæti, *n.* seat.

sætt, *f.* reconciliation, 1/89; settlement of suits, 19/22; § 87.

sætta (tt), to reconcile, 20/24; refl.
s-sk at því, settle on such terms,
agree, 6/213; *s-sk á*, agree to, 1/95,
4/30, 12/57.

†**sættar**, 17/67. *See* SETJA.

sævar-gangr, *m.* heavy sea.

sǫðull, *m.* saddle.

sǫgn, *f.* report, account.

sǫk,*f.* charge, offence, 9/54, 80; suit,
action, 6/256; battle, 9/213; con-
dition, strait, 14/34; cause, reason,
1/85, 9/253; *gøra til saka við e-n*,
commit offences against one, 9/77;
fyrir sakar e-s, by reason of, for the
sake of, 1/70, 6/261–2, 9/248; **sakir**,
sakar, *as prep. w. gen.* because of,
for the sake of, 6/389, 9/81; *um
viku sakar*, for a week, 9/142;
sǫkum e-s, fyrir e-s sǫkum, because
of, 6/603, 650; §§ 40, 83.

sǫngr, *m.* singing, song, 1/101;
clang, clash; §§ 42, 82.

søkkva, to sink; §§ 42, 49, 129, 197.

‡**søn** = SONR; ‡**sønær**, 18/3 = SONU.

‡**sørghia**, 20/63 = SYRGJA.

‡**søzs** (pa. t. middle of ‡*siúthæ* =
SJÓÐA), was boiled, 18/29.

sœkja, ‡**søkia** (*pa. t.* ‡**søkte**),
‡**sykia**, (1) to seek, go to fetch,
2/7; (2) *s.* (*til*), visit, come to,
5/526, 16/167, 20/20, 21/65; reach,
iii/2; *s. e-n heim*, go to see one,
9/39; (3) proceed, go, 1/422; *s.
fram*, advance, 1/438, 9/184; (4)
seek with hostile intent, attack,
9/204, 10/86; *s. e-n heim*, attack
one in his house, 7/176; *s. í hendr
e-m*, attack, 5/449; *s. at e-m*, rush
at, assail, 5/393, 402, 7/39, 45, 162;
fá (or *geta*) *sótt*, get successfully
attacked, overcome, 7/88, 160; (5)
prosecute (a law-suit), 6/487, 502;
(6) *refl.* advance (of work), 1/23;
þeim muni illa s-sk at vinna oss, it
will be a hard struggle for them to
master us, 7/170; *illa sóttisk þeim
Gunnarr*, they had hard work to
overcome Gunnar, 7/172; §§ 64,
77, 140.

sœmð, sœmd, *f.* honour; redress,
compensation; § 57.

sœmi-ligr, honourable, becoming.

Sœnskr, Swedish, Swede; § 44.

sœri, *n. pl.* oaths.

T

tá, *f.* toe; § 89.

‡**tāða**, iii/10, pa. t. of **teyja*, make.

tafl, *n.* game of tables (resembling
backgammon). [From Lat. *tabula*.]

taka, (1) to take, take hold of, pick
up, 1/175, 2/108, 6/186; seize,
catch, capture, 1/40, 416, 2/81,
6/265, 7/9, 319; *t. e-n hǫndum*, lay
hands on, seize, 7/11; *t. af lífi*, put
to death, 9/79; *t. í e-t*, lay hold of,
6/393; *t. í hǫnd e-m*, take one by
the hand, 5/494, 12/111; *t. í mót
e-m*, take hold of, 7/309; *t. ofan*,
remove, 7/146; *t. ór e-u*, release
from, 10/147; *t. til*, have recourse
to, 5/247; lay hands on, 3/112; *t.
um e-t*, take hold of, embrace, 9/34,
53; *t. upp*, pick up, remove, 1/164,
3/23, 9/18, 10/104; (2) to take to
oneself; take over, undertake,
6/267; elect, choose, 19/1; *t. mat*,
take food, eat, 3/40; *t. ráð af*, get
counsel from, 1/446; *t. af*, choose,
1/212; *t. til*, choose to do, under-
take, 1/270, 3/32; *t. til sín*, keep with
them, 5/455; *t. sótt*, take sick,
12/91, 16/62; *t. upp*, take up, 3/56,
12/93; (3) to accept, receive (*w. acc.
or dat.*), 1/134, 4/127, 5/105, 493,
12/22; *t. nafn af*, be named after,
5/68; *t. sættum*, accept compensa-
tion, allow terms, 7/251; *t. e-u seint*,
receive coldly, 5/100, 6/231; *t. við
e-m* or *e-u*, accept, receive, 3/144,
4/55, 8/11, 12/193, 20/54; *t. vel við
e-m*, welcome, 2/6, 5/97, 108,
8/128; *refl.* be accepted, 4/64; (4)
connoting occupation: to begin
(*w. infin.*), 1/279, 336, 2/40, 101,
4/48, 7/248, *t. til*, set to work,
1/16; *t. hlaup*, run, rush, 10/59;
t. skeið, run a course, 1/255, 264;
til máls at t., take up the story,
7/110; (5) to reach, touch, be in
contact with, 1/384 *n.*, 2/93; strike
against, 7/209; put (*e-u*), 1/317,

5/149; *t. á e-m*, ‡*t. upá e-m*, touch, 14/136, 20/104, 105; *t. i e-t*, reach to, extend to, 17/54; *t. upp hǫndum*, reach up, 1/57; *t. land*, sail in to land, 5/49, 96; (6) impers. *tók af byr*, the favouring wind dropped, 5/33, 48; *tók af hǫfuðit*, the head flew off, 7/278; *i sundr tók manninn*, the man was cleft asunder, 10/115; *tók af*, (his hands) were cut off, 10/138; *at yfir taki við oss*, to get the better of us, 7/179; *þegar myrkva tók*, as soon as it began to be dark, 8/138, and similarly 2/101, 5/357; (7) *refl.* take place, begin, 10/79; be accepted, 4/64; *t-sk af*, fail, 5/272; *impers.* happen, come to pass, 2/58, 6/412; *t-sk til*, turn out, 3/94; § 132.

tákna (að), to signify, mean. [OE. *tácnian*.]

tal, *n.* talk, consultation; reckoning, 4/138.

tala, *f.* talk, speech; account.

tala (að), to talk, speak; *recip.* discuss, converse, 14/30.

tálma (að), to hinder.

tann-skeptr, having a handle of walrus ivory.

tár, *n.* tear.

taufr, *n. pl.* charms, talismans.

taumr, *m.* rein, bridle; *ganga i tauma*, fail, not be fulfilled, 5/542.

teitr, merry, 16/120.

‡**tēkn**, *n.* token, sign.

telja, (1) to count; *t. upp*, enumerate, 9/54; *t. ættir sinar til e-s*, trace their descent back to, 16/19; (2) recite, 11/7; (3) tell, say; *t. fyrir e-m*, relate to one, 4/49; try to persuade, 4/110; *t. á hendr e-m*, find fault with, rebuke, 5/181; (4) consider, conclude, 1/124; (5) *t. at e-u*, object to, 6/168; (6) *teljask undan*, refuse, decline, 5/118, 7/268; §§ 136, 138.

tengsl, *n. pl.* ropes; fastenings by which ships were bound together for battle, 10/92.

tennr. *See* TǪNN.

teygja (ð), to entice; § 62.

‡**th-.** *See* Þ-. *See also* T- (§ 221).

‡**thagær.** *See* ÞEGAR.

‡**thē**, 18/4, 20/100 = ÞEIR; 20/14 = *þeirrar*.

‡**thērræ** = *þeira. See* ÞEIR.

‡**thīme.** *See* TÍMI.

‡**thiokkære**, *compar. See* ÞYKKR.

‡**thiænist**, *f.* service; § 208

‡**thiænisto-mæn**, *m. pl. See* ÞJÓN-USTU-MAÐR.

‡**thō-līker**, such, similar.

‡**tholugher**, patient, 20/41.

‡**thōrde** = *þorði. See* ÞORA.

‡**thorfua.** *See* ÞURFA.

‡**Thōrs-dagher**, *m.* Thursday.

‡**thrē**, three. *See* ÞRÍR.

‡**thrif-lēker**, *m.* activity, success.

‡**thwā**, two. *See* TVEIR; § 221.

‡**thwingæ (æth, ad)**, to oppress, subdue, 18/43, 20/42.

‡**Thyt(h)æsk**, German.

‡**thæn**, *dem. pron. See* ÞÆN.

‡**thær**, *rel.* who, that, 18/33, 61, 90.

‡**thær**; ‡**thæt**, ‡**thet** = ÞAR, ÞAT.

‡**thæthæn.** *See* ÞAÐAN.

‡**thōft**, *pp. as adj.* slow in action or wit, 18/99. [= OI. *þœfa (ð)*, to walk clumsily.]

‡**thōm**, **thēm** = ÞEIM.

tíð, *f.* time; *m.* in *i þann t.*, 4/9; § 87.

tíða (dd), *impers.* to desire, 12/90.

tíðendi, tíðindi, ‡**tīthændæ**, *n. pl.* events, 1/444; tidings, news, 1/229, 400, 13/39; *verða t.*, *vera* (or *bera*) *til tíðinda*, come to pass, happen, 1/418, 5/178.

tíðr, usual; happening, 11/42; *hvat er titt um þik?* what is the matter with you? 1/192; *tíð erum bók*, I often occupy myself with books, 16/147; **titt**, *as adv.* quickly, 1/189; ‡*aldrigh títh*, never, 18/49; *sem tíðast*, as fast as they could, 1/242.

tiginn, of high rank.

tigr = TØGR.

til, *prep. w. gen.* to, 1/39, 63, 348; in, 1/499; of, concerning, 2/75, 3/120, 9/194; on, 1/150; as, for, to obtain, 1/5, 12, 2/50, 5/22, 275; *gott* (or *ilt*) *til e-s*, well (badly) off for, 1/144, 5/6, 271, 8/10; (of time) until, to,

1/24, 9/104, 14/99, 18/65; *hér til*, up to now, 8/102; *þar til*, to this end, 2/128; *adv.* 1/17, 290, 2/7, 3/134, 5/450, &c.; *vera til*, be obtainable, 5/500; *er þat til*, this is to be done, 6/469; **til þess er, til þess unz,** *conj.* until, 1/399, 4/28, 5/331, 7/152; **til þess at,** in order to, 11/60; **þar til (er),** until, 5/33, 205, 6/272, 12/131; ‡**til,** *conj.* until, 20/12.

til, *adv.* too, 1/284, 11/69, 15/10, 16/29.

til-gørð, *f.* merit; provocation, 9/85.

‡**til-høra (dh),** ‡**til-hoyra,** to belong to, pertain to, 20/70, 21/70.

til-kall, *n.* claim.

til-kváma, *f.* importance, consequence.

til-lit, *n.* glance, look; *ilt t.*, look expressing dislike, 3/32.

til-skipan, *f.* arrangement; *hafa t.*, make plans, 5/299.

‡**til-sýkia,** to visit, resort to.

‡**t(h)íma (d),** to befall, 20/78.

tími, ‡**t(h)íme,** *m.* time, occasion; luck, 16/136; *um tíma*, for any time, 8/5.

tin-knappr, *m.* knob of tin or lateen.

‡**tíonde,** tenth, 20/72.

títt, ‡**títh.** *See* TÍÐR.

tíu, ten; **tíu tigir,** a hundred; § 46.

‡**tiughu,** twenty, 21/61.

tívar, *m. pl.* gods, 13/58; § 43.

tjá (ð), to help, avail.

tjald, ‡**tiald,** *n.* tent, canopy; pavilion, 18/89; *røðuls t.*, the heavens, 14/86.

tjalda (að), to pitch, set up (booth or tent).

toga (að), to pull; *fǫrum sem okkr fætr toga*, let us be off as fast as we can go, 14/14; *togask við (e-n)*, pull hard (against), 8/64, 81.

tók, *pa. t. sg.* of TAKA.

tólf, twelve.

tólfti, twelfth, 4/78 *n.*

tolla (að), adhere, stick (to).

torf, *n.* turf.

torfa, *f.* patch of grass or turf.

tor-fluttr, difficult to perform.

tor-føra, *f.* difficult part of a road.

tor-leiði, *n.* difficult journey.

tor-sóttr, difficult.

trað, *pa. t. sg.* of TROÐA.

trauðla, scarcely, hardly.

trauðr, unwilling, reluctant; **trautt,** *as adv.* scarcely.

traust, *n.* help, protection, support, confidence.

tré, *n.* tree; log, beam.

tré-maðr, *m.* scarecrow.

tregr, reluctant.

tré-telgja, *f.* wood-cutter (a nickname).

trjóna, *f.* pole, 5/344 *n.*

‡**trð,** ‡**trða** = TRÚ, TRÚA; §§ 196, 233.

troða, to tread, walk, go, 1/491 *n.*, 9/206 *n.*; § 130.

tróða, *f.* pole, stem of wood; *tróða marglóðar*, lady, 11/126 *n.*

trog, *n.* trough.

‡**trð-lekær,** faithful, loyal, 19/9.

tros, *n.* droppings, 1/203.

trú, ‡**trð,** *f.* faith, (Christian) religion.

trúa, *f.* good faith, troth; §§ 65, 93.

trúa, ‡**trða,** to believe, trust in; *t. afli*, trust in one's might, 14/84; § 143.

trú-liga, truly, thoroughly.

trúr, trusty, safe.

tryggr (van), trusty, true; safe; § 65.

trǫð, *f.* a treading; *pl.* lane between fences, 7/14 *n.*; § 87.

trǫll, *n.* troll.

‡**tú** = *tvau. See* TVEIR.

tugla-mǫttull. *m.* cloak with straps. [From Lat. **mantulus*.]

‡**tuldr** (*acc.* tull), *m.* toll.

túlka (að), to act as spokesman; *t. mál e-s*, plead one's case, 9/35. [MLG. *tolken*, from Slavonic.]

tún, *n.* enclosure, dwelling; home field, home meadow.

tungl, *n.* the moon.

tungl-skin, *n.* moonlight.

tuttugu, twenty.

tveir, two; § 107.

tvennr, twofold, of two kinds

tví-hólkaðr, mounted with a double ring.

tví-tugr, measuring twenty (stanzas), 9/95.

‡**twalf,** ‡twalfti = TÓLF, TÓLFTI.

týna (d), *w. dat.* to lose; forget, mistake, 16/146; *reflex.* be lost, perish, 6/18.

typpa (ð), to put a top on; *um hǫfuð t.,* wind a head-dress on the head, 13/67.

tyrfa (ð), to cover with turf.

‡**tyswar,** *adv.* twice.

tǫnn, *f.* tooth; § 89.

tøgr, *m.* ten; *hálfr fjórði t.,* half the fourth ten, thirty-five; §§ 40, 88, 107, 163.

U

ú-, as negative prefix, see Ó-; § 60.

‡**ufan,** *prep.* 21/24. See OFAN.

‡**ú-gildær,** unatoned, without compensation.

ugga, to fear; § 143.

ulfr, úlfr, ‡**ulv,** *m.* wolf; § 32.

um, ‡**om,** *prep.* (1) *w. acc.* around, 5/522, 8/65, 13/65; about, (all) over, in, 1/406, 2/104, 5/98, 7/273,·14/34, 20/19; past, through, 9/110; over, across, 10/41, 153; as regards, in, 1/266, 299, 3/137, 5/176, 6/248, 9/106; of, about, concerning, 1/228, 400, 5/114, 18/80; (of time), during, in, 1/41, 112, 3/92, 21/33; at a point of time, 5/197, 10/34; *um stund,* for a while, 5/174; *um þat er,* when, 9/160; *kominn um langan veg,* come from a long way off, 9/39; *um þveran háls,* over the ridge, 6/276; *um þvert gólfit,* across the hall, 3/38; *þar* (or *hér*) *um,* about this, 2/21, 3/54; (2) *w. dat. um sumrum,* in summer, 2/49, 5/214, and so in 5/472; (3) *adv.* round about, 1/327, 13/4, 14/71; concerning this, 8/55; *hvat um var* (*at vera*), what was going on, 6/492, 8/56; *um sinnsakar,* for this once.

‡**um,** *conj.* if, 20/64.

um-búð, *f.* preparation; *veita u.,*

make arrangement (to do a thing , 7/67.

um-búningr, *m.* outfit.

um-gjǫrð, *f.* scabbard.

‡**um-huxan,** *f.* reflection.

um-hverfis, *prep. w. acc. and adv.* around.

um-ráð, *n.* help, patronage.

um-rœða, *f.* talk, discussion.

um-sjá, *f.* care.

um-skipti, *n.* change; *u. er á orðit,* a decision has been reached, 6/799.

um-sýsla, *f.* assistance.

una, to be contented; enjoy, 14/134; *una illa e-u* (or *við e-t*), be illpleased with, 1/353, 6/505; § 143.

und, *f.* wound, 9/195, 209; § 87.

und, *prep. See* UNDIR.

undan, *adv.* from under; away; (thrown) down, 7/139; *prep. w. dat.* away from, out from, 5/227, 387, 6/389.

undar-liga, wondrously, strangely.

undar-ligr, wondrous, strange.

undinn, pp. of VINDA.

undir, ‡**undi, und,** *prep.* (1) *w. dat.* under, below, 1/173, 14/43, 16/65; *eiga undir sér,* have in one's power, be able to manage, 6/468; (2) *w. acc.* (after verbs of motion) under, 1/185; up to, 5/236; behind, 11/80; *niðr undir,* down into, 1/49; (3) *adv.* under (the shock), 13/52.

‡**undir-dáne,** *m.* subject, 20/35, 38. [MLG. *underdänich,* MHG. *undertáne.*]

undir-fǫrull, underhand, false.

undir-maðr, *m.* underling, dependant.

undr, *n.* wondrous thing, marvel.

undrask (að), to wonder at, be astonished (at).

ung-menni, *n.* youth, iii/12.

ungr, young; §§ 62, 105.

unna, not to grudge, to grant, allow, 6/453, 17/26; love (*e-m*), iii/3; §§ 66, 145.

unninn, pp. of VINNA.

unnr, *f.* wave, 1/482; § 87.

unz (from *und-es*), *conj.* until; *til þess unz,* until.

‡upá, *prep. w. dat.* on, 20/104 = *upp á.*

upp, ‡op, *adv.* up; *upp frá þessu,* from now on, 3/115.

upp-dyri, *n.* upper cross-piece of doorway, lintel, 8/82.

upp-haf, *n.* beginning.

upp-himinn, *m.* heaven, 13/8.

uppi, *adv.* up, raised up, 5/522, 7/16; above water, 21/2; *vera uppi,* live, be remembered, 7/94, 102, 9/64; be at an end, be used up, 12/44; § 152.

uppívǫzlu-maðr, *m.* a pushing, contentious man.

upp-reist, *f.* raising up, success.

upp-réttr, erect.

upp-runi, *m.* origin.

upp-stertr, elated, 'with his tail up'.

úr, *n.* drizzle; flakes of metal, 16/125 *n.*

urðu, pa. t. pl. of VERÐA.

‡ú-skæll, *n. pl.* unfair dealings.

út, *adv.* out; from abroad (see note to 4/66); *fara út í lǫnd,* go abroad (from Norway), 6/54.

útan, *adv.* from without; externally, 2/46; abroad, from Iceland, 4/66 *n.,* 5/5, 6/346; from Greenland, 5/107; *um útan,* around it, 2/103; *fyr útan, prep. w. acc.* outside, 13/17; beyond, 16/175; without, 4/4; útan,‡utæn, *prep.* beyond, 6/841; without, 19/18, 20/21; except, 18/62; *conj.* but, 20/11, 21/26; except, 20/57; § 152.

útan-ferð, *f.* passage abroad.

útan-lands, *adv.* abroad.

útar., farther out; útarst, farthest out.

útar-liga, far out; *setjask ú.,* sit near the door, 3/4.

út-burðr, *m.* exposure of an infant.

út-ganga, *f.* going out.

‡út-gift, *f.* payment; charge, 21/64.

‡út-giúta, to shed, make flow, 20/99; § 128.

úti, *adv.* outside; out at sea, 5/88; unsheltered, 8/105; § 152.

úti-búr, *n.* outhouse, shed.

úti-dyrr, *f. pl.* outer door.

út-lagi, *m.* outlaw.

út-lendr, *adj.* foreign.

út-lægr, exiled, outlawed.

‡út-lænninge, *m.* foreigner.

út-róðr (rar), *m.* rowing out to fish.

út-synningr, *m.* south-west wind, 5/54 *n.*

‡ú-witændhes, *adv.* unknowingly.

uxi, *m.* ox; § 92.

V

vá, vásk. See VEGA.

‡vaather, wet, 20/105.

vaða, to wade through, pass through, 14/36, 16/159; *v. fram,* charge onward, 11/87; § 132.

váð-áss, *m.* wooden pole or beam (for drying the washing).

váðir, *f. pl.* clothes, 16/94.

vagga, *f.* cradle.

vagn-karl, *m.* carter.

vágr, *m.* wave, sea; bay, creek, 5/437.

vág-skorinn, indented with bays.

vaka, *f.* vigil, 20/40.

vaka, to be awake, stay awake; watch; §§ 38, 143.

vakna (að), to wake up, 1/159, 13/1.

válað, *n.* poverty, destitution.

vald, *n.* power, control; ‡valdær, gen. 19/18.

valda, *w. dat.* to wield; be the cause of, cause, 11/125, 16/70, 124, 126; have authority in, have in charge, 19/20; § 148.

‡valdo, pa. t. of ‡vælia = VELJA.

val-dýr, *n.* carrion beast, wolf.

val-kyrja, *f.* valkyrie, chooser of the slain.

valr, *m.* the slain, 9/182.

val-slǫngva, *f.* war-sling.

val-tafn, *n.* the slain as prey.

val-tívar, *m. pl.* gods of battle, warrior gods.

†val-tæigr, *m.* 'hawk's ground', arm; *Hilldr v-s,* lady, 17/59 *n.*

ván, *f.* (1) expectation, 4/69, 5/89 *n.,* 15/22 (see VITA); *sem ván var,* as was to be expected, 1/132; *e-s er ván,* a thing is to be looked for, 1/67; *erumk vánir e-s,* I am expecting,

15/7; at *vánum*, to be expected, 6/418, 7/144; *vánu bráðara*, sooner than expected, 5/532; (2) probability, 1/249; (3) hope, 6/321 *n*.

vand-bálkr, *m*. partition or wall of wattle, 11/60.

vandi, *m*. obligation, 9/136.

vandi, *m*. custom, habit; *leggja e-t í vanða sinn*, make a habit of, 6/19.

vand-liga, carefully, completely.

vándr, difficult; *vant er at sjá*, one cannot know, 11/24; obliging; *mun oss vandara gǫrt*, it will be more incumbent upon us, 7/143.

vándr, bad, evil, wicked; § 106.

vand-ræði, *n*. difficulty, trouble.

van-farinn, in evil straits.

vangi, *m*. upper part of the cheek.

vani, *m*. custom, usage.

van-mátta, *indecl. adj.* ill; sore.

vanr, accustomed, 1/273.

vanr, *w. gen.* lacking, 9/208; *manns var vant*, a man was missing, 5/178; *saurs eigi vant viðr*, there was no lack of mud, 16/161; § 77.

vansi, *m*. harm, shame.

vanta (að), *impers.* to be lacking, *e-n vantar e-t*, someone misses something.

‡**van-trð**, *f*. unbelief, 20/51, 21/45.

vápn, *n*. weapon.

vápna (að), to arm; *reflex*, 6/748.

vápna-skipti, *n*. exchange of missiles.

vápna-tak, *n*. taking up of weapons at the end of the assembly, 6/523 *n*.

vápn-burðr, *m*. shower of missiles.

vápn-fœrr, capable of bearing arms.

vápn-lauss, weaponless.

var, ‡**war**, was; § 71. *See* VERA.

vár, *n*. spring.

vár, *gen.* of us, 5/31.

vara (að), to warn; *varask við*, avoid, shun, 16/79.

vara (ð), impers. *mik varði*, I expected, 1/322; *mundi mik annars v.*, I would have expected other treatment, 9/161.

‡**vara**, 20/74, 83 = VERA.

vára (að), *impers.* to become spring.

varða (að), to watch, guard against (*e-u*); be penalty, 4/129.

varða, *f*. cairn.

varði, *m*. cairn, iii/8.

varð-lokur, *f. pl.* song for attracting spirits, 5/511 *n*.

varð-maðr, *m*. watcher, warder.

varð-veita (tt), to keep, preserve.

varð-veizla, *f*. keeping; things in charge.

varg-ǫld, *f*. a wolf-age.

‡**variændi**, as defendant. *See* VERJA.

vár-kunn, *f*. what is to be excused, 7/107; excuse, 6/414; § 86.

varla, scarcely.

var-liga, scarcely, 1/383.

varmr, warm, 16/178.

varnaðr, *m*. warning.

varnaðr, *m*. goods, merchandise.

varnan, *f*. warning, 1/424.

varningr, *m*. wares, cargo.

varr, aware; *v. við*, aware of; *v. við, v. um sik*, on one's guard, 5/341, 7/148; *verða varr*, become aware of, hear, 6/241, 17/80; *varð ekki vart við þá*, nothing was seen of them, 5/371.

várr, *adj.* our, 4/1, 19/10; *mál várt Egils*, the case between Egil and me, 9/246; §§ 98, 110.

vart, scarcely; scantily, but little.

váru, †**vóro**, were; §§ 44, 71.

váru-t, were not, 9/208.

‡**varþær**. *See* VERÐA.

vas, older form of VAR; § 71.

vás, *n*. hardships (of bad weather), 5/119.

vas-a, was not, 9/187.

vásk. *See* VEGA.

vas-k-a, I was not.

vaskr, brave, bold, gallant.

vatn, ‡**watn**, *n*. water; lake; waterway, river, 21/31; § 12.

vatna (að), to be covered with water; *land var vatnat*, the land was out of sight, 5/33.

vatns-botn, *m*. head (upper end) of lake.

vátr, wet.

vátt-nefna, *f*. calling of witnesses.

váttr, *m*. witness, 4/96, 130.

vaxa, to grow; grow big, increase, 1/159, 5/60, 6/251 *n.*; *pp.* grown up, 16/29; *vaxinn e-u,* overgrown with, 4/23, 5/141; §§ 121, 132.

vé, *n. pl.* banner; § 46.

veðr, *n.* weather; wind; storm, 5/324 *n.*, 327.

vefja (vafði, *pp.* **vaf(i)ðr),** to wrap, 2/103, 7/269; entangle, 6/221.

vefr, *m.* web (in the loom); weaving, thrusting (of spears), 9/187.

vega, to lift; smite, fight, 1/493, 9/181; kill, slay, 4/61, 7/82, 217, 15/3; weigh, 10/96; *vegask,* fight, 1/75; § 131.

vegg-berg, *n.* wall of rock.

veggr, ‡**wægg,** *m.* wall, 18/47.

vegna, *gen. pl.* in *tveggja vegna,* on two sides; see note to 2/95.

vegr, *m.* honour, glory, 9/40, 44; § 80.

vegr, ‡**vægher,** *m.* way, road, journey, 1/229, 5/535, 16/91 *n.*; manner, way, 7/178; dimension, direction, 1/443, 5/190, 447; *þann veg,* thus, so, in that way, 5/415, 7/175; *annan veg,* otherwise, 1/229; *einn veg,* in the same way, 6/297; ‡*þan wegin,* in the same way, 21/70; §§ 80, 87.

veiði-ferð, *f.* fishing expedition.

veiði-for, *f.* hunting expedition.

veiði-konungr, *m.* hunting king.

veiði-maðr, *m.* huntsman.

veiðr, *f.* hunting, fishing; catch, 10/55.

veifa (ð), to wave, swing.

veina (að), to wail, cry out.

veit, veizt. See VITA.

veita (tt), ‡**wēta (ath),** ‡**waita,** to grant, give, 2/3, 9/23, 157, 11/36, 21/66; help, 6/426, 448; pay, yield, 18/76; *v. e-m atgongu,* assault, 1/32; *v. e-m áreið,* charge with cavalry against, 17/66; *v. e-m bana,* be the slayer of, 17/47; *recip.* back one another, 9/158.

veizla, *f.* feast, banquet.

vekja (vakti, ‡**vekte),** to waken, rouse 1/105, 11/16, 20/73; § 139.

vek-k, I wake; **vek-k-a,** I do not wake.

vel, *adv.* well, readily, easily, gladly; *vel kominn,* welcome; *vel at sér,* nobleminded, 7/176; intens. *vel flestir,* almost any, nearly all, 16/142; *vel hvat,* everything, 15/16.

vél, *f.* artifice; § 83.

véla(t), *v.um,* to deal with, 8/6.

velja (valdi, *pp.* **valiðr),** to choose.

vella (d), to boil.

velli, vellir. See VOLLR.

veltask (lt), to roll over.

venja (vandi), to accustom; train, 2/48; *af venjask,* cease one's customary practice, 8/19.

†**venna,** *n. compar.* See VÆNN.

ver, *n.* sea, 9/171.

vér, ‡**wī,** *pron.* we; I; §§ 108, 164.

vera, vesa, ‡**waræ,** ‡**vara,** ‡**værae,** to be; stay, 1/232, 6/231, 12/78, 131; be done, 1/271, 7/126; happen, 7/132, 133; *þat var þá, er . . .,* it happened, when . . ., 5/244, and similarly 1/1, 54, &c.; *sem þú ert,* such as you are, 6/263; *hvat mín ráð eru,*what my counsels are worth, 6/457; *þau hafa upphof verit,* these were the beginnings, 4/33; *vera af, at, eptir, með, til, um, uppi, við:* see under these adverbs; §§ 148, 165.

verð, *n.* worth; price, 12/25.

verða, ‡**warþa,** (1) to happen, come to pass, take place, 1/42, 415, 454, 4/111, 5/376, 6/250, 260, 7/60, 14/80, 17/83; *v. í,* happen, 6/508; *ekki verðr af oss,* nothing comes of our efforts, 7/45; *v. af e-u,* happen to, become of, 8/10; *ekki mundi okkr til orðit,* nothing (i.e. no trouble) would have arisen between us, 6/193; (2) *v. e-m,* befall, happen to, 5/136, 6/412; *v. e-m ilt af,* be made ill by, 5/289; *varð þeim þat fyrir,* it happened to them, 5/148; *fé þeira varð* (impers.) *vel,* their cattle did well, 5/274; *at því mun morgum verða,* it shall happen to many accordingly, as many shall learn to their cost, 8/102; *v. e-m til langæðar,* be one's lot for long, 5/535; (3) chance to be; *v. fyrir,* come in the way of, come under,

9/97, 252, 11/50; *nú er d orðit mikit
fyrir mér*, now I have come into a
great difficulty, 12/66; *varð fyrir
þeim mǫrk*, they came upon a
forest, 1/142; (4) become, turn out
to be, result in, 1/144, 455, 4/5,
5/262, 6/255, 8/136, 9/127, 21/12;
v. satt, be proved true, 4/122; *v. at
e-u*, become; *v. e-m at bana*, be the
death of, slay, 1/459; *at bǫnum
verðask*, slay each other, 1/410; *v.
at því ósætti*, come to such a dis-
turbed state, 4/112; *v. víss e-s*, find
out, ascertain, 5/505; (5) change,
14/46; (6) be, 1/43, 374, 420, 4/68,
5/200, 290, 371 (see VARR), 400,
10/114; *verðið vel við*, keep up
your hearts, 7/243; *v. við (e-u)*,
respond to, 6/394; *v. vitlítill við*,
to act foolishly about; (7) *w. infin.*
be obliged to, have to, 3/95, 6/189,
7/194, 220, 9/85 *n.*, 12/44, 16/135,
iii/11; §§ 45, 129.
verðr, worth; fitting, 9/128; *v. e-s*,
worthy of, deserving, 4/424; *minna
vert*, less wonderful, 1/379; *þótti
mikils um vert um þetta verk*, it
seemed a deed of great account,
8/122.
verðung, *f.* king's men, 16/120.
ver-gjǫrn, *f. adj.* mad after men,
13/54.
verja (varði, *pp.* var(i)ðr), to lay
out, invest (*e-u*), 12/194; impers.
er bezt varit í Nóreg, which is of
the greatest value to bring to
Norway, 12/178.
verja (varði), to defend, 1/153,
7/90; protect, 16/45; *v. e-m e-t*, hold
a place against, keep one away
from, 4/86; *reflex*, 6/793, 7/40.
verk, *n.* work; deed.
verk-maðr, *m.* labourer.
verknaðr, *m.* work.
verma (d), to heat.
verpa, to throw; deal out, 9/225;
inlay (runes), iii/2; *v. haug*, build
up a mound (over the dead); § 129.
verr, *m.* man, husband, 16/113; § 32.
verr, *compar. adv.* worse; **verst**,
worst; § 153.

verri, *compar. adj.* worse, 2/96,
17/44; *hit verra*, the worse course,
evil, 5/218; **verstr**, ‡**værster**,
worst, 20/92.
ver-ǫld, *f.* world.
vesa, earlier form of VERA.
vesall, wretched, miserable; *v. e-s*,
hapless in, wretched in respect of,
3/12 (exclamation of impatience),
14/124.
vesal-ligr, mean-looking, ill-
favoured.
vesl, 16/29 = *vesǫl*, f. *See* VESALL.
vestan, from the west; **fyr(ir)
vestan**, *prep. w. acc.* west of; *fyrir
v. haf*, west over the sea, iii/5;
fyrir v., westward, 5/327; *v. at
ánni*, on the west side of the river.
vest-firzkr, from the west-firth dis-
trict of Iceland.
vestr, *n.* the west; *adv.* westwards.
vestr-ætt, *f.* the west.
vetr (rar), *m.* winter; *í vetr*, last
winter, 17/21; §§ 75, 77, 89, 157.
vetrar-dagr, *m.* day of winter,
1/16 *n.*
vetr-gamall, a year old, 16/62.
vetr-grœnn, green in the winter,
16/139.
vetr-vist, *f.* lodging for the winter.
véurr, *m.* protector; *Miðgarðs véurr*,
Þor, 1/503.
vexti. *See* VǪXTR.
við, viðr, ‡**with(ær)**, ‡**wiþr**,
‡**vidh(er)**, *prep.* (1) *w. dat.* reach-
ing to, against, 1/429, 8/53; to-
wards, at, to greet, 7/36, 16/58; (of
contest, protection, &c.) with,
against, 1/86, 3/18, 5/119, 7/194;
in reply to, 13/106; in exchange
for, 12/25, 16/89; *þar við*, for it,
12/27; with, by, 2/1; (2) *w. acc.*
(together) with, 1/8, 4/26; (in com-
pany) with, 5/249; by, close to,
against, 1/507, 5/428, 9/108, 21/28,
beside, 8/111; at, 5/171, 432,
10/100, 16/21, 18/21; against,
upon, 5/328, 12/182; leaning
against, 10/163, 11/116, 129; to-
wards, to meet, 1/360, 2/3; to,
1/15, 65, 473, 2/27, 3/71, 6/199;

respecting, towards, 4/101, 6/262, 428, 9/43, 255; because of, upon perceiving, 2/117, 7/83, 146; by means of, 9/230; equal to, 6/519; (of contest) against, with, 1/247, 329, 3/76, 6/220; (of time) towards, at, 9/173, 14/2; *þar viðr*, in addition to that, 4/3; *þar við*, against it, 11/61; *er* . . . *við*, on which, 10/105; *við þat*, for that purpose, 12/161; thereupon, 4/64; (3) *adv.* at this, thereupon, 7/20; back, 7/212; against, 8/70; at it, 7/46; *við innan*, inside, 5/483; †*var viðr sialft*, it was a near thing, they came near to, 17/96.

viða (að), to provide with wood; *v. heim ǫllum sumarviði*, bring in all the summer wood.

víða, widely; compar. *víðara*, farther.

viðar-kǫstr, *m.* pile of wood.

við-fǫng, *n. pl.* supplies.

víðir, *m.* the sea, 1/105.

viðr, *m.* tree, 1/419, 14/43; beam, 8/83; forest, 4/23, 5/48; wood, 2/8, 116, 5/51, 7/25.

viðr, *prep. See* VIÐ.

víðr, wide.

viðr-eign, *f.* dealings, encounter.

viðr-taka, *f.* reception, defence.

við-skipti, *n.* dealings.

við-taka, *f.* reception.

vif, *n.* woman; wife, iii/3.

víg, *n.* fight, battle; killing, manslaughter.

víga-ferli, *n. pl.* manslaughters.

víga-maðr, *m.* fighter.

víg-djarfr, bold in battle.

vigg-ruðr, *m.* 'horse-tree', horseman; *vágaviggruðr = ruðr vágviggs*, tree (man, rider) of the steed of the waves, seafarer, 11/39. *See* 5/308 *n.*

vígja (ð), to hallow, consecrate, 1/122, 13/125, iii/11; lay a spell on, 14/88.

vígr, able to fight; *er vígt var at*, whom it was permissible to slay, 10/52.

víg-reifr, rejoicing in battle, 11/65.

vík, *f.* turn(ing), 6/445 *n.*

vika, *f.* week; *viku fyrr*, a week earlier, 4/76.

víkingr, *m.* viking, pirate.

víkja, to move, turn, 12/108, 17/81; *víkjask við*, respond, take action, 6/494; *þat víksk eigi*, that is certain, 11/38; § 127.

vilðar-maðr, *m.* favourite, favoured retainer.

vilgi, *adv.* very.

vili, *m.* will, desire, disposition; § 92.

vilja (vildi, *pp.* viljat), to will, wish, be willing; intend, 1/286; *v. e-t e-m*, desire a service of one, 11/6; *v. at e-m*, wish to attack, 16/45; *vil-k-at*, I do not wish, 4/82; impers. *oss vill ekki annat*, we shall get nothing else, 6/314; §§ 148, 165.

vill-hyggjandi, *pres. p.* bewildered, deluded.

villi-eldr, *m.* wild-fire, flame.

villr, erring, astray; *vasa v. staðar*, was rightly placed; § 66.

villtr, *pp.* astray, foolish, iii/2.

víl-mǫgr, *m.* wretched thrall.

vín, *n.* wine. [From Lat. *vīnum*.]

vinátta, *f.* friendship.

vín-ber, *n.* grape; § 81.

vinda, to twist, turn, wind; *v. segl*, hoist sail; § 129.

vind-áss, *m.* 'winding-pole', windlass.

vindr, *m.* wind.

vind-ǫld, *f.* an age of storm.

vinna, to work, perform, do, 2/128, 6/432, 11/11; win, gain, 1/258, 20/57; conquer, overcome, 7/170, 322, 8/114, 18/14, 70, 20/61; *v. (til)*, accomplish, 3/145, 148, 9/177 *n.*; *ekki fyrir unnit*, nothing had been done to provide for it, 5/271; *vinnask til*, last, suffice, 1/290, 383; *v. sóma fyrir*, pay recompense for, 6/433; §§ 63, 129.

vinr, *m.* friend; patron, leader, 14/13; §§ 76, 87.

‡**vin-skaper**, *m.* friendship, 20/21.

vinstri, *compar. adj.* left.

vin-sæld, *f.* popularity.

vin-sæll, popular.

‡**vintir**, 20/48 = VETR; § 197.

vín-viðr, *m*. grape-vine.

virða (ð), to estimate; conclude, 5/413; esteem, regard, 7/232; *v*. *e-n engis*, show no honour to, 7/184; *refl*. be honoured, esteemed; seem, 6/642.

virðar, *m*. *pl*. men, 14/88.

virðing, *f*. honour, respect, reputation.

virðu-ligr, honourable, magnificent.

virki, *n*. stronghold.

vísa, *f*. verse, stanza.

vísa (að), to direct, show, guide, 1/341; ‡*wisa bort*, send away, 21/35.

vísi, *m*. leader, prince, 9/177.

vísinda-kona, *f*. prophetess, sibyl.

víss, certain; wise, 20/16, iii/12; *til viss, fyrir víst*, for certain, 1/44, 8/8; *at vísu*, certainly, 5/194; *vita hvers víss yrði*, find out for certain, 7/30; *veggbergs vísir*, knowing the precipice, frequenters of the rocks, 1/479; *víst*, certainly, in truth, 3/110, 7/188, 9/177.

vissi. *See* VITA.

vist, *f*. food and lodging, 12/3; employment, service, 6/68; *vera á vist með e-m*, stay with one, 6/347; § 87.

vit, we (two); §§ 108, 164.

vit, *n*. wit, wits.

‡vita, *f*. right of taking witness.

vita (vissi, *pp*. vitaðr), (1) to know, be aware of, be certain of, 1/286, 357, 2/120, 123, 7/212, 13/54; understand, 1/127, 16/82; *vitu þér enn*? do you know now? 1/479; *v. ván e-s*, expect, 5/89 *n*.; *hans erumk ván vituð*, I am expecting him, 15/22; *má ek þat eigi vita*, I cannot bear (to know) that, 6/461, 12/125; *þat veit trúa mín*, upon my faith, 1/356; *vita fram*, see into the future, 13/61; (2) know of, have heard of, 9/62, 13/7, 16/104; *v. til*, know of, 3/120; (3) find out, see, 3/60, 5/475, 6/394, 7/30, 37; (4) be turned in a certain direction; *v. upp*, be turned up, 1/200 *n*.; (5) *pp*. ascertained, proved historical,

16/12; appointed, marked out, 1/512; § 144.

vítis-horn, *n*. sconce-horn.

vitja (að), *w*. *gen*. to go to, visit, 6/471; *vera at v*., to be found, 5/208.

vit-lítill, having little good sense.

vitni, *n*. witness, 1/20, 19/7.

vitr (ran), wise; § 96.

‡vixla, to consecrate, 19/18 *n*.

vizku-munr, *m*. difference of wits, understanding.

†vón, 17/101 = VÁN.

†vópn, †vóro = VÁPN, VÁRU.

vreiðr, 13/1 = REIÐR; §§ 63, 189.

‡vrækæ = REKA; § 219.

‡vægher. *See* VEGR.

væla (að), see VÉLA.

‡væmpte sik, *pa*. *t*. armed himself, 20/89.

væng̃r, *m*. wing; § 87.

vænkask (að), to bid fair, take a good turn, 8/23.

vænn, likely, fair to behold, handsome, beautiful, 2/25, 16/26; *Þjálfa* (dat.) *var eigi vænt*, Þ. could not be expected, 1/372; †venna, *compar*. more likely, probable, 17/11; *superl*. *vænstr*, most likely, 6/377; §§ 96, 105.

vænta (t), *w*. *gen*. to expect, 3/113, 9/144, 18/99.

væri, pa. subj. of VERA.

væta (tt), to wet, stain, 20/45.

vætr, *n*. *indecl*. nothing; *adv*. not at all, 13/107; §§ 51, 75, 77.

vætta (tt), *w* .gen. to hope, expec 5/273, 11/34 = vænta.

vættfang, *n*. scene of action, battlefield.

vǫllr, *m*. level ground, ground, 1/253, 7/35; plain, 1/397, 512; field, 16/94; *v. brimils*, the sea, 9/190 *n*.; § 88.

vǫlva, *f*. prophetess; witch, 2/126, 5/470; § 93.

vǫrð, *f*. wife, 16/112; § 87.

vǫrðr, *m*. guard, watch.

vǫrn, *f*. defence.

vǫxtr, *m*. growth, stature, form; § 88.

W

‡w-. *See* v-.
‡waghn, *m.* wagon, cart.
‡wāgr, iii/16. *See* VÁGR.
‡waita, 21/66. *See* VEITA.
‡wal-rauvaʀ, *f. pl.* spoils taken from the slain, iii/12.
‡wantæ, *m. pl.* gloves, 18/51.
‡warþa, 21/12. *See* VERÐA.
‡waræ, 18/32. *See* VERA.
‡wāþi, *m.* peril, 21/55.
‡wē, *n.* temple.
‡wenær, *m. pl.* VINR.
‡wereldi, *m.* wergild, the legal value of a man's life, 21/55.
‡weth, 18/33. *See* VIÐR, *m.*
‡wēt-wangʀ, *m.* field of battle, iii/12.
‡wētæ. *See* VEITA.
‡wī, *pron.* we = VÉR.
‡wī, 21/43. *See* ‡WĒ.
‡wilghæ, 18/58. *See* VILI.
‡with(ær), ‡wiþr, *prep.* = VIÐR, VIÐ.
‡wiþr-ātta, *f.* dispute, 21/37.
‡wordho, ‡wordhin, = urðu, orðinn. *See* VERÐA.
‡wōrthæ-lōs, bewildered, 18/26 *n.*
‡wōræ, (1) pa. subj. of waʀæ (§192); (2) = VÁRU; § 210.
‡wrōngær, ‡wranger, wrong, unrighteous, 18/41, 20/26; §§ 213, 219.
‡wæggæ. *See* VEGGR.
‡*wæi-mærr, of ill fame, iii/9.

Y

ý-bogi, *m.* yew-bow.
yðr, *pron.*, see § 108.
yð(v)arr, *adj.* your; §§ 98, 110.
yfir, *prep.* (1) *w. dat.* above, 1/202; over, at, 9/32; (2) *w. acc.* over, across, 1/139, 8/54; upon, 7/270.
yfir-bragð, *n.* appearance, demeanour; *vel í y-i*, of distinguished appearance, 6/326.
yfir-bœtr, *f. pl.* compensation, 1/89.
yfirferðar-illr, difficult to cross or travel over.
yfir-maðr, *m.* leader, chieftain.
ykkarr, *adj.* your, of you two; § 110.

ykkr. *See* §§ 77, 108.
ýla (d), to howl, yell.
ýmiss, various; *í ýmis setin*, from one *set* to another, i.e. away from each bed-space to the next, 8/69; ýmist, *as adv.* variously, by turns, 5/174.
ymja (umdi), to wail, groan, 1/475.
ymr, *m.* humming sound; groaning.
yngri, yngstr. *See* UNGR.
ynni. *See* VINNA.
ýr, *m.* yew-tree; bow of yew, 9/221.
‡ÿr, 21/8. *See* ÓR.
yrði. *See* VERÐA.
yrkja (orti), to work; compose (verses); § 140.
‡ÿterster, last; ‡*at ÿtersto*, finally, 20/16; § 106.
yxen, ‡yxæ, *m. pl.* oxen. *See* UXI.

Þ

þá, 9/99, 12/5. *See* ÞIGGJA.
þá, then; *þá ok þá*, at nearly every moment, 3/41; *þá er*, *conj.* when.
þaðan, thence; concerning it, 1/402; *þ. af, þ. frá*, thereafter, 6/450, 9/145.
þagall, silent; § 61 (4).
þágu, pa. t. pl. of ÞIGGJA.
þak, *n*, thatch, roof.
þakka (að), to thank (*þ. e-m e-t*).
þan, than, iii/4 *n.*; ‡*fyr þan*, before, until, 21/52 = *fyrr en*.
þangat, thither; *þ. til*, till that time, 4/76; *þ. til ér*, until, 6/487; § 152.
‡þan(n), *f.* ‡þaun, *n.* ‡þet, *dem. pron.* that, they; *pl. also pers. pron.* they: ‡þair, *n.* ‡þaun. *See* ÞÆN.
þannig, thither, in that way.
þann-si. *See* SÁ-SI.
þar, *adv.* there, in that place; *þar er, þar sem*, where; whereas, although, 12/70; since, seeing that, 5/31; *þar til (er)*, until, 5/33, 205.
þarf. *See* ÞURFA.
þarfr, necessary, useful; *superl.* 6/71.
‡þāʀ, iii/12 = *þær*; see ÞEIR; § 192.
þat, *n.* sg. of SÁ.
‡þau, 21/49 = ÞÓ.
þaut, pa. t. sg. of ÞJÓTA.

Glossary 399

þegar, *adv.* at once; þegar (er), þegars, as soon as, 1/343, 5/32, 157, 18/92.

þeginn, pp. of ÞIGGJA.

þegja, to be silent; § 143.

þegn, *m.* servant, iii/11.

þeir, ‡þē(r), ‡þair, *pron. pl.* they; §§ 37, 109.

þekja, *f.* thatch, roof.

þekkja (ð), to notice, 12/106; recognize, 13/127; *refl.* accept, 12/78.

þengill, *m.* lord, king, 9/239.

†þenn, 17/7 = þann. See SÁ.

þér, (1) = ÉR, you; (2) dat. sg. of ÞÚ; §§ 108, 164.

††þer = ÞAR.

‡þēr, *pron.* they, 19/5; those who, iii/13. See ÞEIR.

þessi, sjá, this; § 111.

þet = þat; see SÁ.

þeygi, yet not, 16/71 = þó eigi.

‡þeþan = ÞAÐAN.

‡þiauþ, *n.* person, 21/23; § 227 (7).

þiggja, to accept, receive; þ. e-n undan, get one released, 4/67; § 131.

þilja, *f.* planking; deck.

þing, ‡thing, *n.* meeting, assembly; thing, 18/56, 20/69.

þing-deila, *f.* suit at the þing.

þing-djarfr, bold in battle.

þing-há, *f.* assembly-district.

þing-maðr, *m.* a liegeman who goes with his goþi to the þing, 6/635.

þingmanna-leið, *f.* route taken to the þing.

þing-reið, *f.* riding to attend the þing.

þing-vǫllr, *m.* ground where the þing is held, assembly-field.

‡þingæt, thither, 19/6.

þinn, thy, your.

‡þissi = ÞESSI; ‡þinna = þenna.

þit, *dual pron.* you two; §§ 108, 164.

þjá (ð), to enslave, 5/329; § 142.

þjó, *n.* thigh.

þjóð, *f.* race, nation, people.

þjóðann, *m.* prince, ruler.

þjóna (að), to serve.

þjónustu-maðr, *m.* servant.

þjóta, to resound; rush, flow; § 128.

þó, 3/25, pa. t. sg. of ÞVÁ.

þó, ‡þau, *adv.* nevertheless, yet, 1/278, 21/49; if, 12/142; þó at, þótt, *conj.* though, even if; (seeing) that, 6/427, 510; þó . . . at, 13/14, 15; §§ 64, 230.

þófi, *m.* felt; saddle-pad.

þoka, *f.* fog, mist.

þola, ‡þula, to endure, suffer; tolerate, 20/26, 21/26; § 143.

þora, to dare, 18/23; § 143.

‡þor-móðr, bold of heart, iii/12.

þorrinn, pp. of ÞVERRA.

þótt = þó at. See ÞÓ.

þótti, pa. t. of ÞYKKJA.

þóttumk, 1/100 = þótti mér.

þrá, *n.* obstinacy, persistence.

þrausk, *n.* rummaging.

þraut, pa. t. sg. of ÞRJÓTA.

þreifa (að), to feel with the hand, 2/104; *refl.* grope, 13/4.

þrek, *n.* fortitude, strength.

þrek-lauss, without fortitude, pithless.

þrek-ligr, stout of frame.

þrek-mikill, stout of heart.

þrek-virki, *n.* work of strength.

‡þrettáundi, thirteenth, iii/12.

þré-vetr (ran), three years old.

þreyja, to desire, suffer love-longing; § 139.

þreyta (tt), to strive hard, 1/223, 302; contend, 1/270, 368.

þriði, third; § 107.

þriðjungr, *m.* third part, riding, 8/46, 21/18, 46.

þrífa, to grasp; þ. i e-t, þ. til e-s, lay hold of, 3/13, 6/405, 8/58; § 127.

þrimr, þremr = þrim. See ÞRÍR.

þrír, three; §§ 107, 207.

þrjóta, *impers.* to fail; hann (acc.) þraut ørindit, breath failed him, 1/281; § 128.

þróask (að), to increase, grow, 9/233.

þroski, *m.* full development of strength.

þróttigr, strong, mighty.

þrótt-lauss, pithless, feeble-hearted.

þrúðugr, doughty, strong.

þrymja (þrumði), to lie, welter, 9/190.

þrymja (þrumði), to resound, thunder.

þræll, *m.* thrall, slave.

þræta (tt), *w. gen.* to deny, argue.

þrǫmr, *m.* edge, rim (of shield), 9/183.

þrǫngr (van), close together.

þrøngva (ð), press, push, 6/499 (*impers.*); § 139.

þú, *pron.* thou, you; §§ 53, 108.

‡þula = ÞOLA.

þumlungr, *m.* thumb of glove.

þungr, heavy; difficult; *þungt ganga*, go badly, 7/321; *e-m er þungt í skapi*, one is heavy-hearted, 6/304.

þunn-skipaðr, thinly manned, in thin array.

þunn-vangi, *m.* temple (of head).

þurðr, *m.* diminution.

þurfa, ‡thorfua, to require, need; *þ. e-s (við)*, ‡*th. e-t vidher*, stand in need of, 6/363, 474, 20/33; impers. *þarf*, it is necessary, 1/126, 5/520; §§ 145, 157.

þurftugr, in need.

þurr, dry.

þurs, *m.* giant, ogre.

þurs-ligr, like a giant.

þú'st = *þú est*, thou art.

þúsund, *f.* thousand; §§ 107, 163.

þvá, to wash; § 132.

þvengr, *m.* thong, lace; *leiðar þ.*, 'thong of the road', serpent, 16/173.

þverr, *adj.* athwart; adverse, contrary; *um þ.*, across, 3/38, 6/276, 10/114; *þvers*, athwart, abruptly, 1/216.

þverra, to diminish; § 129.

þver-tré, *n.* cross-beam; *see* 8/41 *n.*

þver-þili, *n.* transverse partition, near the entrance of the hall, 8/41 *n.*

því, ‡þ¥, þí, ‡þī, n. dat. sg. of SÁ; *as adv.*, for this reason, because of this, 6/386; (by) so much, 1/255, 8/93, 17/27; *at því*, on such a condition, 6/213; *því . . . því*, correl. with compars., the . . . the, 1/334–

5; *þat mun því at eins, ef . . .*, that will only be so, if . . ., 5/87; *í því*, at this moment, now, 7/17, 8/64, 17/111; *í því er*, at the moment when, 8/87; *meðr því*, thus, 17/106; því at, þvít, *conj.* since, because, for. *See* FYRIR, NÆR.

því-líkr, such.

þvít = *því at*. *See* ÞVÍ.

‡þ¥, þ¥ = ÞVÍ.

þykkja (þótti), to seem, be thought, 12/195, 16/25; *e-m þykkir*, seems to one, one thinks, 1/259, 2/125; *þykki(r) mér, þykkjumk*, seems to me, I think, 1/262, 4/82, 6/463, 14/22; *er eigi mun lítilrædi þykkja í*, who would not think it beneath his dignity, 1/328; *þ. e-m mikill*, affect one greatly, 5/25; *impers.* it seems, 1/309, &c.; *e-m þykkir fyrir*, one is unwilling or fearful, 12/104; *mér þykkir fyrir í*, I am displeased, 12/84; *hversu henni þykki þar um at litask*, what she thought of what she had seen there, 5/503; *refl.* seem to oneself, think (of) oneself, 6/212, 16/92; *Þórr þóttisk skilja*, Þór thought he understood, 1/157, and so in 2/84, 3/29; *er þér þykkizk vera við búnir*, which you think you are endowed with, 1/231; *þóttisk sjá*, he thought he perceived, 5/78; §§ 49, 108, 140.

þykkr (van), thick; *sem þykkvast*, as close as possible, 7/201.

þylja (þuldi), to recite.

þyrma (d), to show respect or mercy to (*w. dat.*).

þyrstr, thirsty.

þytr, *m.* howling.

‡þ¥tti, 21/8 = *þótti*. *See* ÞYKKJA.

Þ¥zka, *f.* the German language.

‡þæim-si, iii/14. *See* SÁ-SI.

‡þæn, ‡thæn, *dem. pron.* this, the, 18/5, 20/40; ‡*þæn sum*, one who, such as, 19/25; § 224.

þǫgn, *f.* silence.

þǫkk, *f.* thanks; § 87.

Æ

æ, alas! 16/29.

æ, ‡ē, ever, always; *ē oc ē*, for
ever.
†**æcke** = EKKI.
‡**ædle**, *n.* origin, extraction, 20/3.
æðra, *f.* fear, despair; ˏwords or
sounds of despair, 7/243.
‡**æfter**, after = EPTIR.
ægir, *m.* the sea; *Óðins æ.*, poetry,
poem, 9/238.
†**æggia**. *See* EGGJA.
‡**æi** = EIGI; †**æi**, 17/105 = EY,
ever.
†**æighi**, †**æinn**. *See* EIGI, EINN.
†**ækkia**, †**ælli**. *See* EKKJA, ELLI.
‡**ællæ**, ‡**ællær**. *See* ELLA, ELLAR.
‡**æltæ**. *See* ELTA.
‡**æn**, (1) = EN, than; (2) = EN, but,
and; (3) 20/44, iii/12 = ENN.
‡**ængæn** = ENGI.
†**ænn**, 17/19 = ENN.
‡**æpte(r)**, *prep.* after, 20/109; *adv.*
afterwards, 20/68 = EPTIR.
‡**æptedøme**, *n.* example, 20/14.
‡**ær**, (1) 19/12 = ER, who; (2) = ER,
is.
‡**ærue**, 18/87 = ERFI.
æsta (t), to ask for, request.
ætla (að), (1) to think, consider (to
be), 1/211, 2/53, 102, 7/169, 12/34;
(2) expect, look for, 7/261, 8/66;
æ. til, count upon, believe, 3/141;
(3) intend (to do), purpose, 1/297,
2/119, 3/43, 7/193, 12/38; *æ. til*,
intend to go to, set out for, 5/80,
410, 12/15; *æ. til fundar við e-n*,
intend to meet one, 12/97; *refl.*
æ-sk fyrir, intend, 1/397; (4) *pp.*
fated, 5/125, 7/23, 8/98.
‡**æt-lēþæ**, to adopt, 19/22.
ætlun, *f.* estimate, opinion.
ætt, *f.* direction, point of compass,
1/404, 5/36; family, lineage, de-
scent, 5/537, 11/15, 20/3; race,
13/129; *í ætt Vǫlsunga*, like the
race of the Vǫlsungs, 2/25; § 87.
ættaðr, *pp.* descended; *hvar hann
var æ.*, what was his origin, 6/336.
ættar-tala, *f.* genealogy.
ætti. *See* EIGA.
ætt-leifð, *f.* patrimony.
æva, never, 16/99.

ævi, *f.* age, time; life; life-story,
11/134; § 16.

Q

Qðlask (að), to win, earn, 13/120;
§§ 230 (2), 233.
ǫfugr, turned the wrong way; back-
wards, 8/82.
ǫl, *n.* ale, beer.
ǫldungr, *m.* hero.
ǫl-ker, *n.* ale-cask.
ǫll, **ǫllu**. *See* ALLR.
ǫl-teitr, merry with ale, in good
spirits.
ǫnd, *f.* breath; soul.
ǫndóttr, fiery, terrible.
ǫndur-dís, *f.* skiing goddess, god-
dess of the skis.
ǫndur-goð, *n.* the deity with skis.
ǫnd-verðr, *adj.* in the beginning of.
ǫnnur, *See* ANNARR.
ǫr, *f.* arrow; §§ 63, 85.
ǫrn, *m.* eagle.
ǫrr (van), swift, bold, keen, 11/86,
16/144; liberal, open-handed,
16/133.
ǫrskots-helgr, *f.* sanctuary within
arrow-shot of a home, *í ǫrskots-
helgi*, within arrow-shot. § 84.
ǫrvendr, left-handed, 11/71.
ǫsku. *See* ASKA.
†**ǫuðit**, 17/106. *See* AUÐIT; § 188.
†**ǫuðr**, *m.* treasure, iii/5.

Ø

‡**øf-ríkt**, *f.* too great wealth, 20/32.
‡**øft**, ‡**øgha**. *See* EPTIR, AUGA.
‡**øk**, *n. pl.* work-horses, team of
horses, 18/32.
‡**økilse**, *f.* increase, 20/15.
ørendi, **ørindi**, *n.* errand, message,
mission, 4/94, 5/83, 9/10; the re-
sult of one's mission, 1/80, 13/38,
43; § 71.
ør-grandr, honest, fair-minded.
ør-indi, *n.* breath, 1/281, 290.
ør-uggr, safe, secure; 1/4; trusty,
iii/2.
ør-viti, *weak adj.* out of one's senses
14/57.

ør-vænn, unlikely.
ør-œfi, *n.* open, harbourless coast.
‡öster-ríke, *n.* the eastern kingdom, Wendland or Russia.
øx, *f.* axe; § 84.
øxn, pl. of UXI.

Œ

œðask (dd), to become frantic.
œðri, higher (in dignity).
†œfre, 17/104. *See* EFRI.

œgis-hjálmr, *m.* 'helm of terror'; *bera œgishjálm yfir e-m*, to intimidate, teırorize.
œpa (t), to cry out; §§ 63, 72.
œrinn, sufficient, enough; œrit, *as adv.* 1/226, 3/32.
œrr, mad, frantic.
œska, *f.* youth.
œxa (t), to cause to increase, 9 195.
œztr, *superl.* highest, noblest; § 106.

INDEX OF NAMES

All the proper names, but not all their occurrences, are here indexed, with references to texts and grammar as in the Glossary. References to the maps are added to place-names, and are put at the end of the entry. The roman numeral identifies the map in which the name is to be found: for map I, see p. xvii; II, p. 116; III, at the end of the book. The letter and arabic numeral give the section of the map where the name is to be found.

Viking ship from the Bayeux Tapestry